L'ÎLE DU SERMENT

Titre original :
Entry Island
© Peter May, 2014

© Éditions du Rouergue, 2014
pour la traduction française
ISBN 978-2-330-06683-3

PETER MAY

L'ÎLE
DU SERMENT

roman traduit de l'anglais
par Jean-René Dastugue

BABEL NOIR

Pour Dennis et Naomi.

Gus am bris an latha agus an teich na
sgàilean
(Jusqu'à ce que le jour se lève et que les
ombres s'enfuient)

Cantique des cantiques de Salomon
(Souvent utilisé lors des cérémonies gaéliques)

PROLOGUE

À la manière dont les pierres étaient encastrées dans la pente de la colline, il était évident que des bras vigoureux avaient autrefois œuvré pour aménager ce chemin. À présent, il était recouvert de végétation et le fossé peu profond qui le longeait était à peine visible. Avec précaution, l'homme descendit en direction des vestiges du village, habité par le sentiment étrange de marcher sur ses propres traces. Pourtant, il venait ici pour la première fois.

Au-dessus de lui, la silhouette d'un mur en pierres sèches à demi effondré courait au sommet de la colline, vierge de tout arbre. Au-delà, il le savait, un vaste croissant de sable argenté se déroulait en direction du promontoire où se dressaient les stèles du cimetière. À ses pieds, les fondations des *blackhouses* étaient à peine visibles au milieu du sol tourbeux et des touffes d'herbes hautes qui dansaient dans le vent. Les ultimes traces des murs à l'abri desquels, autrefois, vécurent et moururent des familles.

Le chemin serpentait au milieu des ruines en direction de la plage où un alignement de rochers grossièrement taillés s'enfonçait dans les vagues mousseuses et crachotantes qui projetaient leur écume sur les galets. Les restes d'une antique tentative, avortée, de construire une jetée.

Il devait y avoir eu sur le site entre dix et douze *blackhouses*. Leurs toits de chaume courbes campés sur d'épais murs de pierre laissant échapper par leurs lézardes et leurs crevasses la fumée de tourbe qu'emportaient les bourrasques glacées de l'hiver. Arrivé au cœur du village, l'homme s'arrêta et se représenta l'endroit où, autrefois, le vieux Calum était tombé, se vidant de son sang, le crâne fendu, toutes ses années de vie et son héroïsme anéantis par un simple coup. Il s'accroupit pour toucher la terre, entrer en contact avec l'histoire, communier avec les fantômes, avec un fantôme qui hantait son propre passé. Un passé qui n'était toutefois pas le sien.

Il ferma les yeux et imagina comment cela devait être, ce que l'on ressentait, sachant que c'était là que tout avait commencé, à une autre époque, dans la vie de quelqu'un d'autre.

CHAPITRE 1

L'entrée de la résidence d'été donnait directement sur le séjour par une porte moustiquaire à côté du porche. La pièce était vaste et occupait presque toute la surface du rez-de-chaussée de la maison que l'homme assassiné réservait aux invités qu'il n'avait jamais.

Au pied des escaliers, un étroit couloir conduisait à une chambre et une petite salle de bains à l'arrière de la maison. Une cheminée ouverte en pierre ornait la pièce. Le mobilier, sombre et massif, occupait une grande partie de l'espace disponible. Sime se dit que même si la maison avait été rénovée, il s'agissait sûrement du mobilier d'origine. Cela donnait l'impression de faire un bond dans le passé. De gros fauteuils fatigués protégés par des têtières, des tapis usés disposés sur un plancher inégal mais récemment verni. De vieux tableaux aux cadres épais et travaillés décoraient les murs et toutes les surfaces disponibles étaient encombrées de bibelots et de photos de famille. Même l'odeur des lieux évoquait l'ancien et lui rappela la maison de sa grand-mère à Scotstown.

Blanc déroula des câbles jusque dans la chambre du fond où il avait prévu d'installer ses moniteurs et Sime aligna deux caméras juchées sur des trépieds qu'il braqua sur le fauteuil face à la fenêtre, là où la femme, à présent veuve, serait bien éclairée. Il plaça

13

sa propre chaise dos à la lumière du jour. Ainsi, elle ne le verrait qu'à contre-jour tandis qu'il pourrait observer la moindre micro-expression qui lui traverserait le visage.

Il entendit le plancher de l'étage craquer et se tourna vers la cage d'escalier. Une policière apparut dans la lumière, la mine perplexe. « Que se passe-t-il ? »

Sime lui expliqua qu'ils s'installaient pour l'interrogatoire. « J'ai cru comprendre qu'elle était en haut », fit-il. La policière acquiesça. « Dans ce cas, demandez-lui de descendre. »

Il resta quelques instants devant la fenêtre en écartant le rideau d'une main. Les mots du sergent-détective qui l'avait accueilli sur l'unique port de l'île lui revinrent à l'esprit. « On dirait bien que c'est elle qui l'a fait. » Le soleil lui éclaira le visage et projeta son reflet sur la vitre, des traits familiers sous une cascade de boucles blondes et épaisses. Il lut la fatigue dans ses yeux, les ombres qui lui creusaient les joues, et se concentra immédiatement sur l'arrière-plan et l'océan. Sur le rebord de la falaise la brise faisait danser l'herbe, les crêtes des vagues filaient à travers le golfe, poussées par le vent du sud-ouest et, dans le lointain, il vit un banc de nuages noirs et menaçants bouillonner sur l'horizon.

Le grincement de l'escalier lui fit tourner la tête et pendant un instant qui lui parut durer une éternité, le monde s'arrêta net.

Elle était debout sur la dernière marche, ses cheveux bruns ramenés en arrière accentuaient la structure délicate de son visage. Sa peau pâle était constellée de sang séché. La couverture qu'elle serrait autour de ses épaules masquait en partie sa chemise de nuit ensanglantée. Il vit qu'elle était grande et qu'elle se tenait bien droite, comme si c'était une question de fierté de ne pas se laisser abattre par les circonstances.

Ses yeux étaient d'un bleu soutenu et profond avec des cercles plus sombres autour des pupilles. Des yeux tristes, au regard tragique. Il voyait les ombres du manque de sommeil qui se dessinaient juste en dessous comme si quelqu'un lui avait passé des doigts, tachés de charbon, sur la peau.

Il entendit le tic-tac lent d'une vieille pendule posée sur la cheminée et remarqua quelques grains de poussière flottant dans la lumière qui se déversait par les fenêtres. Il vit les lèvres de la femme s'animer, mais aucun son n'en sortit. Elles bougèrent de nouveau, en silence, formant des mots qu'il ne pouvait entendre, jusqu'à ce que, soudain, il perçoive l'irritation dans sa voix. « Allô ? Il y a quelqu'un ? » Quelqu'un venait de relâcher le bouton pause, le monde se remit à tourner. Mais son trouble persistait.

« Pardonnez-moi. Vous êtes… ? », lui demanda-t-il.

Elle semblait consternée. « Kirsty Cowell. Ils m'ont dit que vous souhaitiez m'interroger. »

« Je vous connais », s'entendit-il répondre, comme si un autre parlait à sa place. Elle plissa le front. « Je ne pense pas. »

C'était pourtant le cas. Sans savoir d'où, ni comment, ni quand, mais il en avait l'absolue certitude. La sensation qu'il avait éprouvée dans l'avion revint et manqua de le submerger.

CHAPITRE 2

I

Difficile de croire qu'à peine quelques heures plus tôt il était allongé dans son lit à des milliers de kilomètres de là, à Montréal, les bras et les jambes entortillés dans les draps, suant là où le tissu couvrait sa peau, glacé là où elle était nue. Ses yeux lui semblaient remplis de sable et sa gorge était si sèche qu'il pouvait à peine déglutir.

Au cours de cette nuit interminable, il avait fini par perdre le compte du nombre de fois où il avait jeté un coup d'œil à l'affichage digital de son réveille-matin. C'était stupide, il le savait. Quand le sommeil ne venait pas, le temps se mettait à ramper telle une tortue géante. Assister à son lent écoulement ne faisait qu'accroître sa frustration et réduisait encore le peu de chance qu'il avait de s'endormir. Comme toutes les nuits, un mal de tête sournois lui vrillait les tempes, gagnant en intensité au fur et à mesure que l'aube approchait et, avec elle, l'antalgique qui bouillonnerait furieusement dans son verre quand viendrait le moment de se lever.

Il roula vers la droite du lit et l'espace libre à ses côtés l'aiguillonna comme un reproche. Un rappel constant de son échec. Un vide glacial là où il y avait eu de la chaleur. Il aurait pu s'étaler en travers du lit, le réchauffer avec son propre corps, mais il restait prisonnier du côté où il était si souvent resté immobile, sans desserrer les lèvres, après l'une de leurs disputes. Des disputes, à ce qu'il lui avait toujours semblé, qu'il ne déclenchait jamais. Toutefois, après les heures d'insomnie accumulées ces dernières semaines, il avait fini par en douter. Des mots durs, qu'il se répétait sans cesse, pour remplir le lent et sombre passage du temps.

Finalement, alors qu'il se sentait glisser dans l'obscurité, les trilles de son portable posé sur la table de nuit lui firent reprendre violemment ses esprits. S'était-il endormi ? Vivement, il s'assit dans son lit et consulta son réveil, le cœur battant. Il était à peine plus de trois heures. Il tâtonna pour trouver l'interrupteur et, tout en clignant des yeux, ébloui par la lumière, il attrapa son téléphone.

Depuis son appartement avec vue sur le fleuve dans le quartier de Saint-Lambert, il pouvait mettre jusqu'à une heure et demie pour traverser le pont Jacques-Cartier et rejoindre l'île de Montréal. Toutefois, au milieu de la nuit, il ne passait qu'un modeste filet de voitures sur l'immense pont suspendu qui enjambait l'île Sainte-Hélène et les eaux paresseuses du Saint-Laurent.

Tandis que les lumières des immeubles de bureaux encore vides émergeaient autour de lui, il emprunta la bretelle de sortie vers l'avenue de Lorimier avant de bifurquer vers le nord-est dans la rue Ontario. Dans son rétroviseur, la silhouette sombre du mont Royal dominait l'horizon. Le trajet jusqu'au 1701 rue Parthenais lui prit moins de vingt minutes.

La Sûreté du Québec était installée dans un immeuble de treize étages sur le côté est de la rue qui regardait vers le pont, la station de télévision et la montagne. Sime emprunte l'ascenseur pour se rendre au quatrième étage, là où se trouvait la Division des enquêtes sur les crimes contre la personne. Cela ne manquait jamais de l'amuser de constater que la langue française avait besoin de neuf mots là où, en anglais, un seul suffisait. *Homicide*, auraient dit les Américains.

Le capitaine Michel McIvir revenait vers son bureau, un café à la main, et Sime se retrouva à côté de lui alors qu'il remontait le couloir décoré de photos noir et blanc de scènes de crime prises dans les années 1950 et 1960. McIvir avait à peine quarante ans, une poignée d'années de plus que Sime, mais il affichait un air d'autorité que Sime ne parviendrait jamais à supporter. Le capitaine jeta un coup d'œil averti à son sergent-détective.

« Tu as vraiment une sale gueule. »

Sime fit la grimace. « Merci du compliment, je me sens déjà mieux.

— Toujours ces insomnies ? »

Sime haussa les épaules, peu désireux d'admettre la gravité du problème. « Ça va, ça vient. » Il changea rapidement de sujet. « Bon, pourquoi m'as-tu fait venir ?

— Il y a eu un meurtre sur les îles de la Madeleine, dans le golfe du Saint-Laurent. Le premier de mémoire d'homme. J'envoie une première équipe de huit.

— Et pourquoi moi ? Je ne suis pas sur le tableau de service.

— Le meurtre a eu lieu sur l'île d'Entrée, Sime. Ses habitants l'appellent *Entry Island*. La plupart des Madelinots parlent le français, mais sur l'île d'Entrée, ils ne parlent qu'anglais. »

Sime hocha la tête. Il comprenait à présent.

« J'ai un avion de tourisme prêt à décoller à l'aéroport de Saint-Hubert. Il faut environ trois heures pour atteindre les îles. Je veux que tu mènes les interrogatoires. Thomas Blanc s'occupera de leur suivi. Le lieutenant Crozes sera votre chef d'équipe et le sergent-superviseur Lapointe sera chargé de l'administratif et de la logistique. » Il hésita, ce qui était inattendu de sa part. Sime le remarqua.

« Et l'expert médico-légal ? » Il avait formulé ça comme une question, mais il connaissait déjà la réponse.

McIvir pinça les lèvres. « Marie-Ange. »

II

Le King Air B100 de treize places était en vol depuis plus de deux heures et demie et, durant tout ce temps, les huit membres de l'équipe envoyée pour enquêter sur le meurtre de l'île d'Entrée avaient à peine échangé quelques mots.

Sime était assis à l'avant, seul, très précisément conscient de tout ce qui le séparait de ses collègues. Il n'était pas un membre habituel de leur équipe. Il n'était là qu'en raison de son bagage linguistique. Tous les autres étaient d'origine française et s'ils pratiquaient l'anglais, plus ou moins, aucun ne le parlait couramment. Les ancêtres de Sime étaient Écossais et parlaient gaélique lorsqu'ils étaient arrivés au Canada. En l'espace de deux générations, le « langage de la terre natale » avait disparu, remplacé par l'anglais. Par la suite, dans les années 1970, le gouvernement du Québec avait fait du français la langue officielle et, dans un exode, un demi-million de locuteurs anglais avaient quitté la province.

Le père de Sime avait refusé de partir. Ses arrière-arrière-grands-parents, disait-il, s'étaient fait eux-mêmes leur place dans ce pays, et il aurait préféré finir damné que d'en être chassé. La famille Mackenzie était donc restée, s'adaptant à ce nouveau monde francophone tout en restant fidèle, chez elle, à sa langue et à ses traditions. Sime se disait qu'il devait une fière chandelle à son père. Il était aussi à l'aise en anglais qu'en français. Mais, dans l'immédiat, à bord de cet avion pour enquêter sur un meurtre survenu dans un archipel lointain, c'était aussi cela qui l'isolait. Chose qu'il avait toujours essayé d'éviter.

Il jeta un coup d'œil à travers le hublot et vit les premières lueurs du jour poindre à l'est. Sous l'avion, il n'y avait que l'océan. Ils avaient laissé derrière eux depuis un moment la péninsule de Gaspé, couverte de forêts.

La silhouette voûtée du sergent-superviseur Jacques Lapointe émergea du minuscule cockpit, une liasse de papiers à la main. Il avait pour rôle de leur faciliter la vie : logement, transports, besoins techniques. Et c'était aussi Lapointe qui ramènerait le corps de la victime à Montréal pour qu'il soit autopsié dans le sous-sol du 1701 rue Parthenais. Il était plus âgé que ses collègues, dans les cinquante-cinq ans, avec des mains aux articulations gonflées par l'arthrite et une moustache noire hirsute, parsemée d'argent.

« OK », dit-il en haussant la voix pour couvrir le rugissement des moteurs. « J'ai réservé nos chambres à l'auberge Madeli sur l'île du Cap-aux-Meules. C'est là que se trouve le centre administratif et c'est de là qu'appareille le ferry pour Entrée. La traversée prend approximativement une heure. » Il consulta ses notes. « L'aéroport est à Havre-aux-Maisons, apparemment on y accède par un pont depuis Cap-aux-Meules. De toute façon, les flics du coin nous attendent là-bas avec un minibus et nous devrions arriver juste à temps pour embarquer sur le premier ferry de la journée.

— Tu veux dire qu'ils partiraient sans nous ? » Le lieutenant Daniel Crozes haussa un sourcil. Le chef d'équipe avait presque le même âge que Sime, mais il était un peu plus grand et doté d'une allure de beau ténébreux. Il réussissait, on ignorait comment, à être bronzé en permanence. Un véritable exploit, compte tenu des hivers québécois, longs et froids. Sime n'avait jamais réussi à savoir s'il utilisait de l'autobronzant ou s'il passait des heures en cabine UV.

« Jamais de la vie ! » Lapointe afficha un sourire narquois. « C'est le seul moyen d'emmener un véhicule jusque là-bas. Je leur ai dit que je coulerais ce putain de ferry s'ils le laissaient partir sans nous. » Il inclina la tête sur le côté. « Toujours est-il que nous ne retarderons pas le moment du départ. Si on peut éviter de se mettre à dos les gens du coin, ce n'est pas plus mal.

— Que sait-on au sujet de l'île d'Entrée, Jacques ? », demanda Crozes.

Le gaillard tira sur sa moustache. « Pas grand-chose, lieutenant. La pêche constitue l'activité principale. La population est en baisse. Ils parlent tous anglais. Ils sont moins d'une centaine, j'imagine.

— Moins un, dorénavant », ajouta Crozes, déclenchant quelques rires étouffés.

Sime jeta un coup d'œil côté couloir et vit Marie-Ange qui souriait. Avec ses cheveux courts et bruns, parsemés de mèches blondes, et sa silhouette fine et athlétique, il y avait un peu de garçon en elle. En revanche, ses yeux vert d'eau ou ses lèvres rouges et pleines qui laissaient apparaître ses dents blanches dans un sourire désarmant, n'avaient rien de masculin. Elle s'aperçut qu'il l'observait et son sourire disparut immédiatement.

Il se tourna vers le hublot et sentit ses oreilles se déboucher quand l'avion pencha sur la droite avant d'entamer sa descente. Pendant un bref instant, il fut ébloui par la lumière rougeoyante du soleil reflétée par l'océan puis l'avion se redressa et il aperçut les îles de la Madeleine pour la première fois. Un chapelet d'îles, petites et grandes, reliées les unes aux autres par des chaussées et des bancs de sable, orienté selon un axe sud-ouest, nord-est. Bizarrement, sa forme générale rappelait celle d'un hameçon. Il devait avoisiner les soixante kilomètres de long.

Après avoir exécuté le dernier virage avant de descendre vers la piste de l'île du Havre-aux-Maisons, le pilote leur signala qu'ils pouvaient voir l'île d'Entrée sur leur droite, isolée sur le côté est de la baie de Plaisance.

Sime la découvrait pour la première fois, découpée sur le soleil levant, posée sur l'horizon avec ses deux bosses caractéristiques rappelant des statues de l'île de Pâques couchées sur le flanc, presque noyée par la brume rose du petit matin qui s'élevait de la mer. Sans qu'il sache pourquoi, un frisson d'inquiétude lui parcourut l'échine.

III

Pendant que Lapointe, au volant du minibus, manœuvrait en marche arrière pour embarquer sur le ferry *Ivan-Quinn*, Sime piétinait au bord du quai et suivait du regard la buée de sa respiration qui s'élevait en volutes au-dessus de sa tête dans la lumière naissante. Les malles de transport contenant leur équipement étaient sanglées sur le toit du véhicule. Sime portait un jean, des bottes en cuir et une veste à capuche en coton. Il se tenait à quelque distance des autres. Même si l'espace qui les séparait pouvait sembler insignifiant, il avait la sensation d'être au bord du Grand Canyon. Et ce n'était pas seulement la langue qui les éloignait. Blanc franchit la ligne invisible pour lui proposer une cigarette. S'il l'avait mieux connu, il aurait été au courant. Mais Sime apprécia le geste.

« J'ai arrêté. »

Blanc sourit. « C'est la chose la plus facile au monde. » Sime prit un air étonné. « Ah bon ?

— Bien sûr. Je l'ai fait des centaines de fois. »

Sime sourit à son tour puis ils observèrent en silence Lapointe qui manœuvrait dans la cale étroite destinée aux véhicules. Il jeta un coup d'œil à son co-enquêteur. Blanc mesurait une quinzaine de centimètres de moins que lui et trimballait plusieurs kilos en trop. Il avait une chevelure épaisse, noire et bouclée, clairsemée au sommet du crâne. Une tonsure de moine en devenir. « Comment est ton anglais ? », lui demanda Sime.

Blanc fit la grimace. « Je le comprends bien. Mais je le parle mal. » Il hocha la tête en direction de la jetée du port. « J'ai entendu dire que les insulaires d'Entrée refusent de parler français. » Il pouffa. « Je suis bien content que tu sois chargé de la conversation. » Sime acquiesça. Blanc serait installé au bout d'un câble, dans une autre pièce, avec deux moniteurs et un enregistreur, et prendrait des notes pendant que Sime mènerait les interrogatoires devant les caméras. Tout était enregistré à présent.

Lapointe ayant fini sa manœuvre, le reste de l'équipe escalada la rampe d'accès des véhicules pour monter à bord et s'engouffra dans un couloir étroit qui menait au salon des passagers situé à la proue. Sime les laissa passer, grimpa les marches vers le pont supérieur et longea la timonerie pour se rendre à l'avant du bateau. Là, il s'accouda sur le balcon avant, surplombé d'un drapeau déchiré de la CTMA, et compta trois bateaux de croisière amarrés à divers quais.

Dix minutes plus tard, le ferry glissait hors du port et passait le brise-lames pour déboucher sur une mer semblable à du verre. L'île d'Entrée apparut au loin, de l'autre côté de la baie. Derrière elle, le soleil émergeait d'un amas de nuages sombres. L'île capta le regard de Sime pour ne plus le lâcher, comme dans une transe, tandis que le soleil projetait ses rayons vers lui, créant un effet de halo autour de l'île. Le spectacle avait quelque chose de magique. Presque mystique.

IV

Aucun d'entre eux ne savait si le ferry était habituellement accueilli par une telle quantité de gens, mais, quand le navire accosta dans le port de l'île d'Entrée, le quai minuscule était encombré de véhicules et d'insulaires curieux. Le sergent-détective André Aucoin, de la Sûreté de Cap-aux-Meules, vint à leur rencontre. La quarantaine, sans grande expérience toutefois, il était intimidé par ce débarquement de flics venant du continent mais savourait tout de même son quart d'heure de gloire. Il s'agissait de son premier homicide. Il s'installa à l'avant du minibus, à côté de Lapointe, et les mit au courant de la situation pendant qu'ils traversaient l'île, secoués par les cahots.

Il désigna quelques bâtiments serrés les uns contre les autres au-dessus de la route juste après le restaurant et le petit supermarché de Brian Josey sur Chemin Main. « On ne la voit pas d'ici, mais la piste d'atterrissage est là-haut. Cowell avait son propre monomoteur dont il se servait pour faire des allers-retours entre ici et Havre-aux-Maisons. De là, on peut facilement rejoindre la ville de Québec ou Montréal par un vol régulier pour assister à des réunions d'affaires. Il avait une Range Rover garée près de la piste.

— Il travaillait dans quel secteur ? », demanda Crozes.

« Les homards, lieutenant. » Aucoin gloussa. « Qu'y a-t-il d'autre à faire sur les îles de la Madeleine ? »

Sime remarqua les milliers de casiers à homards entassés contre les maisons et les granges aux couleurs vives, en retrait de la route, éparpillées au milieu des prés ondoyants de l'intérieur de l'île. Il n'y avait pas un arbre, seulement quelques poteaux télégraphiques bizarrement penchés entre lesquels couraient des câbles à l'aspect distendu. Le produit du fauchage tardif des graminées estivales avait été rassemblé en bottes bien rondes qui ponctuaient le paysage et il vit au loin la flèche d'une église en bois peinte de blanc et les ombres allongées des stèles du cimetière qui coulaient vers eux en suivant le flanc de la colline baignée par la lumière dorée du matin.

Aucoin poursuivit. « Cowell possédait la moitié de la flotte de pêche au homard des Madeleines, quinze bons millions de dollars par an. Sans parler de l'usine de préparation et de mise en conserve de Cap-aux-Meules.

— Il était originaire des îles ? », demanda Sime.

« Un Madelinot pur sucre. De la communauté anglophone d'Old Harry, dans le nord. Mais il parlait bien français. Vous n'auriez pas remarqué que ce n'était pas sa langue maternelle.

— Et son épouse ?

— Oh, Kirsty est originaire d'Entrée. Apparemment, elle n'en a plus bougé depuis qu'elle a obtenu son diplôme de la Bishop's University à Lennoxville, il y a dix ans de ça.

— Pas une seule fois ? », lança Crozes, incrédule.

« C'est ce qu'on dit.

— Bien. Que s'est-il passé la nuit dernière ?

— On dirait bien que c'est elle qui l'a fait. »

Le ton de Crozes se fit cassant. « Je me fiche de votre opinion, sergent. Contentez-vous des faits. »

Aucoin rougit. « Selon Kirsty Cowell, quelqu'un s'est introduit chez eux. Un type avec une cagoule. Il l'a attaquée et, quand son mari est intervenu, il s'est fait poignarder et l'agresseur s'est enfui. » Il ne parvenait pas à masquer son scepticisme et revint à son interprétation des faits. « Tout cela est très étrange. Je veux dire, je sais que vous êtes les experts, mais il n'y a pas de cambriolages sur l'île d'Entrée. Depuis que la liaison aérienne a été interrompue, on ne peut quitter l'île qu'en ferry ou avec un bateau privé. Cela me paraît peu probable que quelqu'un puisse entrer dans le port au moteur et en ressortir sans être remarqué. Et il n'y a qu'une seule autre jetée dans toute l'île. Un petit quai privatif que Cowell a fait construire au pied des falaises, en contrebas de sa maison. Mais il n'est quasiment pas utilisé, les courants sont traîtres dans ce coin-là.

— Dans ce cas, c'est peut-être un insulaire », avança Sime.

Aucoin se tourna vers lui, le regard chargé de sarcasme. « Peut-être sort-il tout droit de l'imagination de madame Cowell. »

Ils laissèrent le phare sur leur droite et entamèrent l'ascension de la colline, en direction de la demeure de Cowell. La plupart des maisons de l'île étaient d'architecture traditionnelle, une ossature en bois avec des murs revêtus de bardeaux d'asphalte ou de bois, surmontée de toits aux pentes aiguës, eux aussi couverts de bardeaux d'asphalte. Elles étaient peintes de couleurs primaires éclatantes. Rouge, vert, bleu, avec parfois des nuances de violet et d'ocre. Les encadrements de fenêtres et de portes étant rehaussés en blanc ou en jaune canari. Les pelouses étaient bien entretenues. Une obsession locale apparemment car ils passèrent devant plusieurs insulaires de sortie avec leur tondeuse qui profitaient du soleil d'automne.

La demeure des Cowell sortait du lot non seulement en raison de sa taille mais aussi de son aspect. Elle paraissait incongrue, comme un arbre de Noël artificiel dans une forêt de pins. Elle ne donnait pas l'impression de faire partie de l'île. C'était une construction en longueur, aux murs de bardeaux peints en jaune, avec un toit rouge rythmé par des chiens-assis, des tourelles et une grande fenêtre cintrée. En remontant le chemin de graviers du côté de la falaise, ils virent qu'une véranda occupait presque toute la longueur de la façade sud, ses baies donnant sur une pelouse impeccablement soignée, bordée d'une clôture courant le long de la falaise.

« Putain, c'est immense », lâcha Lapointe.

Aucoin laissa échapper un peu d'air entre ses lèvres pincées, savourant l'importance que sa connaissance des lieux lui conférait. « C'était une salle paroissiale », expliqua-t-il. « Avec un clocher. Du côté de Havre-Aubert. Cowell l'a fait démonter en trois parties et apportée sur des barges spécialement affrétées depuis la ville de Québec. Elle a été remontée ici, sur les falaises, et rénovée dans les règles de l'art. L'intérieur est époustouflant. Il a fait ça pour sa femme apparemment. D'après les voisins, rien n'était trop beau ou trop cher pour sa Kirsty. »

Le regard de Sime vagabonda jusqu'à une petite bâtisse située à une cinquantaine de mètres, un peu plus bas sur la pente. Une maison insulaire traditionnelle, bleue et blanche, avec un porche couvert tourné vers les falaises rouges. Elle semblait se trouver sur la même propriété. « Qui habite là-bas ? »

Aucoin suivit le regard de Sime. « Oh, c'est chez elle.

— Chez Kirsty Cowell ?

— C'est exact.

— Vous voulez dire qu'ils vivaient dans des maisons séparées ?

— Non, c'est la maison où elle a grandi et qu'elle a héritée de ses parents. Elle et son mari vivaient dans la grande maison que Cowell a fait construire. Et ils ont retapé celle-ci. Ils l'utilisent comme pavillon d'été, ou pour accueillir des invités. Bien que, d'après ce que les gens que nous avons interrogés nous ont dit, ils n'en avaient jamais. Des invités. » Il regarda Sime. « Elle s'y trouve en ce moment, avec une policière. Je ne voulais pas qu'elle ruine la scène de crime. » S'il espérait des félicitations pour son initiative, il devait être déçu. « Tout au moins, pas plus qu'elle ne l'a déjà fait. »

Pour la première fois, Marie-Ange intervint. « Que voulez-vous dire ? », fit-elle d'un ton sec. On était soudain sur son territoire.

Aucoin se contenta de sourire. « Vous verrez, m'dame. » Il ne leur serait plus utile bien longtemps, mais il était déterminé à en profiter au maximum tant que cela durerait.

Ils se garèrent devant la maison, à côté d'une Range Rover qui devait appartenir à Cowell. Des policiers de Cap-aux-Meules avaient planté des pieux et les avaient reliés avec de la bande plastique jaune signalant la scène de crime, comme ils avaient certainement dû le voir faire dans des films. Le ruban claquait et sifflait dans le vent. Marie-Ange fit descendre sa malle de la galerie du minibus, enfila une combinaison avec capuche en Tyvek blanc et passa des chaussons sur ses baskets. Les autres se contentèrent de surchaussures en plastique et de gants en latex. Aucoin les observait avec admiration et envie. Marie-Ange lui lança des protections pour ses chaussures et une paire de gants. « J'imagine que vous avez déjà dû mettre vos pattes un peu partout, alors essayons de ne pas aggraver ce que vous avez déjà fait. » Il rougit à nouveau et la fixa d'un œil haineux.

Avec précaution, l'équipe pénétra dans la maison par des portes coulissantes donnant sur un solarium carrelé équipé d'un jacuzzi. Ils le traversèrent et arrivèrent dans le salon de la véranda, encombré de fauteuils relax et de tables basses en verre. L'une d'entre elles était en miettes. Des éclats de verre brisé crissaient sous leurs pas. Ils grimpèrent les deux marches qui séparaient la véranda de la salle de séjour en évitant de piétiner une série d'empreintes de pieds ensanglantées.

Une vaste surface de parquet en bois lustré délimitait un espace juste sous la voûte du toit. Sur la gauche étaient disposées une grande table et des chaises et, à l'autre bout, se trouvait une cuisine ouverte, séparée de l'entrée principale par un buffet. Un escalier à palier rejoignait une mezzanine sur la droite et, à leur gauche, trois marches arrondies conduisaient à un salon où trônaient un piano et une cheminée à foyer ouvert entourée d'un canapé et de deux fauteuils.

Presque au centre du parquet gisait le corps d'un homme, allongé sur le dos, un bras tendu vers la droite, l'autre le long du corps. Il portait un pantalon bleu foncé et une chemise blanche trempée de sang. Ses jambes étaient tendues, légèrement écartées et les pieds, dans leurs chaussures italiennes en cuir, étaient inclinés l'un vers la gauche et l'autre vers la droite. Il avait les yeux et la bouche grands ouverts. Toutefois, le détail le plus frappant était la manière dont son sang était étalé autour de lui. Des traînées, des flaques, des motifs aléatoires. Des pas ensanglantés tournaient autour de lui. Des pieds nus qui avaient laissé des traces s'éloignant du corps en direction de la cuisine puis qui revenaient en s'estompant avant de repasser dans le sang frais et de repartir vers la véranda et de descendre les marches. La plus grande partie du sang était presque sèche à présent, oxydée, collante et de couleur brune.

« Seigneur », souffla Marie-Ange. « Quand vous disiez ruiner, vous ne plaisantiez pas.

— C'était comme cela quand nous sommes arrivés », expliqua Aucoin. « Madame Cowell dit qu'elle a tenté une réanimation cardio-pulmonaire et essayé de stopper le saignement. Sans succès.

— À l'évidence », confirma sèchement Marie-Ange.

Aucoin se dandina, gêné. « Les empreintes sont les siennes. Elle a couru jusqu'à la cuisine pour y prendre un torchon et essayer de contenir le sang. L'un de mes hommes l'a retrouvé, abandonné dans l'herbe, à l'aube. N'arrivant pas à le réanimer, elle a dévalé la colline jusqu'à la maison d'un voisin pour demander de l'aide. » Il fit une pause. « C'est l'histoire qu'elle nous a racontée, en tout cas. »

Marie-Ange se déplaçait autour du corps comme un chat, examinant chaque flaque, éclaboussure de sang, trace de pas ou tache sur le sol. Sime trouvait douloureux de la regarder. « Il y a d'autres traces de pas ici », dit-elle. « L'empreinte d'une chaussure.

— Ce doit être l'infirmière. Elle est venue quand les voisins l'ont appelée. Il fallait qu'elle s'assure qu'il était mort. Ensuite, elle nous a prévenus.

— Si l'épouse a tenté une RCP, elle doit être couverte de sang », dit Crozes.

« Oh oui, monsieur, elle l'est », confirma Aucoin en hochant la tête avec gravité.

« J'espère que vous ne l'avez pas autorisée à se laver ou à se changer. » Marie-Ange le gratifia d'un regard aussi acide que son ton.

« Non, m'dame. »

Elle se tourna vers Lapointe. « Il faut qu'elle soit photographiée et qu'elle subisse un examen médical, qu'on l'inspecte pour récupérer d'éventuelles fibres et repérer les blessures. Je veux des échantillons de ce qu'il y a sous ses ongles. Tu dois également emballer ses vêtements et les emporter à Montréal pour qu'ils soient analysés. » Elle reporta son attention sur Aucoin. « Il y a un docteur sur l'île ?

— Non, m'dame, seulement l'infirmière. Elles sont deux. Elles viennent une semaine en alternance.

— Dans ce cas, elle fera l'affaire. Je suppose que je vais devoir jouer le rôle d'officier examinateur, puisque c'est une femme.

— Il y a des traces d'effraction ? », demanda Blanc.

Aucoin laissa échapper un rire avant de se reprendre. « Non. Il n'y a pas besoin de fracturer quoi que ce soit. Sur l'île, personne ne verrouille sa porte.

Le lieutenant Crozes frappa dans ses mains. « Bon, allons-y. Sergent Aucoin, avez-vous interrogé l'épouse ?

— Non, monsieur. J'ai recueilli les déclarations des voisins, c'est tout.

— Bien. » Crozes se tourna vers Sime. « Que diriez-vous de vous installer, Blanc et toi, dans le pavillon d'été pour enregistrer une première déposition avant que l'on procède à l'examen médical ? »

CHAPITRE 3

Le son de sa voix était hypnotique. Monotone, sans émotion. Elle retraçait les événements de la nuit passée comme si elle en lisait le compte rendu pour la énième fois. Malgré cela, les images que cela faisait surgir chez Sime étaient suffisamment vives, emplies des détails qu'il ajoutait lui-même après avoir vu la scène de crime.

Toutefois, le tableau ne se fixait pas dans son esprit. Net un instant, il devenait flou celui d'après. Tout chez elle le déconcentrait. La manière dont ses cheveux tombaient sur ses épaules, négligemment, mais animés d'un mouvement naturel. Si sombres qu'ils étaient presque noirs. Ses yeux étrangement inexpressifs qui lui donnaient l'impression de le transpercer, au point qu'il avait dû rompre le contact visuel, faisant mine de réfléchir à la question suivante. La position de ses mains, entrelacées, posées sur ses genoux, ses doigts fins et élégants compressés sous l'effet de la tension. Et sa voix, ce lent débit de l'accent canadien, sans une trace de français dans ses intonations.

Les nuages qu'il avait aperçus plus tôt se regroupaient au-dessus du golfe, au sud des îles, et laissaient épisodiquement apparaître le soleil qui projetait sur l'océan des taches de lumière éblouissantes. Il lui semblait entendre le vent fouetter les murs de la maison.

« Je me préparais pour aller au lit », dit-elle. « Notre chambre est en bas, tout au bout de la maison. Il y a des portes-fenêtres qui donnent sur la véranda, mais les lumières étaient éteintes. James travaillait à l'étage, dans son bureau. Il était rentré à la maison peu de temps avant.

— D'où revenait-il ? »

Elle hésita brièvement. « Il avait pris l'avion depuis Havre-aux-Maisons et récupéré sa Range Rover à l'aérodrome. Il la laisse toujours là. » Elle fit une pause puis se corrigea. « Je veux dire, laissait. »

Le métier avait enseigné à Sime à quel point il était difficile pour quelqu'un de soudainement parler d'un proche au passé.

« J'ai entendu un bruit dans la véranda et j'ai appelé, pensant que c'était James.

— Quel genre de bruit ?

— Oh, je ne sais pas. Je ne m'en souviens pas. Juste un bruit. Comme une chaise qui racle sur le carrelage, ce genre de chose. » Elle entrecroisa les doigts. « Bref, n'ayant pas de réponse, je suis allée jeter un coup d'œil et c'est là qu'un homme a surgi de l'obscurité et s'est jeté sur moi.

— Vous avez pu voir à quoi il ressemblait ?

— Pas à ce moment, non. Comme je l'ai dit, il faisait sombre. C'était juste une ombre sortant de nulle part. En revanche, je sais qu'il portait des gants parce qu'il a posé une de ses mains sur mon visage et que j'ai reconnu l'odeur et le contact du cuir. » Elle secoua la tête. « C'est amusant les choses auxquelles on prête attention dans les moments de stress. » Cette fois-ci, ce fut elle qui détourna les yeux. Son regard semblait perdu à mi-distance, comme si elle essayait de recréer l'instant. « J'ai crié, donné des coups de poing, de pied. Il a essayé de m'immobiliser les bras. Mais nous avons trébuché sur une chaise et nous sommes tombés sur l'une des tables. Le verre a cédé et s'est répandu sur le sol. Je crois que j'ai atterri sur lui parce que, pendant un instant, il a paru incapable de bouger. Il avait le souffle coupé, j'imagine. C'est là que j'ai vu l'éclair de sa lame. Je me suis relevée et j'ai couru aussi vite que possible. J'ai foncé dans la salle de séjour en appelant James. »

Sa respiration s'accélérait au rythme de l'histoire. Sime remarqua une rougeur sur ses joues et autour de ses yeux lorsqu'elle les reposa sur lui.

« Je l'entendais, juste derrière moi. Et puis, j'ai senti le poids de son épaule à l'arrière de mes cuisses. Je me suis effondrée comme un tas de briques. J'ai heurté le sol avec une telle violence que mes poumons se sont vidés. Je ne parvenais plus à respirer, encore moins à crier. Des flashs lumineux dansaient devant mes yeux. J'ai tenté de me débattre, de me mettre sur le dos, pour l'apercevoir. J'y suis arrivée. Il était à genoux, à califourchon au-dessus de moi.

— C'était la première fois que vous le voyiez à la lumière. »

Elle opina de la tête. « Je ne peux, hélas, pas vous dire grand-chose. Il portait un jean, je crois. Et un blouson sombre quelconque. Il avait une cagoule. Mais, en vérité, monsieur Mackenzie, mon attention était tout entière focalisée sur le couteau dans sa main droite. Il le tenait bien haut et s'apprêtait à me poignarder. À cet instant, j'étais persuadée que j'allais mourir. Soudainement, tout est devenu clair, comme devant un film HD au ralenti. Je voyais la pièce qui se reflétait parfaitement sur toute la longueur de la lame. Les doigts de cuir cousu serrés sur le manche. Une intensité étrange dans le regard derrière les fentes de la cagoule.

— Quelle couleur ?

— Ses yeux ? »

Sime hocha la tête.

« Je devrais m'en souvenir. Ils semblaient sombres. Noirs. Comme si ses pupilles étaient complètement dilatées. » Elle prit une profonde inspiration. « Tout à coup, James est apparu derrière lui, les deux mains serrées autour du poignet qui tenait le couteau, tirant de toutes ses forces pour l'éloigner de moi. Je l'ai vu tenter d'arracher la cagoule et l'homme lui a envoyé son poing dans la figure. Ils sont partis en titubant à travers le parquet et se sont effondrés dans un bruit terrible. L'homme était au-dessus.

— Qu'avez-vous fait ? »

Elle agita la tête. « Rien de bien sensé. J'ai couru à travers la pièce et je lui ai sauté sur le dos. Comme si j'étais suffisamment forte pour l'arrêter ! Je donnais des coups de poing, de pied, je hurlais et je sentais James qui se débattait sous nos corps. Un coude ou un poing est sorti de nulle part et m'a cueillie sur le côté du crâne. » Elle leva la main et effleura délicatement sa tempe du bout des doigts. « J'ai entendu parler de gens qui voyaient des étoiles. Eh bien, j'ai vu des étoiles, monsieur Mackenzie. Ma tête était pleine de leur lueur. Cela m'a ôté toute force dans les bras et les jambes. Je suis tombée sur le dos et j'ai cru que j'allais être malade. J'étais totalement désemparée. J'ai entendu James crier, et ensuite un hoquet affreux, et des chocs sourds, semblables à des coups, et l'homme est passé devant moi en courant. Il a dévalé les escaliers et s'est enfui par la véranda. »

Sime l'observait attentivement. L'attitude de détachement qu'elle avait affichée au début du récit de cet événement traumatisant s'était muée en une émotion intense. Il vit de la peur et de la crainte dans ses yeux. Elle avait glissé ses mains entre ses cuisses. « Et ensuite ? »

Elle prit quelques instants pour répondre, comme si elle s'extirpait de sa mémoire pour rejoindre l'instant présent. Son corps sembla se relâcher. « J'ai réussi à me mettre à genoux et j'ai vu James, allongé sur le flanc, recroquevillé, presque en position fœtale. Il me tournait le dos et ce n'est que quand je me suis approchée que j'ai remarqué la flaque de sang sur le sol. Il était encore en vie et agrippait désespérément sa poitrine pour stopper l'hémorragie. Le sang filait par à-coups entre ses doigts à chaque battement de cœur. J'ai voulu aller jusqu'à la cuisine pour y trouver un torchon et arrêter le saignement moi-même. Mes pieds nus ont glissé dans son sang et je suis tombée. Le sol était devenu une patinoire et je dérapais et je glissais comme une imbécile. La panique, j'imagine. »

Elle ferma les yeux et, derrière ses paupières qui tressautaient, il l'imaginait qui visualisait le moment. Le revivait. Ou l'imaginait de toutes pièces. Il n'était encore sûr de rien. En revanche, il espérait sincèrement que son histoire était vraie.

« Quand je suis revenue à ses côtés, il agonisait. Je l'entendais à sa respiration. Rapide, le souffle court. Ses yeux étaient ouverts et je voyais la lumière qui y brillait s'éteindre peu à peu, c'était comme de regarder le soleil se coucher. Je me suis agenouillée dans son sang et je l'ai basculé sur le dos. Je ne savais vraiment pas comment m'y prendre, alors j'ai plaqué le torchon roulé contre sa poitrine pour empêcher le sang de couler. Il y en avait déjà tellement sur le sol. Et il y a eu ce long râle qui s'est échappé de sa bouche ouverte. Un soupir. Il était parti.

— Vous avez dit aux voisins que vous aviez essayé de le ranimer par une RCP. »

Elle fit oui de la tête. « J'ai vu ça à la télévision. Mais je n'avais aucune idée de ce qu'il fallait faire. J'ai juste appuyé des deux mains sur sa poitrine, encore et encore, aussi fort que je le pouvais. J'ai tout tenté pour essayer de faire repartir son cœur. » Elle secouait la tête à présent. « Il ne s'est rien passé. Pas un signe de vie. J'ai dû pomper ainsi pendant deux minutes, peut-être plus. Cela m'a semblé durer une éternité. J'ai laissé tomber et j'ai tenté le bouche-à-bouche. J'ai abaissé sa mâchoire, pincé son nez et j'ai soufflé de l'air dans sa bouche. »

Elle regarda Sime. Le souvenir lui faisait monter les larmes aux yeux. « Je sentais le goût de son sang. Il était sur mes lèvres, dans ma bouche. Je savais au fond de moi que cela n'allait pas. Il était parti et je ne parviendrais pas à le faire revenir.

— C'est à ce moment-là que vous avez couru jusqu'à la maison des voisins?

— Oui. Je pense que je devais être totalement hystérique. Je me suis coupé les pieds sur le verre brisé. Je ne savais plus quel était son sang et quel était le mien. Les McLean ont dû à moitié mourir de peur en me voyant. »

Elle cligna des yeux et les larmes roulèrent sur son visage, suivant les traces de celles qui les avaient précédées. Elle restait assise et fixait Sime, comme si elle attendait la question suivante, ou le défiait de la contredire. Mais il se contenta de lui rendre son regard. À demi perdu dans les images de son récit, une part de lui-même écoutait son scepticisme et son expérience de policier, et une autre part se laissait aller à l'empathie. L'impression irrésistible et déstabilisante de connaître cette femme ne l'avait pas quittée. Il n'eut aucune idée du temps qu'ils passèrent ainsi, assis en silence.

« Simon, je vous dérange ? » La voix de Marie-Ange dissipa l'instant et Sime se tourna vers la porte, l'air ahuri. « Je veux dire, l'interrogatoire est terminé, oui ou non ? » Elle parlait anglais, debout dans l'entrebâillement de la porte moustiquaire, et le regardait avec une mine interrogatrice.

Sime se leva. Il se sentait désorienté, perturbé, comme s'il avait perdu conscience l'espace d'un instant. Son regard fut attiré par un mouvement dans le couloir derrière les escaliers et il vit Thomas Blanc qui le dévisageait bizarrement. Il hocha la tête en silence et Sime dit : « Oui, nous avons fini pour le moment.

— Bien. » Marie-Ange s'adressa à Kirsty Cowell. « Je veux que vous m'accompagniez au centre médical. Nous allons prendre quelques photographies, l'infirmière procédera à un examen physique et ensuite, vous pourrez vous laver. » Elle se tourna vers Sime, mais il évita son regard. Elle revint sur la veuve. « Je vous attends dehors. » Elle partit en laissant claquer la porte. Sime jeta un coup d'œil en direction du couloir mais Blanc était reparti dans la chambre à coucher.

Kirsty, debout et immobile, le fixait d'un air entendu. « Elle vous a appelé Simon. Vous m'avez dit vous appeler Sheem. »

Inexplicablement, il se sentit embarrassé. « Cela s'épelle S-I-M-E. Simon, en gaélique écossais. C'est comme cela que tout le monde m'appelle.

— Sauf elle. »

Il sentit ses joues s'échauffer et haussa les épaules.

« Amants ?

— Ma vie privée n'est pas le sujet.

— Ex-amants, alors. »

La fatigue et le stress la rendent peut-être brutale, pensa-t-il. Cela ne semblait même pas l'intéresser. Il se sentit tout de même obligé de répondre. « Mariés », dit-il, avant d'ajouter rapidement : « Au passé. » Et, finalement : « L'interrogatoire n'est pas terminé. Nous poursuivrons après l'examen médical. » Elle soutint son regard un long moment avant de franchir la porte et de gagner le porche.

Sime sortit quelques instants plus tard et trouva Marie-Ange qui l'attendait. La veuve était installée à l'arrière du minibus, Lapointe au volant. Le ronronnement du moteur au ralenti allait et venait au gré des bourrasques. Marie-Ange s'approcha de Sime d'une manière qui aurait pu sembler intime si son langage corporel avait été moins hostile. Elle lui parla à voix basse. « Bon, mettons les règles en place dès maintenant. »

Il la regarda avec incrédulité. « Quelles règles ?

— C'est simple, Simon. » Depuis leur rupture, elle n'employait plus que son prénom officiel. « Tu fais ton job, je fais le mien. En dehors des moments où nos boulots se croisent, nous n'avons rien à nous dire.

— Cela fait des mois que nous n'avons rien à nous dire. »

La voix de Marie-Ange n'était plus qu'un sifflement rendu presque inaudible par le chahut du vent. « Je ne veux pas me disputer avec toi. Pas devant mon équipe. »

« Son » équipe. Un rappel, au cas où il l'aurait oublié, qu'il n'était qu'une pièce rapportée. Son regard était si froid qu'il faillit reculer d'un pas. Elle l'avait pourtant aimé, se souvint-il.

« Il n'y aura pas de disputes.

— Bien.

— Mais tu peux venir récupérer les affaires qui restent chez moi, quand tu veux. Je n'ai pas envie de les voir traîner dans l'appartement.

— Je suis surprise que cela te gêne. Tu remarquais à peine ma présence quand j'étais là.

— Peut-être parce que tu n'étais jamais là. »

Elle ne releva pas. « Tu sais le meilleur ? Je n'en veux plus de ces affaires. Elles ne me manquent pas. Notre vie ne me manque pas. Pourquoi tu ne fourres pas tout ça dans une poubelle ?

— Comme tu l'as fait avec notre mariage ?

— Pas de ça, s'il te plaît. Tu es un pisse-froid, Simon. Tu sais ça ? Rien à donner. Mon seul regret, c'est qu'il m'ait fallu tout ce temps pour le réaliser. Te quitter est la meilleure chose que j'ai faite. Tu n'as pas idée à quel point je me sens libre. »

Toute la douleur et la trahison qu'il avait endurées se lisaient dans ses yeux bruns et tristes posés sur elle. Il s'était souvent demandé s'il y avait eu quelqu'un d'autre. Elle l'avait toujours nié. Tout était de sa faute. Les disputes, les silences, l'absence de sexe. Et à présent, il devait payer le prix de sa liberté. « Dans ce cas, j'espère que tu en profites bien », se contenta-t-il de répondre.

Ils restèrent ainsi les yeux dans les yeux pendant un moment avant qu'elle ne fasse demi-tour et descende les quelques marches jusqu'au minibus qui attendait. Il vit Kirsty qui l'observait derrière les reflets de la vitre.

CHAPITRE 4

Après une série de relations amoureuses qui avaient échoué, il lui avait été facile de perdre confiance en lui et il en était arrivé au point où il commençait à croire que le problème, c'était lui.

C'était en tout cas l'état d'esprit dans lequel il se trouvait quand Marie-Ange était entrée dans sa vie.

Un état douloureux et solitaire. À l'aube de ses trente ans, il avait derrière lui une poignée d'histoires de cœur bancales et l'avenir lui promettait une longue succession de nuits sans compagnie. Son avenir, sa vie, se résumaient à son travail. Et, au bout du compte, il serait tellement perclus d'habitudes qu'il lui serait impossible de partager quoi que ce soit.

Enfant déjà, il se suffisait à lui-même. Il avait peu d'amis et n'était pas très sociable.

Avant qu'il ne rencontre Marie-Ange, son appartement était un lieu sans joie qu'il n'avait jamais pris le temps de meubler ou de décorer au-delà du strict nécessaire. L'unique tableau qu'il possédait était un paysage peint cinq générations plus tôt par un ancêtre venu au Canada et qui s'était fait une petite réputation comme artiste. Sime n'y était pas particulièrement attaché. Il provenait de la maison de ses parents. Sa sœur avait récupéré presque toutes leurs affaires après leur accident mais elle avait estimé que Sime devait hériter du tableau. L'accrocher au mur lui avait paru le meilleur moyen de ne plus l'avoir dans les pieds. Marie-Ange ne l'avait jamais apprécié.

Pendant un temps, elle avait essayé de faire de l'endroit un foyer. Construire le nid. Mais chacun d'eux en venait à faire tant de compromis qu'à la fin, ni l'un ni l'autre ne s'y sentait à l'aise.

L'appartement se trouvait au troisième étage d'un immeuble de Saint-Lambert. Avec ses trois chambres, il aurait fait un premier domicile idéal pour un couple souhaitant démarrer une famille. C'est ce que Sime avait à l'esprit quand il l'avait pris. À l'époque, il était en couple avec une autre fille depuis presque un an, un record pour lui, et ils s'apprêtaient à emménager ensemble.

Et soudain, elle était partie. Sans un mot. Sime n'avait jamais su pourquoi. C'est à ce moment-là qu'il avait commencé à douter de lui-même.

Rencontrer des gens n'avait jamais été facile pour lui. Les horaires d'un policier sont, presque par nature, antisociaux. Préserver une relation amoureuse est encore plus compliqué parce qu'on ne sait jamais avec certitude à quelle heure on sera rentré ou, parfois, quel jour. Contrairement à ses collègues, Sime ne s'était jamais vraiment investi dans la vie sociale de la Sûreté. Cela lui paraissait quasi incestueux. Pour finir, l'agence de rencontres avait été le geste d'un homme désespéré.

C'était un ami croisé à l'école de police qui lui en avait parlé le premier et, au départ, Sime y avait été violemment opposé. Les semaines suivantes, l'idée avait fait son chemin et les arguments qu'il pouvait y opposer étaient tombés un à un. Au bout du compte, il avait cédé.

C'était une agence en ligne. Il devait, bien sûr, leur confirmer son identité mais au-delà, on lui garantissait un anonymat complet. On lui avait fourni un nom fictif qu'il pouvait choisir de conserver, ou pas, après un premier rendez-vous.

Sime avait passé une soirée entière à remplir le questionnaire sur le site Web, essayant de répondre aussi honnêtement que possible. En relisant ses réponses, il s'était dit qu'aucune personne sensée ne lui donnerait jamais rendez-vous. Il avait donc été à la fois surpris et passablement bouleversé quand l'agence lui annonça avoir trouvé quelqu'un et que, s'il le souhaitait, elle serait heureuse de le rencontrer.

Sime avait déjà maîtrisé des tueurs, désarmé un homme avec un fusil automatique pris de folie meurtrière, s'était fait tirer dessus, mais il n'avait jamais eu autant le trac que le soir de son premier rencard.

Ils avaient décidé de se retrouver dans un Starbucks sur l'avenue du Mont-Royal Est. Sime était arrivé en avance, craignant de se retrouver coincé dans la circulation. L'endroit était calme. Il avait commandé un *grande macchiato* caramel et s'était assis près de la vitrine pour observer les clients qui allaient et venaient.

C'est alors qu'il avait vu Marie-Ange traverser la rue. Il la connaissait, évidemment. Elle faisait partie des techniciens de scène de crime du service, mais ils n'avaient jamais eu l'occasion de travailler ensemble. Sime s'était détourné pour qu'elle ne le voie pas, assis derrière la vitrine, mais il avait été saisi d'effroi quand elle avait poussé la porte et s'était dirigée vers le comptoir. Il avait essayé de se faire le plus petit possible, gêné à l'idée qu'elle puisse découvrir qu'il était là pour un rendez-vous arrangé par une agence de rencontres en ligne. Dès le lendemain, tout le service aurait été au courant. Il priait pour qu'elle soit simplement entrée pour acheter un café à emporter et qu'elle ne le remarque pas.

Il n'avait pas eu cette chance. Le serveur lui avait donné son *latte* allégé et elle s'était tournée dans sa direction. Sime aurait voulu que la terre s'ouvre sous ses pieds pour disparaître. Elle avait paru surprise mais il n'était plus possible de faire comme s'ils ne s'étaient pas vus. Elle avait souri et s'était assise à sa table. Sime avait fait de son mieux pour lui rendre son sourire, mais il lui avait plutôt semblé faire une grimace.

« Salut, Sime. C'est amusant de te trouver là.

— J'attends quelqu'un », avait-il lâché.

« Ah bon ? » Un large sourire amusé s'était dessiné sur ses lèvres et elle avait relevé un sourcil. « Un rencard ? » En comparaison de l'agitation de Sime, elle semblait anormalement détendue.

« En quelque sorte.

— Quelqu'un que je connais ?

— Je ne pense pas.

— Ah, alors ce n'est pas un flic. J'ai l'impression de ne plus connaître que des flics à présent.

— Ouais, moi aussi.

— À part ton rencard. »

Sime s'était efforcé de paraître amusé. « Ouais. À part mon rencard. »

Un silence lourd s'était installé entre eux pendant qu'ils commençaient à siroter leur boisson. Elle avait consulté sa montre et Sime en avait profité pour l'observer. Il n'avait jamais vraiment fait attention à elle jusque-là. Elle n'était qu'un des membres de l'équipe parmi d'autres. Ses cheveux courts et sa silhouette androgyne accentuaient encore cette impression. Mais là, il s'était surpris à apprécier la délicieuse profondeur du vert de ses yeux, l'angle fin de sa mâchoire et ses lèvres pleines et délicates. À y regarder de plus près, elle était vraiment séduisante. Elle avait levé les yeux, le surprenant en pleine observation.

« À quelle heure est ton rendez-vous ?

— Sept heures. »

Elle avait soupiré. « Dommage. Tu aurais pu m'emmener dîner. Je n'ai rien d'autre à faire ce soir. »

Et soudainement, il avait pensé oui ! Je préférerais cent fois dîner avec toi. Avec quelqu'un en face de qui je n'ai pas à jouer la comédie. Qui me connaît déjà. Qui sait que je suis flic et ce que cela implique. Il avait levé les yeux vers l'horloge accrochée au mur. Il s'était mis debout. Sept heures moins cinq. « Allons-y. »

Elle avait froncé les sourcils. « Où ça ?

— Dîner ? »

Elle avait ri. « Et ton rencard ? »

Sime avait secoué la tête et jeté un coup d'œil nerveux en direction de la porte au cas où elle débarquerait. « Je ne l'ai jamais vraiment appréciée de toute façon. » Il lui avait tendu la main. « Viens. »

Elle avait ri, mis sa main dans la sienne et s'était levée. « Où allons-nous ?

— Je connais un super petit endroit, rue Jeanne-Mance. »

Ce soir-là, ils étaient restés assis à parler comme plus jamais ils ne l'avaient fait. Étrangement, Sime s'était soudain senti libéré. Le vin l'avait aidé à relâcher ses inhibitions les plus enfouies et il avait partagé toutes ces peurs sournoises et ces faiblesses qu'il avait tues et dissimulées avec soin parce qu'avouer vos faiblesses vous rendait vulnérable. Mais il ne s'était pas senti exposé car elle aussi s'était livrée. Elle lui avait parlé de l'échec de son mariage, encore adolescente, de l'oncle qui aimait toucher sa poitrine à peine formée quand elle avait tout juste treize ans, le combat de sa mère avec l'alcool, puis le cancer du sein.

Sime lui avait parlé de ses parents, morts dans l'effondrement d'un pont au-dessus de la Salmon River alors qu'ils le franchissaient en voiture. De sa difficulté à avoir des relations avec les autres gamins de son école. De son inaptitude avec les filles.

Après coup, tout cela était bien déprimant. Mais ils avaient également beaucoup ri. Des histoires amusantes, accumulées pendant une décennie au sein de la police. Il était déjà tard quand ils avaient commandé leur deuxième digestif. Sime se sentait serein et, l'alcool lui en ayant donné le courage, il avait avoué que la vraie raison de sa présence au Starbucks était qu'il devait y rencontrer une femme trouvée par le biais d'une agence de rencontres sur Internet.

Le sourire de Marie-Ange s'était envolé et elle l'avait dévisagé avec curiosité. « Sérieux ? »

Il avait immédiatement regretté son aveu.

« Et tu as posé un lapin à cette pauvre femme sans même lui laisser une chance ? »

Sime s'était mis à culpabiliser et n'osait plus la regarder. « C'était vraiment vache de ma part ? »

Elle avait pincé les lèvres et opiné du chef. « Vraiment, Sime, c'était vache. Tout particulièrement parce que la femme à qui tu as posé un lapin, c'est moi. »

Sime en était resté bouche bée. Elle avait tellement ri en voyant son air ahuri qu'elle avait les joues inondées de larmes. Il ne lui avait fallu que quelques instants pour saisir toute l'histoire. L'un comme l'autre, ils avaient fait faux bond à leurs rencards pour partir avec quelqu'un qu'ils connaissaient déjà. Et ce quelqu'un était en fait leur rencard.

Au bout d'un moment, leurs rires avaient obligé le propriétaire du restaurant à leur demander de partir. Ils gênaient les autres clients.

Ils étaient allés jusqu'à l'appartement de Sime et ils avaient fait l'amour comme plus jamais ils ne l'avaient fait ensuite. Du désir pur, l'inconnu pour Sime. Ils s'étaient mariés six mois plus tard.

Il avait appris depuis que l'on ne peut pas construire une relation sur une nuit passée ensemble et que ce qui peut ressembler à une bonne combinaison pour un ordinateur ne fonctionne pas toujours dans la réalité.

CHAPITRE 5

I

Le vent forcissait en provenance du sud-ouest, balayait le sommet des falaises et, sur son passage, couchait à terre tout ce qui avait le malheur d'y pousser. Le soleil, d'abord voilé par des nuages d'altitude, avait finalement été avalé par les nuées d'orage qui progressaient rapidement au-dessus de la masse gris ardoise de l'océan. Paradoxalement, l'air était doux et tiède sur la peau. Sime s'assit au milieu des hautes herbes qui ployaient autour de lui, à quelques mètres à peine du bord de la falaise. Il entendait le fracas des vagues en contrebas et se sentait totalement exposé à la force de la nature. Communiant avec elle tout en étant à sa merci. Il eut l'impression d'être un fantôme, sans substance, perdu dans une vie qui avait mal tourné.

Comment était-il possible que sa relation avec Marie-Ange soit née avec tant de facilité et que tant de douleur ait accompagné sa disparition? L'affection transformée en inimitié. La plénitude qu'il avait ressentie pendant ces premiers jours enivrants avait été chassée par un vide cruel. L'idée qu'ils ne s'étaient jamais vraiment aimés lui avait traversé l'esprit. C'était une nécessité, plus que de l'amour. Et comme lorsque l'on calme sa faim, l'envie était passée.

Au début, Marie-Ange avait comblé un trou béant dans son existence. Depuis ses premières années d'adolescence, il savait qu'il n'était pas vraiment comme tout le monde. Que quelque chose manquait à sa vie. Quelque chose qu'il n'avait jamais vraiment identifié ni compris. Et pendant ces quelques années, il lui avait semblé que Marie-Ange avait occupé la place de cette pièce manquante. Elle faisait de lui quelqu'un de complet. En ce qui la concernait, il supposait qu'elle avait été motivée par un quelconque instinct maternel et pris sous sa protection un petit garçon perdu. L'ensemble ne constituait pas de bonnes bases pour une relation. Et la suite l'avait prouvé.

Pendant un moment, il ferma les yeux et laissa le vent lui caresser le visage. Si seulement il parvenait à dormir, son supplice en serait grandement atténué. La tentation était forte de rester simplement allongé dans l'herbe, le son du vent et de l'océan dans les oreilles, et de sentir l'orage imminent approcher au loin. Mais quand il ferma les paupières pour chasser la lumière, le visage de Kirsty Cowell lui apparut dans l'obscurité. Comme si elle avait toujours été là et qu'elle l'attendait.

« Ça va, Sime ? »

La voix, forte pour couvrir le vent, lui fit brusquement ouvrir les yeux. Il regarda au-dessus de lui, le cœur battant et vit le lieutenant Crozes. « Oui », répondit Sime. « J'écoutais juste le vent. »

Crozes balaya l'océan du regard. « Les météorologues disent qu'on va se prendre un putain d'orage. »

Sime suivit son regard jusqu'à l'amoncellement de nuages, noirs, comme meurtris, qui dévoraient le ciel au fur et à mesure de leur approche. « Ça m'en a tout l'air.

— Les restes de l'ouragan Jess, apparemment. »

Sime avait attrapé quelques bribes d'infos au journal télévisé à propos de cet ouragan qui avait ravagé la côte est des États-Unis. « Vraiment ?

— Il est passé au stade de tempête à présent. Mais là, ils appellent ça une super tempête. Ce sera quitte ou double pour quitter l'île ce soir. »

Sime haussa les épaules. Rester ou partir, il s'en fichait. Quel que soit l'endroit où il coucherait, il savait qu'il ne dormirait pas. « Comment se passe le porte-à-porte ? »

Crozes soupira, les lèvres serrées. « Autant essayer de transformer du plomb en or, Sime. Oh, tout le monde est bien aimable. Beaucoup de choses à raconter, mais rien à dire. Pas à nous en tout cas. Et pas un mot de travers à propos de Kirsty Cowell. »

Sime se mit debout et, du plat de la main, enleva les herbes sèches collées à son pantalon. « Pourquoi diraient-ils du mal d'elle ?

— C'est sûr, ils n'ont aucune raison de le faire. Elle est des leurs. Une insulaire de naissance qui a grandi ici. Mais, même s'ils ne disent rien, c'est évident qu'ils pensent tous qu'elle l'a tué. »

Sime le fixa, l'air étonné. « Pourquoi ? »

Crozes haussa les épaules. « C'est ce que nous devons découvrir. » Il se tourna et, de la tête, désigna une maison peinte en bleu, en bas de la colline, à moins d'une centaine de mètres. « Ce serait une bonne idée, pendant qu'elle est avec Marie-Ange et l'infirmière, que Blanc et toi vous alliez interroger les voisins. D'après Aucoin, ils étaient les premiers sur les lieux. »

De fines gouttes de pluie commençaient à leur picoter le visage.

Les McLean étaient un couple étrange. Ils se tenaient assis, fébriles, dans le pavillon d'été des Cowell. Ils y avaient sans doute été invités de nombreuses fois mais, à cet instant précis, on aurait dit des poissons sortis de l'eau. Mal à l'aise et hésitants dans un environnement inconnu. Agnes, autant que Sime pouvait en juger, avait aux alentours de soixante-dix ans. Harry était un peu plus âgé. Elle avait une abondante chevelure, blanche comme du coton, ondulée sur les côtés et rassemblée sur le sommet de la tête. Lui était presque chauve, le crâne tanné et tacheté par les années. Sime les trouvait minuscules, de petites personnes ratatinées.

« Je ne saurais vous dire quelle heure il était exactement. » Agnes avait une voix perçante qui plongeait et remontait comme un papillon un jour d'été. « Nous dormions.

— À quelle heure vous couchez-vous habituellement?

— Vers dix heures en général. » Les mains posées sur ses genoux, Harry faisait tourner son alliance de ses doigts tachés de nicotine. Il aurait sans doute été plus heureux avec une cigarette à la place.

« Donc c'était après dix heures. Était-ce avant minuit?

— Quand j'ai fait attention à l'heure pour la première fois, il était minuit et demi », expliqua Agnes. « Et c'était après que nous avons appelé l'infirmière.

— Et c'est l'infirmière qui a téléphoné à la police?

— Oui.

— Dites-moi ce qui s'est passé quand madame Cowell s'est présentée à votre porte. »

Le couple de vieillards échangea un regard, vraisemblablement pour savoir qui allait parler en premier.

Ce fut Agnes qui se lança. « Elle s'est mise à tambouriner à notre porte, dans le noir. On aurait cru la Troisième Guerre mondiale. Je suis étonnée qu'elle ne se soit pas abîmé les mains.

— C'est cela qui vous a réveillés ?

— Moi, pas lui. » Agnes lança un coup d'œil rapide en direction de son mari. « Il faudrait plus qu'une guerre mondiale pour qu'il ouvre un œil. j'ai dû le secouer. » Il la fusilla du regard. « Mais quand il lui a ouvert la porte, je peux vous dire que ça l'a réveillé.

— On aurait dit une apparition », s'extasia Harry, les yeux écarquillés par le souvenir, comme des fleurs sous le soleil. « Rien d'autre que sa nuisette. Toute blanche et légère, presque transparente. Avec la lune derrière elle comme ça, je veux dire, c'était évident qu'elle était nue comme un ver là-dessous. »

C'était maintenant Agnes qui le fixait d'un œil noir. Mais il n'y prit pas garde, il revivait l'instant.

« Et elle était couverte de sang. Mazette, je n'avais jamais rien vu de pareil. Sur ses mains, son visage, partout sur sa nuisette.

— Elle était hystérique », intervint Agnes. « Elle ne cessait de crier, aidez-moi, aidez-moi, il est mort, il est mort ! » Elle posa un regard réprobateur sur son mari. « Et, bien sûr, il a fallu qu'il lui demande de qui elle parlait. Comme si ça ne crevait pas les yeux.

— Ce n'était pas évident. » Harry fronça les sourcils. « Ça aurait pu être n'importe qui.

— Que s'est-il passé ensuite ? », enchaîna Sime.

« Nous l'avons suivie jusqu'à la maison », dit Agnes. « Dans nos robes de chambre. Harry avait une torche et son fusil de chasse. Nous avons trouvé monsieur Cowell étendu sur le sol, au milieu de tout ce sang.

— Elle disait qu'elle avait été attaquée et que Cowell avait essayé de la sauver. » Harry ne dissimulait pas son scepticisme. Sime en profita.

« Et vous ne la croyez pas ? »

Harry dit : « Non », et Agnes répondit : « Si ». Tous les deux en même temps. À nouveau, elle lui lança un regard noir.

« Pourquoi ne l'avez-vous pas crue, monsieur McLean ?

— Harry… » L'avertissement était clair dans le ton qu'avait employé sa femme.

Il se contenta de hausser les épaules. « Eh bien, qui pourrait lui en vouloir ? Il la trompait, c'était un menteur et tout le monde le savait. »

Sime plissa le front. « Que voulez-vous dire ?

— Eh bien, il y a tout juste une semaine, il l'a plaquée et il est parti, non ? Pour une espèce de pouffiasse de Grindstone. » Une seconde passa et il se reprit : « Enfin, pour vous, c'est Cap-aux-Meules. »

III

Ils étaient assis dans le minibus garé sur la crête de la colline d'où ils dominaient la demeure des Cowell et le phare au-delà. Les rafales de pluie qui traversaient la baie à toute allure masquaient presque l'île du Havre-Aubert, la plus proche parmi celles de l'archipel. Blanc fumait, installé à l'avant, côté passager, la vitre baissée. Les volutes de sa cigarette étaient violemment emportées par le vent. Lapointe était courbé au-dessus du volant et mordait à pleines dents dans un sandwich, des miettes accrochées à la moustache. Crozes, Marie-Ange et Sime étaient assis à l'arrière.

Deux membres de l'équipe étaient encore sur le terrain en train de faire du porte-à-porte et, sans aucun doute, de se faire tremper. L'assistant de Marie-Ange prenait des photographies du corps avant qu'il ne soit emporté.

« Dès que Cowell se sera lavée et changée, je veux que tu lui demandes pourquoi elle a omis de nous dire qu'elle venait juste de se séparer de son mari », dit Crozes en se mordillant un ongle, le regard absent.

Sime fit descendre une pleine bouchée de pain avec le café que contenait sa tasse en plastique et acquiesça. Cela le réconfortait presque de savoir que Kirsty Cowell n'avait pas, elle non plus, fait un mariage heureux. Ils avaient maintenant quelque chose en commun. Et elle avait un mobile possible.

« Tu devrais peut-être voir l'infirmière d'abord. » Toutes les têtes se tournèrent vers Marie-Ange. Elle haussa les épaules. « Elle n'est pas du coin, mais elle connaît suffisamment l'île et ses habitants pour savoir qui a un cadavre planqué dans le placard. » Elle sourit avec ironie. « Façon de parler.

— Tu penses à un cadavre en particulier ? », lui demanda Crozes.

Elle braqua le vert de ses iris sur lui et il sembla momentanément décontenancé. « Nous avons discuté après qu'elle a examiné madame Cowell. Apparemment, il y a un pêcheur qui vit du côté de l'école qui a une sacrée dent contre Cowell. Il raconte à tout le monde qu'il lui a volé le bateau de son père. »

Crozes fit une moue pensive et s'adressa à Sime. « Dans ce cas, Thomas et toi vous devriez aller lui parler. Si tu penses que ça en vaut la peine, on le convoquera pour un interrogatoire officiel. »

Thomas Blanc jeta sa cigarette d'une pichenette et regarda les éléments l'emporter. Il gratta sa calvitie.

« Supposons que madame Cowell ait dit la vérité »,
avança-t-il. « Pourquoi ce type s'en serait pris à elle
si c'était après Cowell qu'il en avait ? »

Une bourrasque passa le sommet des falaises et
frappa le flanc du minibus avec une telle force qu'il se
mit à tanguer. Un rayon de soleil inonda l'île, comme
le coup de pinceau d'un peintre, avant de disparaître
brusquement.

« Ouais. Peut-être qu'il en avait aussi après sa femme »,
fit Crozes. « C'est à vous de le découvrir, les gars. »

CHAPITRE 6

I

Le centre local de services communautaires de l'île était installé dans une construction jaune aux montants peints en blanc, sur le côté droit de Chemin Big Hill, cinquante mètres après l'épicerie. On ne pouvait pas vraiment appeler cela une route. C'était un chemin de terre farci de nids-de-poule. Un panneau planté devant annonçait « *Centre de santé et de services sociaux des îles* », même si personne ici ne parlait le français. Une autre preuve de la nature schizophrénique de la province à laquelle appartenait l'île se manifestait dans les noms de rues précédés par le mot français Chemin et suivis de l'anglais *Road*.

L'infirmière approchait de la quarantaine et personnifiait cette schizophrénie. Née à Cap-aux-Meules, de langue maternelle française, elle passait une semaine sur deux sur l'île d'Entrée, pendant laquelle elle ne parlait qu'anglais. Sime remarqua l'absence d'alliance à son annulaire. Elle était assise sur le rebord de son bureau et semblait inquiète. « Vous ne direz à personne que c'est moi qui vous ai raconté cela, n'est-ce pas ?

— Bien sûr que non », la rassura Blanc. Il était plus à l'aise maintenant qu'ils s'étaient remis à parler français. « Tout ce que vous nous raconterez restera confidentiel. »

Elle portait un jean, un gros pull en laine et tenait ses bras fermement croisés sur sa poitrine, sur la défensive. Ses cheveux noirs, parsemés de quelques fils argent, étaient attachés en arrière avec rigueur et mettaient en valeur son front haut et son visage vierge de tout maquillage. « Il s'appelle Owen Clarke. Il est un peu bagarreur. C'est un type sympa, mais il devient agressif quand il a bu un coup de trop. J'ai soigné suffisamment de gars qui avaient eu affaire à ses grosses jointures écorchées. Rien de grave. Mais par ici, les hommes sont rudes. Certains passent six mois d'affilée loin de chez eux, à pêcher. Il faut qu'ils évacuent la pression de temps à autre, difficile de le leur reprocher.

— Quel âge a-t-il ? », demanda Sime.

« Je suppose qu'il doit avoir la quarantaine. Il a un garçon, un ado, nommé Chuck. Pas un mauvais garçon, mais il a l'air de suivre les traces de son père. Pour le caractère en tout cas, car il n'a pas l'intention de devenir pêcheur. Comme les autres gosses de l'île de nos jours, tout ce qu'il souhaite, c'est s'en aller. »

Elle jeta un coup d'œil par la fenêtre, presque avec envie, songea Sime. Par temps clair, elle devait probablement apercevoir Cap-aux-Meules.

« Étrangement, c'est la mère qui fait la loi chez les Clarke. Owen est une grande brute et Chuck lui ressemble, mais c'est Mary-Anne la chef de meute. »

Blanc s'amusait à faire tourner une cigarette éteinte entre trois de ses doigts, comme un magicien faisant un tour. L'infirmière ne la quittait pas des yeux, l'air de craindre qu'il ne l'allume. « Et donc, quel était l'objet de sa querelle avec Cowell ? », lui demandat-il.

« Une histoire avec son bateau. Je ne connais pas les détails. Mais il appartenait à son père. Et maintenant, il est à Cowell. » Elle se reprit. « Était. Et Owen l'exploitait pour lui.

— Et vous pensez que Clarke pourrait l'avoir tué ? », enchaîna Sime.

« Je n'ai pas dit ça », se hâta-t-elle de répondre. « Juste qu'ils ne pouvaient pas se voir.

— Vous étiez la première sur les lieux », intervint Blanc. « Après les McLean en tout cas.

— Oui.

— Et Cowell était mort quand vous êtes arrivée. »

Elle se mordit doucement la lèvre, Sime vit son regard se troubler tandis qu'elle se remémorait la scène. « Il l'était.

— Comment vous en êtes-vous assurée ?

— Sergent, personne ne peut être encore vivant en ayant perdu une telle quantité de sang.

— Avez-vous pu déterminer ce qui avait provoqué le saignement ?

— Seul le légiste peut vous dire ça. » Elle soupira et se radoucit. « Il avait trois coups de couteau dans la poitrine.

— L'attaque a dû être particulièrement violente. »

Elle secoua la tête. « Je n'en ai aucune idée. Je soigne les coupures et les bleus, je conseille les femmes enceintes, sergent. Tout ce que je peux vous dire c'est qu'au moins un des coups avait dû perforer un poumon parce qu'il y avait beaucoup de sang mousseux, très rouge et oxygéné. »

Blanc fit mine de coincer sa cigarette entre ses lèvres, mais il se ravisa. « Dans quel état était madame Cowell à votre arrivée ? »

Elle releva les yeux et se concentra pour revivre le moment. « Presque catatonique.

— Les McLean disent qu'elle était hystérique.

— Pas quand je suis arrivée. Elle était assise dans la véranda, sur le rebord d'une chaise, les yeux dans le vide. Je n'avais jamais vu un visage aussi pâle. Le contraste avec le sang dont elle était barbouillée était saisissant. »

Blanc adressa un bref regard à Sime avant de revenir à l'infirmière. « Appréciez-vous madame Cowell ? »

Elle sembla surprise par la question. « Oui, je l'apprécie.

— Pensez-vous qu'elle a tué son mari ? »

Ses joues rosirent et elle se mit debout. « Je n'en ai aucune idée, sergent. Ça, c'est votre travail. »

Dehors, le vent s'engouffra dans les cheveux de Blanc et les fit se dresser à la verticale. Il se tourna vers Sime. « J'imagine qu'il va falloir dire deux mots à ce Clarke. Mais quelque chose me dit qu'on va perdre notre temps. » Il fit tournoyer sa cigarette une dernière fois et elle se brisa en deux, déversant son contenu qui fut emporté par le vent dans le soir qui tombait.

II

Le minibus tressautait et brinquebalait sur le revêtement irrégulier et accidenté de Chemin School tandis que se dressaient sur leur droite, au-dessus des plantations de pins rabougris, les sommets jumeaux de Big Hill et Cherry Hill. Blanc fumait en conduisant et Sime ouvrit sa vitre pour faire entrer un peu d'air. La pluie tombait par intermittence et s'étalait sur le pare-brise à chaque passage des essuie-glaces.

L'école se trouvait dans un long bâtiment assez bas doté d'une série de fenêtres sur un côté et se situait dans la vallée derrière la plantation la plus proche. Construite à une époque où la population de l'île devait être le double de ce qu'elle était à présent, Sime douta qu'elle accueille aujourd'hui davantage qu'une poignée d'enfants.

Ils s'engagèrent sur un chemin de terre qui passait devant l'école et qui les conduisit jusqu'à une maison peinte en violet, construite à flanc de colline. Une clôture blanche ceinturait le jardin laissé à l'abandon au fond duquel, après avoir été envoyés là par la vieille dame qui avait répondu à la porte, ils trouvèrent Clarke installé dans une cabane en parpaings. La vieille dame n'est sans doute pas sa femme, pensa Sime.

Des piles de casiers à homards encerclaient la cabane, comme des algues échouées sur le rivage. Il y en avait des centaines, par tas de six ou sept, tenus par des cordes nouées à des pieux pour empêcher que les tempêtes hivernales ne les emportent.

La cabane n'avait pas de fenêtre et la seule lumière qui y régnait était diffusée par une unique ampoule émergeant de l'obscurité du plafond. L'air était saturé de fumée de cigarette et un gros congélateur vertical ronronnait contre le mur du fond. Sime sentit aussi le parfum éventé de l'alcool. Les murs étaient encombrés de filets suspendus, d'outils et de cordes. Des gaules de deux mètres de long étaient alignées contre un autre mur et une multitude de flotteurs blancs et roses pendaient du plafond, faisant penser à des champignons géants poussant sur les poutres.

Clarke était juché sur un tabouret, penché sur son établi sous l'ampoule, les yeux plissés pour les protéger de la fumée qui s'échappait de la cigarette tachée de brun coincée au coin de sa bouche. Une bouteille de bière à moitié vide était posée sur l'une des extrémités de l'établi et Clarke fixait un filet au cadre d'un piège à homards qu'il venait de fabriquer. L'établi et le sol étaient couverts de sciure et une scie à chantourner à demi rouillée pendait d'un étau fixé à l'établi, à côté de la bière.

Quand ils lui expliquèrent la raison de leur visite, il se mit à rire. Un rire qui leur sembla sincère. « Et vous pensez que je l'ai tué? Nom de Dieu, j'aurais bien aimé. Il l'avait bien mérité. » Il tira goulûment sur sa cigarette et recracha la fumée vers l'ampoule qui se retrouva momentanément obscurcie. La plupart des dents de sa mâchoire inférieure avaient disparu et il n'avait pas dû se raser depuis au moins une semaine. Un chat étudiait les visiteurs avec attention, lové dans un carton posé au sommet d'un vieux secrétaire en bois d'où débordaient les détritus d'une vie déréglée.

Blanc s'en remit à Sime puisqu'ils étaient revenus en territoire anglophone et il profita de la cigarette de Clarke comme prétexte pour allumer la sienne. L'atmosphère de la cabane s'épaissit un peu plus. Les trois hommes se dévisageaient avec circonspection, comme perdus dans le brouillard. « Que reprochiez-vous exactement à Cowell, monsieur? »

Clarke s'esclaffa. « Monsieur? Ah! » Soudain, son sourire s'effaça et l'étincelle qui brillait dans ses yeux fut remplacée par une sombre haine. « Je vais vous dire pourquoi j'en voulais à ce bâtard. Il a volé le bateau de mon père et mon père en est mort.

— Que s'est-il passé? »

Clarke jeta sa cigarette à terre et l'écrasa du bout du pied. Après quoi, il but une gorgée de bière et, bouteille à la main, il se pencha en avant dans la lumière. « La vie est rude, mon gars. On passe nos hivers coincés ici, pendant des mois, avec rien de mieux à faire que d'écouter les bonnes femmes nous rebattre les oreilles. Ça rend dingue. La neige et le froid. Cette putain d'obscurité sans fin. Et le ferry qui ne vient pas, pendant des jours parfois, à cause de la glace dans la baie ou des tempêtes d'hiver. »

Il but une longue gorgée.

« Quand le printemps arrive, il faut préparer le bateau et sortir pêcher. La saison du homard est courte ici. Deux mois seulement à partir du 1er mai. Dehors à cinq heures du matin. Les journées sont longues et dangereuses. Quand les casiers sortent du bateau, ils sont reliés entre eux par une corde. Des tours et des tours de ce truc. Tu te prends les pieds dedans et t'es à l'eau en un clin d'œil. C'est lourd ces engins et ils t'emportent droit au fond. T'es noyé en quelques secondes, mon gars. » Il détourna le regard. « Mon frère est parti comme ça. Il était là et la minute d'après, terminé. J'ai rien pu faire. »

Sime vit ses yeux s'embuer mais il cligna rapidement des paupières pour chasser ses larmes.

« On passe trois, quatre mois en Nouvelle-Écosse la plupart des années. Vous voyez qu'on n'a pas une fenêtre bien large pour gagner notre vie, et il faut tenir avec pendant tout l'hiver. C'est pour ça que c'était important pour mon père d'avoir son bateau. Pour travailler à son compte. Vendre au meilleur prix. Il a passé toute sa putain de vie à pêcher, juste pour que je puisse hériter du bateau. » Il se tut un instant. « Enfin, Josh et moi. Mais Josh est mort. Ça aussi, ça a failli lui briser le cœur. Donc il restait que moi. Et j'étais tout ce qui comptait pour lui, vous voyez ? Il a fait ça pour moi. Et puis Cowell débarque et lui prend tout. Dans un claquement de doigts. » Il retroussa les lèvres, comme gêné par un mauvais goût dans sa bouche.

« Comment s'y est-il pris ? », demanda Sime.

Clarke avança sa mâchoire mal rasée d'un air de défi. « Il y a des années difficiles, vous savez. Ça arrive. Et on en a eu deux de suite. L'une après l'autre. Pas moyen d'arriver au bout de l'hiver suivant. Alors mon père a emprunté de l'argent à Cowell. Avec le bateau comme caution. Mais il savait qu'il le rembourserait à la saison suivante. Le problème, c'est que les taux d'intérêt de Cowell sont deux fois plus élevés que ceux des banques.

— Dans ce cas, pourquoi n'a-t-il pas emprunté à la banque ? »

Clarke se renfrogna. « Trop de risques. Il n'avait pas le choix, c'était Cowell ou rien. Et puis, juste avant le printemps, mon père fait une crise cardiaque. Le toubib lui dit qu'il ne peut pas sortir en mer, alors j'y vais seul. Et je ne peux pas rapporter autant qu'à nous deux. Résultat, nous n'avons pas assez pour rembourser le prêt et Cowell veut son argent. Et comme nous ne pouvons pas payer, il prend le bateau. Il pense me faire une faveur en me laissant le commander, en plus. » Il souffla de dépit entre ses lèvres serrées. « Il a dépossédé mon père de tout ce pour quoi il avait passé sa vie à travailler. Ce bateau, c'était sa fierté, sa joie. Et il voulait qu'il m'appartienne. » Il se racla la gorge et cracha par terre. « Il est mort dans le mois suivant. »

Il vida sa bouteille puis la contempla. Il semblait y chercher l'inspiration.

« Si ce bateau m'appartenait, j'aurais quelque chose à laisser à mon fils. Et peut-être qu'il ne voudrait pas s'en aller. »

Le silence s'installa, aussi lourd que la fumée qui dérivait en lentes mèches autour de l'ampoule. « Où étiez-vous hier soir, monsieur Clarke ? », finit par dire Sime.

Clarke le fixa d'un œil mauvais. Il parla lentement, contenant sa colère. « J'étais chez moi. Toute la nuit. Vous pouvez demander à ma femme, ou à ma mère.

— Nous leur demanderons. »

Il se redressa sur son tabouret. « Le côté positif de tout cela, c'est que quand vous partirez, vous emporterez Cowell avec vous et qu'il ne reviendra pas. Je me fiche de savoir qui l'a tué. Tant qu'il est mort. » Il sourit franchement devant l'expression qu'affichaient les policiers. « Il n'y a pas de loi ou de truc de ce genre sur cette île. Les gens rendent leur propre justice. Nous sommes libres. » Il prit une cigarette roulée dans un pot et l'alluma. « C'est chez nous ici. Et vous pouvez tous aller vous faire foutre. »

III

Madame Clarke senior était assise à la table de la salle à manger. Sa bouche aux commissures tombantes et ses yeux tristes se reflétaient dans la surface lustrée du meuble. Entrer dans la demeure des Clarke avait donné à Sime et Blanc l'impression de faire un voyage dans le temps. Des rideaux jaunes à froufrous aux fenêtres. Du papier peint fleuri à bandes surmontant des lambris en bois sombre. Le sol était couvert d'un lino vert maussade. Du lierre en plastique parsemé de fleurs rouges entourait une profusion de miroirs qui parvenaient à éclairer la pièce, même en cette fin d'après-midi. Chaque surface disponible, chaque étagère étaient couvertes de bibelots et de photographies de famille soigneusement encadrées.

La vieille dame portait une blouse longue de couleur rouge sur une jupe droite bleue qui descendait au dessous des genoux. Au bout de ses jambes semblables à du corned-beef, ses pieds boursouflés étaient coincés dans des chaussures qui avaient dû, autrefois, être à la bonne pointure mais qui, à présent, paraissaient douloureusement trop petites. Son visage, mangé par des lunettes épaisses et rondes, était pâle, presque gris, de la texture du mastic.

« J'étais en train de rédiger ma liste d'approvisionnement », expliqua-t-elle en désignant une liste imprimée d'articles d'épicerie et un morceau de papier couvert d'inscriptions tremblantes. À l'extérieur, le vent sifflait en se glissant dans les encadrements de portes et de fenêtres.

« Une liste d'approvisionnement ? », répéta Sime.

La vieille dame gloussa. « Oui, on appelle ça l'approvisionnement. Vous diriez les courses peut-être. Toutes les deux semaines, j'appelle la coopérative de Grindstone pour leur communiquer ma liste, et ils m'envoient le tout par le ferry du lendemain. C'est mon rôle. Celui de Chuck est d'aller récupérer les articles. Ce n'est pas grand-chose pour un jeune homme, mais ça ne l'empêche pas de se plaindre.

— Vous vivez ici avec votre fils et votre belle-fille ?

— Non. Ils vivent ici avec moi. Même si, à entendre la manière dont madame la comtesse fait la loi entre ces murs, on pourrait en douter. Je n'en prends pas ombrage. Ils auront la maison bien assez tôt. Je ne serai plus très longtemps de ce monde. »

Sime adressa un regard à Blanc qui semblait troublé. « Vous m'avez l'air plutôt en forme, madame Clarke.

— Les apparences peuvent être trompeuses, fiston. Ne croyez pas tout ce que vous voyez. »

La porte du couloir s'ouvrit brusquement pour laisser passer une petite femme trapue d'une quarantaine d'années, les cheveux teints en auburn, qui les examina des pieds à la tête d'un œil mauvais. Sime jeta un coup d'œil par la fenêtre et vit une voiture garée devant le portail là où, quelques instants plus tôt, la place était libre. Le vent les avait empêchés de l'entendre arriver. Mary-Anne Clarke, supposa-t-il.

« Qu'est-ce que vous nous voulez, bon sang ? », lança-t-elle.

« Madame Clarke ?

— Vous êtes ici chez moi, JE pose les questions. »

Sime commençait à comprendre pourquoi Owen Clarke détestait les hivers. Il montra son insigne de la Sûreté : « Nous sommes les détectives Mackenzie et Blanc. Nous souhaitons seulement savoir ce qu'a fait votre époux hier soir.

— Il n'a pas tué cette fouine de Cowell, si c'est ce que vous pensez. Il n'aurait pas les couilles de le faire à moins d'avoir avalé une demi-pinte de whisky. Et alors, il serait trop saoul pour y arriver.

— Savez-vous où il se trouvait ?

— Il était ici, à la maison. Toute la nuit. » Elle se tourna vers sa belle-mère. « Pas vrai, madame Clarke ?

— Si vous le dites, ma chère. »

Mary-Anne braqua de nouveau son regard sur les deux policiers. « Satisfaits ? »

« Seigneur, Sime », dit Blanc tout en refermant derrière eux le portillon du jardin. « Si j'étais Clarke, je n'aurais pas la patience d'attendre l'aube du 1er mai. »

Sime sourit. « Tu es marié, Thomas ? »

Blanc mit ses mains en coupe pour s'allumer une cigarette et Sime observa la fumée s'échapper de sa bouche comme il tournait la tête. « J'ai essayé une fois et je n'ai pas aimé. » Il marqua une pause. « Mais ça ne m'a pas servi de leçon. La deuxième fois je me suis fait piéger. J'ai trois gamins maintenant, trois ados. » Il tira une bouffée sur sa cigarette. « Ça ne me paraît pas indispensable de le convoquer pour un interrogatoire officiel. »

Sime haussa les épaules, passablement déçu. « En effet. Pour l'instant, en tout cas. »

Blanc consulta sa montre. « On doit avoir tout juste le temps d'interroger à nouveau l'épouse Cowell avant que le ferry appareille. » Il leva les yeux vers le ciel. « S'il appareille un jour. »

Ils étaient contre le vent par rapport aux quads et ils ne les entendirent que quand ceux-ci entrèrent dans leur champ de vision. Cinq en tout, moteurs hurlants. Sime et Blanc se retournèrent, désorientés par le fracas des commandes des gaz qui s'ouvraient pour libérer la puissance des engins. Ils déboulaient, comme surgis de nulle part, au sommet de la colline et, l'un après l'autre, ils se mirent à décrire des cercles autour des deux policiers.

Ce ne sont que des gosses, réalisa Sime. Quatorze, quinze, seize ans. Deux filles, trois garçons. Sime haussa la voix. « Ça suffit, arrêtez ! » Mais ses paroles se perdirent dans le vent et le rugissement des moteurs.

Il commençait à pleuvoir pour de bon. Sime et Blanc étaient piégés par la ronde des quads, sans possibilité de se mettre à l'abri dans le minibus. Les adolescents riaient et braillaient plus fort que leurs montures. Sime se mit en travers du chemin de la moto la plus proche, craignant un instant qu'elle ne le renverse. Elle l'évita au dernier moment, se retourna et envoya son pilote s'étaler dans l'herbe.

Les autres motards s'immobilisèrent brutalement. Blanc se dirigea vers celui qui venait de tomber, l'attrapa par le bras et le remit sur ses pieds. C'était un garçon au visage sombre, il était apparemment le plus âgé du groupe. Ses cheveux étaient rasés sur les côtés du crâne et coiffés en pointe avec du gel au sommet. « Espèce d'imbécile ! », lui hurla Blanc. « Tu veux te tuer ? »

Le garçon ne quittait pas Sime des yeux. Humilié devant ses amis. « Non, c'est votre copain qui veut se tuer. »

Une voix tranchante et aiguë leur arriva aux oreilles, en dépit du vent et des moteurs qui tournaient au ralenti. « Chuck ! » Tous les regards se tournèrent vers la maison. La chevelure teinte de Mary-Anne Clarke paraissait anormalement rouge dans la lumière soufrée. Elle se tenait sur le pas de la porte, et pas un d'entre eux, adulte ou adolescent, n'aurait souhaité se quereller avec elle. « Rapplique par ici. Immédiatement ! »

À contrecœur et en y mettant toute la mauvaise volonté du monde, Chuck redressa son quad avec l'aide de l'un de ses copains avant de s'adresser à Sime, la mine boudeuse. « Laissez mon père tranquille. Il n'a rien à voir avec le meurtre de cet enfoiré. » Il remonta sur son engin, fit hurler le moteur à plusieurs reprises avant de partir le garer derrière la maison. Sa mère rentra et ferma la porte derrière elle. Les autres gamins lancèrent leurs moteurs et remontèrent la colline en soulevant herbe et boue sur leur passage.

La pluie tombait par vagues à présent, poussée par le vent. Sime sentit la brûlure des gouttes sur son visage.

CHAPITRE 7

L'épisode orageux qui se préparait occultait à présent presque toute la lumière du soleil, lui conférant une étrange teinte ocre. Il faisait assez sombre dans le pavillon d'été et Sime dut allumer les lumières pour le deuxième interrogatoire de Kirsty Cowell.

Le vent avait continué à forcir et annonçait la tempête. Les volets claquaient et les bardeaux des toits se soulevaient. Le bruit était presque aussi fort à l'intérieur qu'à l'extérieur. La pluie tombait par salves et rafales. Ce n'était que l'avant-garde. Le gros du grain était visible au-dessus de l'océan, une brume sombre qui progressait dans leur direction.

Sime s'assit à nouveau dos à la fenêtre, mais cette fois-ci, son visage était éclairé par le plafonnier. Il se sentait plus exposé qu'il ne l'aurait souhaité. Le compte rendu de l'examen médical pratiqué par l'infirmière sur madame Cowell était posé sur ses genoux. Son visage était encore rosi par la morsure de la pluie. Il s'était essuyé les cheveux avec une serviette, mais ils étaient encore humides.

« Pourquoi ne m'avez-vous pas dit que vous aviez rompu avec votre mari ?

— Vous ne me l'avez pas demandé », répondit-elle, impassible.

« Vous ne vous rendez pas service, madame Cowell, en gardant pour vous ce genre d'information. »

Elle resta silencieuse. Sime observa attentivement son visage. Débarrassé du sang et vierge de tout maquillage, il découvrit une femme séduisante, sans être belle. Et, bizarrement, cette sensation qu'il avait de la connaître s'accentua. Elle avait un visage carré, avec des pommettes assez hautes et une large bouche aux lèvres pleines. Son nez était un peu plus large qu'il ne l'aurait été dans un monde parfait, mais il était bien proportionné. Sa mâchoire bien dessinée se terminait par un menton légèrement pointu, mais ses yeux restaient sa particularité la plus saisissante. Ils étaient fixés sur lui, froids et méfiants. Ses cheveux, encore mouillés après la douche, pendaient en mèches souples jusqu'à ses épaules et elle était vêtue d'un jean transformé en short, d'un sweat-shirt trop grand de plusieurs tailles et d'une paire de tennis. Elle avait deux hématomes légers, l'un sur la joue gauche et l'autre sur la tempe droite.

« Dites-moi pourquoi il vous a quitté.

— Je serais tentée de vous dire de lui poser la question. » Elle marqua un silence. « Mais je suis sûre que vous savez déjà qu'il avait une aventure avec une autre femme. »

Il se demanda si son hostilité n'était pas un bouclier contre l'humiliation qu'elle devait très certainement ressentir d'avoir à discuter ainsi de l'échec de son mariage avec un étranger. Il imaginait aisément ce qu'il ressentirait si les rôles étaient inversés. Ou bien, peut-être était-elle simplement attentive à ne pas tenir des propos contradictoires. « J'aimerais entendre votre version des événements. »

Elle soupira, résignée. « Il passait de plus en plus de temps en voyages d'affaires, monsieur Mackenzie.

Comme on a certainement dû vous le raconter, cela fait de nombreuses années que je n'ai pas quitté l'île. Et je ne l'ai jamais accompagné lors de ses déplacements.

— Était-ce inhabituel qu'il quitte l'île aussi souvent ?

— Non, c'était fréquent. Presque quotidiennement pendant la saison du homard, mais jamais longtemps. C'était le temps qu'il passait en dehors de l'île qui était nouveau. Quand je l'interrogeais à ce sujet, il se contentait de répondre que ses affaires l'accaparaient de plus en plus. Auparavant, son entreprise ne l'avait jamais autant occupé, et il parvenait à tout diriger depuis la maison, dans son bureau, à l'étage.

— Vous avez eu des doutes, vous l'avez questionné ?

— Non », répondit-elle avec un petit rire facétieux. « Je l'ai cru, comme une idiote. Je ne soupçonnais pas la vérité jusqu'au jour où une voisine qui revenait du ferry en provenance de Cap-aux-Meules m'a dit qu'elle l'y avait vu.

— Et il était censé être ailleurs ?

— À Montréal. Il m'avait téléphoné la veille. Depuis son hôtel, m'avait-il dit. Celui où il descendait toujours. Il voulait m'avertir qu'il était retardé, qu'il devait rester deux jours de plus et qu'il ne rentrerait qu'à la fin de la semaine. Alors, quand j'ai appris qu'il était juste de l'autre côté de la baie, j'ai compris qu'il m'avait menti.

— Qu'avez-vous fait ?

— J'ai attendu qu'il soit rentré. Et je lui ai demandé comment cela s'était passé à Montréal. Je voulais lui laisser une chance de me dire qu'un changement de planning l'avait obligé à revenir à Cap-aux-Meules et qu'il n'avait pas eu l'occasion de m'en informer.

— Mais ça ne s'est pas passé ainsi. »

Elle secoua la tête. « Il m'a même décrit le repas qu'il avait pris la veille dans son restaurant favori de Montréal, La Porte, sur le boulevard Saint-Laurent. » Elle ferma les yeux, libérant Sime de leur emprise pendant quelques instants. Quand elle les rouvrit, ils brûlaient de colère. « Je lui ai dit que je savais qu'il était à Cap-aux-Meules. Je l'ai vu devenir blanc comme un linge.

— Que vous a-t-il répondu ?

— Il était pitoyable. Il pataugeait, essayant de trouver une excuse ou une raison quelconque expliquant sa présence à un endroit alors qu'il était censé être ailleurs. Et soudainement, il a laissé tomber. Il savait que cela ne servait à rien, je suppose. Il a avoué qu'il m'avait menti. Qu'il y avait quelqu'un d'autre. Que cela durait depuis des mois. Et que, quelque part, tout était de ma faute.

— En quoi était-ce votre faute ?

— Oh, apparemment, j'étais froide et distante. » Sime ne connaissait que trop bien ce genre d'accusations. « Mon plus grand crime ? Avoir refusé de quitter l'île. Comme s'il ne l'avait pas su dès le premier jour de notre relation. » Elle respirait violemment, et Sime ressentait la douleur et la colère que faisait naître en elle le souvenir de leur confrontation.

« Quand tout cela est-il arrivé ? »

Elle ferma les yeux une fois encore, respira profondément et ce fut comme si un nuage de quiétude était descendu sur elle. Elle battit des paupières et braqua son regard dans celui de Sime. « Il y a une dizaine de jours, monsieur Mackenzie. Il est parti pour emménager avec elle la semaine dernière », lui expliqua-t-elle avec franchise.

À l'évidence, les blessures étaient encore fraîches. « Vous la connaissez ?

— Pas personnellement. Mais j'ai entendu parler d'elle. Tout le monde a entendu parler d'elle.

— Qui est-ce ?

— Ariane Briand. L'épouse du maire de Cap-aux-Meules. »

Sime la fixa pensivement. Soudainement, il y avait un autre amoureux délaissé dans le tableau et, même s'il ne savait pas très bien pourquoi, il en éprouvait du soulagement. « Pourquoi votre mari est-il revenu sur l'île hier soir s'il vous avait déjà quittée ?

— Parce qu'il y a encore des kilos d'affaires à lui dans la maison. Il était venu préparer quelques valises.

— Vous avait-il mis au courant de sa venue ? »

Elle hésita brièvement. « Non. »

Il jeta un coup d'œil au compte rendu posé sur ses genoux. « Vous avez conscience que le fait qu'il venait juste de vous quitter pourrait être considéré comme un mobile ?

— Pas par ceux qui me connaissent », rétorqua-t-elle comme si elle énonçait une vérité, pure et simple. Il l'observa et comprit que cela lui était destiné. Et elle avait raison. Il ne savait rien d'elle.

Il se saisit du compte rendu médical. « Il est écrit là-dedans que votre corps présente de nombreux héma-tomes et griffures, comme si vous aviez lutté.

— J'ai lutté ! Pour ma vie. » Un éclair de colère brilla dans ses yeux. « Ce n'est pas très surprenant que je sois meurtrie et griffée. Et je n'ai aucun mobile, monsieur Mackenzie. Pour vous dire la vérité, je me suis mis à franchement le haïr. Je n'aurais jamais souhaité qu'il lui arrive du mal, mais j'étais contente qu'il soit parti. »

Sime, surpris, leva un sourcil. « Pourquoi ?

— Quand nous nous sommes rencontrés, il m'a fait la cour… », elle chercha le mot juste. « Avec acharnement. Je l'obsédais. Il m'envoyait des fleurs, des chocolats, il m'écrivait des lettres. Il me téléphonait dix fois par jour. Il utilisait sa richesse pour essayer de m'impressionner, sa passion pour me séduire. Et, comme une idiote, j'ai cédé. Flattée par son empressement, ses grands gestes. Il m'a fait perdre la tête. Je venais juste d'être diplômée de l'université. J'étais jeune, impressionnable. Et, venant de l'île, probablement pas très sophistiquée, et certainement pas très expérimentée. Alors, quand il m'a demandée en mariage, comment pouvais-je refuser ? »

Elle agita la tête avec tristesse.

« Qui se marie à la hâte a le temps de s'en repentir, dit-on. Eh bien, j'ai eu plus que le temps pour ça. Une vraie relation se fonde sur la confiance et la compréhension, le partage des petites choses. Des moments de joie et de rire. S'apercevoir que l'on vient d'avoir la même pensée ou que l'on s'apprêtait à dire quelque chose d'identique. James et moi, nous ne partagions rien, monsieur Mackenzie, à part le même espace. Et même ça, nous le faisions de moins en moins. J'ai fini par comprendre que ses émotions étaient sans substance. Il était obsédé par sa propre personne, pas par moi. Il me parlait de je ne sais quel gros contrat qu'il venait de signer, ou d'un accord d'exportation vers les États-Unis, et je réalisais qu'il admirait son reflet dans la fenêtre pendant qu'il me parlait. Il était en représentation devant son public imaginaire. Posant pour des photographies que personne ne prenait. Il était amoureux de l'idée de m'avoir, mais je n'étais qu'un trophée de plus dans une vie qui tournait tout entière autour de lui. De son image. De la perception que les autres avaient de lui. »

Un éclair zébra le ciel au-dessus du golfe et le grondement lointain du tonnerre troubla le silence de la pièce. Sime attendait qu'elle poursuive.

« Vous devez comprendre que lorsque j'ai découvert qu'il avait une maîtresse, le sentiment qui m'a saisie était un immense soulagement. J'étais blessée, bien sûr. Comment aurais-je pu ne pas éprouver un sentiment de trahison ? Mais quand il est parti, j'ai eu l'impression de revivre. »

Et Sime se remémora les mots de Marie-Ange. « Te quitter est la meilleure chose que j'ai faite. Tu n'as pas idée à quel point je me sens libre. »

« Il était parti, monsieur Mackenzie. Pourquoi aurais-je voulu le tuer ? »

Une fois l'interrogatoire terminé, Sime laissa Blanc démonter leur équipement et retrouva Kirsty Cowell, dehors, debout sur le perron. La pluie tombait à l'horizontale depuis le golfe et s'engouffrait sous le porche, mais cela ne semblait pas la déranger. Elle faisait face au vent et à la pluie, dans une posture de défi, les bras croisés, le visage légèrement relevé, les gouttes de pluie y roulant comme des larmes. Il vint à côté d'elle et sentit la pluie aiguillonner son visage.

« Ça va être violent », dit-elle sans le regarder.

« C'est ce qu'on m'a dit. » En contrebas, le rugissement de la mer qui venait se jeter sur les rochers au pied des falaises tournées vers le sud était assourdissant et il dut élever la voix pour être entendu. « J'aimerais que vous restiez ici ce soir. À moins qu'il y ait un autre endroit où vous vouliez aller. » D'un mouvement de tête, il désigna la maison que Cowell avait fait construire. « Là-bas, pour l'instant, c'est zone interdite.

— Je vais rester ici.

— Un policier montera la garde dans la maison cette nuit. »

Elle se tourna vers lui. « Est-ce que je suis considérée comme suspecte ? »

— Vous n'êtes pas en état d'arrestation, si c'est ce que vous voulez dire. Le policier n'est là que pour veiller à l'intégrité de la scène de crime. » Il hésita. « Avez-vous des amis, ou des proches, qui pourraient venir vous tenir compagnie ? »

Elle fit non de la tête. « J'ai beaucoup de relations, monsieur Mackenzie, mais je n'ai jamais été très douée pour me faire des amis. Le seul proche qui me reste est mon cousin Jack. Mais il vit à Havre-Aubert et travaille en équipe dans la mine de sel, au nord. Nous n'avons que très peu de contacts et presque rien en commun. »

Son regard suscitait chez Sime des émotions qu'il ne parvenait pas à contrôler.

« Je ne vais pas quitter l'île, si c'est ce que vous craignez. Je n'en ai pas bougé depuis plus de dix ans, et je n'ai pas l'intention de le faire maintenant.

— Pourquoi ?

— Pourquoi quoi ?

— Pourquoi n'avez-vous pas l'intention de quitter l'île ? »

Elle leva les épaules. « Il a fallu que je le fasse, bien sûr, quand j'étais plus jeune. Quand mes parents m'ont envoyée dans le secondaire sur l'île du Prince-Édouard. Et de nouveau quand je suis allée à la fac de Lennoxville. Cela m'allait, tant que mes parents étaient là. Ma mère est décédée pendant ma dernière année. Cancer. Et mon père l'a rejointe peu de temps après. Il ne pouvait pas affronter la vie sans elle, il a baissé les bras. Je n'ai pas quitté l'île depuis que je l'ai enterré là-bas, dans le cimetière. »

Elle sourit. Le premier sourire que voyait Sime. Mais il était empreint de tristesse.

« Cela mettait James dans une colère noire. Oh, au début, il trouvait cela délicieusement excentrique. Exotique, même. Nous deux, terrés ici, ensemble, lui s'envolant pour mener ses affaires, où qu'elles le portent, avant de regagner le nid d'amour qu'il avait fait bâtir pour nous. » Tournée vers la grande maison, elle l'observait, l'air nostalgique. « Là où son amour l'attendrait toujours. La fidèle sur laquelle il pourrait toujours compter. » Elle se plaça dos au vent, s'appuya contre la rambarde et contempla la maison où elle était née. « Ce qu'il ignorait, c'est que dès qu'il était parti je ne dormais pour ainsi dire jamais dans son lit. Je venais ici. Dans la matrice. Cette maison est pleine d'amour et de douceur, monsieur Mackenzie. Celle que James a fait construire est froide et vide. Et je finissais par lui ressembler. »

Elle soupira profondément et se tourna de nouveau vers Sime.

« Bien sûr, il a fini par se lasser de mon *excentricité*. Ça l'agaçait et, au bout du compte, ce fut une source de conflit. Il aimait voyager, voyez-vous. Dîner dans des restaurants chics. Et il avait toujours voulu se rendre en Europe. Tout cela était impossible avec cette femme stupide qui refusait de quitter son caillou minuscule perdu dans le golfe du Saint-Laurent. »

Elle cessa de parler, cherchant à capter son visage. La perplexité se lisait dans son regard.

« Pourquoi est-ce si facile de vous parler ? »

Sime sourit. « C'est mon boulot.

— Et c'est pour cela que je vous raconte des choses que je n'ai jamais dites à personne, de toute ma vie ? »

Leurs regards étaient rivés l'un à l'autre. « Vous ne m'avez toujours pas expliqué pourquoi vous ne quitterez pas l'île. »

Elle détourna les yeux et parut se perdre dans ses pensées. « Peut-être parce que je ne le peux pas.

— Vous ne pouvez pas, ou vous ne voulez pas ?

— Je ne peux pas, monsieur Mackenzie. Et, voyez-vous, je ne sais pas vraiment pourquoi. C'est juste une sensation que j'éprouve. Très puissante. Une vibration en moi que je ne peux expliquer. Ma mère ressentait la même chose. Elle détestait quitter l'île. C'est même ce qui l'a tuée à la fin. Elle ne voulait pas se rendre à Cap-aux-Meules pour voir le médecin et quand son cancer a été découvert, il était beaucoup trop tard. C'est comme… » Elle chercha ses mots, « comme si j'attendais quelque chose. Si je pars, je risque de le manquer. »

Sime leva la main droite pour repousser une mèche de cheveux mouillés sur son front et vit, plus qu'il n'entendit, son cri de surprise. Elle lui prit la main entre les siennes et la tourna, paume vers le sol. Elle inclina la tête sur le côté et un pli se creusa entre ses sourcils.

« Où avez-vous eu ça ? »

Sime dégagea sa main et regarda la chevalière passée à son annulaire. Il la portait depuis si longtemps qu'il avait presque oublié sa présence. « Pourquoi ? »

Elle reprit sa main et passa son pouce sur la surface gravée de la pierre rouge et ovale incrustée dans l'or. « C'est de la cornaline.

— De la quoi ?

— Une pierre semi-précieuse. Très dure. Idéale pour la gravure. » Elle leva les yeux, une expression étrange dans le regard. De la confusion. Et aussi de la peur. « Vous savez ce que représente la gravure ? »

Elle lui tenait toujours la main. Il considéra la chevalière une seconde fois. « Pour être honnête, je ne m'y suis jamais intéressé. Ça ressemble à un bras tenant une épée.

— Où l'avez-vous eue ? », répéta-t-elle. Avec insistance cette fois.

Il se libéra. « Elle appartenait à mon père. J'imagine qu'on se l'est passée de génération en génération. Je l'ai eue quand il est mort. »

Elle continua à le fixer avec intensité, silencieuse, avant de reposer les yeux sur sa main. « J'ai un pendentif », dit-elle. « Plus gros. Mais ovale, et incrusté dans de l'or, avec exactement le même symbole gravé dans la cornaline. Je jurerais qu'il est identique. »

Sime haussa les épaules. « C'était probablement à la mode à un moment de l'histoire. J'imagine qu'il en existe des milliers.

— Non », s'exclama-t-elle d'un ton tranchant. Sa véhémence le surprit. « Il est réellement identique. Un genre d'armoiries familiales. Je l'ai examiné des centaines de fois. Je peux vous le montrer. »

En dépit de sa curiosité, Sime ne souhaitait pas l'encourager à poursuivre cette lubie. « Je ne crois pas que cela servirait à grand-chose. Et, de toute façon, vous ne pouvez pas retourner dans la maison pour le moment. Pas tant que c'est une scène de crime sur laquelle nous enquêtons.

— Ce n'est pas grave. Le pendentif est ici. J'ai rapporté la plupart de mes effets personnels dans le pavillon d'été après le départ de James. Y compris ma boîte à bijoux. » Elle fit demi-tour et se hâta de rentrer dans la maison. Sime resta dehors un instant avec la pluie qui se glissait sous la bordure du toit, saisi par l'incertitude. Il avait déjà été troublé lorsqu'il avait eu l'impression de la connaître. Et maintenant ça. Il regarda la gravure de sa bague. Il ne pouvait s'agir que d'une coïncidence. Il retourna dans le salon où il trouva Blanc qui transportait les caisses contenant les écrans depuis la chambre à coucher.

Kirsty dévala les escaliers avec, entre les mains, une boîte en bois poli incrustée de nacre. Elle la posa sur la table basse, à côté de la cheminée, et s'agenouilla devant pour soulever le couvercle. Le regard de Blanc allait de Sime à Kirsty, un sourcil légèrement levé comme une question silencieuse. Sime répondit par un haussement d'épaules discret. Elle poussa un cri de frustration et les deux hommes tournèrent la tête dans sa direction.

« Il n'est pas là. »

La curiosité qu'avait éprouvée Sime sous le porche commença à se muer en scepticisme. Il s'avança jusqu'à la table basse et resta debout à côté d'elle qui, toujours agenouillée, fouillait fiévreusement le tas de bijoux dans la boîte. De rage, elle la vida sur le dessus de la table. Bagues et bracelets, colliers et pendentifs, broches et fermoirs s'entrechoquèrent sur la surface en verre. Argent, or et platine sertis de pierres précieuses et semi-précieuses. Certains bijoux étaient récents, d'autres dataient manifestement d'une époque révolue.

Maladroitement, les mains tremblantes, elle essaya de les trier avant de lever la tête vers Sime, l'air totalement perdue. « Je ne comprends pas. Je l'ai toujours rangé ici. Toujours. Et il a disparu. »

Sime sentait le regard de Blanc posé sur lui. « Ce que vous avez pu faire ou ne pas faire avec ce bijou n'est pas notre sujet de préoccupation, madame Cowell.

Le meurtre, en revanche, oui. » Puis, après quelques secondes de silence. « Nous nous reverrons demain matin. Si le temps le permet. »

CHAPITRE 8

I

Il y avait moins de monde sur le quai pour le départ du ferry cet après-midi-là qu'il n'y en avait eu le matin pour l'accueillir. Il était fort probable que le temps avait plus à y voir qu'un quelconque manque de curiosité de la part des insulaires d'Entrée. L'*Ivan-Quinn* tanguait dangereusement, même dans les eaux protégées du port, et Lapointe éprouvait quelques difficultés à piloter leur minibus en marche arrière sur la rampe de chargement pour rejoindre la cale des véhicules.

James Cowell était emballé dans une housse en plastique blanc avec fermeture Éclair posée sur le sol, entre les sièges. Personne n'avait prononcé un mot pendant toute la traversée de l'île jusqu'au port avec ce corps allongé parmi eux comme un fantôme. À présent, tout le monde avait hâte de se réfugier dans les entrailles du ferry, à l'abri de la pluie. À l'exception de Sime. La veste déjà gorgée d'eau, il gravit les marches rouillées et glissantes menant au pont supérieur et remonta un passage étroit jusqu'à la poupe du bateau. De là, il voyait les énormes doigts de béton entremêlés qui constituaient le brise-lames et l'étendue de la baie, en direction de Cap-aux-Meules. Elle était déjà presque occultée par la pluie et les nuages bas. Seule subsistait une fine bande de bleu et d'or posée sur l'horizon. La mer, saisie de rage, se levait et se creusait, formant des masses écumantes d'eau grise semblables à du plomb en fusion.

Un coup de klaxon retentit et la rampe d'accès fut repliée. Le ferry quitta son amarrage pour contourner le brise-lames et se diriger sur l'avant-garde de la tempête en approche. Dès que le navire eut quitté l'abri de l'île, des vagues puissantes vinrent s'abattre sur la proue du bateau.

Sime tenait fermement le bastingage peint en blanc et regardait l'île d'Entrée s'éloigner lentement. À l'ouest, comme dans un baroud d'honneur, le soleil, qui s'était faufilé sous la ligne des nuages, projetait ses derniers rayons sur l'île et rehaussait sa silhouette contre le bleu sombre et profond du ciel. La lumière s'évanouit soudainement et l'île fut avalée par la pluie et la brume.

Sime lâcha le bastingage de sa main droite et la leva pour examiner sa bague. Il savait que son histoire remontait à plusieurs générations, mais il n'avait aucune idée de l'identité de son premier propriétaire. Il aperçut le lieutenant Crozes qui approchait et reposa la main sur le garde-corps. Crozes se posta à côté de lui, la fermeture de sa veste imperméable remontée jusqu'au menton, une casquette de base-ball bien enfoncée sur le crâne. Même si ses mains étaient enfouies dans ses poches, il parvenait, en maintenant ses pieds bien écartés, à déplacer son corps au rythme du bateau et à maintenir son équilibre. Un marin expérimenté, songea Sime.

« Alors, qu'est-ce que tu en penses ? », cria-t-il pour couvrir le bruit du vent et de la mer.

« De la femme ? »

Crozes opina du chef.

« Difficile de se prononcer, lieutenant. Elle a un mobile, c'est indéniable. Et c'est elle l'unique témoin. Ses égratignures et ses hématomes concordent avec l'histoire qu'elle raconte. Mais elle a tout aussi bien pu les récolter en luttant avec son mari. Il faut toutefois considérer qu'il semblait plutôt bien bâti et qu'elle n'est pas très épaisse. Un combat inégal a priori. On se demande comment elle a pu avoir le dessus. »

Crozes hocha la tête une seconde fois et enfonça un peu plus profondément ses mains dans ses poches.

« Si on prend en compte tous les mobiles possibles », ajouta Sime, « on doit s'intéresser au mari cocu. Briand, le maire de Cap-aux-Meules. Il va falloir que nous lui parlions.

— En effet. J'ai déjà demandé au sergent Arseneau d'entrer en contact avec lui dès que nous serons de retour. On peut l'interroger ce soir ou à la première heure demain matin dans les bureaux de la Sûreté locale. Pour l'instant, à la minute où le ferry est à quai, je veux que Blanc et toi vous alliez parler à madame Briand. Les collègues du coin ont une adresse pour nous. »

Sime le regarda brièvement. Crozes affichait une expression résolue. Était-ce contre le temps ou contre un obstacle à leur enquête ? Impossible à dire, mais à l'évidence, son humeur était sombre.

« Le problème, comme l'a souligné Blanc, c'est que si nous décidons de croire l'histoire de l'épouse selon laquelle elle était la cible de l'agression, pour quelle raison Briand ou Clarke l'auraient-ils attaquée ? »

Sime acquiesça. « Qu'est-ce qu'en dit Marie-Ange ?

— Il n'y a aucune trace d'une troisième personne sur les lieux du crime. Elle a recueilli des échantillons de sang sur le verre brisé dans la véranda, des cheveux et des fibres sur le corps et le sol autour. Ils rentrent à Montréal avec Lapointe pour analyser tout ça. Mais pas ce soir. Ni demain matin d'ailleurs. Tout a été sécurisé au maximum en prévision de la tempête. L'aéroport est fermé. Il y a peu de chance que quiconque atterrisse ou décolle des îles de la Madeleine dans les prochaines vingt-quatre heures. Y compris Cowell et nos prélèvements. »

Ils restèrent silencieux pendant un moment, observant le labour verdâtre que le bateau laissait dans son sillage et qui disparaissait lentement au gré de la houle. Sime sentit Crozes tourner la tête vers lui. « Blanc m'a dit qu'elle avait été retournée par la perte d'un bijou. »

Sime fit oui de la tête.

« Dis-m'en plus. »

À son tour, Sime tourna la tête pour le regarder. « C'est très étrange, lieutenant. Au moment où je l'ai rencontrée, j'aurais juré que je l'avais déjà vue quelque part. »

Crozes plissa le front. « Et c'est le cas ? »

Sime haussa les épaules, un peu perdu. « Je ne vois pas comment cela serait possible.

— Et le bijou ?

— Un pendentif. Ovale, en cornaline rouge sertie dans de l'or avec une gravure représentant un bras tenant une épée. » Il leva le dos de sa main droite pour que Crozes puisse voir sa bague. « Exactement le même que celui-ci. À ce qu'elle dit. »

Crozes l'examina un instant avant que Sime ne repose la main sur le bastingage pour retrouver l'équilibre. « Et elle ne le retrouve pas ? », demanda le lieutenant.

« Non. »

Crozes resta silencieux pendant un long moment, plongé dans ses pensées. « Il y a sept milliards de personnes sur terre, Sime. On ressemble forcément à quelqu'un. Et ne la laisse pas te retourner la tête. Si elle a tué son mari, cela va déjà être assez difficile à prouver. Elle n'est pas née de la dernière pluie et nous ne savons pas de quelles ruses elle est capable. Fais gaffe de ne pas te laisser distraire. »

II

La demeure des Briand était située à l'écart de la route, au milieu des bois, à un peu plus d'un kilomètre au sud du commissariat de Cap-aux-Meules. Pendant le court trajet sur la route côtière du chemin de Gros-Cap, avec Thomas Blanc assis à côté de lui sur le siège passager, Sime dut tenir le volant avec fermeté pour lutter contre le vent qui déboulait de la baie de Plaisance et venait frapper le haut du minibus. Quelque part, de l'autre côté de la baie, l'île d'Entrée était perdue dans la tempête, tapie contre la force des vents. Il s'aperçut que Blanc l'observait. « Ça va ?

— Je ne vais pas m'endormir au volant, si c'est ce que tu crains », plaisanta Sime.

Blanc sourit. « Ce n'est pas ce que je voulais dire. » Il hésita. « Simplement… Tu sais… Toi et Marie-Ange. »

Le sourire de Sime s'évanouit. « Ça va. » Il changea rapidement de sujet. « Alors, c'est comment de travailler pour Crozes ? »

Blanc contempla pensivement le paysage à travers le pare-brise couvert de pluie. « C'est un bon flic, Sime. Mais il n'y en a que pour lui. Il veut aller loin. Tu me comprends ? » Il leva les yeux vers le ciel. « Grimper le plus vite possible jusqu'au sommet. Pour lui, la moindre affaire est importante. Chaque condamnation lui fait gravir un barreau supplémentaire de l'échelle. Si tu fais du bon boulot, il te soutiendra à cent pour cent. Si tu merdes, il te lâchera immédiatement. Ne commets surtout pas l'erreur de croire qu'il est ton ami. Ce n'est jamais le cas. »

Sime hocha la tête. Il voyait le genre. Il savait aussi que Crozes voudrait régler cette affaire le plus vite possible. Montréal allait certainement estimer qu'un meurtre commis sur une île d'une centaine d'habitants n'était qu'une simple formalité. En plus de cela, maintenir une équipe de huit policiers pendant un temps indéterminé sur les îles de la Madeleine risquait de coûter cher. Et par les temps qui couraient, le budget était une préoccupation prioritaire. « Je suppose qu'Ariane Briand est francophone », dit Sime. « Peut-être devrais-tu mener l'interrogatoire.

— Si tu veux. » Blanc haussa les épaules, presque indifférent, mais Sime savait que c'était ce qu'il souhaitait.

Sime braqua le volant et engagea le minibus dans l'allée Robert-Vigneau, un chemin accidenté qui traversait la pinède couvrant cette partie du sud-est de l'île. Au bout de quelques centaines de mètres, ils tournèrent à droite après une boîte aux lettres dans une allée de gravier qui filait jusqu'à une maison entourée de grands arbres oscillant dangereusement dans le vent. Sime se gara et ils descendirent du minibus.

La demeure des Briand était impressionnante, sans être caractéristique des maisons insulaires traditionnelles. Elle était en bois, bien sûr, mais le toit était très pentu, comme en Scandinavie, et une baie vitrée occupait la plus grande partie de la façade. Une lumière de sécurité se déclencha et Sime vit leurs reflets dans la baie tandis qu'ils avançaient vers la porte d'entrée.

Un drôle de duo. L'un grand, maigre, un peu voûté, l'autre petit et rond, avec une touffe de cheveux noirs bouclés ceignant sa calvitie. Des personnages de bande dessinée, pensa-t-il.

Blanc sonna deux fois et, n'obtenant pas de réponse, toqua vigoureusement sur la vitre. Sime recula d'un pas et leva la tête pour observer la maison. Pas une seule lumière. « Il n'y a personne », constata-t-il. À travers les arbres, il vit briller dans le crépuscule l'éclairage d'une maison voisine. « Allons demander aux voisins s'ils savent où elle se trouve. »

En se protégeant de la pluie, les deux hommes coururent parmi les arbres en suivant un sentier qui les conduisit dans le jardin voisin. Là encore, une lumière de sécurité inonda la terrasse. Un 4 × 4 noir était garé dans l'allée, le moteur, encore chaud, cliquetait. Sime sonna. Une femme d'une quarantaine d'années vêtue d'un sweat-shirt et d'un pantalon de survêtement vint ouvrir et observa avec circonspection les deux étrangers trempés pris dans le faisceau de sa lumière de sécurité. Blanc lui présenta son insigne. « Sûreté, madame. Nous cherchons votre voisine, madame Briand. Sauriez-vous où elle se trouve ?

— Oh, elle n'est pas chez elle », répondit la femme.

« Je crois que nous avons déjà pu le constater », rétorqua Sime. Le ton était ironique, mais la femme ne releva pas. Elle ouvrit grand ses yeux sombres avec un air de comploteuse. Cela avait certainement un lien avec le meurtre sur l'île d'Entrée.

« Ariane a pris l'avion pour le continent ce matin », leur dit-elle sur le ton de la confidence. Son visage s'assombrit. « En revanche, je ne sais pas où elle est allée. Ni quand elle sera de retour. »

Sime et Blanc échangèrent un regard.

III

L'équipe dînait au restaurant familial La Patio à côté de l'auberge Madeli quand le sergent-détective Jacques Arseneau arriva pour leur donner des nouvelles.

Séparés en deux groupes, l'un de quatre, l'autre de trois, ils étaient entassés dans des box collés dos à dos. Sime et Marie-Ange, qui s'évitaient ostensiblement, n'étaient évidemment pas dans le même. Les treize mille habitants des îles de la Madeleine ayant été prévenus toute la soirée, par la télévision et la radio, qu'ils devaient rester chez eux, le restaurant était désert et le personnel réduit au minimum : un chef en cuisine et un seul serveur.

Arseneau, dégoulinant et échevelé, se débarrassa de sa veste et de sa casquette de base-ball tout en maudissant le temps. Il se glissa au bout de l'un des box.

« Alors, qu'est-ce que le maire Briand avait à dire pour sa défense ? », lui demanda Crozes.

« Rien du tout, lieutenant. Il n'est pas sur les îles. Il s'est envolé ce matin, apparemment, pour une série de réunions politiques dans la ville de Québec. Sa secrétaire ne sait même pas où il loge. Il semblerait qu'il ait pris cette décision à la dernière minute et qu'il se soit occupé lui-même des réservations. »

Le groupe resta silencieux et tous les regards se tournèrent vers Crozes. Il paraissait impassible, mais Sime remarqua que le contour de ses yeux s'était assombri. Peut-être que cette histoire n'allait pas être aussi rapide et simple à résoudre qu'il l'espérait. Pensif, il mordilla sa lèvre inférieure. « Ça semble étrange, non ? », dit-il. « Le... quelle expression as-tu employée, Sime ? Le mari cocu ? et *l'autre femme*. Quittant tous les deux les îles au lendemain du meurtre. » Il se tourna vers Arseneau. « Vous allez à Québec. Ce soir. Je veux qu'on trouve Briand. »

Le repas se déroula dans un quasi-silence. L'humeur de Crozes déteignait sur les autres.

Après avoir dîné, ils se rendirent au bar. Le bowling qui reliait l'hôtel au restaurant était fermé à cause du temps. Depuis le bar, à travers les fenêtres, ils voyaient les allées vides, vibrant silencieusement dans la lumière tamisée. En l'absence des joueurs, l'ambiance qui s'en dégageait était inquiétante, un calme presque fantomatique. À l'extérieur, en revanche, le bruit était effrayant. Emportés par un vent d'une force inouïe, des poubelles et des panneaux de signalisation traversaient le parking, et les feux de signalisation se balançaient violemment au sommet de leurs poteaux.

Sime s'excusa et remonta seul le long couloir désert qui conduisait à sa chambre à côté de la réception. Ses paupières étaient lourdes, ses yeux le faisaient souffrir. Sa bouche était de nouveau sèche et il avait l'impression que sa langue avait enflé. Chacun de ses muscles était douloureux, comme tendus et sur le point de rompre. Tout ce qu'il désirait, c'était s'allonger et fermer les yeux.

Dans sa chambre, des portes vitrées coulissantes donnaient sur le parking devant l'auberge. Le vent bombait les vitres. Il tira les rideaux épais qui les encadraient pour masquer la nuit, mais le bruit diminua à peine. S'il n'avait pas été aussi fatigué, cela l'aurait certainement inquiété.

Pendant la demi-heure qui suivit, il resta assis dans le noir, son ordinateur portable posé sur une commode, à rechercher des informations sur Internet à propos de l'île d'Entrée. Il n'y en avait pas des masses. Une population en diminution d'à peine plus de cent âmes au dernier recensement, une école qui allait manquer d'élèves. On comptait deux magasins, un restaurant, une église anglicane, un musée, l'école et un bureau de poste. Elle ne faisait que deux kilomètres de large, trois de long. L'hiver y était prolongé et brutal, et quand la baie se couvrait de glace, ce qui était fréquent, le ferry ne pouvait traverser et les insulaires se trouvaient coupés du monde, parfois pendant d'assez longues périodes. Il rabattit l'écran de son portable et s'interrogea sur les raisons pour lesquelles Kirsty Cowell tenait tant à ne pas s'en éloigner. L'explication qu'elle lui avait donnée était loin de l'avoir convaincu.

Il alluma la télévision et s'allongea sur le lit, dans l'obscurité. Même s'il souhaitait désespérément dormir, il savait qu'il n'y parviendrait pas et ne prit pas la peine de se dévêtir.

Il écoutait la pluie qui tambourinait sur les vitres, noyant presque le commentaire frénétique de la retransmission d'un match de hockey sans grand intérêt. Il se demanda ce que ressentait Kirsty Cowell, seule, dans sa maison perchée au sommet des falaises, totalement exposée à la fureur de la tempête. Tandis qu'à une cinquantaine de mètres, la demeure qu'elle avait partagée avec son époux maniaque se dressait, vide, à l'exception du flic qui surveillait la scène de crime. Combien de souvenirs malheureux de leur mariage promis à l'échec imprégnaient-ils cette maison, ayant pénétré son âme, comme les veines dans le bois ?

Il supposait que la maison allait lui revenir. Ce lieu dans lequel elle ne parvenait pas à rester seule quand Cowell était absent. Il lui vint à l'esprit qu'elle n'allait pas seulement hériter de la maison, mais de toute sa fortune. Les quinze millions de revenus annuels de la pêche au homard. L'usine de transformation de

Cap-aux-Meules. Tout cela constituait un mobile aussi valable que l'adultère. Il devait sûrement y avoir un testament. Une chose de plus à vérifier le lendemain.

Les yeux douloureux, il inspecta le plafond, à la recherche de craquelures et de taches qui lui occuperaient l'esprit durant les longues heures sans sommeil qui s'annonçaient. Il avait développé un certain talent pour déceler sans cesse de nouvelles images au milieu des taches informes sur les murs et les plafonds. Il exerçait son imagination pour occuper le temps. Même les lueurs vacillantes que les images de l'écran de télévision projetaient dans la chambre pouvaient inspirer son petit théâtre d'ombres.

Mais, ce soir, ses paupières étaient trop lourdes. Elles s'abaissèrent et, une fois encore, dans l'obscurité, il la retrouva. Elle l'observait, ne le quittait pas des yeux. Et pendant un bref instant, il crut la voir sourire.

CHAPITRE 9

J'entends des voix aux accents étranges. Je suis perdu dans un océan de visages que je ne vois pas distinctement. Comme si je regardais le monde à travers un voile de gaze. Je me vois. Plus jeune. Dix-sept ans, peut-être, ou dix-huit. Je ressens mon trouble et, dans le même temps, je m'observe avec une objectivité particulière. À la fois spectateur et acteur. Je porte des vêtements bizarres. Des culottes retenues par des bretelles, une chemise blanche sans col, tachée, une veste trois-quarts, de lourdes bottes en cuir trop grandes pour moi.

Je sens des pavés sous mes pieds, des bâtiments en grès noircis se dressent autour de moi. Il y a une rivière, et je vois un vapeur à aubes creuser son sillon le long du quai, se dirigeant vers un pont en pierre assez bas dont les arches enjambent les flots lents et puissants. Sur la rive opposée, au-delà des bâtiments, le clocher d'une église pointe vers le ciel et des nuages de fumée et de vapeur venant d'une gare située juste en face s'élèvent dans l'azur. J'entends les locomotives cracher et tousser, garées contre leurs butoirs.

On dirait l'été. L'air est chaud, et le soleil me chauffe la peau. La gaze se dissipe, rendant leur netteté aux choses et mon trouble s'estompe. Je réalise qu'il y a des voiliers immenses amarrés le long du quai. Les visages autour de moi glissent et ondulent au gré des mouvements de cette marée humaine qui m'emporte comme un débris à la surface de l'eau.

Je ne suis pas seul. Je sens une main dans la mienne, petite, douce et chaude. Je me retourne et je vois Kirsty Cowell, craintive, perturbée par le peu de contrôle que nous exerçons sur notre destinée, perdus dans cette foule. Elle est plus jeune, elle aussi. Une adolescente. Je l'appelle au-dessus des voix qui emplissent l'air. « Ne me lâche pas, Ciorstaidh, reste près de moi. » Au fond de mon esprit, loin dans mon inconscient, je me rends compte que je l'appelle par son prénom gaélique.

L'espace se dégage autour de nous, et je vois un garçon coiffé d'une casquette et vêtu d'un short en haillons. Un paquet de journaux est posé à cheval sur un de ses bras et, de l'autre, il brandit un exemplaire plié en deux. Kirsty en prend un et lâche ma main pour le déplier. Je vois le titre. *The Glasgow Herald.* Et avant qu'elle ne l'ouvre, la date. *16 juillet 1847.*

« C'est le jour de la foire », dit-elle. « Ce n'est pas étonnant qu'il y ait autant de monde. » Pour une raison que j'ignore, cela m'indiffère. Je me rends compte que je suis pris par un sentiment d'urgence. Le temps presse. Au loin, j'entends une horloge sonner l'heure.

« Nous sommes en retard. Nous ne pouvons pas nous permettre de rater le bateau. »

Elle glisse le journal sous son bras et me saisit la main, nos autres mains sont occupées par de petites valises en carton contenant Dieu sait quoi. Son visage rayonne d'excitation. Elle porte une tunique boutonnée sur une robe longue qui s'évase et descend jusqu'aux pavés. Ses cheveux bruns tombent en cascade sur ses épaules, chassés en arrière par une douce brise.

« Nous cherchons l'*Eliza*, Simon. Un trois-mâts. Nous avons le temps. Ils ont dit que le navire ne quitterait pas le Broomielaw avant et quart. »

Je me dresse sur la pointe des pieds pour que mon regard porte au-delà des têtes qui envahissent le quai. Trois bateaux sont amarrés à d'énormes cabestans en fer. Je vois le nom que je cherche, peint en noir et or sur la poupe du navire le plus éloigné. *Eliza*. Il me semble immense, un enchevêtrement de mâts, de gréements et de voiles affalées.

« Je le vois. Viens. »

Et, tout en tirant Kirsty derrière moi, je nous fraie un chemin au milieu des corps d'hommes, de femmes et d'enfants qui se bousculent pour trouver leurs places sur ces lourds vaisseaux qui, poussés par le vent, les emmèneront vers une nouvelle vie, dans d'autres contrées.

J'entends des voix s'échauffer, prises de colère, s'élever au-dessus des autres. Des jurons et des insultes chargés de violence. Un groupe important s'est formé autour d'un embouteillage de chariots chargés de bagages. Une dispute qui a engendré une bagarre. Je vois les coups voler. Des chapeaux haut-de-forme rouler sur les pavés. La foule devant nous recule soudain, comme une masse d'eau, et la main de Kirsty m'échappe.

« Simon ! » J'entends son cri, la panique dans sa voix. Je me lance au milieu des corps qui nous ont séparés pour la voir emportée dans un courant dont la force nous dépasse, la peur dans son regard, une main désespérément tendue au-dessus de sa tête, n'attrapant que de l'air, avant de la perdre de vue. « Va au bateau ! » Je l'entends à peine dans le brouhaha de la foule. « Je te retrouve là-bas ! »

Le son strident des sifflets fend l'air et je vois des policiers en uniforme s'immiscer violemment parmi les corps, matraques en l'air. Un autre mouvement de foule m'emporte et je comprends que mon seul espoir de la retrouver est de rejoindre l'*Eliza*.

Je suis déterminé, poussé par la colère et la peur. Je suis jeune et fort et je me fraie un chemin au milieu des hordes en panique, tête baissée, jouant des épaules pour dégager le chemin. Quand je relève enfin la tête, l'*Eliza* me domine de toute sa hauteur et je réalise que ce doit être marée haute. Comme de l'eau, la foule se canalise sur la passerelle qui monte jusqu'au pont, sous le contrôle des officiers du shérif.

Des mains m'agrippent les bras et les épaules, me projettent en avant et j'avance avec la masse, sans pouvoir lutter, tordant le cou pour voir à droite et à gauche au-dessus des têtes, essayant d'apercevoir Kirsty.

Nous nous déversons sur le pont, par centaines, et je rejoins le bastingage à coups de coude, d'où je verrai la passerelle et le quai. J'ai vu des moutons traités comme cela auparavant, mais jamais des humains. Et des hommes, je n'en ai jamais vu autant à un même endroit, au même moment.

Je balaie les visages qui emplissent mon champ de vision, l'inquiétude monte en moi comme de la bile, je ne la trouve pas. Je suis poussé de plus en plus loin sur le pont, loin du bastingage. Des voix s'élèvent. On remonte la passerelle à bord.

Une panique complète décuple mes forces et je lutte au milieu des cris de protestation pour rejoindre le point d'embarquement. Je vois les dockers détacher des cordes du diamètre d'un bras des boucles qui les retiennent aux cabestans. Des voix s'élèvent au-dessus de moi et je lève la tête juste à temps pour voir les étendues de voiles que l'on hisse pour prendre le vent. Pour la première fois, je sens le navire bouger sous mes pieds.

« Ciorstaidh ! » Mon cri me déchire les poumons et j'entends mon nom en réponse, si loin que je crains qu'il s'agisse de mon imagination. Je rejoins le bastingage pour constater que l'*Eliza* a largué les amarres et se glisse à présent dans le lit principal de la rivière, là où l'eau est la plus profonde et le courant rapide.

Et là, au milieu des visages, sur le quai, celui de la fille que j'aime, tourné vers le ciel, pâle. Je suis submergé par l'incrédulité et le désarroi.

Je crie de nouveau. « Ciorstaidh ! » Pendant un bref moment, je songe à sauter par-dessus bord. Mais comme beaucoup d'insulaires, la peur de l'eau m'a toujours interdit d'apprendre à nager, et je sais que je plongerais vers une mort certaine. « Attends-moi ! »

Je vois la peur et la désolation sur son visage tandis qu'elle essaie de fendre la foule, essayant d'avancer au rythme de l'*Eliza*. « Où ? »

Je n'en ai aucune idée. Confus, je cherche désespérément une idée rationnelle à laquelle me raccrocher. Sans succès. « Où que tu sois », finis-je par crier, en désespoir de cause. « Je te trouverai, promis ! »

Perdu, je contemple son visage qui s'éloigne, brouillé par mes larmes. Je sais que c'est une promesse que je ne pourrai jamais tenir.

CHAPITRE 10

I

Sime se réveilla en appelant son nom. Il l'entendit bondir hors de sa gorge. Il s'assit dans le lit et sentit des gouttes de sueur glisser sur son visage. Pourtant, il frissonnait. Son souffle était court et rauque, son cœur battait avec une telle force dans sa poitrine que l'on aurait pu croire qu'il essayait de s'en échapper.

Ce n'était qu'un rêve, mais si vivant que le même sentiment désespéré d'impuissance ressenti par Simon quand il perdait de vue son amante, flottait dans sa propre conscience, comme une ombre mélancolique.

Il connaissait cette histoire, mais c'était la première fois qu'il en rêvait. Il ramena ses genoux contre sa poitrine, y appuya ses coudes et ferma les yeux. Pendant un moment, il fut transporté à l'époque de son enfance. Dans la maison de sa grand-mère, sur les berges de la Salmon River à Scotstown. Une vieille maison en bois construite au début du XXe siècle, plongée dans l'ombre de trois arbres immenses qui la surplombaient, comme une menace.

Il pouvait presque sentir le parfum d'ancienneté, d'humidité, de poussière et d'histoire qui imprégnait chaque recoin. Il entendait sa voix. Basse, presque monocorde, toujours mâtinée de mélancolie pendant qu'elle leur lisait les journaux intimes, à sa sœur et à lui.

Il n'avait pas repensé à ces mémoires pendant toutes ces années, mais elles lui revenaient à l'esprit avec clarté. Si ce n'était dans leurs moindres détails, tout du moins avec un sens aigu du lieu et de l'instant. L'histoire de la vie de son ancêtre commençait par ce voyage à travers l'océan. L'homme dont Sime portait le nom, dont la destinée s'était achevée en une tragédie que sa grand-mère avait toujours refusée de leur lire.

Pourquoi ce moment s'était-il soudain imposé à sa conscience ? La séparation tragique de Simon et Ciorstaidh sur un quai de Glasgow. Il secoua la tête. Sa migraine se rappela à lui. Il n'avait pas de réponse et se sentait fiévreux. Soudain, l'idée lui traversa l'esprit que s'il avait rêvé, cela signifiait qu'il avait dormi. Même s'il n'en avait pas l'impression. Il jeta un coup d'œil en direction du réveil à son chevet. Il était à peine plus d'une heure et demie du matin. La télévision poursuivait son ballet de lumières dans la chambre. Le match de hockey était terminé et avait été remplacé par une émission de téléachat vantant les mérites d'une machine permettant d'obtenir des abdominaux sculpturaux et parfaits. Il n'avait pas dû dormir plus de temps qu'il ne s'en était écoulé dans son rêve.

Il se glissa hors du lit et se rendit dans la salle de bains pour s'asperger le visage d'eau fraîche. Quand il releva la tête, le visage pâle et hagard du jeune homme qui le regardait dans le miroir l'alarma. Sous la lumière crue, chaque ride, chaque ombre sur son visage semblait plus sombre et plus profondément marquée. Ses yeux marron clair étaient fatigués et abattus, le blanc de l'œil zébré de rouge. Même ses cheveux bouclés paraissaient avoir perdu leur éclat et, bien qu'ils soient blonds, d'un or presque scandinave, il distinguait quelques fils gris qui commençaient à apparaître sur ses tempes. Coupés court sur les côtés et coiffés en arrière, avec un peu plus de longueur au sommet, ils lui donnaient un air adolescent qui jurait avec le visage livide et épuisé dont il supportait difficilement la vue.

Il se détourna et se fourra le visage dans une serviette de bain avant de revenir dans la chambre en laissant tomber ses vêtements au sol au fur et à mesure qu'il se déshabillait. Il enfila un caleçon propre trouvé dans son sac, se glissa entre les draps frais, se tourna sur le côté et remonta ses genoux en position fœtale. Il avait déjà dormi une fois ce soir, bien que cela ait duré moins d'une heure, et il désirait ardemment reprendre son rêve, le manipuler comme cela est parfois possible lorsque l'on est pleinement conscient que l'on rêve. Pour réussir ce que son ancêtre n'était pas parvenu à faire dans sa vie. En changer l'issue. Entendre sa voix et la trouver sur le bateau, le libérer de ce serment impossible.

Pendant un long moment, il resta allongé ainsi, les yeux clos. Des couleurs kaléidoscopiques apparaissaient comme des taches d'encre avant de se fondre dans l'obscurité. Il changea de côté et se concentra sur sa respiration. Lente, régulière. Laisser aller son esprit et ses pensées. Essayer de détendre son corps, le sentir s'enfoncer dans le lit.

Et il se retrouva sur le dos. Les yeux grands ouverts, braqués sur le plafond. Quand bien même tout son être n'était qu'une supplique pour trouver le sommeil, il était parfaitement éveillé.

Peut-être avait-il sombré dans des périodes de semi-conscience, mais il ne le ressentait pas ainsi. Sans pouvoir s'en empêcher, il avait suivi le douloureux écoulement du temps en contemplant les chiffres de l'affichage numérique qui égrenaient sa vie jusqu'au petit jour, pendant qu'au dehors, le vent et la pluie battaient sans relâche les portes vitrées de sa chambre. Quatre, cinq, six heures. Six heures et demie à présent. Il se sentait plus épuisé que quand il s'était allongé la veille. La migraine était là, comme toujours. Il finit par se lever, laissa tomber un antalgique effervescent dans un gobelet en plastique et écouta le chant des bulles. Il ne concevait plus d'affronter la journée sans en avaler un.

De retour dans la chambre, il ramassa ses vêtements dispersés par terre et s'habilla lentement. Son sweat à capuche qu'il avait suspendu au-dessus de la baignoire était encore humide. Il l'enfila, de toute façon, il n'avait rien emporté d'autre. Il fit coulisser les portes vitrées et sortit sur le parking. La lumière grise de l'aube filtrait à travers des nuages si bas qu'ils touchaient la surface de l'île, propulsés par le vent qui n'était pas encore tombé. Le bitume était jonché de débris apportés par la tempête. Des poubelles retournées, leur contenu emporté dans la nuit. Des tuiles. Des branches provenant de la pinède qui poussait tout autour du quartier. Un trampoline pour enfant, complètement voilé, arraché d'un jardin, avait fini sa course entre un pick-up et une berline. La croix du clocher de l'horrible église moderne de l'autre côté de la rue avait cédé à sa base et pendait dangereusement du toit, simplement retenue par le câble du paratonnerre.

Toutefois, l'air n'était pas froid. Le vent, qui avait faibli, était tiède sur son visage. Il inspira profondément, le laissa lui remplir la bouche. Entre l'hôpital et l'école, une large rue descendait vers la baie et il voyait les énormes rouleaux verts vomis par l'océan pilonner le littoral et éclater en d'imposantes gerbes d'écume le long de l'arc de la côte. Il traversa la route et marcha dans cette direction, les mains calées au fond des poches, avant de s'arrêter un long moment sur la crête de la colline pour contempler la puissance de la mer en contrebas tandis que les premières lumières du jour commençaient à chasser l'orage.

Crozes était assis, seul, dans la salle de petit-déjeuner et sirotait un café. Deux toasts grillés et beurrés gisaient au fond de l'assiette posée devant lui. Il en manquait une bouchée, mais il ne mastiquait plus quand Sime le rejoignit et ne semblait pas éprouver grand appétit pour le reste.

Sime se servit un café et s'assit face à lui après avoir posé son mug sur le revêtement taché en mélamine blanc qui les séparait. Crozes émergea de ses pensées. « Seigneur, Sime, tu as dormi au moins ? »

Sime haussa les épaules. « Un peu. »

Crozes l'examina attentivement. « Tu devrais voir un médecin. »

Sime but une gorgée de café. « Je l'ai déjà fait. Il m'a donné des cachets. Mais ils m'assomment dans la journée et je ne dors pas plus.

— Je n'ai pas beaucoup dormi, moi non plus. Avec ce satané vacarme. J'ai cru que le toit de l'hôtel allait s'envoler, ou que les fenêtres allaient rentrer dans la pièce. Elles grinçaient comme si elles étaient prêtes à rompre. » Il avala une gorgée de café. « J'ai eu un appel il y a environ un quart d'heure. Le King Air a été touché par des débris sur l'aire de stationnement de l'aéroport. Le pare-brise est endommagé apparemment. S'ils ne peuvent pas le réparer ici, ils vont devoir attendre l'arrivée d'un autre appareil avec des pièces. Le résultat, c'est que nous ne quitterons pas l'archipel aujourd'hui. Le cadavre et les autres preuves devront rester sur la glace jusqu'à ce que l'on puisse décoller.

« Sale coup. »

Crozes gratifia Sime d'un regard noir, croyant peut-être déceler de l'ironie dans sa remarque. Tous deux savaient que si leur enquête traînait au-delà d'un jour ou deux, l'image de Crozes en pâtirait. Il fouilla dans sa poche, en sortit un jeu de clés de voiture et le lança en travers de la table. « Lapointe nous a loué deux véhicules. Ce sont les clés de la Chevrolet. Elle est garée devant. Prends-la et rends une petite visite au cousin de Kirsty Cowell, Jack Aitkens. Si tu penses que cela en vaut la peine, amène-le au poste de Cap-aux-Meules et nous procéderons à un interrogatoire filmé officiel.

— Que penses-tu qu'il puisse nous apprendre ? »

Crozes lança sa main en l'air d'un geste nerveux. « Va savoir ! J'ai visionné les enregistrements. Elle est un peu cinglée, non ? L'épouse Cowell. Peut-être nous fournira-t-il quelques éclaircissements sur sa personnalité, sa relation avec son mari. Un peu plus que ce que nous avons déjà.

— Tu as déjà regardé les enregistrements ? » Sime était surpris.

« Qu'est-ce que je pouvais faire d'autre ? Je n'arrivais pas à m'endormir et ça m'a paru être une bonne manière de m'occuper. J'ai sorti Blanc de son lit pour qu'il m'installe tout ça. » Il adressa un regard gêné à son subordonné. « J'imagine que je commence à apprendre ce que c'est que d'être un insomniaque comme toi. »

Sime récupéra les clés sur la table et se leva. Il vida son mug d'un trait. « Tu as une adresse pour le cousin ?

— Il vit dans un coin appelé La Grave, au sud, sur l'île voisine. L'île du Havre-Aubert. Mais il n'est pas chez lui en ce moment. »

Sime leva un sourcil. « Tu n'as *vraiment* pas chômé.

— Je veux que cette histoire soit pliée rapidement, Sime. Et je veux que nous ayons quitté cet endroit demain, au plus tard.

— Et donc, s'il n'est pas chez lui, où vais-je le trouver ?

— Il travaille de nuit dans les mines de sel à l'extrémité nord des îles. Il termine à huit heures. » Il jeta un rapide coup d'œil à sa montre. « Si tu te dépêches, tu arriveras juste à temps. »

II

La route qui conduisait à Havre-aux-Maisons empruntait une déviation pour éviter les travaux de construction du nouveau pont élancé qui la relierait à Cap-aux-Meules. Sime roula au milieu de nids-de-poule remplis d'eau, passant devant des cabanes qui annonçaient « Restaurant », « Bar » ou « Discothèque ». Des bâtiments frêles, battus par les vents, peints de couleurs criardes, n'évoquant rien de ce que pouvaient être les sordides occupations nocturnes proposées à la jeunesse de l'archipel.

Tandis qu'il conduisait vers le nord à travers Havre-aux-Maisons, le paysage se dégagea. Les derniers signes d'une présence humaine et les pinèdes disparurent. Les roseaux qui bordaient la route étaient aplatis par le vent et du sable provenant de la longue bande étroite de dunes sur sa droite glissait à la surface du bitume en formant des volutes et des tourbillons. De l'autre côté de la baie, l'ombre de l'île d'Entrée ne quittait pas son champ de vision.

Le ciel commençait enfin à s'éclaircir. Les nuages, mis en lambeaux par le vent, révélaient des bandes d'azur déchirées et laissaient échapper depuis l'est des taches de soleil exceptionnellement dorées qui se déployaient presque à l'horizontale au travers de l'archipel.

La mer libérait sa colère et venait frapper les flancs de l'île, explosant en fines gouttelettes d'écume qui se répandaient sur la chaussée reliant Cap-aux-Meules à l'île de Pointe-aux-Loups. Pointe-aux-Loups était en réalité un petit amas d'îles au milieu d'une longue bande de sable qui reliait les îles du sud à une série de trois grandes îles à l'extrémité septentrionale de l'archipel. Sur sa gauche, le golfe s'étalait jusqu'au continent nord-américain, hors de vue. Sur sa droite, les eaux vert émeraude de la lagune de Grande-Entrée étaient plus calmes, protégées de la sauvagerie de la tempête par une barrière de sable qui courait parallèlement à celle sur laquelle la route avait été construite.

Alors qu'il entamait le dernier tronçon de la bande de sable côté ouest, Sime vit sur sa droite le terminal des tankers où, plusieurs fois par semaine, s'amarraient d'imposants navires pour remplir leurs cales de sel. Un long hangar au toit argenté accrochait les rayons du soleil. Une jetée en béton s'avançait dans le lagon où stationnait un tanker rouge et crème. Un tapis roulant couvert déversait du sel dans ses entrailles.

Le tapis roulant longeait le littoral pendant près d'un kilomètre jusqu'à la tour du puit de mine où une haute palissade surmontée de barbelés délimitait le périmètre de sécurité de la mine. Trente ou quarante véhicules étaient garés en bordure d'un parking boueux à demi inondé. Sime se gara et se rendit dans le bâtiment administratif où une secrétaire l'informa que Jack Aitkens aurait fini son service environ vingt minutes plus tard, s'il souhaitait l'attendre. Sime ne parvenait pas à s'imaginer que des gens puissent passer douze heures par jour sous terre, confinés dans des espaces obscurs. Cela devait être pire que d'être condamné à la prison.

Sime s'installa dans la Chevrolet et laissa le moteur tourner, le chauffage réglé sur ses pieds, une vitre ouverte pour permettre la circulation de l'air. Son regard errait sur les eaux du lagon, en direction de la roche qui semblait sortir tout droit de la mer et des maisons aux couleurs vives qui ponctuaient la bande de verdure au sommet. Des gens robustes. Des pêcheurs pour la plupart, descendants des pionniers venus de France et de Grande-Bretagne pour prendre possession de ces terres inhabitées et hostiles, et en faire leur foyer. Jusqu'à leur arrivée, seuls les Indiens Micmacs s'y aventuraient pour la saison de chasse.

Sime sentait sa voiture tanguer sous l'effet du vent qui, même s'il faiblissait un peu, soufflait encore en bourrasques à travers l'étendue plane de l'océan. Il laissa ses pensées dériver et revenir aux journaux intimes. D'une façon ou d'une autre, il lui semblait important de comprendre pourquoi son subconscient avait choisi ce moment particulier pour en faire l'objet de ce rêve inattendu.

C'était étrange. Il devait avoir seulement sept ou huit ans quand leur grand-mère leur avait lu les histoires pour la première fois. Assis sous le porche à l'avant de la maison, dans l'ombre des arbres, pendant les chaudes journées des vacances d'été, ou blottis autour du feu pendant les sombres soirées d'hiver. Il avait oublié le nombre de fois où Annie et lui avaient demandé à leur grand-mère de les lire, encore et encore. Étant du même âge que le jeune garçon dont il était question dans la première d'entre elles, Sime en avait retenu les moindres détails.

Étonnamment, ce n'était pas la voix de sa grand-mère dont il se souvenait. Pas après avoir été emporté dans l'histoire. C'était comme si son ancêtre lui-même l'avait lue à voix haute, s'adressant directement à Sime et sa sœur.

CHAPITRE 11

Lorsque j'étais très jeune, il me semble que je savais beaucoup de choses sans vraiment me souvenir comment ni où je les avais apprises. Je savais que mon village était un ensemble de maisons dans la commune que l'on appelait Baile Mhanais. Si à présent j'essayais de le dire en anglais, cela donnerait quelque chose comme *Bally Vanish*. Je savais qu'il se trouvait sur la côte ouest de l'île de Lewis et Harris, dans les Hébrides extérieures, et je me rappelle que c'est à l'école que j'avais appris que les Hébrides faisaient partie de l'Écosse.

L'instituteur était envoyé par l'Église qui semblait trouver important que nous apprenions à lire et à écrire – ne serait-ce que pour lire la Bible. Assis, j'écoutais l'instituteur, dépassé par tout ce que j'ignorais. À huit ans, mon univers était minuscule face à l'immensité du monde. Toutefois, il remplissait ma vie. Il représentait tout ce que je connaissais.

Je savais, par exemple, qu'il y avait près de soixante personnes dans mon village, et au moins deux fois plus si l'on prenait en compte les fermes au nord et au sud, de chaque côté, le long de la côte. Je savais que c'était l'océan Atlantique qui imprimait inlassablement sa marque sur la côte de galets en contrebas du village, et je savais que, quelque part, très loin, à l'autre bout de cet océan, existait un endroit qui s'appelait l'Amérique.

De l'autre côté de la baie, des pêcheurs de Stornoway étendaient quelquefois leurs prises de poissons blancs sur les rochers pour qu'ils sèchent au soleil. Ils payaient les enfants du village un penny chacun pour passer la journée sur place et effrayer les oiseaux.

Il y avait aussi une jetée, érigée par le domaine avant que Langadail ne change de propriétaire. Mon père avait pour habitude de se plaindre que le nouveau ne dépensait pas un sou pour l'entretenir et qu'elle tomberait bientôt en ruines.

Notre village comptait une douzaine de *blackhouses*. Elles étaient situées sur la pente de la colline, serrées les unes contre les autres. Ma sœur et moi jouions souvent à cache-cache dans les allées sombres qui les séparaient. Chacune d'entre elles avait son étable à l'extrémité la plus basse pour laisser s'évacuer les déchets des animaux. À la fin de l'hiver, j'aidais mon père à démolir le pignon au bout de la maison pour charger la bouse avec une pelle dans une charrette que nous emportions jusqu'à notre petite bande de terre pour l'utiliser comme engrais. De la merde et des algues, c'était toujours ce que l'on mettait pour faire pousser l'orge. Et le chaume du toit, noirci et gorgé des résidus collants de la suie de tourbe, que l'on étalait sur les *lazybeds* avec du varech pour nourrir les pommes de terre. L'avoine semblait pousser sans avoir besoin d'aide. Au printemps, nous refaisions la couverture avec des gerbes fraîches de tiges d'orge, puis nous couvrions le chaume avec des filets de pêche que nous lestions en y suspendant des pierres. La fumée qui se dégageait du feu de tourbe finissait toujours par trouver son chemin à travers le toit et les quelques poules que nous possédions y nichaient, trouvant ainsi chaleur et confort.

Les murs de notre *blackhouse* étaient épais. Deux parements en fait, montés en pierres sèches, avec de la terre et des déblais au milieu, et du gazon au sommet pour absorber l'eau qui descendait du toit. J'imagine que pour quelqu'un qui n'y était pas accoutumé, le spectacle de quelques moutons en train de brouter au sommet des murs devait être étrange. Mais j'étais habitué à les voir perchés là-haut.

Je connaissais toutes ces choses parce qu'elles faisaient partie de moi, comme je faisais partie de la communauté de Baile Mhanais.

Je me souviens du jour de la naissance de Moireach. Ce matin-là, j'étais assis avec Calum, le vieil aveugle, devant la porte de sa maison, en bas du village. Les collines au nord et à l'est nous abritaient, mais nous étions exposés aux intempéries à l'ouest. Au-delà de la baie, la crête atténuait un peu celles en provenance du sud-ouest et je suppose que mes ancêtres avaient dû penser qu'il s'agirait d'un bon endroit pour y fonder leur village.

Comme toujours, Calum portait son manteau bleu décoré de boutons jaunes et un Glengarry usé par le temps sur le crâne. Il disait pouvoir discerner des formes dans la lumière du jour, mais ne rien y voir dans la pénombre de sa *blackhouse*. Alors, il préférait être assis dehors, dans le froid, et voir quelque chose, plutôt que d'être aveugle au chaud à l'intérieur.

Je passais souvent du temps en sa compagnie, à écouter ses récits. Il savait presque tout sur les gens qui vivaient là et sur l'histoire de Baile Mhanais. Quand il m'a raconté pour la première fois qu'il était un vétéran de Waterloo, j'ai eu un peu honte d'avouer que je n'avais aucune idée de ce qu'était un vétéran, ou Waterloo. Ce fut mon instituteur qui m'apprit qu'un vétéran était un ancien soldat et que Waterloo était une bataille célèbre qui avait eu lieu à des milliers de kilomètres de là, sur le continent européen, et à l'issue de laquelle Napoléon Bonaparte, le dictateur français, avait été vaincu.

Cela m'incita à regarder le vieux Calum sous un jour différent. Avec quelque chose comme de l'émerveillement. Un guerrier qui avait vaincu un dictateur vivait dans mon village. Il disait avoir participé à neuf batailles sur le continent et être devenu aveugle lors de la dernière d'entre elles, quand la platine à silex de son propre fusil lui avait éclaté au visage.

Il faisait froid ce matin-là. Le vent soufflait du nord et charriait quelques gouttes de pluie avec un soupçon de neige fondue. L'hiver pouvait être agressif certaines fois et plus clément à d'autres. Mon instituteur disait que c'était le Gulf Stream qui nous évitait de connaître un hiver permanent et, dans mon imagination, je me figurais un courant chaud, bouillonnant à travers la mer pour faire fondre la glace des océans du nord.

J'entendis une voix portée par le vent. C'était ma sœur, Annag. Elle était plus jeune que moi d'un peu plus d'un an. Je me retournai et la vis dévaler la colline, entre les *blackhouses*. Elle portait une jupe en coton bleu pâle avec un pull en laine tricoté par ma mère. Ses jambes et ses pieds étaient nus, comme les miens. Les chaussures étaient pour le dimanche. Et la plante de nos pieds ressemblait à du cuir.

« Sime ! Sime ! » Son petit visage était rose tant elle avait couru, les yeux arrondis par l'inquiétude. « Ça arrive. C'est maintenant ! »

Comme je me levais, le vieux Calum trouva mon poignet et le tint fermement serré. « Je vais prier pour elle, mon garçon », dit-il.

Annag me prit la main. « Viens, allez ! »

Et nous courûmes ensemble, main dans la main, remontant entre les *blackhouses*, passant devant la cour où l'on stockait le foin pour entrer dans la grange à l'arrière. Nous étions encore petits et nous n'étions pas obligés de nous pencher pour entrer dans la maison, contrairement à mon père qui devait baisser la tête à chaque fois ou risquer de se la fracasser contre le linteau.

Il faisait sombre là-dedans, et il fallut un petit moment pour que nos yeux s'accommodent du peu de lumière. Le sol était sommairement pavé de grosses pierres, le foin entassé à une extrémité et le stock de pommes de terre remisé dans des caisses à l'autre bout, dans une obscurité quasi totale. Nous courûmes dans le minuscule espace entre la salle de l'âtre et l'étable, faisant fuir les poules. À l'époque, l'étable abritait deux vaches et l'une d'entre elles tourna la tête dans notre direction pour nous adresser un meuglement plaintif.

Nous nous accroupîmes derrière le grillage à poules tendu à la porte et nous glissâmes un regard dans la salle de l'âtre. Les lampes suspendues aux poutres répandaient la puanteur de l'huile de foie de morue qui couvrait presque celle, âcre, de la fumée de tourbe s'élevant du feu au centre de la pièce.

L'endroit était bondé. Que des femmes, à l'exception de mon père. Annag empoigna mon bras et ses doigts minuscules s'enfoncèrent dans ma chair. « La sage-femme est arrivée il y a dix minutes », me souffla-t-elle avant de rester silencieuse. « C'est quoi une sage-femme ? »

Il y avait eu suffisamment de naissances depuis le début de ma courte vie pour que je sache que la sage-femme venait aider pour l'accouchement. En vérité, c'était simplement l'une de nos voisines.

« Elle est venue pour sortir le bébé du ventre de mamaidh », lui répondis-je. Je la voyais, penchée au-dessus de la silhouette allongée de ma mère, dans le lit clos de l'autre côté de la pièce.

Je ne sais pourquoi, parce qu'aucun signe extérieur ne le laissait penser, mais je sentis de la panique flotter dans la pièce. Une panique silencieuse mais palpable, quand bien même on ne peut l'entendre ou la voir. De l'eau bouillait dans un chaudron suspendu à une chaîne au-dessus des braises de la tourbe. Les autres femmes étaient occupées à nettoyer des draps tachés de sang et mon père se tenait debout, spectateur impuissant. Je ne l'avais jamais vu si désemparé. Lui qui avait toujours réponse à tout. À cet instant, il n'avait rien à dire.

J'entendis la sage-femme encourager ma mère. « Pousse, Peigi, pousse ! » Et ma mère hurlait.

« Il sort dans le mauvais sens ! », lâcha l'une des voisines dans un hoquet.

J'avais vu un certain nombre d'animaux mettre bas et je savais que la tête devait venir en premier. Plissant les yeux pour percer la fumée et les ombres, je vis les fesses du bébé entre les jambes de ma mère, comme s'il essayait de rentrer en elle au lieu d'en sortir.

L'une après l'autre, délicatement, la sage-femme dégagea les jambes du bébé puis le tourna et le pivota pour libérer un bras, et le second. C'était une fille. Un beau bébé, mais sa tête était encore dedans, et les chairs étaient horriblement abîmées. Je voyais du sang sur les jambes de ma mère, sur les mains de la sage-femme. Je voyais les draps se gorger. Les traits de la sage-femme luisaient de sueur. Elle souleva le bébé, cherchant d'une main son visage, essayant de le libérer. Mais la tête ne voulait pas sortir.

Ma mère hoquetait et pleurait. Les voisines lui tenaient les mains et, doucement, essayaient de la calmer. Dans la pièce, tout le monde savait que si la tête n'était pas libérée rapidement, le nouveau-né mourrait asphyxié.

Soudain, la sage-femme se pencha en avant tout en soutenant le corps du bébé d'un bras et, de sa main libre, chercha la tête dans le ventre de ma mère. Elle sembla la trouver et prit une profonde inspiration avant de pousser vers le bas de toutes ses forces. « Pousse ! », hurla-t-elle à pleins poumons.

Le cri de ma mère délogea de la poussière de suie des poutres et me glaça le sang. Au même moment, la tête de ma petite sœur émergea et, après une tape ferme sur les fesses, elle inspira et fit écho au cri de sa mère.

Mais ma mère n'était pas tirée d'affaire. Le bébé fut rapidement emporté, emmailloté dans des couvertures. On apporta des draps propres pour essayer de stopper les saignements. La sage-femme prit le bras de mon père et il pencha la tête pour entendre les conseils qu'elle lui chuchotait. Elle avait un visage de la pâleur d'un mort.

Les yeux de mon père brûlaient comme des charbons. Il partit en courant vers la porte et tomba presque sur Annag et moi tandis que nous nous hâtions de dégager le passage. Il cria, saisit le col de ma veste en tweed élimée. J'allais certainement avoir des ennuis pour m'être trouvé là où je n'aurais pas dû. Il approcha son grand visage encadré de rouflaquettes du mien et dit : « Je veux que tu ailles chercher le médecin, fiston. Si on ne peut pas arrêter les saignements, ta mère va mourir. »

La peur me traversa comme un carreau d'arbalète. « Je ne sais pas où il habite.

— Va jusqu'au château, à Ard Mor », dit mon père d'une voix à ce point étreinte par l'anxiété que les mots restaient bloqués au fond de sa gorge. « Ils le préviendront plus vite qu'aucun d'entre nous. Dis-leur que ta mère mourra s'il ne vient pas assez vite. » Il me fit faire un demi-tour et me poussa dehors, ébloui par le soleil, responsable de la survie de ma mère.

Mû par un mélange de peur et de fierté, je gravis comme un dératé la pente entre les *blackhouses* puis le chemin qui courait à flanc de colline. Je savais que si je le suivais suffisamment longtemps, il me mènerait jusqu'à la route qui conduisait au château et, bien que je n'y sois jamais allé, je l'avais déjà aperçu de loin et je savais comment le trouver. Mais la route était longue. Trois kilomètres, peut-être plus.

Quand j'arrivai en haut de la colline, le vent me frappa de plein fouet et manqua de me renverser. Je sentais les gouttes de pluie s'écraser sur mon visage, comme si Dieu faisait peu de cas des efforts d'un petit garçon pour sauver sa mère. Après tout, c'était Son affaire.

Je savais que je ne pourrais pas continuer à ce rythme, mais aussi que le temps était compté. J'adoptai une allure plus raisonnable pour économiser mes réserves d'énergie et, au moins, arriver jusque là-bas. Je m'efforçai de me vider la tête tout en courant, faisant basculer mon attention du chemin qui se déroulait devant moi à l'aspect désolé des collines rocheuses, vierges d'arbres, qui m'entouraient. Les ombres des nuages bas redessinaient le paysage et le vent faisait claquer mes vêtements, tirant sur les clous que j'utilisais comme boutons pour maintenir ma veste fermée.

Les panoramas apparaissaient et disparaissaient. Je repérai la courbe d'une crique entre deux collines. Au loin, des nuages encerclaient les montagnes violettes et sombres et, par une trouée sur ma gauche, je vis les pierres dressées sur la crête au-delà de la plage que nous appelions simplement *Traigh Mhor*. Je continuai à courir à un rythme qui engourdissait mon esprit et calmait mes peurs.

Je tombai enfin sur la route qui partait en serpentant entre les collines. Elle était pleine d'ornières et boueuse, l'eau de pluie stagnant dans les traces laissées par les charrettes et les nids-de-poule. Je partis en direction du nord, courant dans les flaques, sentant ma course se ralentir au fur et à mesure que mes forces me quittaient. Le sol me donnait l'impression de se soulever autour de moi, masquant le ciel. Je me souvenais avoir vu des cantonniers travailler pour construire cette route, mais les pierres qu'ils avaient posées étaient noyées dans la boue et les tranchées qu'ils avaient creusées remplies d'eau.

Tout en courant, j'accentuai le mouvement de mes bras pour apporter plus d'air à mes poumons mais je m'arrêtai soudainement après avoir passé un virage sans visibilité. Devant moi, une charrette tirée par un cheval était renversée dans le fossé. Encore attaché à la carriole, le cheval était couché sur le flanc, hennissant et bataillant pour se remettre sur pied. L'une de ses pattes arrière était brisée. La pauvre bête serait achevée. En revanche, il n'y avait aucune trace d'un conducteur ou de passagers.

La pluie commençait à tomber plus sérieusement. Je m'approchai du véhicule renversé, sautai dans le fossé à demi masqué par la carriole et découvris, allongée parmi les racines de bruyère, une petite fille aux cheveux noirs relevés sous un béret bleu roi, ses jupes bleues et son manteau noir étalés autour d'elle. Son visage était livide et contrastait violemment avec le sang rouge vif s'écoulant de l'entaille qui lui barrait la tempe. Dans le fossé, étendu sur le dos à côté d'elle, se trouvait également un homme d'âge mûr dont le haut-de-forme avait roulé à quelques mètres. Son visage était entièrement submergé et comme agrandi sous l'effet de loupe de l'eau. Bizarrement, ses yeux étaient grands ouverts, ronds comme des soucoupes, et me fixaient. Choqué, je me mis à trembler, comprenant dans le même temps qu'il était mort et que je ne pouvais rien pour lui.

J'entendis une petite voix gémir puis tousser et je me tournai vers la petite fille, juste à temps pour voir ses paupières battre avant de s'ouvrir et de révéler les yeux les plus bleus que j'aie jamais vus.

« Peux-tu bouger ? », lui demandai-je.

Elle me dévisagea sans comprendre. Une petite main s'agrippa à la manche de ma veste. « Au secours, aide-moi », dit-elle. Elle parlait anglais. Une langue que je ne comprenais pas, pas plus qu'elle ne devait comprendre mon gaélique.

J'hésitais à la déplacer au cas où elle aurait quelque chose de cassé et où je ne fasse qu'aggraver les dégâts. Je pris sa main. Elle était glacée. Je ne pouvais pas la laisser ainsi, dans le froid et l'humidité. J'avais déjà vu comment une vie, exposée ainsi aux éléments, pouvait être emportée en un rien de temps.

« Dis-moi si cela te fait mal », dis-je, sachant qu'elle ne pouvait me comprendre. Elle me regarda d'un air si désespéré que j'en eus presque les larmes aux yeux. Je glissai un bras sous ses épaules et l'autre dans le creux de ses genoux et la soulevai prudemment. Elle était plus petite que moi, plus jeune de deux ans peut-être, mais elle était tout de même lourde et je ne voyais pas comment j'allais pouvoir la transporter jusqu'au château. Mais je n'avais pas le choix. J'avais à présent la responsabilité de deux vies entre les mains.

Elle ne cria pas ce qui m'encouragea à penser qu'elle n'avait rien de cassé. Elle passa ses bras autour de mon cou pour s'accrocher à moi tandis que je remontais sur la route et reprenais ma course. Je n'avais pas parcouru plus de deux cents mètres que, déjà, les muscles de mes bras n'en pouvaient plus de supporter son poids. Mais je n'avais pas d'autre choix que de continuer.

Au bout d'un moment, ma foulée se fit plus souple et je parvins à conserver mon élan. De temps à autre, je la regardais brièvement. Parfois ses yeux étaient fermés et je craignais le pire. Parfois, ils me fixaient, fiévreux, et je ne savais même pas si elle me voyait réellement.

J'étais à bout de forces, prêt à me laisser tomber à genoux et abandonner, quand je passai un dernier virage. Là, devant moi, se trouvait Ard Mor. Le château se dressait sur un promontoire qui s'avançait dans une baie rocailleuse. Des pelouses s'étalaient de la façade jusqu'à un mur crénelé dont les canons pointaient vers le large. Derrière l'édifice se dressait une colline abrupte. La route serpentait vers les fermes des ouvriers du domaine et une arche en pierre menait dans la cour du château.

Cette vision me redonna de l'énergie, suffisamment en tout cas pour tituber sur les derniers cent mètres, passer devant les fermes et sous l'arche jusqu'à la grande porte d'entrée en bois massif du château. Je déposai la petite fille sur la marche juste devant moi et tirai la sonnette. Je l'entendis retentir quelque part, loin à l'intérieur du bâtiment.

Difficile de décrire l'expression de la bonne lors-qu'elle ouvrit la porte, son visage rose aux yeux arrondis par la surprise planté au sommet de sa blouse noire et de son tablier blanc.

Je perdis tout contrôle sur les événements. Des serviteurs furent appelés pour transporter l'enfant à l'intérieur du château et je restai là, planté au milieu du grand hall au sol dallé de pierres tandis que les gens de la maison s'agitaient en tous sens. Je vis le châtelain descendre les escaliers, le visage pâle et marqué par l'inquiétude. J'entendis sa voix pour la première fois, sans comprendre son anglais.

Personne ne me prêtait la moindre attention et je me mis à pleurer, effrayé à l'idée d'avoir abandonné ma mère et de savoir qu'elle allait mourir parce que j'avais été détourné de mon but. La bonne qui m'avait ouvert traversa le hall en toute hâte et s'agenouilla à côté de moi, l'air désolé. « Qu'est-ce qui ne va pas ? », me demanda-t-elle en gaélique. « Tu as fait quelque chose de courageux. Tu as sauvé la vie de la petite fille du châtelain. »

Je lui serrai la main. « Il faut que le médecin vienne.

— On est allé le chercher », dit-elle d'un ton rassurant. « Il sera bientôt là.

— Non, pour ma mère ! » J'étais au bord de l'hystérie.

Mais elle ne comprit pas. « Que veux-tu donc dire ? »

Et je lui racontai tout, ma mère, la naissance de ma petite sœur et les saignements. Elle pâlit.

« Ne bouge pas d'ici », me lança-t-elle avant de gravir le grand escalier en toute hâte.

Je restai ainsi une éternité jusqu'à ce qu'elle revienne au trot et s'agenouille de nouveau à côté de moi. « Dès qu'il se sera occupé de Ciorstaidh, le médecin t'accompagnera à Baile Mhanais », m'expliqua-t-elle en dégageant les cheveux de mes yeux d'une main douce et réconfortante.

Je ressentis un immense soulagement. « Ciorstaidh. C'est le nom de la fille du châtelain ? », demandai-je.

« Aye », confirma-t-elle. « Mais ils l'appellent par son nom anglais. Kirsty. »

Je ne sais pas combien de temps il fallut au médecin pour arriver et examiner Ciorstaidh, mais dès qu'il eut terminé, nous partîmes sur son cheval en direction de mon village. Nous nous arrêtâmes à la carriole renversée. Le cheval était encore vivant mais il avait presque cessé de lutter. Le médecin se pencha sur l'homme dans le fossé puis se releva, l'air grave. « Mort », fit-il. J'aurais pu le lui dire sans qu'il descende de cheval. « Le précepteur de Ciorstaidh. Il vient de Glasgow. Il n'est là que depuis six mois. » Il remonta sur son cheval et se tourna à demi vers moi. « Si tu ne l'avais pas portée jusqu'au château, elle serait morte de froid ici. »

Il fouetta les flancs du cheval avec sa cravache et nous partîmes au galop jusqu'à l'embranchement avec le chemin. Le cheval ralentit pour progresser avec précaution parmi les pierres et les racines de bruyère, avant d'entamer la descente de la colline menant au village.

Apparemment, ils étaient parvenus à faire cesser les saignements et ma mère était encore en vie. On guida le médecin dans la salle de l'âtre puis l'on nous poussa dehors, Annag et moi, et nous attendîmes sous la pluie.

Mais je m'en fichais. J'avais très certainement sauvé deux vies ce jour-là, et je contai toute l'histoire à ma petite sœur, gonflé de fierté.

Mon père nous rejoignit. Le soulagement était visible sur son visage. « Le médecin dit que ta mère devrait s'en sortir. Elle est faible et elle va devoir se reposer, alors il va falloir que nous nous serrions les coudes pour la remplacer pendant un petit moment.

— Comment s'appelle le bébé ? », demanda Annag.

Mon père sourit. « Moireach. Comme ma mère. » Il posa une main sur mon épaule. « Tu as bien agi, fils. » Sa louange me fit un plaisir immense. « Le médecin m'a dit que tu as transporté la fille du châtelain jusqu'à Ard Mor. Tu lui as sauvé la vie, sans aucun doute. » Il redressa le menton et laissa son regard vagabonder sur la ligne de crête des collines au-dessus de nous, l'air pensif. « Le châtelain nous est redevable après ça. »

Je ne me souviens pas combien de temps s'écoula exactement avant que ne débute le trimestre suivant à l'école. Un peu après le nouvel an, je suppose. Je me revois sur le chemin de l'école ce premier jour, passant en contrebas de l'église à laquelle étaient rattachés les villages de Baile Mhanais et Sgagarstaigh. L'école était construite sur le *machair* et dominait la baie de l'autre côté de la colline et les lopins de terre cultivée qui s'élevaient au-delà. Nous étions une trentaine à venir en cours, mais ce nombre pouvait fluctuer en fonction des besoins dans les fermes. Mon père disait toujours qu'il n'y avait rien de plus important qu'une bonne éducation, alors je n'étais quasiment jamais absent.

Ma mère s'était bien rétablie et la petite Moireach se portait à merveille. Je m'étais levé à l'aube ce jour-là pour rentrer un casier de tourbe et me remplir l'estomac avec les pommes de terre que nous avions laissées cuire sous les braises pendant la nuit. Quand le feu fut lancé, ma mère en fit bouillir d'autres que nous avalâmes avec du lait et un peu de poisson salé. Le ventre bien calé, je ne sentais presque pas le froid, prêtant à peine attention à la croûte de neige glacée qui se brisait sous mes pieds nus.

Quand j'arrivai à l'école, je fus surpris de constater que nous avions un nouvel instituteur. Monsieur Ross, d'Inverness. Il était bien plus jeune que le précédent et parlait l'anglais et le gaélique.

Quand nous fûmes tous installés derrière nos pupitres en bois brut, il demanda si quelqu'un parlait anglais parmi nous. Pas une seule main ne se leva.

« Bien », enchaîna-t-il. « Et qui aimerait apprendre à parler anglais ? »

Je regardai mes camarades et constatai qu'une fois encore, aucune main ne s'était levée. Je levai la mienne et monsieur Ross me sourit, légèrement surpris, je pense.

Il s'avéra que nous allions tous devoir apprendre l'anglais. Mais je demeurai le seul à en avoir envie car je savais que si je voulais un jour pouvoir parler à la petite fille à qui j'avais sauvé la vie, je devais apprendre sa langue. Parce qu'il n'y avait aucune chance que la fille du châtelain apprenne un jour le gaélique.

CHAPITRE 12

I

« C'est vous le flic ? » La voix tira brusquement Sime de sa rêverie et il lui fallut quelques secondes pour reprendre ses esprits et faire la transition entre l'hiver hébridéen du XIXᵉ siècle et cette mine de sel de l'autre côté du monde sur les îles de la Madeleine.

Il se tourna et vit un homme qui l'observait, penché à l'ouverture de la vitre, le visage masqué par l'ombre de la visière de sa casquette de base-ball.

Presque au même instant, le sol trembla sous leurs pieds. Un grondement, comme une série de battements de cœur. « Qu'est-ce que c'est que ça ? », demanda Sime, inquiet.

L'homme resta imperturbable. « C'est le tir de mine. Il y en a un quinze minutes après le départ de chaque équipe. Ils attendent deux heures que tout se dépose avant d'envoyer la suivante. »

Sime hocha la tête. « La réponse à votre question est oui. »

L'homme caressa sa barbe d'un jour d'une main immense. « Et qu'est-ce que vous pouvez bien me vouloir ? » Ses sourcils dessinèrent un accent circonflexe sous la lisière de sa casquette et il lança un regard noir à Sime.

« J'en déduis que vous êtes Jack Aitkens ?

— Et si c'est le cas ?

— Le mari de votre cousine Kirsty a été assassiné sur l'île d'Entrée. »

L'espace d'un instant, on aurait pu croire que le vent était tombé et que, pendant une fraction de seconde, le monde d'Aitkens s'était arrêté de tourner. Sime vit l'expression de son visage passer de l'hostilité à la surprise avant de laisser place à l'inquiétude. « Seigneur », lâcha-t-il. « Il faut que j'aille là-bas tout de suite.

— Bien sûr », fit Sime. « Mais, d'abord, il faut que nous parlions. »

II

Les murs de la salle 115 du commissariat de la Sûreté de Québec à Cap-aux-Meules étaient peints en jaune canari. Deux chaises se faisaient face, posées de part et d'autre d'une table en mélaminé blanc, installée perpendiculairement à l'un des murs. Des caméras intégrées et un micro retransmettaient la conversation jusqu'à la salle des enquêteurs où se trouvait Thomas Blanc. Dehors, sur le mur, une plaque annonçait : *Salle d'interrogatoire*.

Jack Aitkens était assis en face de Sime. Ses larges mains encrassées d'huile étaient croisées devant lui. Sa veste polaire à fermeture Éclair était ouverte et pendait à ses épaules. Il portait un jean déchiré et de grandes bottes incrustées de sel.

Il avait ôté sa casquette de base-ball, révélant des cheveux clairsemés, gominés et plaqués en arrière sur un crâne large et plat. Son visage était pâle, presque grisâtre. Il hocha la tête en direction de l'affiche en noir et blanc punaisée au mur, derrière Sime.

URGENCE AVOCAT gratuit en cas d'arrestation.

« Vous voyez une raison pour laquelle il me faudrait un avocat?

— Non, je n'en vois pas. Et vous? »

Aitkens haussa les épaules. « Bon, qu'est-ce que vous voulez savoir? »

Sime se leva et alla fermer la porte. Le brouhaha du centre opérationnel au bout du couloir le déconcentrait. Il se rassit. « Vous pouvez commencer par me raconter comment c'est de travailler dans une mine de sel. »

Aitkens sembla tout d'abord surpris puis il gonfla les joues et laissa échapper un soupir de dédain. « C'est un boulot comme un autre.

— Vous faites quels horaires?

— Des journées de douze heures. Quatre jours par semaine. Je fais ça depuis dix ans maintenant, alors ça ne me gêne plus trop. L'hiver, en équipe de jour, il fait nuit quand on arrive et il fait nuit quand on part. Et il n'y a pas des masses de lumière en dessous. Alors, on passe la moitié de sa vie dans le noir, monsieur… Mackenzie, c'est ça? »

Sime acquiesça.

« C'est déprimant. Ça vous met le moral à zéro parfois.

— J'imagine. » Sime pouvait difficilement concevoir pire que cela. « Combien y a-t-il d'employés?

— Cent seize. Les mineurs, j'entends. Je ne sais pas combien ils sont dans les bureaux.

— Vu la taille des lieux, je n'aurais pas imaginé qu'il y ait autant d'hommes en dessous », s'étonna Sime.

Le sourire d'Aitkens était presque condescendant. « Depuis la surface, on ne s'imagine pas une seule seconde ce qu'il peut y avoir en dessous, monsieur Mackenzie. Tout l'archipel des îles de la Madeleine repose sur des colonnes de sel qui sont remontées à travers la croûte terrestre. Jusque-là, nous sommes descendus à 440 mètres dans l'une d'elles, et nous en avons encore pour huit ou dix kilomètres. La mine compte cinq niveaux et s'étend bien en dessous de la surface de la mer et de chaque côté de l'île. »

Sime lui rendit son sourire. « Vous avez raison, monsieur Aitkens, je n'aurais jamais imaginé une chose pareille. » Il marqua une pause. « Où étiez-vous la nuit du meurtre ? »

Aitkens ne cilla pas. « Quelle nuit était-ce, exactement ?

— L'avant-dernière.

— J'étais dans l'équipe de nuit. Comme tout le reste de la semaine. Vous pouvez consulter les registres si vous voulez. »

Sime hocha la tête. « Nous nous en occuperons. » Il se cala au fond de sa chaise. « Et vous extrayez quel genre de sel ?

— Pas du sel de table, si c'est ce que vous pensez », répondit Aitkens en riant. « Du sel pour les routes. Environ 1,7 million de tonnes par an. Le plus gros part à Québec ou Terre-Neuve. Le reste va aux États-Unis.

— Ça ne doit pas être très bon pour la santé de passer douze heures par jour, là-dessous, à respirer tout ce sel.

— Qui sait ? » Aitkens haussa les épaules. « En tout cas, je n'en suis pas encore mort. » Il gloussa. « On dit que les mines de sel créent leur propre microclimat. Dans certains pays d'Europe de l'Est, on envoie les gens dans les mines pour soigner l'asthme. »

Sime attendit que le sourire d'Aitkens s'efface au fur et à mesure qu'augmentait son impatience.

« Bon, vous allez me dire ce qui s'est passé sur l'île d'Entrée, oui ou non ? »

Mais Sime n'était pas encore prêt à aborder le sujet. « Je veux que vous me parliez de votre cousine.

— Que voulez-vous savoir ?

— Tout et n'importe quoi.

— Nous ne sommes pas proches.

— C'est ce que j'ai cru comprendre. »

Aitkens le regarda de travers et Sime vit dans ses yeux qu'il s'interrogeait. Est-ce que Kirsty lui avait dit ça ? « Kirsty est la fille de la sœur de mon père. Mon père, lui, est tombé amoureux d'une fille de Havre-Aubert parlant le français et il a quitté l'île d'Entrée pour l'épouser alors qu'il sortait à peine de l'adolescence.

— Vous ne parlez pas anglais ?

— J'ai grandi en parlant français à l'école. Mais à la maison, mon père s'est toujours adressé à moi en anglais, alors je m'en sors pas mal.

— Vos parents sont-ils toujours vivants ? »

Aitkens pinça les lèvres avec tristesse. « Ma mère est morte il y a quelques années. Mon père est au service de gériatrie de l'hôpital. Il ne me reconnaît même pas quand je lui rends visite. Il est sous ma tutelle. »

Sime hocha la tête. « Donc, au départ, Kirsty et vous avez grandi dans deux communautés linguistiques très différentes.

— En effet. Mais les différences ne sont pas que linguistiques. Elles sont aussi culturelles. La plupart de ceux qui parlent français ici descendent des premiers colons d'Acadie arrivés au XVIIe siècle. Quand les Anglais ont vaincu les Français et créé le Canada,

129

les Acadiens ont été chassés et beaucoup d'entre eux ont atterri ici. » Il émit un grognement blasé. « La plupart de mes voisins se considèrent encore comme des Acadiens, pas comme des Québécois. » Il se mit à nettoyer la crasse coincée sous ses ongles. « Beaucoup de locuteurs anglais en route pour les colonies ont fait naufrage ici et ne sont jamais repartis. C'est pour cela que les deux colonies ne se sont jamais mélangées.

— Vous n'avez donc pas eu beaucoup de contacts avec Kirsty pendant votre jeunesse ?

— Presque pas. Et pourtant, je vois l'île d'Entrée depuis ma maison à La Grave. Parfois on a l'impression qu'on pourrait la toucher simplement en tendant la main. Mais ce n'est pas le genre d'endroit où on passe par hasard. Bien sûr, il y avait quelquefois des réunions de famille. Noël, les enterrements, ce genre de chose. Mais ceux qui parlent anglais sont presbytériens et la plupart des Français sont catholiques. Comme l'huile et l'eau. Donc, en effet, je n'ai pas connu Kirsty plus que ça. » Il cessa de se curer les ongles et examina ses mains. « Ces dernières années, je ne l'ai pour ainsi dire pas vue du tout. » Il leva les yeux. « Si je ne vais pas la voir, ce n'est certainement pas elle qui me rendra visite. »

Sime crut percevoir un soupçon d'amertume dans le ton de sa voix mais rien dans le comportement d'Aitkens ne le laissait transparaître. « D'après ce que vous savez d'elle, comment la décririez-vous ?

— Que voulez-vous dire ?

— Quelle sorte de personne est-ce ? »

Sime lut de l'affection dans son sourire. « Vous auriez du mal à trouver quelqu'un de plus gentil sur cette terre, monsieur Mackenzie », répondit-il. « Presque… comment dire… sereine. Comme si elle possédait une espèce de paix intérieure. Je ne l'ai jamais vue se mettre en colère.

— Mais vous l'avez dit vous-même, vous ne l'avez pour ainsi dire pas croisée pendant toutes ces années.

— Dans ce cas, pourquoi diable me posez-vous la question ? », s'emporta Aitkens.

« C'est mon travail, monsieur Aitkens. » Sime se recula dans sa chaise et croisa les bras. « Que savez-vous à propos de sa relation avec James Cowell ? »

Aitkens laissa échapper un bruit entre le grognement et le crachat pour exprimer son mépris. « Jamais pu encadrer le bonhomme. Et je n'ai jamais pu comprendre ce qui avait bien pu l'attirer chez elle.

— C'est-à-dire ?

— Oh, ce n'est pas contre Kirsty. Je veux dire, c'est une belle femme et tout. Mais bizarre, vous voyez ? »

Sime se rappela la description qu'en avait faite Crozes. Elle est un peu cinglée, non ?

« Bizarre dans quel sens ?

— Cette obsession qu'elle a de ne pas bouger. De ne jamais quitter l'île. Pas du tout le genre de Cowell. Il ne s'intéressait qu'aux grosses voitures, aux avions, aux grandes maisons et aux restaurants hors de prix. J'étais invité au mariage. Il avait fait installer un grand chapiteau sur l'île, et un traiteur de Montréal avait été embauché pour la restauration. Du champagne à gogo. Quel m'as-tu-vu ! Plus de fric que de cervelle. Imbu de lui-même aussi. Il pensait valoir mieux que nous parce qu'il avait amassé un magot. Mais ce n'était qu'un insulaire comme les autres. Un putain de pêcheur qui avait eu de la veine.

— On dirait que sa veine a fini par s'épuiser. »

Aitkens inclina légèrement la tête. « Comment est-il mort ?

— D'après Kirsty, elle a été agressée par un intrus qui se trouvait dans la maison. Quand Cowell est intervenu, il s'est fait poignarder. »

Aitkens parut choqué. « Seigneur ! Un intrus ? Sur l'île d'Entrée ? » Il réfléchit un instant. « Et qu'est-ce que Cowell faisait là ? J'ai entendu dire qu'il l'avait quittée.

— Qu'avez-vous entendu dire, exactement ?

— Eh bien, ce n'est pas vraiment un secret. Quelle qu'ait été son obsession pour Kirsty, elle s'était éteinte et il avait trouvé une autre femme sur laquelle déverser ses millions. Ariane Briand, l'épouse du maire de Cap-aux-Meules. Ça a causé un sacré scandale !

— Vous la connaissez ?

— Fichtre oui. J'étais à l'école avec elle. Elle avait quelques années de moins que moi, mais je ne connais pas un garçon qui n'en pinçait pas pour elle. C'était un vrai canon. C'est encore le cas. Bien plus dans le style de Cowell que ne l'était Kirsty. Elle a fichu le maire dehors, apparemment, et Cowell a emménagé. » Il ricana. « C'était certainement temporaire. Je mettrais ma main à couper que Cowell avait en tête quelque chose de bien plus grand que la petite maison des Briand perdue dans les bois. »

Sime opina du chef. « Comme la maison qu'il a fait construire sur l'île d'Entrée.

— Encore plus voyant, je dirais. Quand on a placé la barre aussi haut, on ne peut pas se permettre de faire moins. »

Sime se caressa le menton pensivement, réalisant par la même occasion qu'il ne s'était pas rasé. « Je suppose qu'elle va hériter », avança-t-il.

Aitkens inclina la tête et fronça les sourcils en dévisageant Sime. « Vous ne croyez tout de même pas que c'est elle qui l'a tué ?

— Pour l'instant, nous ne croyons rien.

— Eh bien, vous seriez dans l'erreur. Elle ne le tuerait pas pour sa maison ou son argent. Rien qu'en divorçant, elle obtiendrait la maison et la moitié de son fric. Cowell n'aurait pas pu emporter la maison avec lui et il n'aurait certainement pas voulu y rester. » Il écarta ses grandes mains. « Et puis, que ferait-elle de tout cet argent ? Il n'y a rien pour le dépenser sur Entrée. » Son regard fut soudainement attiré par la main droite de Sime qui reposait devant lui sur la table. « C'est une bague intéressante. Je peux la voir ? »

Surpris, Sime tendit la main pour qu'Aitkens y jette un coup d'œil.

Le mineur hocha la tête. « Magnifique. C'est de la cornaline, n'est-ce pas ? J'en ai eu une semblable autrefois, mais la pierre était en sardonyx, couleur ambre avec des rayures blanches. Avec un beau phénix gravé dedans. » Son visage s'assombrit. « Je l'ai laissée aux lavabos de la mine une fois après m'être lavé les mains. Je m'en suis rendu compte cinq minutes plus tard. Quand je suis retourné la chercher, elle avait disparu. » Il retroussa les lèvres, l'air dégoûté. « Certaines personnes sont vraiment malhonnêtes.

— Celle-ci vous dit-elle quelque chose ?

— La vôtre ? Elle devrait ? », demanda Aitkens en plissant le front.

« Votre cousine affirme qu'elle avait un pendentif. Même couleur, mêmes armoiries.

— Kirsty ? », lâcha-t-il surpris, les sourcils levés. « Et c'est le cas ?

— Je ne sais pas. Elle ne le retrouve pas. »

Aitkens semblait préoccupé. « C'est bizarre. » C'était la deuxième fois qu'il employait ce mot en parlant de sa cousine.

III

Accompagnés de Crozes, Sime et Thomas Blanc traversèrent le parking situé derrière le commissariat en
direction du sentier littoral et de la plage au-delà. Le
vent, qui était encore vigoureux même s'il avait consi-
dérablement faibli, s'engouffrait dans leurs cheveux et
tiraillait leurs vestes et leurs pantalons. Le soleil formait
un disque de lumière dorée sur la mer qui enveloppait
la silhouette de l'île d'Entrée de l'autre côté de la baie.
Partout où Sime se rendait sur les îles de la Madeleine,
l'île d'Entrée était présente dans le paysage. Elle semblait le suivre, comme les yeux de Mona Lisa.

« Arseneau n'a toujours pas mis la main sur Briand »,
dit Crozes. Il était impatient de savoir s'il fallait, oui
ou non, le rayer de la liste des suspects et ce retard
l'irritait. « Et je ne suis pas sûr que nous ayons appris
grand-chose de significatif avec Aitkens.

— En tout cas, Aitkens a raison à propos de l'argent,
lieutenant », dit Blanc. « Cela ne semble pas être un
mobile suffisant pour que l'épouse de Cowell l'ait
assassiné.

— Certes, mais ne nous laissons pas distraire. Nous
parlons de quelqu'un dont le mari vient juste de la
quitter pour une autre femme. Et vous savez ce qu'on
dit sur les femmes délaissées… » Crozes se gratta le
menton. « Je ne pense pas que l'argent entre en ligne
de compte. »

Quand ils arrivèrent sur le sentier, ils restèrent silencieux le temps de croiser et de laisser s'éloigner une
joggeuse.

Crozes se retourna et observa le bâtiment à un étage
en briques rouges qui abritait le commissariat. « J'ai
réquisitionné un chalutier pour faire l'aller-retour entre

ici et l'île d'Entrée pour que nous ne soyons pas tributaires du ferry. J'ai envoyé quelques-uns des gars sur l'*Ivan-Quinn* ce matin avec le minibus. Marie-Ange doit compléter son examen de la scène de crime et je pense que nous devrions nous entretenir une nouvelle fois avec la veuve.

— Nous adoptons un nouvel angle d'attaque ? », demanda Blanc.

« Oui, ce dont on a discuté hier. Si elle dit la vérité et qu'elle était bel et bien la cible de l'attaque, et non pas Cowell, peut-être a-t-elle une petite idée de qui lui en veut.

— Aitkens voudra probablement nous accompagner », intervint Sime.

« Eh bien, laissez-le venir. Ça pourrait être intéressant de voir s'il provoque une quelconque réaction émotionnelle. »

Son portable se mit à gazouiller dans sa poche. Il l'en sortit et se détourna pour répondre. Blanc se plaça dos au vent et s'alluma une cigarette en la protégeant de ses deux mains mises en coupe. Après quoi, il jeta un coup d'œil à Sime. « Alors, qu'est-ce que tu en penses ?

— De qui a tué Cowell ?

— Ouais. »

Sime haussa les épaules. « Je dirais que tout est ouvert. Et toi ? »

Blanc tira sur sa cigarette et laissa le vent emporter la fumée qui sortait de sa bouche. « D'après les statistiques, plus de la moitié des meurtres sont commis par un proche de la victime. Si j'étais du genre à parier, c'est sur elle que je miserais. »

« Eh merde ! » La voix de Crozes fendit le vent et leur fit tourner la tête dans sa direction tandis qu'il remettait rageusement son téléphone dans sa poche.

« Qu'y a-t-il, lieutenant ? », demanda Blanc.

« On dirait que cette histoire devient plus compliquée que nous ne le pensions. » Il pointa la mâchoire, l'air songeur, en direction de l'île, de l'autre côté de la baie. « Un type a disparu sur l'île d'Entrée cette nuit. »

CHAPITRE 13

I

La traversée depuis Cap-aux-Meules prit bien plus d'une heure dans le bateau que Crozes avait réquisitionné. Le navire empestait le poisson et n'offrait que peu de protection contre les éléments.

La mer était encore agitée et le vent suffisamment fort pour rendre le passage à travers la baie lent et désagréable. Sime et Blanc étaient blottis dans un espace minuscule et sombre sous le pont. De l'eau de mer circulait entre leurs pieds et un remugle de poisson en état de décomposition leur emplissait les narines, leur retournant l'estomac à chaque embardée du bateau. Crozes, assis à la poupe sur une poutrelle rouillée, perdu dans ses pensées, ne paraissait pas incommodé. Jack Aitkens passa la traversée dans la timonerie à discuter avec le propriétaire du bateau comme s'il partait faire une sortie en mer par un dimanche après-midi ensoleillé.

Arseneau les retrouva au port et, après qu'Aitkens eut été invité à s'installer dans le minibus, le sergent-détective leur fit son rapport sur l'homme disparu. Ils étaient agglutinés à l'extrémité du quai, arc-boutés contre le vent. Blanc fit quelques tentatives pour allumer une cigarette avant de renoncer.

« Il s'appelle Norman Morrison », expliqua Arseneau. « Trente-cinq ans et… », il hésita, ne sachant quoi dire pour rester politiquement correct, « euh, il est un peu simple, si vous me suivez. Il lui manque une case, aurait dit mon père.

— Que s'est-il passé ? », demanda Sime.

« Il vit seul avec sa mère, sur la colline là-bas. Hier soir, après le dîner, il est sorti pour arrimer des trucs dans le jardin. Enfin, c'est ce qu'il a dit. Au bout d'une demi-heure, comme il n'était pas encore revenu, sa mère est sortie dans le noir pour le chercher, équipée d'une lampe torche. Mais il n'était pas là. Et personne ne l'a revu depuis. »

Crozes haussa les épaules. « Il a pu lui arriver n'importe quoi pendant une tempête pareille. Mais quel est le lien ? En quoi cela nous concerne-t-il ? »

En observant l'attitude d'Arseneau, Sime ne pouvait s'empêcher de penser qu'il allait lâcher une bombe en plein briefing. « Apparemment, il était obsédé par Kirsty Cowell, lieutenant. Une vraie fixation. Et si ce que dit sa mère est vrai, Cowell avait fait plus que de le mettre en garde. »

Crozes ne prit pas très bien la nouvelle. Sime le vit serrer la mâchoire et plisser les lèvres. Il n'avait pas l'intention de se laisser détourner de la piste qu'il avait décidé de suivre. « OK, d'abord, on emmène Aitkens chez les Cowell. Je veux voir comment elle réagit en le voyant. Ensuite, vous nous conduirez chez les Morrison. »

Kirsty Cowell attendait sous le porche du pavillon d'été et les regardait remonter la colline à bord du minibus. Elle portait un chemisier blanc sous un châle en laine gris qu'elle tenait bien serré sur ses épaules et un jean noir marqué d'un pli fourré dans des bottes en cuir qui montaient jusque sous le genou. Ses cheveux libres flottaient derrière elle comme un drapeau noir en lambeaux, s'enroulant et se déroulant dans le vent. C'était la première fois que Sime la revoyait depuis son rêve et, en dépit de toute raison, il se sentit inexplicablement attiré par elle.

Jack Aitkens fut le premier à sortir du véhicule après qu'il se fut immobilisé et courut à travers la pelouse pour prendre sa cousine dans ses bras. Tandis qu'il les observait de loin, Sime sentit un pincement de jalousie. Il vit les larmes couler sur les joues de Kirsty Cowell et, après une brève conversation avec elle, Aitkens rebroussa chemin jusqu'au minibus.

Il baissa la voix et son ton était celui de la menace. « Elle me dit que vous l'avez déjà cuisinée deux fois.

— Interrogée », corrigea Sime. « Et j'aimerais m'entretenir de nouveau avec elle.

— Est-elle suspecte, oui ou non ? Parce que, si c'est le cas, elle a droit à un avocat.

— Pour le moment, c'est un témoin clé, c'est tout », intervint Crozes.

Aitkens posa un regard hostile sur Sime. « Dans ce cas, votre entrevue peut attendre. J'aimerais avoir un peu de temps avec ma cousine, si cela ne vous dérange pas. »

Sans attendre leur réponse, il fit demi-tour et repartit vers la maison, prit la main de sa cousine dans la sienne et lui fit descendre les marches du porche soudain nimbées par la lumière du soleil qui jouait avec le sommet des falaises.

Les quatre policiers les regardèrent entamer ensemble l'ascension de la pente. « Je n'aime pas ce type », lâcha Crozes.

Sime savait que, de toute façon, Crozes prendrait en grippe quiconque l'empêcherait de résoudre rapidement leur enquête.

II

La maison de la famille Morrison se trouvait au bout d'un chemin de gravier qui bifurquait vers la gauche à partir du Chemin Main avant l'église et suivait les reliefs de l'île à travers la vallée jusqu'aux hauteurs en contrebas de Big Hill. Cela faisait des années qu'elle n'avait pas été repeinte et les bardeaux des murs étaient d'un gris pâle et délavé. Ceux qui couvraient le toit étaient à peine plus sombres. Quelques dépendances l'entouraient, dans divers états de délabrement, et un vieux tracteur avec une roue en moins, penché à un angle bizarre, rouillait au fond de la cour.

Derrière la maison, une zone cultivée descendait le long de la colline et une poignée de moutons paissaient parmi les hautes herbes. De sa situation élevée, elle offrait une vue spectaculaire vers le sud et l'ouest en direction de Havre-Aubert et de Cap-aux-Meules. Sime se dit qu'elle avait dû être sérieusement secouée par la tempête de la nuit dernière.

Il laissa son regard vagabonder sur les pentes ravagées en contrebas. Certaines des balles de foin qu'ils avaient vues lors de leur première visite sur l'île s'étaient envolées, mises en pièces par la tempête. Les bâtisses, elles, ne semblaient pas avoir trop souffert. Aussi frêles que pouvaient paraître ces maisons aux peintures criardes, elles avaient résisté à l'épreuve du temps dans un climat rarement clément. Elles alignaient leurs silhouettes sur la crête, adoptant la même attitude de défi que leurs proprié-taires qui défendaient bec et ongles leur langue et leur culture, déterminés à ne pas bouger, quel qu'en soit le coût. Mais avec une école en sous-effectif et peu d'emplois, il était évident que l'île se mourait. Cela rendait encore plus incompréhensible le fait qu'une femme encore jeune comme Kirsty Cowell ait fait le choix de rester quand la plupart de ceux de sa géné-ration étaient déjà partis.

Rassemblés sur une aire de retournement couverte de gravier, juste après la maison, le sergent Aucoin et une demi-douzaine de policiers de Cap-aux-Meules, accompagnés d'un groupe d'insulaires, formaient une masse compacte. Ils tapaient du pied dans le vent, impatients d'entamer leur battue. Morrison avait dis-paru depuis plus de seize heures, mais Crozes ne vou-lait pas qu'ils piétinent d'éventuels indices avant qu'il ait la chance d'évaluer la situation.

« Sime ! » À l'appel de son nom, Sime se retourna et vit Crozes s'approcher avec Blanc dans son sillage. « On recueille des histoires contradictoires à propos de ce type. » Il fit un signe de tête en direction d'une maison bleu et crème à une cinquantaine de mètres. « Les voisins ont dit une chose aux flics locaux, la mère a une version franchement différente. On ferait mieux de leur parler. »

« On est restés pour élever les enfants ici, c'est la seule raison. » Jackie Patton essuya ses mains mouil-lées d'eau de vaisselle sur son tablier et, d'un mou-vement du petit doigt, attrapa une mèche de cheveux rebelle qu'elle coinça derrière son oreille. Elle laissa une trace de farine sur sa joue et les cheveux châtains de ses tempes. Elle avait le visage carré, la peau claire parsemée de taches de rousseur et dans le regard la résignation de ceux dont la vie n'a pas pris le chemin espéré. Elle n'était pas jolie, sans être laide. « Dès qu'il aurait été temps d'aller à la grande école, on serait partis. On s'était dit qu'on devait aux enfants de leur donner la même éducation que celle qu'on avait eue sur l'île. Y a rien de mieux. » Elle saupoudra sa pâte de farine et l'aplatit à nouveau sur son plan de travail d'un coup de rouleau. « Maintenant, ils sont partis, et nous, on est toujours là. »

Crozes, Blanc et Sime étaient entassés dans sa cuisine minuscule, debout autour d'une petite table qui trônait au centre de la pièce. Ils occupaient presque tout l'espace. Madame Patton était concentrée sur la pâte brisée qu'elle était en train de confectionner pour sa tourte à la viande.

« On a arrêté de compter les boulots pour lesquels Jim a postulé. Le problème, c'est qu'après vingt ans de pêche au homard, on est seulement qualifié pour pêcher le homard. Alors, il continue à partir en mer tous les 1er mai et je reste coincée là à compter les jours en attendant que les enfants reviennent pour les vacances. » Elle leva brusquement le regard. « Ils auraient dû l'enfermer il y a des années.

— Qui donc ? », demanda Sime.

« Norman Morrison. Il n'est pas bien dans sa tête. Les gamins avaient l'habitude de lui rendre visite quand ils étaient plus jeunes. Il était comme l'un d'eux, vous voyez, un grand enfant. Et puis, il a commencé à construire cette ville sur son plafond. »

Sime plissa le front. « Que voulez-vous dire ?

— Oh, vous le verrez vous-même quand vous irez dans la maison. J'imagine que ça n'a pas bougé. Sa chambre est dans les combles. Le plafond est bas. Et comme il est grand, il n'a qu'à tendre le bras pour l'atteindre. »

Elle se tut et regarda par la fenêtre. La demeure des Morrison se dressait à une distance respectable et se découpait nettement contre les eaux de la baie et les îles de l'archipel au-delà.

« C'était quelque chose. Il faut du talent pour faire ça. Et de l'imagination. Je veux dire, presque toute l'île a défilé là-dedans pour le voir à un moment ou à un autre. C'est incroyable ce que peut faire un esprit simple avec pas grand-chose. »

Elle revint à sa pâte.

« Bref, à la fin, on s'est dit qu'il avait fait ça pour avoir une raison d'emmener les gosses dans sa chambre.

— Vous voulez dire qu'il les a agressés sexuellement ? », demanda Crozes.

« Non, monsieur », répondit-elle. « Mais, une fois, mon Angela est revenue en disant qu'il l'avait touchée bizarrement. Et nous n'avons jamais réussi à lui faire dire comment exactement.

— Était-elle bouleversée ? », questionna Sime.

Madame Patton cessa d'aplatir sa pâte, leva la tête et regarda pensivement dans le vide. « Non, elle ne l'était pas. C'est ce qui est étrange, je suppose. Elle aimait beaucoup Norman. Elle a dû pleurer pendant une semaine quand nous avons interdit aux enfants de retourner à la maison des Morrison.

— Pourquoi avez-vous fait cela ? »

Elle se retourna, sur la défensive. « Parce qu'il l'avait touchée bizarrement. C'est ce qu'elle avait dit, et je ne savais pas ce qu'elle voulait dire par là, mais je ne voulais pas prendre de risques. Il n'est pas bien dans sa tête et bien trop âgé pour jouer en compagnie d'enfants. »

Il y eut un silence gêné puis elle se remit à sa pâte.

« En tout cas, quelqu'un comme lui devrait être dans un centre ou un hôpital. Pas au milieu de la population.

— Vous pensez qu'il est dangereux ? », intervint Blanc.

Elle haussa les épaules. « Qui sait. Il a un caractère difficile, ça, je peux vous le dire. Comme un gosse qui pique une crise, parfois. Quand sa mère l'appelle au moment de manger et qu'il n'est pas prêt à y aller. Ou simplement si quelque chose ne se passe pas comme il l'entend.

— Et avec Kirsty Cowell ? », enchaîna Sime.

Elle lui lança un regard méfiant. « Quoi donc, avec Kirsty Cowell ?

— Vous avez dit au sergent Aucoin que Norman était obsédé par elle.

— Eh bien, tout le monde est au courant. Quand on faisait des fêtes l'été, ou lors des réunions pour danser l'hiver, il avait l'habitude de la suivre partout comme un petit chien. Ça aurait pu être drôle si ce n'avait pas été aussi triste.

— Il *avait* l'habitude ?

— Oui », fit-elle pensivement. « Ça s'est arrêté brutalement il y a six mois de ça.

— Comment madame Cowell réagissait-elle ?

— Oh, elle se prêtait plus ou moins au jeu. Il n'y a pas une once de méchanceté chez cette femme. Elle a juste épousé le mauvais bonhomme.

— Qu'est-ce qui vous fait dire ça ?

— Eh bien, c'était évident, non ? Il n'a jamais été fait pour elle. Ni elle pour lui. Si vous voulez mon avis, ce mariage était damné. Ça ne pouvait finir que d'une seule manière.

— Par un meurtre ? »

Elle fusilla Sime du regard. « Je n'ai pas dit ça.

— Comment Cowell a-t-il réagi à l'intérêt que Norman Morrison portait à sa femme ?

— Oh, il n'appréciait pas, ça, je peux vous le dire. Mais, bon sang, ce n'était pas une menace. Norman a l'âge mental d'un gamin de douze ans. »

S'il n'en était pas encore sûr, Sime venait de décider qu'il n'aimait pas beaucoup Jackie Patton. « Mais vous, vous avez bien pensé qu'il était une menace pour vos enfants. »

Elle frappa son plan de travail avec son rouleau à pâtisserie et se mit face à lui. « Avez-vous des enfants, monsieur Mackenzie ?

— Non, madame, je n'en ai pas.

— Alors, ne me jugez pas. La première responsabilité d'un parent, c'est de protéger ses enfants. On ne prend pas de risques. »

Mais Sime resta insensible à l'argument. Il lui semblait évident que pour madame Patton, la cause était entendue depuis longtemps. Et ceux qui éprouvent de la culpabilité se sentent toujours mis en accusation, même par les plus innocentes questions.

III

Le salon des Morrison avait de grandes fenêtres ouvertes sur la façade et une arche qui menait à une salle à manger à l'arrière de la maison. Les meubles étaient sombres et de style ancien, mais la lumière en provenance des fenêtres se reflétait sur leurs surfaces parfaitement lustrées. Le papier peint à motifs disparaissait presque entièrement derrière des photographies encadrées et des tableaux. Des portraits de famille ou de groupes, la plupart en noir et blanc, avec quelques paysages en couleur. Les sous-verre ajoutaient à la luminosité ambiante. Un parfum puissant flottait dans l'air, avec une légère touche de désinfectant. Sime aurait pu affirmer au premier coup d'œil que madame Morrison était quelqu'un qui avait une place pour chaque chose et qui aimait que chaque chose soit à sa place.

Elle avait une soixantaine d'années, bien charpentée et soigneusement vêtue d'un chemisier blanc sous un gilet en tricot et d'une jupe bleue qui s'arrêtait juste sous le genou. Ses cheveux étaient encore bruns, parsemés de rares fils d'argent, et ramassés en un chignon sévère.

Ses yeux bleus n'exprimaient que peu de chaleur et elle semblait remarquablement calme étant donné les circonstances.

« Voulez-vous du thé, messieurs ? », leur proposa-t-elle.

« Non, merci », refusa Sime.

« Eh bien, asseyez-vous, dans ce cas. »

Les trois policiers s'installèrent tant bien que mal sur le rebord du canapé et elle regagna ce que Sime s'imagina être sa place habituelle, à côté du feu, où elle croisa ses mains sur ses cuisses.

« Il n'avait jamais fait ce genre de chose avant », entama-t-elle.

« Fait quoi ? », demanda Sime.

« Fuguer.

— Qu'est-ce qui vous fait penser qu'il a fugué ?

— Eh bien, c'est évident. Il m'a dit qu'il sortait dans le jardin. Dans ce cas, il aurait dû revenir bien avant que je sois obligée de sortir pour le chercher. Il m'a certainement menti.

— Il a l'habitude de mentir ? »

Madame Morrison parut mal à l'aise et se renferma un peu plus sur elle-même. « Il lui arrive parfois de s'arranger avec la vérité. »

Sime laissa le silence flotter un instant. « Y a-t-il une raison pour laquelle il aurait pu fuguer ? Avez-vous une idée de pourquoi il vous aurait menti ? »

Elle donna l'impression de réfléchir soigneusement à sa réponse. « Il était chamboulé », finit-elle par dire.

« Pourquoi ?

— Il avait appris ce qui s'était passé chez les Cowell.

— Où l'a-t-il appris ?

— Hier après-midi, quand nous sommes allés récupérer le courrier à la Poste.

— Vous avez donc entendu la nouvelle en même temps ?

— Oui.

— Pourquoi était-il chamboulé ? »

Elle s'agita sur sa chaise. « Il adorait madame Cowell. Je suppose qu'il était inquiet pour sa santé.

— Qu'entendez-vous par "il l'adorait" ? », fit Sime.

« Simplement ça », rétorqua-t-elle, irritée. « Elle l'adorait, elle aussi. Vous devez comprendre, monsieur Mackenzie, que mon fils a un âge mental de onze ou douze ans. Nous ne nous en sommes rendu compte que lorsqu'il a commencé à avoir des difficultés d'apprentissage à l'école. Cela a été un choc quand les psychologues nous l'ont annoncé. Et ce n'est vraiment devenu visible que lorsqu'il a vieilli. Au début, j'ai été… eh bien, j'étais anéantie. Mais avec les années, j'ai fini par considérer cela comme une bénédiction. Voyez-vous, la plupart des gens perdent leurs enfants quand ils grandissent. Je n'ai jamais perdu Norman.

Il a trente-cinq ans à présent, mais c'est encore mon petit garçon.

— Donc, madame Cowell l'adorait comme on peut adorer un enfant ?

— Exactement. Et, bien sûr, ils ont été à l'école ensemble quand ils étaient gamins.

— Et qu'est-ce qu'en pensait monsieur Cowell ? »

Son visage s'assombrit en un instant, comme si un nuage l'avait prise dans son ombre. « Je suis une femme respectueuse de notre Seigneur, monsieur Mackenzie. Mais j'espère que cet homme brûlera en Enfer pour l'éternité. »

Les trois hommes furent surpris par son ton soudainement chargé de vitriol.

« Pourquoi ? », dit Sime.

« Parce qu'il a fait venir deux voyous sur l'île pour qu'ils rossent mon fils.

— Comment le savez-vous ?

— Parce qu'ils lui ont ordonné de rester à l'écart de madame Cowell, sans quoi ils lui feraient subir bien pire.

— C'est ce qu'il vous a raconté ? »

Elle hocha la tête, la bouche tirée en une fine ligne, refrénant ses émotions. « Il était dans un état épouvantable quand il est arrivé à la maison ce jour-là. Il saignait, couvert d'hématomes, et il pleurait comme un bébé.

— Comment savez-vous que monsieur Cowell était responsable ?

— Qui d'autre cela aurait-il pu être ?

— Quand cela s'est-il passé ?

— Au début du printemps de cette année. Il y avait encore de la neige sur le sol.

— L'avez-vous signalé ? »

Elle faillit éclater de rire. « À qui ? La loi n'est pas représentée sur cette île, monsieur Mackenzie. Nous réglons les choses entre nous ici. » Cela lui rappela les paroles d'Owen Clarke.

Sime hésita. « Pourquoi les voisins ont-ils interdit à leurs enfants de jouer avec Norman, madame Morrison ? »

Le tour de ses yeux et ses pommettes s'empourprèrent. « Vous avez parlé avec la Patton. »

Sime acquiesça.

« Ce n'était que des mensonges, monsieur Mackenzie. » Ses yeux bleu acier brûlaient d'indignation. « Et de la jalousie.

— Pourquoi serait-elle jalouse ?

— Parce que cette maison était toujours pleine d'enfants, dont les siens. Ils adoraient Norman. Ils venaient de toute l'île pour jouer avec lui, voir son petit monde sur le plafond. Il avait un corps d'adulte, mais il était comme eux, vous voyez. Un enfant. » Pendant un instant le plaisir de ce souvenir illumina son visage. Une maison pleine d'enfants. Une grande famille. Cela avait été une joie pour elle, c'était évident. La lumière s'évanouit et à nouveau, son visage s'assombrit. « Et puis cette femme a commencé à raconter que mon Norman tripotait les enfants. C'était un mensonge, monsieur Mackenzie. Pur et simple. Mon Norman n'a jamais été comme cela. Mais les mensonges peuvent être contagieux. Comme les germes. Une fois qu'ils sont lâchés, les gens sont infectés.

— Et les enfants ont cessé de venir ? »

Elle acquiesça. « C'est horrible l'effet que cela a eu sur le pauvre Norman. Soudain, il n'avait plus d'amis. La maison était vide. Silencieuse. Une tombe. Et ils me manquaient à moi aussi. Tous ces visages lumineux, ces voix joyeuses. La vie n'a plus été la même.

— Et qu'est-ce que votre mari a pensé de tout cela ?

— Il n'en a rien pensé, monsieur Mackenzie. Il est mort il y a près de vingt ans. Perdu en mer avec son bateau lors d'une tempête à côté de la Nouvelle-Écosse. » Elle secoua la tête. « Pauvre Norman. Son père lui manque encore. Et quand les enfants ne sont plus venus, eh bien… il s'est mis à passer de plus en plus de temps dans sa chambre. À étendre son petit monde.

— Son monde… sur le plafond ?

— Oui. »

Sime adressa un coup d'œil à Crozes et Blanc. « Pourrions-nous voir ce petit monde, madame Morrison ? »

Elle les conduisit en haut d'une série de marches grinçantes jusqu'à l'étage. Il y avait trois chambres et une grande salle de bains. La chambre de Norman, elle, était dans les combles. Sa tanière, comme l'appela sa mère tandis qu'ils escaladaient à sa suite les derniers degrés plus raides menant à la pièce. La chambre était aveugle et ils furent plongés dans le noir jusqu'à ce que madame Morrison actionne un interrupteur et inonde la pièce d'une lumière électrique jaune.

C'était un espace confiné, avec beaucoup de surface au sol mais bas de plafond et dont les murs partaient en pente douce à hauteur d'épaule pour rejoindre le sol. Appuyé au mur opposé se trouvait un lit à une place sur lequel étaient disposés plusieurs ours en peluche et un panda usé, adossés aux oreillers. Les tables de chevet étaient encombrées de petits soldats, de briques de Lego, de crayons et de tubes de peinture. Contre le mur de droite, une commode croulait sous un chaos de briques en plastique, de paquets de pâte à modeler, une poupée nue sans bras, des modèles réduits de voitures et une locomotive. Le sol était jonché de jouets, de livres et de feuilles de papier couvertes de gribouillages.

Leurs yeux furent presque immédiatement attirés vers le plafond et Sime comprit ce que sa mère voulait dire en parlant du petit monde de Norman. Presque toute la surface du plafond était couverte de couches de pâte à modeler de différentes couleurs, représentant des prairies et des routes, des champs labourés, des lacs et des rivières. Les montagnes étaient faites de papier mâché coloré avec de la peinture. Verte, marron et grise. Il y avait des voies de chemin de fer, des maisons miniatures en plastique et de minuscules personnages dans les jardins et les rues. Des petites voitures et des bus, des moutons laineux et des vaches brunes dans les champs. Des forêts et des haies. Tout cela fixé dans la pâte à modeler. Et tout avait la tête en bas.

Ils durent tendre le cou pour regarder au-dessus d'eux tout en ayant l'impression d'observer un autre monde depuis une hauteur. Le petit monde de Norman. Peuplé de tant de détails infimes qu'il était impossible de l'embrasser d'un seul regard.

Sa mère le contemplait avec fierté. « Ça a commencé très simplement. Avec un paquet de pâte à modeler et quelques figurines. Mais les enfants adoraient tellement ça que Norman a continué à l'agrandir. Il voulait toujours les surprendre, qu'il y ait quelque chose de nouveau. C'est devenu de plus en plus grand et ambitieux. » Elle détourna brusquement le regard. « Jusqu'à ce que les enfants cessent de venir. À partir de ce moment-là, ça a cessé d'être un hobby pour devenir son monde. Son seul univers. » Elle les regarda, gênée. « Il vivait dans ce monde. C'est vraiment devenu une part de lui-même. Je ne sais pas ce qui s'est passé dans sa tête mais, au bout du compte, je crois qu'il a remplacé les enfants qui venaient par ceux du plafond. Si vous regardez attentivement, vous verrez que certains d'entre eux sont simplement des visages découpés dans des magazines ou dans du carton. Et des petites figurines en plastique que l'on trouve dans les paquets de céréales pour le petit-déjeuner. » Elle jeta un regard triste en direction du lit. « Il passe tout son temps ici et il a progressivement couvert tout le plafond. Quand il n'aura plus de place, je pense qu'il colonisera les murs. »

Sime était stupéfait. Norman, un garçon solitaire, prisonnier dans le corps d'un adulte, n'avait trouvé comme compagnie que celle du monde qu'il avait créé de toutes pièces sur son plafond. Il passa en revue le fouillis au sol et son regard tomba sur le visage d'une petite fille découpé dans une vieille photo en couleur. Il lui sembla la connaître. Il se pencha pour la ramasser. « Qui est-ce ? »

Sa mère l'examina. « Je n'en ai pas la moindre idée. » La fille devait avoir douze ou treize ans. Elle portait des lunettes qui réfléchissaient la lumière et masquaient presque complètement ses yeux. Elle se forçait à sourire, découvrant toutes ses dents. Ses cheveux étaient coupés en un carré court. « Il a probablement dû découper ça dans une revue.

— Non, c'est une photographie », affirma Sime.

Madame Morrison haussa les épaules. « En tout cas, ce n'est pas quelqu'un que je connais. »

Sime reposa soigneusement le morceau de cliché sur la commode et se tourna vers Crozes. « Je pense que plus tôt nous retrouverons Norman, mieux ça sera. »

CHAPITRE 14

Sime et Blanc laissèrent Crozes et les autres organiser la battue pour retrouver Norman Morrison, diviser l'île en secteurs et répartir les chercheurs en plusieurs groupes. Même si elle n'était pas grande, l'île d'Entrée était parsemée de centaines de propriétés, domestiques et agricoles, et, par endroits, le littoral était très accidenté et inaccessible. La battue ne serait pas une partie de plaisir.

Quand ils arrivèrent chez les Cowell, Aitkens et Kirsty n'étaient toujours pas revenus et les deux enquêteurs en profitèrent pour installer les moniteurs et les caméras pour l'interrogatoire.

Quand ils eurent terminé, Blanc revint de la chambre du fond et trouva Sime qui contemplait les falaises à travers la fenêtre. « Tu crois que Cowell a vraiment fait passer à tabac le petit Morrison ? », lui demanda-t-il.

Sime trouva étrange d'entendre Norman Morrison décrit comme un petit. Mais c'est ce qu'il était. Un petit garçon dans le corps d'un homme. Il se mit face à la pièce. « Je crois que c'est ce qu'il a dit à sa mère. Après, si c'est vrai ou faux… » Il haussa les épaules.

« Qui d'autre aurait pu lui en vouloir ?

— Ça dépend », répondit Sime. « Si les histoires comme quoi il a tripoté des gamins ont un fond de vérité, il peut y avoir un certain nombre de pères en colère. Et, bien sûr, ce n'est pas quelque chose qu'il ira raconter à sa mère. »

Blanc acquiesça pensivement. « Je n'avais pas pensé à cela. » Puis, « Bon, je sors fumer une cigarette.

— OK. » Sime le suivit à travers la cuisine jusqu'à la porte de service. « Je vais peut-être faire le tour de la grande maison pendant que nous attendons. »

Blanc parut surpris. « Pourquoi ?

— Juste pour me faire une meilleure idée de madame Cowell avant que nous lui parlions à nouveau.

— Je crois que Marie-Ange y est encore.

— Si je la dérange, je suis certain qu'elle me le dira », lâcha Sime avec une pointe de colère.

Blanc était embarrassé. « Je suis désolé, je ne voulais pas…

— Je sais », l'interrompit Sime, regrettant aussitôt sa brusquerie. « Ne fais pas attention », ajouta-t-il. « Je suis fatigué. »

Marie-Ange se trouvait dans la pièce principale et démontait les éclairages qu'ils avaient installés pour photographier la flaque et les traces de sang sur le sol. Sime fit coulisser la porte de la véranda et s'avança à l'intérieur.

« Attention où vous mettez les pieds », lança-t-elle sans lever les yeux. « Et ne touchez à rien. » Comme il ne répondait pas, elle leva la tête et sembla surprise de le voir.

Il leva ses mains gantées de latex. « J'ai déjà fait ça avant. »

Elle se radoucit un peu. « Je t'ai pris pour un des agents. » Il n'aurait pas mieux en termes d'excuses. « Qu'est-ce que tu viens faire par là ?

— Inspecter.

— Depuis quand es-tu devenu expert de scène de crime?

— Pas la scène de crime, la maison. »

Elle leva un sourcil et répéta la question que Blanc lui avait posée. « Pourquoi?

— Curiosité professionnelle. On dit que les maisons ressemblent à leurs habitants, qu'elles reflètent leurs relations.

— Et tu penses que tu peux apprendre quelque chose sur les Cowell grâce à leur maison?

— J'en suis certain. »

Elle le dévisagea un moment puis haussa les épaules. « Fais comme tu veux. »

Sime remonta le couloir qui menait à l'autre bout de la maison. Sur sa droite, un escalier conduisait au sous-sol. Il descendit et alluma les lumières. Des néons clignotèrent, illuminant un salon pour les invités et deux chambres situées un peu plus loin. À l'évidence, Cowell espérait recevoir de nombreux visiteurs. Sime se demanda si ses vœux avaient été exaucés. Il tomba ensuite sur un grand débarras rempli de dossiers, de cartons et de papiers empilés sur des étagères. Derrière une porte à double battant, il trouva un immense atelier doté d'un établi flambant neuf et sans doute jamais utilisé. Sur l'un des murs étaient suspendus une myriade d'outils impeccablement rangés par usages et tailles.

Sime éteignit et remonta vers la lumière du jour. Plus loin dans le couloir, la porte de l'une des chambres d'amis était entrouverte. À l'autre extrémité de la pièce, une porte-fenêtre ouvrait sur la véranda. Sime se demanda si des invités avaient déjà dormi ici. Ce n'était pas l'impression qui s'en dégageait. La pièce était sans chaleur, sans personnalité, meublée comme un hôtel cinq étoiles.

Quelques mètres après, Sime ouvrit la porte de la chambre principale et Sime fut surpris de constater qu'elle était aussi impersonnelle que la chambre d'amis. Rien ne semblait partagé ici. Pas de photographies ni de souvenirs de moments heureux. Pas de tableaux aux murs. Pas même de vêtements jetés sur des chaises ou en travers du lit, pas de chaussons abandonnés à côté de celui-ci. Il n'y avait aucun pot de crème ou de maquillage sur la commode, pas de peigne ou de brosse avec quelques cheveux pris dedans. Seulement des surfaces brillantes, sans un grain de poussière. La chambre était aussi stérile, semblait-il, que la relation qu'elle avait abritée.

Au bout du couloir, une porte sur la gauche conduisait dans le bureau de Kirsty Cowell et, en franchissant le seuil, Sime sentit immédiatement un changement d'atmosphère. Il s'agissait de son espace personnel et, chaque surface encombrée, chaque étagère bondée parlait d'elle. Un mur entier était consacré aux livres. Des classiques de la littérature anglaise aux grands écrivains américains du XXe siècle – Hemingway, Steinbeck, Mailer, Updike ; des encyclopédies et des ouvrages sur l'histoire britannique et canadienne, dont presque une étagère complète sur l'histoire de l'Écosse.

Des mocassins chaussons étaient posés sous un fauteuil relax au cuir fatigué sur le dossier duquel était tendu un châle. Des peintures étaient accrochées aux murs, des tentatives d'amateur qui compensaient leur absence de technique en rendant fidèlement l'atmosphère de l'île. Des paysages maladroits et des vues rudimentaires de l'océan. L'une d'elles était particulièrement saisissante. Elle représentait des corbeaux alignés sur un câble électrique tendu entre deux poteaux télégraphiques avec, à l'arrière-plan, une maison insulaire typique, peinte de vert criard et de blanc, et un ciel de nuages bordés de violet. Sime réalisa qu'il n'avait pas vu une seule mouette lors de ses deux voyages sur l'île. Seulement des corbeaux. Il jeta un coup d'œil par la fenêtre et les aperçut, assemblés en grappes sombres, sur les toits, les clôtures et les lignes téléphoniques, témoins silencieux de l'enquête.

Il reporta son attention sur les murs et son regard fut attiré par une photographie en noir et blanc, encadrée, représentant un couple d'une quarantaine d'années, debout devant le pavillon d'été juste en face. Les parents de Kirsty, songea-t-il. À en juger par leur âge, le cliché ne devait pas avoir plus d'une dizaine d'années et pourtant, il semblait daté. Pas uniquement parce qu'il était en noir et blanc, mais le couple semblait appartenir à une autre époque. Leurs vêtements, leurs coiffures. L'image avait été prise avant le réagencement de la maison et le bâtiment semblait plus vieux, démodé, comme eux.

Il reconnut Kirsty dans ses deux parents. Elle était grande et élancée comme son père et elle avait les traits prononcés de sa mère et ses cheveux noirs et épais qui, sur l'image, étaient déjà envahis de gris.

Il s'intéressa ensuite à son bureau, encombré de papiers et de bric-à-brac. Un petit bouddha en bois au visage joufflu et rieur, un mug sale. Une paire de ciseaux, un coupe-papier, d'innombrables stylos et crayons dans des tasses en porcelaine ébréchées, des mouchoirs, des lunettes de lecture et un sous-main couvert de gribouillis, témoins de moments de rêverie et d'absence. Des tourbillons, des bonshommes faits de bâtons aux visages gais ou tristes. Certains à peine esquissés, d'autres repassés encore et encore, presque jusqu'à passer à travers le papier. Le signe, peut-être, d'humeurs plus sombres.

Une pile de magazines témoignait de son intérêt pour l'actualité. *Time Magazine*, *Newsweek*, *Maclean's*.

Dans un tiroir, il dénicha un ancien album de photos de famille avec une couverture en vieux cuir craquelé vert sombre. Il s'installa dans le fauteuil à barreaux style capitaine et posa l'album sur le bureau devant lui pour l'ouvrir. Les pages étaient en papier gris épais rendu cassant par les années. Les coins des clichés délavés en noir et blanc des premières pages étaient glissés dans des entailles avec des annotations presque effacées écrites à l'encre, juste en dessous.

La toute première photographie était un portrait sépia surexposé d'une très vieille femme. La surface en était craquelée et s'écaillait par endroits. La légende, tracée d'une belle écriture anglaise, qui annonçait *arrière-arrière-grand-mère McKay* était si décolorée qu'elle était presque illisible. Elle devait avoir été prise à la fin du XIXe siècle ou au tout début du XXe, et Sime pensa que c'était certainement la mère de Kirsty qui avait commencé cet album en rassemblant de vieilles photos de famille. Il passa les pages une à une, voyageant dans le temps jusqu'à l'arrivée de Kirsty, bébé, le visage rond et l'air intrigué, fixant l'appareil depuis les bras de sa mère.

Puis, Kirsty petite fille, âgée de sept ou huit ans, regardant l'objectif avec gravité. Il continua à parcourir les pages et la vit grandir sous ses yeux. Un sourire gêné avec deux dents de devant en moins. Plus âgée avec des couettes et des bagues sur les dents. Puis avec des lunettes et les cheveux coupés court, au carré.

Il arrêta la page à mi-chemin, un frisson lui parcourut la nuque et les épaules, et il la laissa retomber en arrière. C'était la petite fille dont il avait trouvé le portrait découpé sur le sol de la chambre de Norman Morrison. Il comprenait pourquoi cet enfant avait un air familier. En dépit de la coupe de cheveux, des lunettes et du sourire forcé. C'était Kirsty.

Il tourna la page suivante et remarqua le rectangle plus sombre laissé par une photographie manquante. Les autres clichés sur la page montraient Kirsty au même âge et il se demanda si celui qui manquait était l'image où Morrison avait découpé sa tête. Si c'était le cas, il l'avait prise sans en avoir la permission, ou Kirsty la lui avait donnée. Bien qu'il ne voyait pas pourquoi elle aurait fait cela.

Il contempla la page un long moment avant de passer à la suivante et de poursuivre son voyage. Kirsty pendant ses années d'adolescence, la transformation d'un vilain petit canard, certes mignon, mais empoté, en une belle jeune fille avec des yeux bleus qui en disaient long et semblaient l'atteindre à travers l'objectif et les années. Après ces images, l'album était vide. Elle avait grandi et ses parents avaient vieilli. À présent, supposa-t-il, avec la mort de sa mère, les souvenirs photographiques d'une famille heureuse s'étaient soudainement arrêtés.

Il revint à l'emplacement de la photo manquante et sentit son esprit s'embrouiller. Le manque de sommeil des jours et des semaines passés le submergeait, l'écrasait soudain de fatigue. Il se frotta les yeux et examina la page d'en face. Kirsty, à treize ou quatorze ans, lui souriait. L'âge que Ciorstaidh aurait eu dans le journal intime de son ancêtre, quand il la vit pour la deuxième fois. Son esprit fut à nouveau happé par les histoires que sa grand-mère lui lisait durant son enfance. Il pouvait presque entendre la voix de son aïeul.

CHAPITRE 15

Je crois que j'avais quinze ans quand mon père revint de la campagne de pêche cette année-là.

En son absence, je m'étais rendu quotidiennement sur la lande pour récolter la tourbe que nous taillions au printemps et laissions sécher en piles appelées *rùdhan mòr*. C'était un travail harassant que de charger les mottes sèches dans des paniers en osier et de les transporter sur plus d'un kilomètre jusqu'au village, mais j'étais parvenu à ériger un magnifique tas derrière notre *blackhouse*. Les morceaux de tourbe étaient disposés les uns sur les autres en chevrons pour que l'eau de pluie soit bien drainée. J'y avais accordé beaucoup de soin car je savais que mon père l'examinerait d'un œil critique à son retour.

L'été avait été beau et les premiers signes de l'automne flottaient dans l'air. Bientôt le soleil allait franchir l'équateur et viendraient alors les marées d'équinoxe annonciatrices du début de l'hiver.

Mon père était parti depuis deux mois, comme chaque été, pour la pêche au hareng à Wick, et il lui fallait toujours un peu de temps pour s'habituer à nouveau à la vie de la ferme. Il était de bonne humeur. C'était le seul moment de l'année où il avait de l'argent en poche et, déjà, il lui brûlait les doigts. Calum, le vieil aveugle, me dit ce matin-là qu'il ne se passerait pas longtemps avant que mon père n'ait envie d'aller à Stornoway le dépenser. Et il n'avait pas tort.

La journée était loin d'être finie quand mon père me prit à part et me dit de me préparer à aller en ville le matin suivant. C'était la première fois que je l'accompagnais. Je savais qu'il nous faudrait un jour ou plus pour nous y rendre avec notre vieille carriole et notre poney d'emprunt, mais j'étais excité par la perspective de ce voyage. Cette nuit-là, allongé dans mon lit clos, plongé dans l'obscurité de la chambre, je pus à peine dormir, écoutant mes sœurs derrière les rideaux, blotties l'une contre l'autre dans leur lit, vite endormies et qui ronronnaient comme des chats.

Nous partîmes le matin, un poney brun tirant notre carriole sur des chemins garnis d'ornières et de nids-de-poule jusqu'à ce que nous croisions la route principale qui allait du nord au sud. Elle était un peu plus large, peut-être, que les routes auxquelles j'étais habitué, et portait les marques de l'importante circulation en direction ou en provenance de Stornoway.

J'étais assis à côté de mon père et, au bout d'un moment, je lui fis remarquer qu'à pied je serais allé plus vite que n'avançait notre poney. Mon père m'expliqua que nous avions besoin de la carriole pour rapporter les provisions pour l'hiver et que je devais faire preuve de patience avec la bête et être reconnaissant que nous l'ayons pour tirer la charge sur le chemin du retour.

C'était la première fois que je m'éloignais de notre village, au-delà de Sgagarstaigh ou d'Ard Mor, et je fus étonné par la taille de notre île. Une fois que l'on avait laissé la mer derrière soi, on pouvait marcher toute une journée sans la revoir. La terre était grêlée de petits lacs où se reflétait le ciel et qui rompaient la monotonie du paysage.

Ce qui, toutefois, m'émerveilla le plus, fut le ciel. Il était immense. On en voyait bien plus qu'à Baile Mhanais. Et il changeait sans cesse avec le vent. On pouvait apercevoir une averse au loin, portée par un banc de nuages noirs. Et, si l'on tournait à peine la tête, on voyait le soleil briller sur une autre partie de l'île avec, peut-être, un arc-en-ciel aux couleurs vives, se détachant sur l'encre du ciel.

La bruyère était d'un magnifique pourpre sombre, ponctué par les têtes jaunes des potentilles qui poussaient un peu partout. Au début, après que nous eûmes laissé derrière nous les montagnes du sud, le paysage se déroulait paisiblement sous nos yeux, taché parfois du gris argent des rochers couverts de mousse qui surgissaient de la tourbe, traversé de ruisseaux et de rivières qui dévalaient des hauteurs, grouillants de poissons.

« Comment cela se fait-il », demandai-je à mon père, « que nous ne mangions pas plus de poissons alors que les rivières en sont pleines ? »

Son visage se figea et il se mit à fixer la route d'un regard noir. « Parce que ceux qui possèdent la terre ne nous laissent pas les prendre », me répondit-il. « Le poisson de ces rivières n'est que pour eux et leurs semblables. Et si tu te fais attraper en train d'en pêcher un, tu finis en prison en moins de temps qu'il n'en faut pour prononcer *bradan mor* » – ce qui était le terme gaélique pour grand saumon. Et il y avait aussi, en effet, quantité de grands saumons. Dans quelques semaines à peine ils remonteraient le courant, sautant par-dessus les rochers, franchissant les cascades pour frayer dans les hauteurs des collines.

À mesure que nous avancions vers le nord, le paysage s'aplanissait et il n'y avait pas un arbre en vue. Le regard portait à des kilomètres vers l'ouest à travers les tourbières et, sur notre droite, nous apercevions la mer par intermittence. Le Minch, c'était le nom qu'on lui donnait, et je savais qu'au-delà de ce bras de mer, se trouvait l'Écosse.

Quand le soir tomba, nous étions encore à quelques kilomètres de la ville. Mon père guida notre carriole à l'abri du vent derrière des rochers et déballa le *marag dubh* que ma mère avait tranché et frit pour nous avant notre départ. Du sang de vache, mélangé avec des flocons d'avoine et un peu d'oignon. Du *black pudding* comme on l'appelle maintenant en anglais mais, à l'époque, c'était pour nous la nourriture des périodes de famine. Du sang prélevé sur la bête en petites quantités pour consommer un peu de protéines sans avoir à tuer l'animal.

Nous dormîmes sous une bâche, serrés l'un contre l'autre pour nous tenir chaud, la toile rabattue sur nos têtes pour nous protéger des simulies, ces petites mouches qui, lorsque le vent tombait, vous fondaient dessus en nuées noires et vous piquaient.

Il faisait beau quand nous arrivâmes en ville le matin suivant, nous frayant un chemin au milieu des charrettes et des carrioles qui brinquebalaient le long de Cromwell Street. D'un côté de la rue étaient alignés de petites maisons blanchies à la chaux et de hauts bâtiments en pierre comme je n'en avais encore jamais vu, avec des pignons, des chiens-assis et des bow-windows. De l'autre côté, les rayons du soleil s'accrochaient aux eaux ondoyantes du port intérieur où les bateaux de pêche étaient alignés le long du quai.

Une petite langue de terre, couverte de boutiques et de maisons, séparait le port intérieur du port extérieur. Ancrés plus loin dans la baie, plusieurs grands trois-mâts se dressaient fièrement sur la marée haute.

Plus loin, à notre droite, sur la colline qui surplombait le port intérieur, Seaforth Lodge dominait l'horizon. Une grande demeure de deux étages avec des dépendances, et qui bénéficiait d'une vue fantastique sur la ville, le port et la côte déchiquetée à l'est.

« À qui appartient-elle ? », demandai-je à mon père.

« À monsieur James Matheson », répondit-il. « Un homme très riche qui vient juste de racheter toute l'île de Lewis. » Il m'expliqua qu'il avait entendu dire que Matheson avait payé cent quatre-vingt-dix mille livres pour l'île. Je ne pouvais me représenter une telle somme d'argent. « Cela signifie qu'il possède tout, et les êtres vivants qu'il y a dessus », poursuivit-il. « Comme sir John Guthrie à Ard Mor possède le domaine de Langadail avec tout ce qui se trouve dessus. Nous compris. »

Quand nous arrivâmes au centre de la ville, mon père m'encouragea à partir en exploration pendant qu'il faisait le tour de l'épicerie et des marchands de matériel et d'articles de marine pour acheter des outils, des céréales et un petit quelque chose pour ma mère et les filles. « Et un peu de tabac pour moi », conclut-il en souriant.

Comme j'hésitais – je n'avais jamais vu autant de gens auparavant et je ne savais où aller ni quoi faire – il me poussa dans le dos. « Vas-y, fiston. Il est temps de déployer tes ailes. »

De tous les gens présents à Stornoway ce jour-là, il me sembla que j'étais le seul à aller pieds nus. Pour la première fois de ma vie, cela me gêna et je me pris à regretter de ne pas avoir mis mes vêtements du dimanche. Je déambulai le long du quai, admirant les bateaux de pêche, prenant garde à mes pieds au milieu des filets et des bouées. L'odeur de poisson était entêtante et je m'engageai dans une rue étroite qui rejoignait le port extérieur. Je doublai quelques pubs et auberges, et débouchai sur ce que les gens appelaient la plage sud, là où les grands bateaux mouillaient près de la jetée.

Presque tout le monde avait la tête couverte. Les hommes portaient des hauts-de-forme ou des casquettes en tissu, les femmes toutes sortes de charlottes nouées sous le menton pour ne pas que le vent les emporte. Le claquement des sabots des chevaux et du métal des cerclages des roues de charrettes emplissait l'atmosphère, accompagné par le vent et les voix des gens qu'il transportait.

J'entendis quelqu'un saluer en gaélique. « *Ciamar a tha thu?* » La voix d'une jeune femme. Je ne me retournai pas, n'imaginant pas un instant qu'elle pouvait s'adresser à moi. Elle répéta la phrase et je la sentis juste derrière moi. Je me retournai et me retrouvai face à une belle adolescente à la chevelure brune ramenée en plis, vêtue d'un manteau noir qui laissait voir une robe longue boutonnée jusqu'en haut du cou et qui touchait presque le sol. Elle me fixait de ses yeux bleus rieurs, l'air entendu. « Je parie que tu ne sais pas qui je suis », me dit-elle en anglais.

Je souris. « Bien sûr que je le sais. » Je priai pour qu'elle n'entende pas mon cœur battre la chamade dans ma poitrine. « Comment pourrais-je oublier ? Mes bras me font encore souffrir de t'avoir portée tout ce chemin. »

Ravi de la voir rougir, j'en profitai pour poursuivre.

« Je croyais que tu ne parlais pas le gaélique. »

Elle haussa les épaules avec nonchalance. « En effet. Mais j'ai appris quelques phrases – au cas où je tomberais à nouveau sur toi. »

Ce fut mon tour de rougir. Je sentis mes pommettes s'échauffer.

Elle avait repris l'avantage et arborait un sourire satisfait. « Et la dernière fois que je t'ai rencontré, tu ne parlais pas un mot d'anglais. »

Je sentis l'occasion de reprendre la main. « J'ai pris anglais à l'école », expliquai-je. « J'ai appris la langue au cas où je te trouverais encore allongée dans un fossé. » Ses yeux s'arrondirent légèrement. « Mais je n'ai pas eu beaucoup l'occasion de le pratiquer depuis que j'en suis parti. »

Son visage s'assombrit. « Tu as déjà quitté l'école ?

— Ça fait trois ans. »

Elle était stupéfaite. « Mais tu ne devais pas avoir plus de… » Elle examina mon visage, essayant de deviner mon âge.

Je lui vins en aide. « Douze ans à l'époque.

— C'est bien trop jeune pour quitter l'école. Je vais avoir un précepteur jusqu'à mes dix-huit ans.

— On avait besoin de moi pour travailler à la ferme.

— Quel genre de travail ?

— Eh bien, en ce moment, je monte des murs en pierres sèches.

— C'est encore de l'anglais, ou bien ? », dit-elle en riant.

Je lui rendis son sourire, savourant la gaîté de son regard. « Cela veut dire que je construis des murs en pierre sans mortier. C'est un enclos pour les moutons sur la colline au-dessus de Baile Mhanais. Le village où…

— Je sais où tu habites », m'interrompit-elle.

« Vraiment ? » J'étais surpris.

Elle hocha la tête. « Je m'y suis rendue une fois et je suis restée au sommet de la colline à observer le village. Je suis presque sûre de t'avoir aperçu sur le rivage. On aurait dit que tu ramassais des algues. »

La pensée qu'elle avait pris la peine de se déplacer pour venir voir où je vivais m'excita mais je fis mon possible pour le dissimuler. « Ça se pourrait, en effet. »

Elle pencha la tête et me regarda avec curiosité. « Pourquoi donc ramassais-tu des algues ?

— C'est un bon engrais. Nous l'étalons sur les *lazy-beds*. » Je sus à son expression qu'elle n'avait pas la moindre idée de ce dont je parlais et, ne voulant pas passer pour une espèce de garçon de ferme, je changeai de sujet. « Un précepteur, c'est un professeur, n'est-ce pas ?

— Un professeur particulier, oui.

— Et tu te rends quelque part pour les cours ?

— Non, je suis mes cours au château. Mon précepteur y a une chambre. »

Un groupe de garçons poussant une carriole à fond de train manqua de nous heurter et nous cria de dégager le passage. Nous commençâmes à arpenter le front de mer. « Cela doit être fabuleux de vivre dans un château », dis-je.

Mais elle ne semblait pas impressionnée. « Tu vis dans l'une de ces petites maisons trapues avec un toit en chaume.

— Une *blackhouse*, aye. »

Elle frissonna. « Je crois que je détesterais. »

Cela me fit rire. « Elles ne sont pas si petites. Il y a plein de place à l'intérieur, pour les gens à un bout et les vaches à l'autre bout. » Je savais que cela la ferait réagir et ce fut le cas.

Je lus l'horreur sur son visage. « Il y a des vaches dans ta maison ?

— Elles nous tiennent chaud », répondis-je. « Et on a toujours du lait frais à disposition.

— C'est moyenâgeux », dit-elle en frissonnant à nouveau.

« Ce n'est pas la même chose que de vivre dans un château, mais ça me va. »

Nous marchâmes en silence pendant un bref instant et je jetai un rapide regard dans sa direction. Elle était assez grande. Elle dépassait mon épaule, en tout cas, et il y avait une étincelle dans son sourire qui me faisait palpiter le ventre. Elle me surprit à la regarder et son visage rosit légèrement. Elle baissa les yeux, un petit sourire aux coins des lèvres.

« Et que fais-tu à Stornoway ?

— Je suis venu avec mon père acheter des provisions pour l'hiver. Il revient tout juste de la pêche, alors nous avons un peu d'argent.

— Vous ne gagnez pas d'argent avec la ferme ? »

Je ris de sa naïveté. « La ferme suffit à peine à nous nourrir. »

Elle me fixa. « Dans ce cas, d'où sortez-vous vos vêtements ? », me demanda-t-elle d'un ton désolé.

« Nous filons la laine des moutons, puis nous la tissons et ma mère en fait des vêtements. » Ses yeux m'examinèrent de haut en bas et s'arrêtèrent sur mes pieds nus. De nouveau, je me sentis gêné.

« Tu n'as pas de chaussures ?

— Oh, si. Mais on doit les acheter et elles s'usent vite. Alors on les garde pour se rendre à l'église le dimanche. »

Je vis dans son regard qu'elle ne parvenait pas à comprendre comment nous vivions.

« Et toi, que fais-tu en ville ?

— Mon père nous a amenés. Quelques amis en visite au château voulaient faire des achats. Nous déjeunons au nouveau Royal Hotel dans Cromwell Street. Et nous y passerons la nuit. » Cette perspective semblait la réjouir.

Je m'abstins de lui dire que mon père et moi ne déjeunerions pas du tout. Nous allions manger les restes de *black pudding* préparé par ma mère et passer la nuit dans notre carriole en espérant qu'il ne pleuve pas. Nous nous arrêtâmes pour contempler l'eau qui venait s'alanguir sur le littoral. Un navire immense, toutes voiles dehors, avançait prudemment à travers l'étroit passage entre les rochers pour gagner l'abri relatif du port.

« J'ai posé la question au personnel du château, mais personne ne semblait connaître ton nom. » Elle leva brièvement les yeux. « Si ce n'est que tu étais un Mackenzie. »

L'intérêt qu'elle manifestait à mon encontre me remplit de plaisir. « Sime », fis-je.

« Sheem ? » Elle fronça les sourcils. « Quel genre de prénom est-ce là ?

— C'est le gaélique pour Simon.

— Eh bien, c'est un prénom stupide. Je t'appellerai simplement Simon.

— Oh, vraiment ? », dis-je en haussant un sourcil.

Elle acquiesça avec conviction. « Oui, vraiment.

— Dans ce cas, je t'appellerai simplement Ciorstaidh. »

Elle fit la moue. « Et pourquoi ferais-tu cela ?

— Parce que c'est le gaélique pour Kirsty, et qu'il est loin d'être aussi stupide. »

Ses yeux bleus me fixèrent avec une telle intensité que mon estomac se remit à faire des bonds. « Alors, tu te souviens de mon nom ? »

Prisonnier de son regard, je sentis ma bouche s'assécher et je peinai à trouver ma voix. « Je me souviens de chaque détail te concernant.

— Eh ! À quoi crois-tu jouer, toi ? »

La voix qui venait de crier était si proche de moi que je fis un bond avant de pivoter sur moi-même et de me retrouver face à un adolescent âgé d'à peine un ou deux ans de plus que moi. Grand, avec une tignasse rousse, il était bien bâti et portait des vêtements de qualité ainsi que des bottes noires reluisantes. Un garçon légèrement plus petit avec de courts cheveux noirs se tenait à ses côtés. L'adolescent posa sa main sur ma poitrine et me poussa en arrière. Surpris, je reculai en titubant.

« George ! », lui cria Kirsty. Mais il l'ignora et ses yeux verts brûlant de colère restèrent fixés sur moi.

« À quoi joues-tu à parler ainsi à ma sœur ?

— Cela ne te regarde pas, George », intervint Kirsty.

« Quand un cul-terreux parle à ma sœur, ça me concerne. » Il appuya de nouveau sa main sur ma poitrine, mais cette fois-ci, je ne reculai pas.

Kirsty s'interposa. « Il s'agit de Simon. C'est le garçon qui m'a sauvé la vie le jour où la carriole s'est renversée dans le fossé et où monsieur Cumming est mort. »

Il l'écarta, gonfla la poitrine et s'approcha suffisamment pour que son visage ne soit plus qu'à quelques centimètres du mien. « Eh bien, si tu penses que cela te donne quelque droit que ce soit, tu te trompes.

— Nous ne faisions que parler », dis-je.

« Et moi, je ne veux pas que tu parles à ma sœur. Nous ne frayons pas avec les métayers. » Il prononça le mot *métayers* comme s'il lui laissait un mauvais goût dans la bouche.

« Oh, George, ne sois pas ridicule ! » Kirsty essaya de s'interposer une fois encore, mais il la maintint à l'écart.

Il ne me quittait pas des yeux. « Si jamais je te revois avec ma sœur, je te flanquerai une telle correction que tu t'en souviendras pour le restant de tes jours. »

Mon honneur était en jeu. Je relevai le menton et lançai : « Et tu comptes faire ça tout seul ? »

Il me rit au nez et je reculai légèrement, incommodé par son haleine. « Ah ! Mais je n'ai besoin de personne pour m'occuper de ceux de ton espèce. » Comme surgi de nulle part, un poing énorme me cueillit en plein sur le côté du visage. Douleur et étincelles explosèrent de concert dans mon crâne et mes genoux lâchèrent.

L'instant d'après, le garçon qui l'accompagnait me tendit la main et m'aida à me remettre sur pied. J'étais sonné, encore choqué, et ne m'attendais donc pas à ce qu'il se glisse soudainement derrière moi et me maintienne les bras dans le dos. Le visage pâle et constellé de taches de rousseur de George emplit mon champ de vision, le regard haineux, et je me retrouvai sans défense, exposé à ses poings qui s'abattaient sur mon estomac. L'autre garçon finit par me lâcher et je tombai à genoux, plié en deux, pris de haut-le-cœur.

J'entendis Kirsty qui leur criait d'arrêter, mais en vain. George colla son visage au mien. « Ne t'approche pas d'elle », siffla-t-il avant de se détourner. Il empoigna sa sœur par le bras et l'entraîna avec lui en dépit de ses protestations. L'autre garçon leur emboîta le pas, se retournant de temps à autre pour m'observer avec un sourire mauvais.

J'étais encore à genoux, penché en avant, appuyé sur les jointures de mes poings, quand des mains vigoureuses me soulevèrent. Elles appartenaient à un pêcheur au visage buriné par le soleil et le vent, coiffé d'un chapeau de laine. « Ça va mon gars ? »

J'opinai du chef, seulement embarrassé que Kirsty m'ait vu me faire ainsi humilier. Hormis ma fierté blessée, je n'avais rien.

Il se passa une heure ou plus avant que je rejoigne mon père. Il m'observa, inquiet devant le spectacle de mon pantalon déchiré aux genoux et de mes poings éraflés. « Qu'est-ce qui t'est arrivé, fiston ? »

J'étais trop honteux pour lui dire la vérité. « Je suis tombé. »

Il secoua la tête et se mit à rire. « Sacré bonhomme ! Tu n'es vraiment pas sortable, hein ? »

Je la revis quelques jours plus tard. Il y avait très peu de soleil ce jour-là. Le vent fouettait l'île par le sud-ouest et apportait de la mer d'énormes colonnes torsadées de nuages noirs. Toutefois, l'air était doux et, tandis que je travaillais, j'appréciais de le sentir se glisser dans mes vêtements et mes cheveux. La tâche était rude également. Transporter de gros morceaux de roche et les tailler au marteau pour qu'ils s'ajustent bien dans le mur.

À peine savais-je marcher que mon père m'avait appris à monter des murs en pierres sèches. « Tu pourras garder des bêtes à l'intérieur et d'autres dehors », m'avait-il dit. « Ou mettre un toit sur ta tête. Les fondamentaux de la vie. » Il aimait utiliser des mots savants, mon père. Je pense qu'il les avait appris dans la Bible en gaélique qu'il nous lisait chaque soir et toute la moitié du dimanche.

La lumière déclinait mais il restait quelques heures de jour et je voulais finir l'enclos pour la fin de la semaine, quand mon père viendrait inspecter mon travail et voir si cela convenait. Ou pas. J'aurais été désolé que ce ne soit pas le cas.

Je me redressai, le dos raide et les muscles douloureux, pour contempler Baile Mhanais et la côte au-delà où les bandes de terres cultivées dévalaient la colline en direction de la mer. C'est à ce moment-là que j'entendis sa voix.

« *Ciamar a tha thu ?* »

Je me retournai, le cœur battant, et la vis debout sur la crête de la colline. Elle portait sur sa robe une longue cape sombre dont la capuche était rabattue pour protéger ses cheveux. Des mèches parvenaient tout de même à s'en échapper et flottaient dans le vent comme des serpentins. « Je vais bien, merci », répondis-je en anglais. « Et toi, comment vas-tu ? »

Elle baissa les yeux vers le sol et je remarquai ses mains serrées l'une contre l'autre qu'elle triturait, embarrassée. « Je suis venue pour te présenter mes excuses.

— Ah bon ? Et pourquoi donc ? » Je le savais pertinemment mais, par fierté, je voulais qu'elle pense que cela m'était sorti de l'esprit.

« À cause de mon frère, George.

— Tu n'as pas à t'excuser. Tu n'es pas sa gardienne.

— Non, mais il croit être le mien. J'ai tellement honte de la manière dont il t'a traité, après ce que tu as fait pour moi. Tu ne mérites pas ça. »

Je haussai les épaules, feignant l'indifférence, cherchant désespérément à changer de sujet. J'étais profondément humilié. « Pourquoi n'es-tu pas avec ton précepteur ? »

Pour la première fois, son visage se fendit d'un sourire et elle gloussa comme si j'avais dit quelque chose d'incongru. « J'ai un nouveau précepteur. C'est un jeune homme d'une vingtaine d'années. Il est arrivé il y a quelques semaines de cela. Et je crois qu'il est tombé éperdument amoureux de moi. »

Je ressentis la morsure de la jalousie.

« Bref, j'en fais ce que je veux et quitter le château n'est vraiment pas un problème. »

Je jetai un coup d'œil au bas de la pente, en direction du village, me demandant si quelqu'un nous avait vus. Cela ne lui échappa pas.

« Tu t'inquiètes d'être vu avec moi ?

— Bien sûr que non ! C'est juste…

— Quoi ?

— Eh bien, ça ne se fait pas, non ? Les gens comme moi parlant aux gens comme toi.

— Oh, tais-toi. J'ai l'impression d'entendre George.

— Certainement pas ! » La comparaison m'indigna.

« Si cela te cause tant de soucis d'être vu avec moi, peut-être pourrions-nous nous rencontrer quelque part où personne ne pourra nous voir. »

Je la regardai, confus. « Nous rencontrer ?

— Pour parler. À moins que tu ne veuilles pas me parler.

— Mais si », lâchai-je un peu trop rapidement. Je vis un sourire animer ses lèvres. « Où ça ? »

Elle fit un rapide mouvement de tête en direction du croissant de sable argenté qui s'étendait en contrebas, de l'autre côté de la colline. « Tu connais les pierres dressées tout au bout de la plage ?

— Bien sûr.

— Il y a un petit espace entre elles, presque totalement abrité du vent, d'où l'on a une belle vue sur les vagues qui viennent se briser contre les rochers.

— Comment sais-tu cela ?

— Je m'y rends parfois. Pour être seule. Tu n'aurais pas à craindre que quiconque nous voie ensemble si nous nous retrouvions là-bas. »

Le jour où je me rendis à mon premier rendez-vous avec Kirsty, l'après-midi touchait à sa fin. Je suivis la courbe de *Traigh Mhor* en direction du nord, imprimant mes traces dans le sable laissé humide par la marée, tout en jetant des coups d'œil nerveux à travers le *machair* au cas où quelqu'un m'observe. Mais j'aurais tout aussi bien pu être seul sur terre. Il n'y avait pas âme qui vive. Je n'avais pour seule compagnie que les bruits de la mer venant frapper le littoral et les cris des mouettes qui tournoyaient autour des rochers.

À l'autre bout de la plage, j'escaladai la colline du cimetière couverte de hautes herbes d'où émergeaient stèles et pierres tombales. J'avançai prudemment, conscient que mes ancêtres reposaient là et, qu'un jour, je les y rejoindrais. Je fis une halte pour admirer l'océan. Le soleil entamait sa lente descente vers l'horizon et bordait d'or les nuages tout en effleurant la surface de l'eau de ses rais de lumière. Une vue que je partagerais pour l'éternité avec ceux qui avaient habité ces terres des siècles avant moi.

Les pierres dressées projetaient leurs ombres immenses sur le *machair*. Certaines d'entre elles faisaient plus de deux fois ma taille. Treize pierres principales formaient un cercle central rejoint au nord par une longue allée bordée de pierres et trois autres, plus courtes, en direction du sud, de l'est et de l'ouest.

Un mouvement capta mon regard, un bout de jupe, ballotté par le vent, à demi caché par l'une des plus grandes pierres et, tandis que je gravissais la pente dans sa direction, Kirsty apparut à l'angle du monolithe, les joues rosies par le vent. Sa jupe et sa cape ondulaient derrière elle, dans le même mouvement que ses cheveux. Elle croisa les bras et s'appuya contre le gneiss richement veiné.

« Ils vous ont parlé de ces pierres à l'école ? », me demanda-t-elle quand j'arrivai près d'elle, légèrement essoufflé.

« On nous a juste dit qu'elles dataient d'il y a environ quatre mille ans et que personne ne savait qui les avaient placées là.

— Mon précepteur dit que si nous pouvions les observer d'en haut, nous verrions qu'elles dessinent la forme approximative d'une croix celtique. »

Je haussai les épaules. « Et alors ?

— Simon, elles ont été installées ici plus de deux mille ans avant la naissance du Christ. »

Je compris ce qu'elle voulait dire et hochai la tête avec sérieux, comme si cette pensée m'était déjà venue à l'esprit auparavant. « Oui, bien sûr. »

Elle sourit et, du plat de la main, caressa la pierre contre laquelle elle était appuyée. « J'adore la texture des pierres », dit-elle. « Elles sont parcourues de veines, comme le bois. » Elle renversa la tête en arrière pour en contempler le sommet. « Je me demande comment ils les ont déplacées. Elles doivent être terriblement lourdes. » Son sourire s'élargit et elle me tendit la main. « Viens. » Après un instant d'hésitation, je la saisis, menue et chaude, dans la mienne. Elle m'entraîna loin des pierres et nous dévalâmes la colline à toutes jambes, riant avec ivresse, avant de nous arrêter là où les éléments grignotaient patiemment le *machair*, à la limite d'une cuvette rocheuse bordée par de la terre tourbeuse et meuble.

Elle me lâcha la main et sauta dedans. Je la suivis et atterris juste à côté d'elle. Les oyats y poussaient en touffes denses, retenant la terre et s'insinuant dans les interstices des rochers. Le vent soufflait au-dessus de nos têtes mais, là où nous nous trouvions, l'air était calme et procurait un sentiment de tranquillité, de protection. Personne ne pouvait nous voir, à l'exception peut-être d'un bateau en mer.

Kirsty arrangea sa robe pour s'asseoir dans l'herbe et tapota la place libre à côté d'elle. Je vis ses bottines noires qui s'arrêtaient au-dessus de la cheville et un bout de peau blanche de son mollet. Je savais qu'elle était plus jeune que moi, et pourtant elle semblait avoir bien plus d'assurance. Je lui obéis et m'assis à côté d'elle, à la fois gêné et passablement effrayé par des sensations étranges et inhabituelles.

« Quelquefois, je regarde au loin et je me demande si, par temps clair, on pourrait voir l'Amérique », dit-elle. Puis elle éclata de rire. « C'est stupide, je sais. C'est bien trop loin. Mais cela me fait penser à tous ces gens qui ont embarqué sur des navires sans rien savoir de ce qui les attendait au bout de leur périple. »

J'adorai l'entendre parler ainsi et j'admirai la lumière qui habitait son regard tandis qu'elle contemplait l'océan.

« Je me demande bien comment c'est », ajouta-t-elle.

« L'Amérique ? »

Elle acquiesça.

« Nous ne le saurons jamais », dis-je en riant.

« Probablement pas », approuva-t-elle. « Mais nous ne devrions pas limiter notre horizon à ce que nous pouvons voir. Mon père dit toujours que si on croit en quelque chose, on peut faire en sorte que cela arrive. Et il en sait quelque chose. Tout ce que nous avons, ce que nous sommes, c'est grâce à lui. Grâce à sa vision. »

Je l'observai, rempli pour la première fois de curiosité à propos de son père et de sa mère, de la vie qu'elle menait, si éloignée de la mienne. « Comment ton père est-il devenu riche ?

— Notre famille est originaire de Glasgow. Mon arrière-grand-père a fait fortune dans le commerce du tabac. Mais tout s'est effondré avec la guerre d'indépendance américaine et c'est mon père qui a reconstitué la fortune familiale en s'engageant dans le commerce du coton et du sucre avec les Caraïbes. »

Je l'écoutai avec émerveillement mais aussi avec un sentiment d'infériorité, conscient de mon ignorance de toutes ces choses. « C'est encore ce qu'il fait ? »

Elle rit. « Non, plus maintenant. Il n'est plus dans les affaires. Depuis, il a acheté le domaine de Langadail et fait construire le château à Ard Mor, et c'est cela qui occupe tout son temps. Même si ça ne lui rapporte pas d'argent. » Elle tourna vers moi son sourire éclatant. « En tout cas, c'est ce qu'il dit. »

Je lui souris en retour, subjugué par son regard, mes yeux prisonniers des siens et il y eut un long silence entre nous. J'entendais le vent et les mouettes et le son de l'océan. Puis, sans l'avoir décidé consciemment, je tendis le bras et passai mes doigts dans la soie de ses cheveux avant de glisser ma paume derrière sa tête. Je vis ses pupilles se dilater et je sentis au plus profond de moi la morsure douloureuse du désir.

Je me rappelai la petite fille que j'avais soulevée dans mes bras pour la sortir du fossé et comment, tandis que je peinais tout au long des deux kilomètres détrempés menant au château, je baissais régulièrement les yeux sur elle et la voyais qui me dévisageait.

Je posai mon autre main sur le côté de son visage, dessinant la courbe de sa joue du bout des doigts, avant de me pencher vers elle pour l'embrasser pour la première fois, poussé par une envie née depuis bien longtemps. Ses lèvres, tièdes, douces, offertes. Et bien que je ne connaisse rien de l'amour, je sus que je l'avais trouvé et que je ne voudrais jamais le perdre.

CHAPITRE 16

I

Émergeant des souvenirs du journal de son ancêtre, Sime réalisa qu'il fixait toujours la trace laissée dans l'album par la photographie absente de Kirsty enfant. Il leva les yeux, sentant soudain qu'il n'était pas seul. Marie-Ange était appuyée contre le montant de la porte et l'observait. Il décela dans son regard l'air de mépris auquel il était maintenant habitué. Mais il y vit quelque chose d'autre. De l'inquiétude ? De la culpabilité ? Difficile à dire.

« Tu as vraiment une sale gueule », dit-elle.

« Merci.

— Quand as-tu dormi normalement pour la dernière fois ? »

Il battit des paupières et sentit ses yeux le piquer. « Un peu avant que tu me quittes. »

Elle soupira. « Tu as sans doute raison, encore un truc qui est de ma faute. » Elle se décolla de la porte, avança jusqu'au bureau et commença à examiner les photos de Kirsty adolescente. « C'est elle ? C'est Cowell ? »

Il acquiesça. « À treize ou quatorze ans, je pense. »

Marie-Ange passa le bras au-dessus de l'épaule de Sime pour feuilleter l'album, examinant froidement les images illustrant le passage de Kirsty à l'âge adulte. Elle s'arrêta sur la dernière photographie. Kirsty avec sa mère et son père, prise par une journée ensoleillée, quelque part sur les falaises. Kirsty, jeune femme, souriant sans retenue face à l'objectif, entre ses parents, un bras passé autour de chacun d'eux. Alors qu'elle avait grandi, eux semblaient avoir rapetissé et l'on pouvait deviner que sa mère n'était pas en bonne santé. « On n'imaginerait pas en voyant cela qu'elle serait capable de tuer quelqu'un », lâcha Marie-Ange.

Sime la regarda avec intensité. « C'est ce que tu penses ?

— Ça y ressemble de plus en plus.

— Et les preuves ?

— Oh, ça viendra, sans aucun doute. Il y a certainement quelque chose qui la trahira. Et je te garantis que je le trouverai. » Des yeux, elle fit le tour du bureau. « Alors, qu'as-tu découvert ici qui t'en dise plus sur les Cowell ? »

Sime réfléchit. « Suffisamment pour savoir qu'ils n'étaient pas proches. Que c'était une relation sans chaleur. Elle a cherché le réconfort dans la solitude, et ses propres centres d'intérêt. Il s'épanouissait ailleurs, et au bout du compte, avec une autre femme. »

Pensive, elle l'observa un moment. « Je me demande à quelles conclusions serait arrivée une personne qui aurait examiné notre appartement.

— Elles ne seraient pas très éloignées, je pense. Mais à l'inverse.

— Tss, toujours la même rengaine », dit-elle avec agacement.

« Tu n'étais jamais là, Marie. Des heures entières sans que je sache où tu te trouvais. Et toujours les mêmes excuses. Le travail. Une soirée entre filles. Une visite à tes parents, à Sherbrooke.

— Tu n'as jamais voulu m'accompagner. Nulle part. Jamais…

— Et tu n'en as jamais eu envie. Toujours une bonne raison pour que je ne vienne pas. Ensuite, tu as fini par décider que c'était de ma faute. » Il lui lança un regard mauvais, chargé des souvenirs de solitude et de frustration. « Il y avait quelqu'un d'autre, non ?

— Oh, tu aimerais bien, hein ? Si j'avais eu une aventure. Dans ce cas, cela ne serait pas de ta faute. Pas de culpabilité, pas de blâme. » Elle pointa un doigt rageur dans sa direction. « Mais c'est pourtant la vérité, Simon. Si tu cherches quelqu'un à blâmer pour la fin de notre mariage, tu n'as qu'à regarder dans un miroir. »

Un raclement de gorge leur fit tourner la tête. Crozes se tenait dans l'encadrement de la porte, visiblement gêné. Il fit comme s'il n'avait rien entendu. « Je viens de recevoir un appel de Lapointe », expliqua-t-il. « Il part pour Montréal avec le corps dans une heure. » Puis, après une pause : « L'autopsie aura lieu demain matin à la première heure.

— Bien », approuva Marie-Ange.

« Et Morrison ? », demanda Sime.

« Toujours introuvable. Mais on finira par mettre la main dessus.

— Tu penses qu'il est impliqué ? », l'interrogea Marie-Ange. « Dans le meurtre ? »

Crozes resta évasif. « On en saura plus quand on l'aura interrogé. »

Sime fit pivoter l'album photo sur le bureau pour que la page avec la photographie manquante se retrouve face à son supérieur. « Tu devrais jeter un œil là-dessus, lieutenant.

Crozes fit quelques pas dans la pièce et inclina légèrement la tête pour observer les photographies. Pendant un instant, il parut décontenancé. Puis son regard s'éclaira. « Seigneur », s'exclama-t-il. « C'est la gamine que tu as trouvée sur le sol de la chambre de Morrison. » Il releva les yeux. « C'est Kirsty Cowell ? »

Sime fit oui de la tête. « Probablement découpée dans la photo qui a été enlevée de cet album.

— Comment diable se l'est-il procurée ? »

Le regard de Marie-Ange allait de l'un à l'autre. « J'ai dû rater quelque chose, non ? »

Aucun des deux hommes ne lui prêta attention. « Ce sera la première question à lui poser quand nous l'aurons retrouvé. »

Crozes laissa échapper un soupir de frustration. « Et peut-être devrais-tu poser la question à madame Cowell. » Il fit un signe de tête en direction de la porte. « Elle est de retour. »

II

Le chauffage du pavillon d'été avait été mis en route après la tempête et l'atmosphère était étouffante. Les yeux bleus pénétrants de Kirsty Cowell lui faisaient perdre le fil de ses pensées, et Sime éprouvait un irrépressible désir de fermer les siens. La chaleur ne l'aidait pas à se concentrer.

Il s'assit à nouveau le dos à la fenêtre. Kirsty Cowell semblait plus détendue, plus calme depuis sa longue promenade avec son cousin.

« Je veux que vous me parliez de votre relation avec Norman Morrison », entama Sime. Elle perdit instantanément son sang-froid.

« Que voulez-vous dire? Je n'ai aucune relation avec Norman Morrison.

— Savez-vous qu'il a disparu depuis la nuit dernière? »

Elle fit des yeux ronds. « Non, je ne le savais pas. Que s'est-il passé?

— Il est sorti après le repas du soir et n'est jamais revenu. »

Son visage pâlit. « Mais, qu'est-ce que cela signifie? Comment va-t-il?

— Nous n'en savons rien. Des recherches sont en cours. » Il l'observa pendant qu'elle essayait de prendre la mesure de ce qu'il venait de lui annoncer. « Nous avons cru comprendre, selon plusieurs sources, qu'il était… plutôt obsédé par vous, madame Cowell. »

La colère lui enflamma le regard. « Les gens disent toutes sortes de choses. Et cette île est comme une serre, monsieur Mackenzie. Plantez-y une graine de vérité et, très rapidement, vous obtiendrez des mensonges à profusion.

— Dans ce cas, quelle est la vérité?

— La vérité est que Norman Morrison est un homme doux, gentil et aimable, qui a cessé de grandir quand il avait environ douze ans. Combien d'entre nous n'échangeraient pas leurs années passées à vieillir pour redevenir jeune?

— Vous éprouviez une certaine tendresse à son égard?

— En effet », répondit-elle sur un ton de défi. « Nous étions à l'école ensemble, ici, sur l'île. Il a toujours été amoureux de moi quand nous étions enfants. Et comme tout le reste, c'est quelque chose qui lui est resté malgré les années.

— Et vous l'avez encouragé?

— Bien sûr que non ! Mais il est resté un enfant, et mon ami. Je n'aurais jamais été capable de lui faire du mal.

— Et vous, voyez-vous une raison pour laquelle il aurait voulu vous faire du mal ? »

La question la choqua. « Vous insinuez sérieusement que Norman aurait pu m'attaquer et tuer James ?

— Je n'insinue rien. Je vous pose la question.

— Non. » Elle était catégorique. « Norman n'aurait jamais pu faire une chose pareille, c'est impossible.

— Avait-il déjà eu l'occasion de venir chez vous ? »

Elle fronça les sourcils. « Ici ?

— Ici, ou dans la grande maison.

— Non. Tout au moins, il n'est jamais venu ici depuis que nous étions enfants.

— Dans ce cas, pouvez-vous m'expliquer pourquoi il a une photographie de vous dans sa chambre, et qui provient très probablement de l'album qui se trouve dans votre bureau ? »

L'incrédulité la laissa bouche bée. « C'est impossible.

— Il manque un tirage dans votre album. Un cliché de vous, âgée de treize ou quatorze ans. Et nous avons trouvé une photo de vous, au même âge, dans sa chambre. Votre tête en a été découpée. »

Elle sembla profondément ébranlée. « Il… Il n'a jamais mis les pieds dans cette maison.

— Et vous ne lui avez jamais donné de photo de vous ?

— Absolument pas. »

Sime inspira profondément. Il ne se sentait pas bien. « Êtes-vous au courant, madame Cowell, du sentiment de jalousie que nourrissait votre époux à l'encontre de Norman Morrison ?

— Jaloux ? James ? Cela m'étonnerait », dit-elle d'un ton dédaigneux.

« D'après la mère de Norman, votre mari avait fait venir deux hommes sur l'île pour le passer à tabac et lui faire comprendre qu'il ne devait pas vous approcher.

— C'est ridicule ! Quand cela se serait-il passé ?

— Il y a environ six mois. Au début du printemps. » Il laissa passer quelques secondes. « Avez-vous vu Norman depuis ? »

Elle ouvrit la bouche pour répondre mais se ravisa et Sime vit qu'elle était en train de réfléchir. « Je… Je ne sais pas. Je ne m'en souviens pas. »

Ce qui signifiait probablement que ce n'était pas le cas et qu'elle voyait les événements passés sous un autre jour. Mais quels qu'ils furent, elle s'abstint de lui en faire part.

« J'ai besoin de faire une pause », dit-elle soudainement.

Sime hocha la tête. Lui aussi en éprouvait le besoin. Échapper à la chaleur étouffante de la maison et respirer un peu d'air frais. Kirsty se rendit à l'étage et il sortit sous le porche. Agrippé à la balustrade, il respirait goulûment. Tous les flics du coin avaient été réquisitionnés pour rechercher Norman Morrison et seuls restaient Arseneau et un jeune sergent du nom de Lapierre pour fouiller les environs de la maison. Sime les observait avancer méthodiquement à travers les herbes hautes, équipés de bâtons, à la recherche d'un élément qui viendrait éclairer l'affaire. Le soleil faisait de son mieux pour les y aider en saupoudrant de vastes taches dorées le sommet des falaises. Retrouver l'arme du crime serait une bonne chose. Mais si Kirsty avait tué son mari, la chose la plus simple selon

Sime aurait été de balancer le couteau dans la mer du haut des falaises. Si Cowell avait été tué par l'intrus que Kirsty avait décrit, il avait certainement dû repartir avec le couteau et l'avait peut-être jeté lui-même dans la mer. D'après les résultats de l'examen de la cuisine par Marie-Ange, les jeux de couteaux étaient tous complets.

En dépit des preuves que Marie-Ange risquait de trouver, Sime avait de plus en plus de difficulté à accepter l'idée que Kirsty ait pu assassiner son époux. Malgré cela, son boulot consistait à établir la vérité. Et même si les preuves qui s'accumulaient contre elle étaient purement indirectes, il risquait au final d'être le seul à croire à son innocence. Ce sentiment était en totale contradiction avec ses instincts d'enquêteur criminel et le mettait face à un impossible dilemme. Il fit un demi-tour et retourna à l'intérieur.

III

Il y avait du soleil quelque part. Il apparaissait brièvement, capricieux, et trouait l'air immobile chargé de poussière en dessinant des rais bien nets. Il y avait aussi du brouillard qui, parfois, l'engloutissait comme une brume d'été déboulant de la mer et bloquant toute lumière. Il entendit quelqu'un appeler au loin. Une voix familière qui répétait le même mot, encore et encore.

« Sime… Sime… Sime ! »

Il eut l'impression de se réveiller soudainement avant de réaliser que ses yeux ne s'étaient pas fermés.

« Sime, ça va ? »

Sime tourna la tête et vit Thomas Blanc debout au pied des escaliers qui l'observait avec une expression étrange.

« Je vais bien », répondit Sime. Mais il savait que ce n'était pas le cas. Une toux polie lui fit tourner la tête vers l'avant et il vit Kirsty, assise dans le fauteuil qui lui faisait face. Sa tête était très légèrement inclinée sur le côté et son regard exprimait une curiosité méfiante.

« Si vous souhaitez poursuivre à un autre moment… »

Poursuivre ? Il lui vint soudainement à l'esprit qu'il avait repris l'interrogatoire quelques instants plus tôt et il n'avait aucune idée du temps qu'il avait passé ainsi, immobile, ailleurs. Il respirait difficilement.

« Non. Non, poursuivons. » Il était perdu, presque paralysé.

Elle haussa les épaules. « Eh bien, j'attends. »

Sime adressa un bref regard à Blanc qui leva un sourcil. Une question silencieuse. Il acquiesça imperceptiblement et Blanc retourna à contrecœur dans la pièce du fond retrouver ses moniteurs.

« Où en étions-nous ? », dit-il à Kirsty.

« Vous me demandiez comment James et moi nous nous étions rencontrés. »

Il hocha la tête. « Racontez-moi.

— Je l'ai déjà fait.

— Eh bien, recommencez. »

Elle laissa échapper un soupir chargé d'impatience et de frustration. « James avait été invité à faire une conférence sur l'économie d'entreprise pendant ma dernière année à la Bishop's University de Lennox-ville.

— C'est une université de langue anglaise ?

— Oui.

— Une seule conférence ?

— Oui. Il avait été invité pour nous exposer un exemple classique de réussite entrepreneuriale. Une petite affaire locale, devenue un succès international pesant plusieurs millions de livres.

— Quelle était votre discipline ?

— L'économie. » Elle leva les épaules avec un sourire à la fois triste et ironique. « Ne me demandez pas pourquoi. On est contraint de prendre des décisions à propos de ces choses-là alors qu'on est encore trop jeune et inexpérimenté. J'avais toujours été à l'aise avec les chiffres, alors… » Sa voix s'évanouit. « Enfin bref, après la conférence, il y avait un cocktail organisé en son honneur et j'y suis allée.

— Pourquoi ? Il vous attirait ? »

Elle réfléchit. « Je suppose que oui. Mais pas de façon conventionnelle. Il avait douze ans de plus que moi, ce qui est énorme quand on en a à peine plus de vingt. Je ne peux pas dire qu'il était séduisant, ou beau. Mais il avait un certain charme et savait faire rire son auditoire. J'étais impressionnée par son succès, son assurance, et tout ce qu'il semblait savoir sur le monde. Mais je suppose que ce qui m'a le plus attirée chez lui, c'est qu'il était originaire des îles de la Madeleine, tout comme moi. Cela m'a fait voir que, peu importe qui vous êtes, ou d'où vous venez, vous pouvez devenir qui vous voulez. Si vous le désirez suffisamment.

— Pourquoi cela vous a-t-il attirée si votre intention était de ne jamais quitter l'île d'Entrée ?

— À l'époque, je n'avais pas encore fait ce choix, monsieur Mackenzie. L'instinct était là, peut-être, mais mes parents étaient encore vivants. Ils étaient mon soutien. Même si je n'étais pas avec eux, ils étaient présents pour moi. Je me sentais libre de faire tout ce que je désirais. Je n'avais jamais imaginé que je les perdrais tous les deux en l'espace d'un an, et que mon univers allait se résumer à cette minuscule tête d'épingle au milieu du golfe du Saint-Laurent.

— Vous avez le sentiment d'être dans une prison ?

— Non, pas vraiment une prison. Mais je m'y sens soumise. »

Sime prit le temps de l'examiner une seconde fois. Son visage était fatigué. Les yeux cernés par le manque de sommeil. Il savait comment elle se sentait. Bizarre, c'était le mot qu'Aitkens et Crozes avaient employé pour la décrire. Il se demanda quelle compulsion étrange la tenait ainsi sur cette île, fondée sur rien d'autre que le vague sentiment qu'elle perdrait quelque chose si elle s'en allait. « Donc, vous l'avez rencontré pour la première fois lors du cocktail, après la conférence ?

— Oui.

— Et ?

— On m'a présentée à lui comme une « compatriote » madelinienne, et, dès cet instant, j'ai été saisie par son intensité. Par la manière dont il m'a tenu la main, comme s'il n'allait plus jamais la lâcher. Par la manière dont son regard m'a enveloppée, emportée, comme s'il n'y avait personne d'autre dans la pièce.

— Le coup de foudre ? »

Soupçonnant une pique, elle lui lança un regard cassant. « Pour lui, oui. Tout du moins, c'est ce qu'il disait.

— Mais pas pour vous ?

— Oh, j'étais flattée par ses attentions, bien sûr. Mais, comme je vous l'ai dit, il m'a fait la cour sans relâche pendant les deux années qui ont suivi. Quand je suis retournée sur l'île, après la mort de mes parents, il m'a demandée en mariage. Je lui ai dit que je ne ferais certainement pas une bonne épouse puisque je ne désirais plus quitter l'île. C'était mon foyer, et je voulais y demeurer. » Elle sourit tristement. « Il a répondu que dans ce cas, il en ferait son foyer lui aussi. Qu'il construirait une maison pour nous. Qu'il y fonderait une famille, créerait une dynastie.

— Mais vous n'avez jamais eu d'enfants.

— Non. » Elle évitait son regard. « Il s'est avéré que James était stérile. Hors de question d'avoir des enfants. »

À l'évidence, la question était sensible et la rendait vulnérable. Sime en profita pour changer de sujet et la prendre au dépourvu.

« Si ce n'était pas Norman Morrison, qui d'autre pourrait vouloir votre mort, madame Cowell ? »

Elle sembla désarçonnée. « Que voulez-vous dire ?

— Vous affirmez que c'était vous la cible de l'attaque, pas votre mari. Dans ce cas, quelqu'un doit vouloir vous tuer. »

On aurait dit que l'idée ne lui avait pas encore traversé l'esprit. Elle parut troublée, perturbée par la question. « Je... Je n'en ai vraiment aucune idée.

— Oh, allons, madame Cowell ! C'est une petite communauté. Il n'y a personne que vous pourriez avoir offensé, quelqu'un qui aurait une raison de vous en vouloir ?

— Non ! », s'exclama-t-elle avec emphase. « Personne.

— Dans ce cas, pourquoi quelqu'un s'en prendrait-il à vous ? »

Elle était perdue. Ses joues s'empourprèrent. « Je ne sais pas. Peut-être... peut-être s'agissait-il d'un cambrioleur et je me suis simplement trouvée sur son chemin.

« — Savez-vous combien de cas de cambriolages ont été signalés sur l'île d'Entrée ces dix dernières années, madame Cowell ?

— Comment le saurais-je ?

— En effet. À moins de le demander. Comme je l'ai fait. Et vous voulez savoir quelle a été la réponse ? »

Elle le fixait avec une hostilité féroce, les lèvres pincées.

« Exactement zéro. » Sime prit une profonde inspiration pour se détendre. « Bon, admettons un instant que votre intrus était un cambrioleur, bien que cela soit très peu probable. Pourquoi vous aurait-il poursuivie à travers la pièce, plaquée à terre comme vous l'avez décrit, avant de tenter de vous poignarder ? En dehors du fait qu'il est improbable qu'un cambrioleur pénètre dans une maison où les lumières sont encore allumées et dont les habitants, selon toute évidence, ne sont pas couchés, n'aurait-il pas plutôt tendance à prendre la fuite s'il était dérangé ? Et si le véritable motif de son effraction était le vol, pourquoi diable transportait-il un couteau ? »

Elle lui jeta un regard noir. « Je n'en ai aucune idée. » Son ton était sec et retenu. « Je vous ai raconté ce qui s'est passé. Je ne suis pas voyante. Je ne peux pas l'expliquer.

— Il y a beaucoup de choses que vous ne parvenez pas à expliquer, madame Cowell. »

Ce n'était pas une question, et elle n'éprouva pas le besoin de poursuivre. Ils restèrent assis à se dévisager pendant un moment qui parut interminable.

Il avait l'impression d'être la petite brute de l'école harcelant les plus faibles de la classe. Elle paraissait brisée et sans défense, seule au monde, sans personne pour la protéger à l'exception de son cousin un peu bourru. Il tenta de la voir comme quand il l'avait rencontrée pour la première fois, quand il avait été persuadé de la reconnaître. À présent, il avait l'impression de la connaître depuis toujours.

« Kirsty, c'est écossais, non ? »

Tout d'abord surprise par la question, elle plissa le front, l'air consterné. « Quel est le rapport avec le reste ?

— Votre famille a-t-elle des racines écossaises ? »

Elle soupira, agacée. « Oui, autant que je sache.

— L'arrière-arrière-grand-mère de votre mère s'appelait McKay. »

L'agacement céda la place à de l'étonnement. « Comment savez-vous cela ?

— Il y a un portrait d'elle dans votre album de famille.

— Vous n'avez pas chômé. Je suppose que vous avez inspecté toutes mes affaires personnelles.

— C'est une enquête pour meurtre, madame Cowell. Il n'y a plus rien qui soit personnel. »

Ses mains tremblaient. Elle les coinça entre ses cuisses. « Je ne vois pas où vous voulez en venir. »

Sime avait choisi un cap et n'envisageait pas de rebrousser chemin. Cela n'avait rien à voir avec l'enquête, il le savait, mais il éprouvait le besoin de poursuivre. « J'essaie simplement d'établir votre profil.

— La plupart des gens de cette île sont d'ascendance écossaise ou irlandaise, voire anglaise », expliqua-t-elle. « Ils arrivaient de Nouvelle-Écosse ou de l'île du Prince-Édouard. Certains ont fait naufrage sur la route de la ville de Québec. Mon arrière-arrière-arrière-grand-mère McKay était probablement écossaise. C'est un nom écossais. Mais il y a eu beaucoup d'unions croisées depuis. Le nom de jeune fille de ma mère était Aitkens. Le mien Dickson. » Sa respiration était rauque. « À présent, allez-vous me dire ce que cela a à voir avec le meurtre de mon mari ?

— Sime ? »

Sime tourna la tête. Blanc était revenu dans le couloir, une expression étrange sur le visage, le regard interrogateur.

« Je crois que nous devrions arrêter là. »

Les ombres des nuages, poussés au-dessus de leurs têtes du sud-ouest vers le nord-est par le vent qui ne cessait de forcir, filaient à travers les coteaux et les collines de l'île d'Entrée. Toutefois, la pluie ne menaçait pas.

Thomas Blanc souleva les caisses de transport en aluminium contenant les moniteurs pour les caser à l'arrière du minibus puis se tourna vers Sime. Il parla à voix basse. « Qu'est-ce que c'était que ce bordel, Sime ?

— Qu'est-ce que tu veux dire ?

— Oh, allez, tu sais très bien de quoi je parle.

— Non. »

Blanc plissa les yeux, persuadé que Sime le prenait pour un imbécile. « Si je ne te connaissais pas mieux que ça, je dirais que tu t'es endormi assis, les yeux ouverts, au beau milieu de l'interrogatoire. » Sime pouvait difficilement le contredire, d'autant plus qu'il n'avait pas la moindre idée du temps qu'il avait passé ainsi. « Depuis quand n'as-tu pas fait une vraie nuit ? Plusieurs jours ? Plusieurs semaines ? »

Sime haussa les épaules.

« Tu devrais voir un toubib.

— C'est fait.

— Pas un médecin. Un psy. Quelqu'un qui parvienne à démêler ce qui se passe sous ton crâne. » Il inspira avec nervosité. « Franchement, c'était quoi ces histoires de racines écossaises et de grands-mères ? Bon Dieu, Sime. Crozes va visionner ces enregistrements. Les autres aussi. » Il cessa de parler. Son visage se radoucit et il posa la main sur le bras de Sime. « Tu as besoin d'aide. Tu n'es pas en état de t'occuper de cette enquête. Vraiment. Et il n'y a pas un membre de l'équipe qui pense le contraire. Tu devrais être en arrêt maladie. Pas sur une affaire de meurtre. »

Soudain, Sime se sentit sombrer et l'assurance qu'il affichait jusque-là tomba comme un masque. Incapable de croiser le regard de Blanc, il laissa tomber sa tête vers l'avant. « Tu n'as pas idée de ce que c'est, Thomas », s'entendit-il dire. Sa voix semblait désincarnée, lointaine. Elle appartenait à quelqu'un d'autre. « Nuit après nuit, après nuit. À fixer un putain de plafond en comptant ses battements de cœur. Les secondes qui deviennent des minutes, qui deviennent des heures. Et plus tu essaies de dormir, plus c'est difficile. Quand le matin arrive, tu es encore plus épuisé que la veille et tu te demandes comment tu vas tenir un jour de plus. »

Il leva les yeux. Le regard de pitié de Blanc fut presque plus difficile à supporter que ne l'avait été son agacement. Blanc secoua lentement la tête. « Tu ne devrais pas être en train de travailler, mon vieux. Je ne sais pas ce qui leur est passé par la tête quand ils t'ont mis sur cette affaire. »

Soudain, il se ferma comme une huître, détourna le regard et se baissa pour ramasser un étui d'appareil photo. Sime se retourna et vit Crozes approcher.

« Comment cela s'est-il passé ? », demanda-t-il après les avoir rejoints.

Sime leva brièvement les yeux vers Blanc, mais son collègue chargeait des appareils photo dans le minibus, l'air très affairé. « Elle ne peut pas expliquer comment sa photographie a pu atterrir dans la chambre de Norman Morrison, ou comment il se l'est procurée. Elle affirme également ne pas savoir qui aurait des raisons de vouloir la tuer. Elle ne semble pas avoir réalisé que si elle était la cible de l'attaque, son agresseur devait avoir un mobile.

— À moins, bien sûr, qu'il n'y ait jamais eu d'agresseur et qu'elle ait tout inventé. » Crozes resta silencieux un instant. « Comment l'as-tu trouvée ? »

Sime n'avait pas d'autre choix que de répondre honnêtement. « Nerveuse, lieutenant. Et pas très convaincante.

— Et toi, Thomas ? Elle t'a convaincu ? »

Blanc se redressa. « Pas du tout, chef. Elle est hostile et fuyante, et coupable à cent pour cent, si tu veux mon avis. »

Aitkens apparut sous le porche du pavillon d'été et les trois hommes se tournèrent pour lui faire face tandis qu'il descendait les marches dans leur direction. « Elle ne veut pas que je reste avec elle cette nuit. » Il fixa Sime avec hostilité. « Je ne sais pas ce que vous lui avez dit là-dedans, mais elle est vraiment bouleversée. »

Sime ne savait pas quoi répondre et ce fut Crozes qui vint à sa rescousse. « Un homme est mort, monsieur Aitkens. Éviter de fouler au pied quelques sensibilités n'est pas chose facile quand on essaie de découvrir pourquoi. Nous n'ignorons pas que madame Cowell vient de perdre son époux, mais elle est également notre unique témoin. » Le sujet fut clos. « Vous pouvez quitter l'île en bateau avec nous. »

Aitkens le gratifia d'un regard noir. Il fit demi-tour sans dire un mot et regagna la maison.

196

Crozes se tourna vers Sime et Blanc. « Si Norman Morrison n'a pas été retrouvé à la nuit tombée, je vais devoir laisser quelqu'un de l'équipe pour surveiller madame Cowell. Bien que ce soit hautement improbable, si jamais Morrison a bel et bien tué Cowell et qu'il est toujours dans la nature, il se pourrait que madame Cowell soit en danger.

— Je resterai », dit Sime avec empressement.

Crozes sembla surpris. « Pourquoi ?

— Quitte à ne pas dormir, je serai aussi bien ici qu'à l'hôtel. » Blanc tourna la tête vers lui, mais il évita de croiser son regard.

CHAPITRE 17

Le policier de Cap-aux-Meules se préparait à manger dans la cuisine avant de retourner dans la grande maison y monter la garde pour la nuit. Par la porte à demi entrouverte, le plafonnier dessinait un rectangle lumineux sur le sol du salon.

Sime entendait Kirsty se déplacer à l'étage. L'escalier était éclairé, mais le salon était plongé dans l'obscurité et seule une petite liseuse dessinait un cercle jaune autour d'un fauteuil disposé dans le coin opposé.

Sime déambula parmi les ombres, se contenant de toucher les bibelots du bout des doigts. Un bouddha en émeraude, tout sourire avec un ventre gras et rond ; un calendrier composé de deux cubes sur lesquels étaient inscrits des chiffres, posés sur un support en cuivre. Une figurine en céramique représentant monsieur Micawber, un personnage de *David Copperfield*, avec son crâne chauve et luisant.

À côté de l'un des fauteuils, une table d'appoint en acajou était couverte d'un napperon circulaire en dentelle qui la protégeait des rayures et des marques qu'aurait pu lui infliger le cadre photo en étain posé dessus. Sime le fit pivoter face à lui. C'était un portrait de Kirsty. Il l'attrapa et le tint à la lumière pour l'examiner. Elle devait avoir à peine plus de vingt ans, les joues un peu plus pleines, son sourire exprimant la candeur et l'innocence de la jeunesse. Elle n'était pas prisonnière à cette époque. Ses parents étaient encore vivants, et elle s'était sentie libre de quitter l'île.

Il contempla la photographie pendant plusieurs minutes avant de faire courir le bout de ses doigts sur le verre et de reposer le cadre sur la table. Il se demanda si, comme Norman Morrison, il n'était pas en train de devenir obsédé par Kirsty Cowell.

Le policier passa la tête par la porte de la cuisine pour lui souhaiter bonne nuit et, depuis la fenêtre, Sime le regarda traverser la pelouse dans le noir. Même si la grande maison était illuminée comme un arbre de Noël et qu'il pouvait regarder la télévision tranquillement installé, Sime ne l'enviait pas. C'était la maison d'un mort et, bien que son corps ait été emporté, son esprit habitait chaque meuble, chaque vêtement suspendu dans son placard, le sang répandu sur le sol.

« Où avez-vous l'intention de dormir ? »

Surpris, Sime tourna sur lui-même. Il ne l'avait pas entendu descendre les escaliers. Elle s'était douchée et changée, ses cheveux étaient encore humides, et elle avait revêtu une robe de chambre en soie noire brodée de dragons chinois aux couleurs vives.

« Le canapé fera l'affaire », répondit-il. « Je ne dormirai pas. »

Elle traversa la cuisine à pas feutrés et mit la bouilloire en route. « Je prépare du thé, vous en voulez ? », lui proposa-t-elle par la porte ouverte.

« Quelle sorte ?

— Vert, à la menthe.

— Avec plaisir. »

Elle réapparut quelques minutes plus tard avec deux mugs fumants et en posa un sur la table basse devant le canapé à l'attention de Sime. Elle s'installa ensuite dans le fauteuil placé dans le cercle de lumière et ramena ses jambes sous elle tout en faisant tourner sa tasse au creux de ses mains, comme si elle avait froid.

« Eh bien, voilà qui est étrange », dit-elle.

Il s'assit dans le canapé et but une gorgée de thé en manquant de s'ébouillanter les lèvres. « Vous trouvez ?

— Le chasseur et sa proie faisant la trêve et dégustant une bonne tasse de thé. »

La remarque piqua Sime au vif. « C'est ainsi que vous me voyez ? Comme un chasseur ?

— En tout cas, je me sens traquée. J'ai l'impression que vous avez déjà décidé que je suis coupable et que ce n'est qu'une question de temps avant que vous ne me fassiez craquer ou que vous ne me piégiez. J'ai à l'esprit l'image d'un lion et d'une gazelle. Devinez lequel je suis.

— Je ne fais que…

— Je sais », l'interrompit-elle. « Que votre travail. » Elle fit une pause. « Et moi, je suis seulement quelqu'un qui a vu son mari se faire poignarder à mort. Je n'ai pas dormi depuis.

— Dans ce cas, nous avons au moins ça en commun. »

Elle le dévisagea avec curiosité. « Que voulez-vous dire ?

— Je n'ai pas dormi depuis des semaines. » Il regretta immédiatement ses paroles, mais il était trop tard pour revenir en arrière.

« Pourquoi ? »

Il se contenta de hausser les épaules. « C'est sans importance.

— Cela a quelque chose à voir avec la fin de votre mariage ? » Elle avait visé juste, et il se sentit presque coupable. Être séparé de sa femme ne rentrait pas tout à fait dans la même catégorie que d'avoir vu son mari sauvagement assassiné.

« Laissez tomber », dit-il avant de changer de sujet. « Vous avez fini par retrouver ce pendentif ?

— Non. » Elle fixa le fond de son mug, l'air pensif. « Je ne l'ai pas retrouvé. Et j'ai remarqué qu'il y a d'autres choses sur lesquelles je n'arrive pas à remettre la main. »

Il reposa son mug sur la table basse, soudain intéressé. « Comme quoi ?

— Oh, des petites choses. Un bracelet en toc datant de mes études. Des barrettes à cheveux. Une paire de boucles d'oreilles. Rien de valeur. Peut-être les ai-je juste égarés, mais je ne les retrouve pas.

— Ils ne pourraient pas se trouver dans l'autre maison ? »

Elle haussa simplement les épaules comme si elle avait soudain décidé d'oublier le sujet. « Peut-être. » Il sentit qu'elle n'y croyait pas. « Vous ne pensez pas vraiment que je suis en danger, n'est-ce pas ?

— À cause de Norman Morrison ?

— Oui. »

Il secoua la tête. « Pas vraiment, non. Mais le lieutenant ne veut courir aucun risque. »

Bien qu'elle eût à peine entamé son thé, elle se leva et, son mug à la main, partit en direction de la cuisine. Elle s'arrêta à côté du canapé et le regarda. « Pourquoi vous ont-ils choisi pour rester et me surveiller ?

— Je me suis porté volontaire. »

Ses yeux s'agrandirent à peine, seule manifestation de sa surprise. « Pourquoi ?

— Parce que je savais que je ne risquais pas de m'endormir. »

Elle soutint son regard pendant un long moment puis détourna les yeux et se rendit dans la cuisine. Il l'entendit vider sa tasse dans l'évier puis la rincer. Elle éteignit la lumière et passa dans la chambre du fond. Quelques instants plus tard, elle revint avec un duvet pour une personne et un oreiller. « Au cas où », dit-elle. « Bonne nuit. »

L'escalier fut plongé dans le noir quand elle arriva sur le palier. Il l'entendit traverser le plancher au-dessus de lui, son sommier grinça lorsqu'elle se mit au lit. L'image de son corps nu entre les draps glacés lui traversa l'esprit mais il la chassa aussitôt.

Il resta assis un moment dans le halo tamisé projeté par la liseuse puis il se leva, traversa la pièce et l'éteignit. Il alla fermer la porte d'entrée, alluma la lampe éclairant le porche et verrouilla la porte de derrière. Il savait que, sur l'île, fermer les portes à clé était un anathème, mais il ne souhaitait pas jouer avec le feu.

Il regagna le canapé, ôta ses chaussures et s'allongea en laissant aller sa tête sur l'oreiller. À travers la fenêtre, la lampe du porche projetait des ombres qui s'étiraient sur toute la longueur de la pièce. Sa clarté rasait le plafond, révélant aux yeux de Sime les craquelures et les défauts qui seraient ses compagnons pendant les longues heures d'insomnie qui l'attendaient.

De temps en temps, il l'entendait se retourner dans son lit et se demanda si elle aussi peinait à trouver le sommeil. Il ressentait une intimité étrange à être si proche d'elle, allongée dans son lit, juste au-dessus de lui. Et pourtant, le gouffre qui les séparait n'aurait pas pu être plus grand.

Le temps passait et Sime commençait à sentir le froid. Le chauffage s'était éteint et la température extérieure chutait. Il passa le bras au-dessus de sa tête et ramena le duvet sur lui. Sa douceur l'enveloppa et il sentit sa propre chaleur qui commençait à l'imprégner.

Il prit une inspiration lente et profonde puis ferma ses yeux douloureux. Il pensa à son anneau. Et au pendentif. « Ne la laisse pas te retourner la tête », lui avait dit Crozes. Sans véritable raison, il la croyait à propos du pendentif.

Il essaya de se rappeler si son père avait un jour parlé de l'anneau. D'où il provenait. Pourquoi il était important. Sime regrettait de ne pas avoir prêté plus d'attention aux histoires familiales. Leurs racines écossaises. Son héritage. Sime était trop occupé à s'intégrer. Être un Québécois, parler français. Au bout du compte, seules lui restaient en mémoire, vives et précises en dépit des années, les histoires que sa grand-mère avait lues dans les journaux intimes de son ancêtre.

CHAPITRE 18

Il pleut. Une pluie fine et pénétrante semblable à de la brume. Un crachin ramené de la mer par un vent à vous couper en deux.

Je suis avec mon père. Nous sommes saisis de peur et nous courons, presque accroupis, le long de la crête de la colline qui domine Baile Mhanais, là où la pente rejoint le loch de mer que je connais sous le nom de loch Glas. Mes vêtements sont trempés et le froid m'anesthésie presque. Je ne suis pas sûr de mon âge, mais je ne suis pas beaucoup plus vieux que lorsque Kirsty et moi nous nous sommes embrassés pour la première fois à côté des pierres levées au bout de la plage.

Mon père a enfoncé sa vieille casquette usée en tissu jusqu'au-dessus de ses sourcils et je vois la noirceur de son regard tandis qu'il regarde en arrière par-dessus son épaule. « Pour l'amour de Dieu, fiston, reste baissé. S'ils nous voient, ils se lanceront à notre poursuite et nous mettront dans ce bateau, nous aussi. »

Nous atteignons un affleurement rocheux presque enterré dans la tourbe au sommet de la colline. Et, après avoir pataugé dans un ruisseau en crue, nous nous aplatissons dans l'herbe humide juste derrière. J'entends des voix portées par le vent. Des hommes qui crient. Nous rampons sur le ventre jusqu'à avoir une vue sur la pente qui rejoint les rives du loch Glas et le village de Sgagarstaigh, avec sa petite jetée en pierre.

Mon œil est immédiatement attiré par le grand trois-mâts qui mouille dans le loch. Et par la foule des villageois sur le quai. Puis, ce sont la fumée et les flammes s'élevant du village qui captent mon attention.

Les allées entre les *blackhouses* sont encombrées de meubles et d'affaires en tas. Draps et landaus, vaisselle brisée, jouets d'enfants. Un groupe d'hommes passe de maison en maison, criant et hurlant. Ils portent des torches avec lesquelles ils enflamment les portes et les toits en chaume.

L'horreur et le trouble qui m'étreignent sont incommensurables, et seule la main de mon père, solidement fermée sur mon bras, m'empêche de me mettre debout pour crier mon indignation. J'observe, stupéfait, les hommes, les femmes et les enfants du village menés comme un troupeau sur la jetée par des policiers en uniforme brandissant de bâtons en bois. Des garçons avec lesquels j'étais à l'école se font frapper aux bras et aux jambes par ces robustes matraques en frêne. Des femmes et des filles également. Coups de pied et de poing. Ils n'ont avec eux, me semble-t-il, que ce qu'ils ont pu emporter en quittant leurs maisons. Pour la première fois, je vois la chaloupe transporter sa cargaison humaine de la jetée vers le voilier.

Finalement, je retrouve ma voix. « Que se passe-t-il ? »

Mon père me répond d'une voix lugubre, les dents serrées. « Ils nettoient Sgagarstaigh.

— Mais ils nettoient Sgagarstaigh de quoi ?

— De ses habitants, fiston. »

Je secoue la tête, perplexe. « Je ne comprends pas.

« — Ils vident les Highlands de leur population depuis que le gouvernement a vaincu les Jacobites à Culloden.

— Les Jacobites ? »

Exaspéré, mon père me fusille du regard. « Seigneur, fiston, ils ne vous apprennent rien à l'école ? » Il agite la tête avec colère. « Ouais, enfin, ils ont des raisons de ne pas le faire. On dit que ce sont les vainqueurs qui écrivent l'histoire. » Il relève la tête, se racle la gorge et crache dans le ruisseau qui dévale la colline. « C'est mon père qui me l'a raconté, et il le tenait de son propre père. Maintenant, c'est à moi de te le dire. »

Une clameur, portée jusqu'à nous par le vent et la pluie, nous fait de nouveau tourner les yeux vers le chaos en contrebas. Le toit de l'une des *blackhouses* vient de s'effondrer, projetant dans les airs une gerbe d'étincelles vite emportées par le vent.

Mon père me regarde. « Les Jacobites soutenaient les rois Stuart qui autrefois régnaient sur l'Écosse et l'Angleterre, fiston. Il y a un siècle de cela, il y a eu un soulèvement dans tous les Highlands. Les Jacobites voulaient remettre les Stuart sur le trône. Ils ont marché vers le sud, avec à leur tête le prince Charlie, le jeune prétendant, et sont presque arrivés aux portes de Londres. Finalement, ils ont été repoussés pour finir écrasés à Culloden, près d'Inverness. » Il inspire profondément et secoue la tête. « Ça a été un massacre. Et ensuite, le gouvernement a envoyé un bataillon de criminels sortis des prisons anglaises qui ont pillé et massacré la population des Highlands. Ils ont tué ceux qui parlaient gaélique et violé leurs femmes. À Londres, le gouvernement a fait passer des lois rendant le port du kilt ou la pratique de la cornemuse hors-la-loi. Si tu parlais gaélique dans un tribunal, on considérait que tu ne t'étais pas exprimé et tu ne pouvais donc pas obtenir justice. »

C'est la première fois que j'entends parler de cela et l'indignation s'empare de moi.

« Le gouvernement voulait anéantir l'ancien système des clans pour empêcher tout soulèvement futur. Ils ont soudoyé quelques-uns des vieux chefs de clans et bradé les domaines de quelques autres au profit de riches habitants des plaines ou d'Anglais. Et cette nouvelle race de propriétaires, comme Guthrie, Matheson, ou Gordon de Cluny, ont voulu libérer les terres. Parce que, vois-tu, les moutons rapportent plus que les gens.

— Les moutons ?

— Aye, ils veulent toute la terre pour les moutons.

— Ils ont le droit de faire ça ? »

Le rire de mon père était amer, sans humour. « Les propriétaires terriens peuvent faire comme bon leur semble, fiston. Ils ont la loi de leur côté. »

Je secoue la tête. « Mais… comment ?

— Parce que la loi est faite pour que les puissants et les riches conservent le pouvoir et les richesses. Et que les pauvres restent pauvres. Les métayers comme nous survivent à peine avec le produit de leurs fermes. Enfin, je ne t'apprends rien ! Mais cela ne nous dispense pas de devoir payer un loyer, même quand nous sommes sans argent. Alors, les propriétaires promulguent des avis d'expulsion. Si nous ne pouvons pas payer, ils nous chassent, incendient nos maisons pour que nous ne puissions pas y retourner. Nous mettent de force sur des bateaux en partance pour le Canada et l'Amérique. Ainsi, ils sont débarrassés de nous une bonne fois pour toutes. Ces bâtards paient même notre voyage. Certains d'entre eux. Ils doivent estimer que ce n'est pas cher payé en regard au résultat. »

J'ai du mal à encaisser tout ce que vient de dire mon père. Je suis abasourdi. J'ai toujours pensé que Baile Mhanais et tout ce que je connaissais était là pour toujours. « Et si on refuse de partir ?

— Peuh ! » Le dégoût de mon père jaillit de sa bouche comme un postillon. « On n'a pas le choix, fiston. Ta vie ne t'appartient pas. Je te l'ai déjà dit, les propriétaires possèdent la terre et tout ce qu'il y a dessus. Nous compris. » Il enlève sa casquette pour lisser ses cheveux en arrière et la recoiffe. « C'était déjà comme ça avec les chefs des anciens clans. S'ils voulaient que nous allions combattre dans je ne sais quelle guerre à laquelle ils avaient apporté leur soutien, nous devions tout laisser tomber et partir en ordre de bataille. Sacrifier notre vie pour eux. Même si c'était pour une foutue cause qui ne représentait rien à nos yeux. »

D'autres cris attirèrent notre attention.

« Seigneur. » La voix de mon père est un chuchotement. « Ces pauvres bougres sautent du navire à présent. »

Nous rampons autour du rocher pour avoir une meilleure vue, et je vois deux hommes dans l'eau et un troisième qui saute du pont à leur suite. La chaloupe est à mi-chemin entre le voilier et le rivage, chargée d'une autre cargaison de villageois. Elle ne peut pas se lancer à leur poursuite.

Les hommes qui ont sauté se dirigent vers la côte, nageant de toutes leurs forces. La mer est agitée sous le vent, et glaciale. Je vois que l'un des hommes lutte, frappant frénétiquement l'eau de ses mains, avant de disparaître sous la surface. Il est parti, définitivement. J'ai du mal à croire que je suis allongé là, sur le coteau de la colline, à moins d'une demi-heure de mon foyer, à regarder, avec des centaines d'autres témoins, un homme se noyer dans le loch.

Une colère sourde commence à s'emparer de moi. « Tu veux dire que c'est notre propriétaire, sir John Guthrie, qui fait cela ?

— Aye, fiston. Cette dernière année, il a fait vider tous les villages de la côte ouest. » Il se tourne vers moi. « Je dois dire que si tu n'avais pas sauvé la vie de sa fille il y a des années, Baile Mhanais aurait disparu depuis longtemps. »

En contrebas, les deux autres fuyards ont atteint le rivage. L'un d'eux peut à peine tenir debout. Une proie facile pour la demi-douzaine de policiers qui font le tour du loch en courant. Ils sont sur lui en un instant, les bâtons et les coups pleuvent, il tombe, terrassé.

L'autre est plus grand et costaud, et il décampe en direction de la colline, droit vers notre cachette au milieu des rochers.

« Mon Dieu », hoquette mon père. « C'est Seoras Mackay. Un brave homme. » Il se tourne vers moi, de la peur dans le regard. « Pour l'amour de Dieu, fils, cache-toi ! Ils viennent vers nous. »

Je ne vois pas dans quelle direction part mon père et dans un moment de panique aveugle, je roule dans le cours glacé du ruisseau et me dissimule dans les fougères. La moitié de mon corps est encore dans l'eau, mon nez s'emplit d'odeurs de terre mouillée et de végétation en décomposition, mes dents s'entrechoquent sous l'effet du froid. Sous moi, je sens dans le sol les vibrations de pas qui se rapprochent, puis la respiration rauque des poitrines respirant à pleins poumons.

Seoras Mackay arrive presque au-dessus de moi quand ses poursuivants le rattrapent et le plaquent à terre. Le sol tremble sous le poids du colosse dont les poumons se vident sous le choc. Son visage est au même niveau que le mien, distant d'à peine plus de cinquante centimètres. Il me voit à travers les fougères. L'espace d'un instant, j'ai l'impression que ses yeux bruns et tristes me conjurent de lui venir en aide. Puis, quand les matraques des policiers s'abattent sur lui, la résignation voile son regard. L'un des hommes enfonce un genou dans son dos et tire ses bras en arrière. On lui passe des chaînes aux chevilles et aux poignets. J'entends le claquement sourd et brutal du métal. On le remet sur ses pieds et le groupe le traîne au bas de la colline. Comme le bref regard que nous avons échangé, Seoras est brisé, perdu à jamais.

Le mauvais temps n'est pas près de cesser. Je vois un grain se préparer au-dessus de la mer. Dans mon dos, le soleil diffuse sa lumière dorée sur le paysage chaotique. Le vent souffle avec suffisamment de force pour vous jeter à terre si vous n'êtes pas fermement planté sur vos pieds et aplatit les potentilles et les linaigrettes. Je l'entends hurler au-dessus de ma tête, entre les pierres levées derrière la lisière du trou où je suis réfugié. Même dans l'abri qu'ils procurent, les oyats robustes et hirsutes qui retiennent le sable se penchent, vibrent et chantent sous le vent.

Je suis accroupi sur un rocher, immobile, comme taillé dans le même gneiss. Je ne sens pas le froid. Il n'est rien comparé à celui qui m'habite. Je fixe les nuages blancs et moutonneux qui filent en avant-garde de la tempête et des vagues d'émotion glacée s'abattent sur moi.

« Salut. » La voix de Kirsty s'élève au-dessus des rugissements du vent et de la mer. Tout sourire, elle saute dans le trou pour me rejoindre. Sa voix est joyeuse et j'essaie de ne pas me laisser affecter. Elle se penche pour m'embrasser la joue et je détourne la tête pour l'éviter.

Immédiatement, je la sens se tendre. Elle se lève, droite comme un i. « Qu'est-ce qui ne va pas ?

— Ton père. Voilà ce qui ne va pas. »

Je ne la regarde pas, mais j'entends la colère dans sa voix. « Que veux-tu dire ? »

Je me lève pour lui faire face. « Tu sais ce qu'il est en train de faire ? » Elle me dévisage, l'air confus. « Il chasse les gens de leurs maisons avant de les incendier pour qu'ils ne puissent pas revenir.

— C'est faux !

— Et il envoie des policiers et des employés du domaine pour les embarquer de force sur des bateaux qui les emmènent de l'autre côté de l'Atlantique, contre leur volonté.

— Arrête ! Ce n'est pas vrai.

— Si. C'est vrai. » Je sens ma colère attisée par la sienne. « Je l'ai vu de mes propres yeux. Des gens que je connais, battus, frappés à coups de pied. Des voisins de Sgagarstaigh, des enfants avec qui j'étais à l'école, expulsés des maisons où ils sont nés, obligés de regarder pendant que ces bâtards y foutent le feu. Je les ai vus transportés jusqu'à un voilier sur le loch, j'ai vu ceux qui voulaient s'échapper se faire enchaîner. Des gens simples, Ciorstaidh. Des gens dont les ancêtres ont vécu sur ces terres depuis des générations. Des gens dont les parents et les grands-parents sont enterrés sur le *machair*. Forcés de tout abandonner et envoyés Dieu sait où à l'autre bout du monde, tout cela parce que ton père veut mettre des moutons à leur place. »

Kirsty est choquée. Je lis sur son visage la douleur, la confusion, son désir éperdu que tout cela soit faux. « Je ne te crois pas ! », me jette-t-elle à la figure, exprimant ce désir. Mais je ne doute pas un seul instant qu'elle lit dans mon regard que tout est vrai.

Les larmes qui bordaient ses paupières s'échappent soudain et le vent les étale sur ses joues. Sa main surgit de nulle part et sa paume s'abat droit sur ma joue. Je chancelle sous la force du coup. Ma joue me brûle. Je vois la détresse derrière ses larmes. Et, alors qu'elle se détourne et escalade la paroi pour sortir du trou et s'enfuir entre les pierres fièrement dressées sur la colline, sa jupe et sa cape flottant derrière elle, je comprends que je viens de détruire son monde. Et le mien.

J'aimerais pouvoir courir à sa poursuite et lui dire que tout est faux. Mais c'est impossible. Pour la première fois, je réalise combien nos deux vies viennent de changer, irrévocablement, et que plus rien ne sera jamais comme avant.

La marée est basse et le parfum de la mer envahit l'atmosphère. L'odeur familière et riche des algues en putréfaction. Pour une fois, il n'y a pas de vent et la mer placide, couleur d'étain, reflète le ciel bas, d'un gris triste et uniforme, qui me surplombe. Elle lèche mollement le rivage, caresse les avancées déchiquetées en gneiss de Lewis qui avancent dans l'eau depuis la côte, la roche millénaire incrustée de coquillages, rendue glissante par le varech qui y pousse à profusion, jusqu'à la recouvrir.

J'ai avec moi deux paniers en osier posés de biais sur le rocher et je taille les algues avec une longue lame courbe, les coquillages me blessent les doigts quand je les arrache du rocher pour les jeter dans les paniers. Mon dos me fait souffrir et mes pieds qui baignent dans l'eau depuis des heures sont glacés, insensibles. Les paniers sont presque pleins et je ne vais pas tarder à faire une fois encore le trajet jusqu'à la ferme pour répandre le goémon sur les *lazybeds*.

Je ne l'ai pas entendue s'approcher et ce n'est que maintenant que je lève les yeux que je la vois, debout sur les rochers, qui m'observe. Sa cape est boutonnée pour lui tenir chaud, sa capuche ramenée sur la tête. Sa silhouette se découpe sur le ciel, accentuée par la lumière diffuse derrière elle. Je ne vois pas son visage. Plusieurs jours ont passé depuis notre confrontation et j'imaginais ne plus jamais la revoir.

Je me redresse lentement, sors de l'eau et grimpe sur le rocher. Des crabes détalent dans les flaques dispersées là au hasard comme des fragments de lumière au milieu des algues vert sombre.

Elle est livide, des ombres noires salissent la peau pure et parfaite sous ses yeux.

« Je suis désolée », dit-elle d'une voix si faible que la respiration de l'océan l'engloutit presque. Elle baisse les yeux. « On dirait que je passe mon temps à te demander pardon. »

Je lève les épaules, sachant que quoi qu'elle puisse ressentir, mes remords sont bien supérieurs. « Pourquoi ?

— Pour t'avoir giflé. » Elle laisse passer un silence. « Pour ne pas t'avoir cru. »

Je ne sais quoi dire. Je ne peux qu'imaginer la douleur et la désillusion qui s'abattraient sur moi si quelqu'un brisait l'image que je me fais de mon propre père.

« J'ai encore du mal à croire que mon père est responsable de pareilles choses. Je savais que je ne pouvais pas le lui demander directement. Alors j'ai interrogé le personnel. Au début, tout le monde a prétendu n'être au courant de rien. Jusqu'à ce que j'insiste. Finalement, c'est mon précepteur qui m'a tout raconté. »

Elle aspire sa lèvre inférieure et la mordille pour contrôler ses émotions.

« Ce n'est qu'à ce moment-là que j'ai décidé d'affronter mon père. Il était… » Elle ferme les yeux, attristée par le souvenir. « Il était hors de lui. Il m'a dit que cela ne me regardait en aucune manière et que je n'avais pas bien compris. Et quand je lui ai dit que ce que je ne comprenais pas c'était qu'il puisse traiter des gens de cette manière, il m'a fait ce que je t'ai fait. » Sa respiration est tremblante et je vois qu'elle souffre. « Il m'a giflée. Si fort qu'il m'a fait une marque. » Instinctivement, elle porte la main à son visage et se caresse la pommette du bout des doigts. Pas de trace de coup. « Il m'a enfermée dans ma chambre pendant deux jours et je ne crois pas avoir cessé de pleurer un seul instant. Ma mère a essayé de me faire entendre raison. Mais je ne l'ai même pas laissée entrer. »

Elle baisse le regard et la défaite lui fait ployer les épaules.

« Mon précepteur a été renvoyé et je suis confinée à la maison. Ce matin, j'ai réussi à me glisser par la porte de la cuisine. Ils ne se sont probablement pas encore aperçus que je suis partie, et dans le cas contraire, je m'en fiche. »

J'avance et la prends dans mes bras. Elle tremble contre ma poitrine et je la serre contre moi. Sa tête se pose sur mon épaule et elle passe les bras autour de moi. Nous restons ainsi pendant une éternité, respirant en rythme avec le battement lent de l'océan. Elle finit par briser notre étreinte et recule d'un pas.

« Je veux m'enfuir, Simon. » Ses yeux me fixent avec sérieux et j'y lis un appel désespéré. S'enfuir n'est pas un concept que je saisis aisément.

« Que veux-tu dire ?

— Je veux partir d'ici. Et je veux que tu m'accompagnes. »

Je secoue la tête sans comprendre. « Partir où ?

— Ça n'a pas d'importance. N'importe où loin d'ici.

— Mais, Ciorstaidh, je n'ai pas un sou.

— Je peux nous obtenir de l'argent. »

De nouveau, je secoue la tête. « Je ne peux pas, Ciorstaidh. Mon foyer est ici. Mes parents et mes sœurs ont besoin de moi. Mon père ne peut pas s'occuper de la ferme seul. » Son projet me paraît totalement dénué de sens. « Et, de toute façon, où irions-nous ? Qu'est-ce que je ferais ? Comment vivrions-nous ? »

Debout face à moi, elle me fixe, les yeux emplis de larmes, voilés par la trahison. Son visage est désolé, sans espoir. Et soudain, elle me hurle dessus. « Je te déteste, Simon Mackenzie. Je te déteste plus que je n'ai jamais détesté quiconque de toute ma vie ! »

Elle exécute un demi-tour et s'éloigne à grands pas au milieu des rochers, retenant sa cape et sa robe des deux mains pour qu'elles ne trempent pas dans les algues et les flaques d'eau de mer. Une fois sur l'herbe, elle part en courant dans le demi-jour du matin, laissant derrière elle des sanglots de détresse.

Et je reste là, écrasé par la culpabilité.

CHAPITRE 19

Sime se redressa brusquement et se demanda s'il venait vraiment de hurler dans le noir ou s'il s'agissait de son imagination. Dans le silence qui suivit, il tendit l'oreille, attentif au moindre signe indiquant qu'il aurait dérangé Kirsty. Mais il n'y eut pas un bruit à l'étage. Il ne percevait que sa respiration trop rapide et le battement du sang dans ses tempes.

Trempé de sueur, il repoussa le duvet sur le côté. Il se rappelait avec précision l'histoire que sa grand-mère lisait, mais la rêver lui donnait une dimension personnelle qu'aucune lecture ne pouvait atteindre.

Il consulta sa montre. Minuit était loin. Il s'était assoupi moins d'une trentaine de minutes et les longues heures sans sommeil de la nuit l'attendaient encore. Un temps infini pour s'interroger sur ce qui déclenchait ces rêves et ces souvenirs du journal de son ancêtre. Qu'est-ce que son subconscient essayait de lui dire? Il était certain d'une chose. Tout cela était lié à sa première rencontre avec Kirsty Cowell, et son intime conviction qu'il la connaissait. Et puis, il y avait l'anneau et le pendentif. Le bras et l'épée gravés dans la cornaline.

Il ne connaissait qu'une seule personne au monde qui puisse l'éclairer. Sa sœur, Annie. En dépit de sa réticence, il savait qu'il n'avait pas d'autre choix que de l'appeler dès le lendemain.

Il glissa ses jambes hors du canapé et posa les pieds sur le sol, appuyé en avant sur ses coudes, le visage dans les mains. S'il lui avait semblé faire frisquet plus tôt, il avait du mal à supporter la chaleur que son propre corps générait. Il enfila ses chaussures et remonta la fermeture de son sweat à capuche. Il avait besoin d'air.

Un vent léger poussait les nuages d'altitude à travers le ciel d'encre et les étoiles ressemblaient à des joyaux incrustés dans l'ébène. La clarté argentée de la lune presque pleine apparaissait par intermittence. Le son de l'océan emplissait l'atmosphère, la respiration lente et régulière de l'éternité.

Il traversa les rectangles de lumière que projetaient les fenêtres de la grande maison et accéléra le pas quand il fut sur le chemin de terre. Pour quelqu'un qui avait été élevé si loin de la mer, la sentir ainsi tout autour de soi était assez déconcertant. Elle était partout, provisoirement en paix, déformant les reflets de la lune, d'une beauté tranquille et dangereusement trompeuse. Il voyait scintiller sur l'horizon les lumières de Havre-Aubert et de Cap-aux-Meules.

Tout en se dirigeant vers le phare, le gravier crissant sous ses pas, il repensa à l'homme-enfant disparu. Pourquoi s'était-il enfui, et où pouvait-il bien s'être caché? Était-il, d'une façon ou d'une autre, impliqué dans le meurtre de Cowell? La voisine affirmait qu'il avait un caractère difficile et était sujet à des crises de rage. S'était-il simplement vengé du passage à tabac que lui avaient infligé les gros bras de Cowell, avait-il considéré que Kirsty était complice des actes de son époux? Ou bien avait-il tout inventé?

Restait aussi la photographie disparue de l'album de Kirsty. Comment l'avait-il récupérée? S'il avait déjà pénétré dans la maison auparavant, était-il possible qu'il soit l'intrus qui avait attaqué Kirsty la nuit du meurtre ?

Sur sa gauche, des rangées de casiers de pêche empilés par trois séchaient sur une plateforme en bois. Devant lui, le faisceau du phare balayait le ciel nocturne. Les maisons sagement alignées sur la pointe sud de l'île reposaient dans l'obscurité, les braves gens de l'île d'Entrée depuis longtemps pelotonnés dans leur lit, se préparant aux longues nuits d'hiver à venir. Il entendit un chien aboyer au loin, quelques secondes seulement avant de percevoir un sifflement sur sa droite et de ressentir la pleine puissance d'un coup sur le côté de la tête. Un flash lumineux lui brouilla la vue et une intense douleur lui envahit le crâne. Ses genoux flanchèrent et le choc de sa chute lui coupa le souffle.

Il ne parvint pas à crier et, quand une botte s'enfonça violemment dans son abdomen, il faillit perdre connaissance. Instinctivement, il se mit en position fœtale pour amortir les coups avec son dos, ses bras et ses jambes. Il essaya désespérément de s'emparer du Glock dans l'étui sous son sweat mais, après avoir réussi à l'en extraire et tenté de se retourner vers son agresseur, il reçut un coup de pied dans la main qui envoya l'arme voler dans le noir.

Son assaillant n'était qu'une ombre contre le ciel, un grand gaillard habillé de noir, absorbant toute lumière, masquant les étoiles. De là où était couché Sime, hoquetant sur le sol, il semblait l'occulter totalement, les yeux incandescents derrière les fentes de son masque. Il entendait la respiration de l'homme, rapide et tremblante quand il vit la lune se refléter dans la lame qu'il serrait dans sa main droite. Sime eut l'impression que ses intestins se liquéfiaient. Il ne pouvait rien faire pour empêcher cet homme de lui ôter la vie. De plonger sa lame dans sa chair, encore et encore. La douleur l'empêchait de se défendre et, en l'espace de quelques secondes, sa vie pitoyable se rejoua devant ses yeux, l'emplissant de regrets pour toutes ces années gâchées.

Un long trait de lumière jaune éclaira l'herbe, projetant leurs ombres loin dans la nuit. Sime tourna la tête et vit la silhouette corpulente d'un homme, debout dans l'encadrement de la porte de sa maison, un fusil tenu fermement en travers de la poitrine.

« Qu'est-ce qui se passe ici, nom de Dieu ? », rugit-il.

En un éclair, l'agresseur de Sime avait disparu, évaporé dans l'obscurité, une ombre dans le vent, insaisissable.

Sime faillit s'évanouir de soulagement. Il roula sur lui-même et vida le contenu de son estomac dans l'herbe avant de lever les yeux, le visage pris dans la lumière d'une lampe torche.

« Seigneur », dit l'homme. « Vous êtes un des flics de Montréal. »

Sime ne s'était pas rendu compte de la distance qu'il avait parcourue dans le noir. Il lui fallut près de dix minutes pour regagner la maison, ralenti par le martèlement dans son crâne et la douleur vive qui enserrait sa poitrine comme une crampe à chacun de ses pas.

Son pistolet, récupéré au milieu de l'herbe, était retourné dans son étui, mais il était perturbé par la facilité avec laquelle il s'était retrouvé désarmé, à la merci de son attaquant. Sans l'intervention de cet insulaire au sommeil léger, son sang serait en train de se répandre sur la terre de l'île d'Entrée et son corps refroidirait dans l'herbe.

À présent, il était inquiet pour Kirsty. Il n'aurait jamais dû la laisser seule dans la maison. L'assaillant avait largement eu le temps de la tuer dans son lit avant de s'en prendre à lui. En revanche, la raison pour laquelle il avait attaqué Sime demeurait un mystère.

Tout en maudissant sa stupidité, Sime remonta les marches menant au porche du pavillon d'été en clopinant. Il ouvrit la porte en grand et hurla le nom de Kirsty.

Il était au milieu des escaliers, dans le noir, quand la lumière s'alluma et Kirsty, pâle et effrayée, apparut sur le palier, les pans de sa robe de chambre ramenés contre elle, les yeux ronds, saisie de peur.

Sime fut si soulagé de la voir que ses jambes manquèrent de se dérober. Voyant le sang sur le côté de sa tête et la boue sur ses vêtements, elle ouvrit la bouche de surprise et se hâta de descendre les quelques marches qui les séparaient pour lui prendre le bras. « Pour l'amour de Dieu, monsieur Mackenzie, que vous est-il arrivé ? »

En dépit de la douleur, la chaleur qui émanait de son corps et l'assurance de son contact lui procurèrent un profond bien-être. Il n'avait encore jamais été aussi proche d'elle, respirant son odeur et il dut réprimer l'envie soudaine de la prendre dans ses bras. « On m'a attaqué ». Il se redressa. « Vous allez bien ?

— Oui. Contrairement à vous. Je vais appeler l'infirmière. »

Ils entendirent un bruit de course au rez-de-chaussée et la porte à moustiquaire qui claquait. Le policier chargé de surveiller la scène de crime dans la grande maison se tenait au bas de l'escalier, le souffle court, le regard en alerte. « Que s'est-il passé ? »

CHAPITRE 20

I

Le port était noir de monde pour l'arrivée du ferry du matin. Des pick-up arborant les plaques minéralogiques colorées de l'île d'Entrée patientaient le long du quai. Des hommes de toutes formes et de toutes tailles, vieux et jeunes, avec des casquettes de baseball et des baskets, des jeans baggy et des tee-shirts, dispersés par paquets, fumant et discutant. Les femmes se tenaient à l'écart, entre elles, parlant de sujets sensiblement différents. Derrière eux, une forêt d'antennes, de mâts et de radars encombrait l'horizon et les bateaux de pêche amarrés le long de la jetée montaient et descendaient au gré de la houle paisible.

Sime se tenait au bout du quai, derrière la cabane jaune du guichet. Le vent dans la figure, il observait la silhouette désormais familière du ferry bleu et blanc *Ivan-Quinn* qui progressait dans le port. Il sentait les regards posés sur lui, les échanges à voix basse du dernier ragot qui sans aucun doute se répandait comme un feu de brousse à travers l'île suite à l'attaque de la veille. Il n'était pas pressé de se retrouver face à Crozes.

L'entaille sur le côté de sa tête était pansée mais l'hématome qui l'entourait était enflammé et le lançait.

L'infirmière lui avait serré la poitrine dans des bandages, soulageant un peu la douleur. Elle lui avait dit qu'il n'avait probablement que des bleus, mais qu'il ferait mieux de passer une radio.

Il était resté allongé pendant le reste de la nuit, sentant la douleur s'amoindrir au fur et à mesure que le paracétamol qu'elle lui avait administré faisait son effet. Au matin, il était raide, ses muscles et ses articulations le faisaient souffrir. Après une conversation téléphonique embarrassante avec Crozes, il avait pris le minibus pour arriver tôt et avait marché le long de la route côtière pour essayer de se dérouiller.

Une fois la rampe déployée, passagers et véhicules débarquèrent sur le quai et les habitants s'avancèrent pour récupérer les colis de nourriture et les marchandises commandées sur le continent et au-delà. Crozes se détacha du reste de son équipe et s'approcha de Sime, les mains enfoncées dans les poches. Il portait des lunettes de soleil sous la visière de sa casquette de baseball et le seul véritable indice de son humeur était son attitude. Sime vit Marie-Ange et Blanc lui jeter un coup d'œil en montant dans le minibus pour y attendre le lieutenant. Les policiers de Cap-aux-Meules, venus avec leurs propres véhicules, partirent pour reprendre les recherches afin de retrouver Norman Morrison.

« Bordel, qu'est-ce qui t'a pris, Mackenzie ? » Crozes s'était posté à côté de lui, tourné vers la baie, sans même lui adresser un regard.

« Je suis simplement sorti prendre l'air, lieutenant. Je n'ai été absent que quelques minutes.

— Quelques minutes pendant lesquelles il aurait pu la tuer.

— Dans ce cas, pourquoi ne l'a-t-il pas fait ? »

Pour la première fois, Crozes se tourna vers lui et le regarda. « Que veux-tu dire ?

— Eh bien, il en avait la possibilité, mais il n'en a rien fait. Il s'en est pris à moi. »

Crozes le dévisagea, l'air pensif. « Tu as vu à quoi il ressemblait ? »

Sime pinça les lèvres et laissa échapper un soupir d'exaspération. « Pas vraiment. Il portait des vêtements sombres, et une cagoule de ski. Exactement ce qu'elle nous a décrit. »

Crozes retourna à sa contemplation de la baie. « Il n'y a pas une seule personne sur cette île qui ne sait pas que madame Cowell a affirmé avoir été attaquée par un type portant une cagoule. Pas très difficile à copier. » Il tourna la tête vers Sime. « Je ne vois pas pourquoi quelqu'un voudrait s'en prendre à toi, mais c'est une complication supplémentaire et nous n'avons vraiment pas besoin de ça. » Il marqua une pause. « Tu as une idée ? »

Sime haussa les épaules. « Pas vraiment. Il y a Norman Morrison, j'imagine. Si c'est lui qui a attaqué madame Cowell.

— Mais, comme tu dis, pourquoi t'attaquer toi ? » Crozes ôta sa casquette et se gratta le crâne. « Et le pêcheur que vous avez interrogé avec Blanc ?

— Owen Clarke ? »

Crozes opina du chef. « Il a une raison quelconque de t'en vouloir ?

— Pas que je sache. »

Crozes vissa sa casquette sur son crâne, se racla la gorge et envoya un crachat dans l'eau. « Allons lui parler. » Puis, après réflexion : « Sinon, comment vas-tu ? »

Sime eut du mal à ne pas adopter un ton sarcastique. « Je vais bien, lieutenant, merci de poser la question. »

II

Clarke était vêtu d'un bleu de travail taché d'huile à demi ouvert sur sa poitrine et qui laissait apparaître un enchevêtrement de poils poivre et sel épais comme du fil de cuivre. Les jambes du bleu tombaient en accordéon sur une paire de baskets blanches sales qui, ne parvenant plus à contenir ses pieds, s'étaient ouvertes de chaque côté. Il était armé d'une débroussailleuse et fauchait les herbes hautes qui cernaient sa maison. Son visage était cramoisi et des gouttes de sueur s'alignaient sous la visière de sa casquette de baseball. Coincée à la commissure de ses lèvres, sa sempiternelle cigarette roulée tachée de marron fumait. Il les vit arriver mais ne prit pas la peine d'arrêter le moteur de son engin jusqu'à ce que Crozes lui crie quelque chose en se passant l'index en travers de la gorge.

Il coupa l'arrivée d'essence et, pendant que le moteur hoquetait avant de s'arrêter, se tourna vers eux à contrecœur. « Qu'est-ce que vous me voulez encore ? »

Sime l'observa attentivement. C'était un type costaud, ce qui ne lui avait pas sauté aux yeux quand Blanc et lui l'avaient interrogé à son établi deux jours auparavant. Il l'était en tout cas suffisamment pour avoir été son agresseur. Sime jeta un coup d'œil sur ses mains et vit que ses jointures étaient éraflées et contusionnées. C'est à cet instant que lui revint à l'esprit un détail qu'il avait jusqu'à présent occulté. Son assaillant était ganté.

« Où étiez-vous la nuit dernière vers minuit ? », lui demanda Crozes.

Clarke regarda Sime et fit un signe de tête en direction de Crozes. « Vous me présentez ?

— Lieutenant Daniel Crozes », dit Crozes en lui montrant son insigne. « Vous voulez bien répondre à la question, s'il vous plaît ? »

Clarke s'appuya sur sa débroussailleuse et les regarda par en dessous. « J'étais en train de sauter cette magnifique blonde », lâcha-t-il. « Des nichons comme ça. » Il leva les mains vers son torse et fit mine de saisir une poitrine imaginaire. Leur expression étonnée le fit éclater de rire. « Dans mes rêves, bordel ! Je dormais. Au lit, à la maison. Demandez à ma femme. » Il sourit, découvrant des chicots marron qui, autrefois, avaient dû être des dents. « Mais ne lui dites rien à propos de la blonde, d'accord ? »

À l'improviste, Crozes se pencha en avant et arracha la casquette de Clarke, exposant les boucles de cheveux que la sueur avait collées sur son crâne, et un vilain hématome au sommet de sa pommette droite.

« Eh ! » Clarke essaya de récupérer son couvre-chef mais Crozes le maintenait hors de portée.

« Où avez-vous récolté ce bleu, monsieur Clarke ? »

Clarke porta immédiatement ses doigts à son visage et toucha sa pommette. Son sourire s'était évanoui. « J'ai glissé sur le bateau et je suis tombé », fit-il comme s'il les défiait de le contredire. Il posa les yeux sur Sime et son sourire revint, un rictus laid, sans humour. « Et vous, où avez-vous récolté le vôtre ? »

Cela ne paraissait pas servir à grand-chose de demander à Mary-Anne Clarke de confirmer les allées et venues de son époux la veille. Où qu'il ait été, elle leur affirmerait qu'il était au lit avec elle, chez eux. Toutefois, Crozes décida qu'il enverrait quelqu'un plus tard pour recueillir sa déclaration. Pour le dossier. La minutie n'était pas le moindre de ses défauts.

Tandis qu'ils roulaient sur la voie rejoignant Chemin Main, ils virent au loin des groupes d'insulaires, menés par des policiers, qui passaient l'île au peigne fin à la recherche de Norman Morrison. Plus d'une trentaine d'habitants s'étaient portés volontaires. Ils fouillaient les vieilles granges et les abris abandonnés, ratissaient les cours d'eau et les criques envahis de végétation. La brise soufflait sur les hautes herbes et dessinait des vagues et des courants, comme le vent sur l'eau. La couche nuageuse était haute et ne laissait filtrer qu'un soleil vaporeux qui parvenait tout de même à alléger la noirceur de l'océan dont la masse imposante se déplaçait inlassablement autour de l'île.

Sime conduisait et Crozes fixait les groupes de recherche à travers la vitre, l'air absent. « Je vais envoyer le gros de l'équipe pour participer aux recherches », marmonna-t-il. « Plus vite nous retrouverons ce type pour l'inculper ou le disculper, mieux ce sera. Et on pourra enfin essayer de boucler cette affaire. » Il avança la tête pour scruter l'horizon proche. « Qu'est-ce que c'est que ce truc ? »

Sime tendit le cou et vit une demi-douzaine de quads évoluer sur les reliefs de l'île parallèlement au trajet que suivait le minibus sur Chemin Main. « On dirait le fils Clarke et ses potes. »

Crozes plissa le front. « Blanc m'a dit que vous aviez eu un accrochage avec quelques gamins en quad. Il ne m'a pas dit que l'un d'entre eux était le fils de Clarke.

— Il a failli me renverser et il a trouvé le moyen de se casser la figure dans la foulée. »

Crozes grogna. « Il a perdu la face devant ses amis. Vous avez eu des mots ?

— Il nous a priés en termes on ne peut plus clair de laisser son père tranquille. »

Crozes se redressa. « Allons lui dire deux mots. »

Sime vira à gauche et emprunta la route qui conduisait à l'église, accélérant pour passer les ornières et les nids-de-poule. Le minibus brinquebalait sur le revêtement défoncé en faisant un bruit de ferraille et les motards mirent un certain temps à comprendre qu'il allait leur couper la route. Sime braqua brutalement le volant à gauche et le véhicule tangua en travers de la voie pour s'immobiliser, le flanc face aux quads qui déboulaient. Ils bifurquèrent immédiatement en direction de Big Hill. Crozes sauta hors du véhicule et leur hurla de s'arrêter. Avec un temps de retard, les quads s'immobilisèrent. Bravant le bruit des moteurs au ralenti et les gaz d'échappement, Crozes leva son insigne au-dessus de sa tête. « Police », cria-t-il. « Amenez-vous par ici. » Et, de la main, il leur fit signe de s'approcher. Les jeunes échangèrent quelques regards puis, l'un après l'autre, enclenchèrent une vitesse et firent demi-tour pour revenir, sans se presser, jusqu'au minibus pendant que Sime en sortait. Ils formèrent un demi-cercle autour de deux policiers. « Lequel d'entre vous est Clarke ? », demanda Crozes.

Chuck Clarke était au milieu de la bande, le chef sans aucun doute. Ses cheveux hérissés en pointes avec du gel restaient immobiles malgré le vent. « Qu'est-ce que vous me voulez ?

— Arrêtez-moi ces engins », ordonna Crozes. Le bruit des moteurs laissa place au chant du vent dans les herbes et au son de la mer qui venait s'affaler sur la côte sud. Crozes regarda Chuck. « Descends de ta bécane, fiston. »

L'adolescent avança la mâchoire, l'air belliqueux. « Et si je refuse ? »

Crozes ôta ses lunettes noires d'un geste lent. « Je mène une enquête criminelle, gamin. Si tu veux y faire obstruction, je t'envoie à Cap-aux-Meules passer du bon temps en cellule avant que tu aies le temps de dire "quad". » Il reposa ses lunettes sur l'arête de son nez. « Maintenant, descends de ta foutue bécane. »

C'était une nouvelle humiliation pour le fils Clarke, mais il n'avait pas d'autre choix que d'obtempérer. Il mit pied à terre lentement et prit la pose, les jambes légèrement écartées, les poings gantés plantés sur les hanches, puis fixa Crozes d'un regard noir.

Le bonhomme était bien bâti. Plus d'un mètre quatre-vingt. Sime inspecta du regard son jean et son blouson en cuir noir. Il portait des Doc Martens éraflées et Sime se dit qu'il pouvait très bien s'agir des chaussures qui lui avaient meurtri les côtes. Il s'arrêta sur les gants en cuir, onéreux, cousus à la main. Kirsty avait mentionné les gants de son agresseur, et les coutures du cuir.

« Où étais-tu la nuit dernière ? », lui demanda Crozes.

Chuck, visiblement mal à l'aise, lança un regard vers le reste de sa bande. « Pourquoi ?

— Contente-toi de répondre à la question, fiston. »

L'une des filles parla. « On a fait la fête, hier soir. Mon père a une grange de l'autre côté de Cherry Hill. On peut y jouer de la musique aussi fort qu'on veut sans déranger personne.

— Ça a duré combien de temps ?

— Oh, je ne sais pas trop. Jusqu'à trois heures du matin, peut-être. »

Crozes inclina la tête. « Et Chuck était avec vous pendant tout ce temps ?

« — Oui », répondit un des garçons. Il se laissa aller en arrière sur le confortable siège en cuir, entrelaça ses doigts derrière sa tête et croisa les pieds sur le guidon de son quad. « C'est interdit par la loi ?

— Non. À moins que vous ayez bu. Ou fumé de la came. »

Le malaise fut perceptible au sein de la bande et Crozes se concentra de nouveau sur Chuck. « Où étais-tu la nuit où monsieur Cowell a été assassiné ? »

Chuck, offusqué, manqua de s'étrangler et son visage s'assombrit. « Vous ne pensez tout de même pas que j'ai quelque chose à voir avec ça ?

— Je t'ai posé une question.

— J'étais à la maison avec mes parents », lança Chuck en imitant l'accent français prononcé de Crozes. Les autres gamins s'esclaffèrent.

Crozes sourit, comme amusé. « Bien imité, Chuck. Maintenant, si c'est ce que tu cherches, je peux faire saisir tous tes vêtements pour qu'ils soient examinés par la police scientifique. Et je peux aussi t'arrêter et te maintenir en détention pour quarante-huit heures pendant qu'une équipe d'experts démontera ta maison morceau par morceau. Ce qui, j'en suis persuadé, ravira tes parents. »

La peau claire de Chuck vira au rouge. « J'ai passé la nuit à la maison. Demandez à ma mère. »

Sime se dit que Mary-Anne Clarke fournirait des alibis pour la famille entière.

Le portable de Crozes sonna dans sa poche et il se détourna pour l'en sortir et répondre. Il s'enfonça un doigt dans l'oreille et s'éloigna de quelques pas. Attentif et silencieux pendant un moment, il finit par prononcer quelques mots et raccrocha. Il se tourna vers les jeunes et agita la main vers l'horizon. « Allez-y », cria-t-il. « Et si vous voulez vous rendre utiles, participez aux recherches pour trouver Norman Morrison. »

Sans perdre un instant, ils relancèrent leurs moteurs et partirent en se faufilant à travers les collines. Le rugissement des engins s'atténua et Crozes se tourna vers Sime. « Ariane Briand vient d'atterrir à l'aéroport de Havre-aux-Maisons », annonça-t-il. « Vous allez prendre le bateau et vous y rendre, Blanc et toi. Je veux savoir ce qu'elle a à dire. »

CHAPITRE 21

I

Pendant la traversée vers Cap-aux-Meules, Blanc s'appliqua à ne pas évoquer l'attaque et les cinquante minutes passèrent en silence. Sime le surprit tout de même lorgnant la marque sur le côté de son visage. Embarrassé, Blanc se sentit obligé de dire quelque chose. « Tu vas bien ? »

Sime fit oui de la tête. « Je survivrai. »

L'atmosphère était tendue entre eux.

Ils récupérèrent la Chevrolet que l'équipe avait garée au port et Blanc les conduisit vers le sud sur le chemin Principal avant d'emprunter la route littorale qu'ils avaient parcourue deux jours plus tôt, sous la pluie. Cette fois, ils trouvèrent un véhicule garé devant la demeure des Briand. Ariane Briand était de retour chez elle.

Quand elle ouvrit la porte, Sime comprit ce qu'Ait-kens avait voulu dire à son propos. « C'était un vrai canon. C'est encore le cas. Je ne connais pas un garçon qui n'en pinçait pas pour elle. »

Elle était plus proche de la quarantaine qu'elle aurait certainement voulu l'admettre, mais c'était encore une belle femme. Elle portait un petit haut à manches courtes qui laissait voir son ventre ferme et bronzé au-dessus d'un jean moulant qui mettait en valeur la finesse de sa taille. Ses cheveux châtains parcourus de mèches blondes tombaient en boucles épaisses et savamment négligées sur ses épaules. Elle avait des yeux noisette, des lèvres fines et pleines, et un menton d'un dessin si parfait que la plupart des femmes n'auraient d'autre recours que la chirurgie esthétique pour en espérer un semblable.

Elle était très peu maquillée et son âge ne se devinait qu'aux rides presque invisibles aux coins de ses yeux et de sa bouche. Elle faisait partie des femmes, Sime le savait par expérience, que l'on ne pouvait admirer que de loin, à moins d'être riche ou puissant. Cowell était riche et son ex, à ce qu'il supposait, pouvait être considéré comme puissant. En tout cas, un gros poisson dans un petit bocal.

Elle fit un pas en arrière et les observa avec curiosité. Sime constata qu'elle était pieds nus. « Puis-je vous aider ? »

Blanc lui montra son insigne. « Sûreté, madame. Nous enquêtons sur le meurtre de James Cowell.

— Oui, bien sûr. Vous feriez mieux d'entrer. » Elle s'écarta pour les laisser passer.

Ils pénétrèrent dans une vaste salle à manger, haute de plafond, où d'immenses Velux installés dans la pente du toit laissaient entrer la lumière en cascade dans la pièce. Une ouverture en arche donnait sur une grande cuisine carrée avec un îlot au centre. Ils n'allèrent pas plus loin que la salle à manger. Ariane Briand était plantée au milieu de la pièce, leur barrant presque le passage, les bras croisés, sur la défensive, à la limite de l'hostilité.

« Bon… », entama Blanc. « Auriez-vous l'amabilité de nous dire où vous étiez ces deux derniers jours ?

— Eh bien, peut-être pouvez-vous me dire en quoi cela vous regarde ? »

Blanc se braqua. « Madame, vous pouvez répondre à mes questions ici ou dans les locaux de la Sûreté. À vous de choisir. »

Elle pinça les lèvres pensivement. Si la remarque l'avait déstabilisée, elle n'en laissa rien paraître. « Je suis allée faire du shopping à Québec. C'est illégal ?

— En sachant que votre amant venait d'être assassiné ?

— Je ne le savais pas avant de revenir dans l'archipel ce matin. »

Sime désigna de la tête une valise en cuir couleur sang-de-bœuf posée sur le sol de la cuisine et appuyée contre l'îlot. « À qui appartient cette valise ? »

Elle lança un coup d'œil par-dessus son épaule. Son inimitié demeurait intacte. « À James. Ce sont les affaires qu'il a apportées quand il s'est installé ici.

— Quand était-ce exactement ?

— Il y a un peu plus d'une semaine. Le jeudi ou le vendredi. Je ne me rappelle pas.

— Et il ne l'a pas défaite ? », s'étonna Blanc.

L'espace d'un instant, elle parut décontenancée. « Je viens de finir de la préparer. Vous pouvez l'emporter, si vous voulez. »

Blanc gratta sa calvitie. « Si je puis me permettre, madame Briand, vous ne donnez pas l'image de l'amoureuse éplorée. »

Elle serra les mâchoires et pointa le menton dans sa direction. « Le deuil peut revêtir bien des formes, sergent. »

Pendant leur échange, Sime laissa son regard vagabonder dans la pièce. Un pardessus d'homme était suspendu au portemanteau à côté de la porte d'entrée. Il paraissait trop grand pour être celui de Cowell. Mais, même s'il s'agissait du sien, pourquoi ne l'avait-elle pas mis dans la valise avec le reste de ses affaires ? Sur le buffet était posé un grand cadre contenant une photographie d'Ariane en compagnie d'un homme qu'il ne reconnut pas. Il avait un bras passé autour de sa taille et tous deux riaient de bon cœur face à l'objectif, partageant une blague avec celui qui prenait le cliché.

Il entendit Blanc qui demandait : « Avez-vous une idée de qui aurait pu avoir un mobile pour assassiner monsieur Cowell, madame ? »

Elle haussa les épaules, les bras toujours croisés. « Enfin, c'est évident, non ?

— Ah bon ? », dit Sime.

« Bien sûr. Kirsty Cowell, qui d'autre voulez-vous que ce soit ?

— Qu'est-ce qui vous fait penser ça ? », enchaîna Blanc.

« Parce qu'elle l'a quasiment menacé. »

Il s'ensuivit un long silence embarrassé. « Expliquez-nous », finit par dire Sime.

Ariane Briand écarta légèrement les pieds comme pour se préparer à défendre sa position et les mettre au défi de l'affronter. « Elle a débarqué ici la veille du meurtre. »

La révélation provoqua des picotements sous le cuir chevelu de Sime. « Kirsty ? »

Elle le regarda, l'air étonné. Il avait prononcé son prénom comme s'ils étaient intimes. « Oui.

— Tous les gens que nous avons interrogés nous ont dit qu'elle n'avait pas quitté l'île une seule fois en dix ans », fit Blanc.

« Eh bien, ce soir-là, elle en est partie.

— Comment a-t-elle fait la traversée ?

— Il faudra que vous lui demandiez. Mais je sais que James et elle avaient un petit bateau amarré à la jetée en contrebas de leur maison. Et il y a un port près de la route à Gros-Cap. C'est sans doute là qu'elle a accosté. Elle a dû marcher sous la pluie car elle était trempée jusqu'aux os quand j'ai ouvert la porte.

Sime se l'imagina, debout dans le noir, devant la porte, les cheveux mouillés et répandus en nœuds épais sur ses épaules, comme il l'avait vue le premier jour alors qu'elle venait de prendre une douche. Mais ce n'était pas une image à laquelle il voulait songer.

« Que voulait-elle ? », demanda Blanc.

« James.

— Que voulez-vous dire ? », interrogea Sime en fronçant les sourcils.

« Elle était à la recherche de son mari, voilà ce que je veux dire. Elle était au bord de l'hystérie. Elle n'a pas voulu me croire quand je lui ai dit qu'il n'était pas là. Elle est entrée de force et a fait le tour de la maison en hurlant son prénom. Comme je ne pouvais rien faire pour l'en empêcher, je suis restée là en attendant qu'elle réalise que je disais la vérité. »

Sime était stupéfait. Le tableau que l'épouse Briand dépeignait de Kirsty ne correspondait en rien à l'idée qu'il se faisait d'elle, ni aux déclarations qu'elle avait faites pendant les interrogatoires. Ou à la description que Jack Aitkens avait livrée d'elle. « Sereine », c'était le mot qu'il avait employé. « Comme si elle possédait une espèce de paix intérieure. Je ne l'ai jamais vue se mettre en colère », avait-il dit. Mais il avait aussi avoué qu'il la connaissait à peine.

« Quand elle a fini par admettre qu'il n'était pas là, elle est devenue anormalement calme. » Ariane Briand semblait revivre la scène. « Ses yeux brûlaient de colère. Fixes. Elle m'a dit d'une voix à peine audible qu'elle n'avait pas l'intention de perdre James sans se battre. Et que si elle ne pouvait pas l'avoir, elle était certaine que personne d'autre ne le pourrait. »

Sime aperçut son reflet dans le miroir accroché au-dessus du buffet et vit à quel point il était pâle. Pour la première fois, il accepta d'envisager la possibilité que, peut-être, Kirsty Cowell avait bel et bien assassiné son mari.

« La nuit du meurtre », poursuivit Blanc, « saviez-vous que Cowell retournait sur l'île d'Entrée ? »

Elle secoua négativement la tête. « Non. Il était là plus tôt dans la journée. Il a reçu un appel sur son portable. Je ne sais pas qui c'était, mais la conversation n'a pas été agréable et il était assez agité quand il a raccroché. Il m'a dit qu'il devait s'occuper de quelque chose et qu'il serait de retour deux heures plus tard. »

Blanc lança un regard vers Sime, mais il était perdu dans ses pensées. « Vous allez devoir nous accompagner au poste de police, madame Briand, pour faire une déposition officielle. » Il passa à côté d'elle pour ramasser la valise de Cowell. « Et nous embarquons ça. »

Sime se tourna et souleva le manteau accroché à côté de la porte. « Et ça ? »

Elle eut une brève hésitation. « Non, ce n'est pas à lui. »

II

Ariane Briand venait de répéter sa version des faits dans la salle d'interrogatoire du poste de police. Thomas Blanc avait mené l'entrevue pendant que Sime en suivait le déroulement sur les moniteurs installés dans le bureau voisin. Soumise aux questions chirurgicales de Blanc, elle avait fourni d'autres détails qui avaient jeté une lumière encore plus crue sur la visite inattendue de Kirsty.

Plus tard, assis au bord du lit, dans sa chambre, Sime se sentit sombrer dans la déprime. Il s'était créé une image de Kirsty Cowell, soigneusement élaborée, touche après touche, et tout avait été effacé d'un coup de pinceau qui faisait d'elle une menteuse. Elle avait quitté l'île. Elle avait menacé la maîtresse de son mari et, de manière implicite, Cowell lui-même.

Le bateau qu'avaient emprunté Sime et Blanc pour rejoindre Cap-aux-Meules était reparti pour l'île d'Entrée avec des volontaires supplémentaires désireux de participer aux recherches pour retrouver Morrison. Ils avaient donc une heure à tuer avant qu'il ne revienne et qu'ils puissent traverser à leur tour. Blanc avait suggéré de boire un café au Tim Horton de l'autre côté de la route mais Sime avait décliné l'invitation et s'était réfugié dans sa chambre d'hôtel où il avait tiré les rideaux pour se couper du monde et se plonger dans une demi-obscurité.

Il se débarrassa de ses chaussures et remonta ses pieds sur le lit. Il s'appuya contre la tête de lit, le dos calé par un oreiller, et sortit son portable. Un sentiment de culpabilité croissant l'envahissait. Il savait qu'il était temps d'appeler sa sœur. À part elle, personne ne pouvait le renseigner sur l'anneau ou les journaux intimes.

Cela faisait si longtemps qu'il ne lui avait pas parlé. Pas même au téléphone. Combien ? Cinq ans ? Pauvre Annie. Il ne s'était jamais senti proche d'elle, sans véritable raison d'ailleurs. Bien sûr, il y avait la différence d'âge. Elle avait quatre ans de plus que lui.

Mais il y avait autre chose. Il avait toujours été un garçon solitaire, indépendant, autonome et qui ne s'était jamais intéressé à sa sœur. Même quand elle avait cherché à renouer avec lui après la mort de leurs parents.

Dès son départ de l'école, il avait suivi sa voie et était parti pour la grande ville. Elle était restée et avait épousé un voisin, un garçon qui avait été en classe avec elle. Il parlait le français. Elle lui avait donné un garçon, puis une fille. Ceux-ci étaient adolescents, à présent, et ne parlaient pas un mot d'anglais.

Il n'était revenu qu'une seule fois, pour les funérailles de leurs parents.

Il avait vu Annie pour la dernière fois lorsqu'elle était venue à son mariage. Sans son mari. Elle lui avait transmis ses excuses, mais Sime savait que Gilles n'appréciait pas la manière dont son beau-frère l'avait négligée.

Une nouvelle vague de culpabilité le submergea, froide, réprobatrice. Marie-Ange avait sans doute raison. Peut-être était-il bel et bien tel qu'elle le décrivait. Égoïste, nombriliste. Ces facettes de sa personnalité ne lui renvoyaient rien de plaisant et il s'en détourna, tout comme, depuis quelque temps, il évitait son reflet dans le miroir.

Il trouva le numéro d'Annie dans la liste des contacts de son portable et, au prix d'un immense effort, appuya sur la touche d'appel. Avec appréhension, il colla l'appareil contre son oreille. Au bout de quelques sonneries, un garçon à la voix éraillée répondit. « Ouais ?

— Salut. Est-ce que ta mère est là ?

— C'est de la part de qui ? » Il semblait ennuyé. Ou déçu. Peut-être attendait-il un coup de fil.

Sime hésita. « C'est ton oncle Simon. »

Il y eut un long silence au bout de la ligne, difficile à interpréter. « Je vais la chercher », finit par dire le garçon.

Il entendit des voix étouffées. Puis de nouveau le silence. Les battements de son cœur lui remontaient dans la gorge. Soudain, il entendit la voix de sa sœur. « Sime ?

— Salut frangine. » Il redoutait sa réponse.

Mais il aurait dû savoir qu'il n'y avait pas lieu de s'inquiéter. Elle n'avait jamais été rancunière. Au contraire, au-delà de la surprise, elle semblait ravie. « Oh, mon Dieu, mon petit frère ! Bon sang, comment vas-tu ? »

Et il lui raconta. Sans préambule. La vérité pure et simple. Sa rupture avec Marie-Ange, ses insomnies. Même s'il sentait à travers son silence que sa sœur était ébranlée, le simple fait de partager tout ce qu'il avait étouffé pendant si longtemps lui procura un immense soulagement.

« Pauvre Sime », fit-elle avec sincérité, faisant écho au « pauvre Annie » qui avait traversé son esprit quelques minutes plus tôt. « Pourquoi ne viens-tu pas à la maison, passer quelque temps avec nous ? »

Le terme « maison » sonnait bizarrement dans sa bouche. Elle vivait encore dans la petite ville militaire de Bury, dans les Cantons-de-l'Est au sud-est de Montréal. Sime n'y avait pas mis les pieds depuis des années. Mais l'idée le réconfortait.

« Je ne peux pas pour l'instant. Je suis sur les îles de la Madeleine, une enquête sur un meurtre. » Il hésita. Dès l'instant où il lui poserait la question, elle saurait que son appel n'était pas sans arrière-pensée. « Annie, tu te souviens de ces journaux intimes ? Ceux que mamie nous lisait quand nous étions mômes ? »

Si elle fut déçue, elle n'en laissa rien paraître. « Euh, oui, bien sûr. Pourquoi ? », lui demanda-t-elle sur le ton de la surprise.

« Tu les as toujours ?

— Oui, quelque part. J'ai gardé tout ce que nous avions récupéré chez maman et papa, et chez mamie. Je m'étais dit qu'il faudrait que je trie tout ça un de ces jours, mais on a tout entreposé dans le grenier au-dessus du garage. Tu sais ce que c'est, loin des yeux…

— J'aimerais les relire. » Bien qu'elle essayât de la contenir, la curiosité de sa sœur était palpable.

« Bien sûr. Quand ça t'arrange.

— Je viendrai dès qu'on aura bouclé cette affaire aux Madeleines.

— Ça serait vraiment chouette, Sime. Je serai ravie de te voir. » Puis, n'y tenant plus : « Pourquoi t'inté-resses-tu soudainement à ces journaux ?

— C'est compliqué », se contenta-t-il de répondre. « Je t'expliquerai quand on se verra. » Puis, il en-chaîna : « Annie… tu te souviens de l'anneau que j'ai hérité de papa ?

— Oui. Un genre de pierre rouge semi-précieuse, c'est ça ? Gravée avec des armoiries familiales. Pas les nôtres en tout cas. Cela représente un bras et une épée, non ?

— C'est ça. Tu connais son histoire ? »

Elle rit. « Il va vraiment falloir que j'attende ta venue pour savoir de quoi il s'agit ?

— Désolé, frangine, je n'ai pas le temps d'entrer dans les détails maintenant.

— Eh bien, il a été transmis de père en fils. À l'ori-gine, il appartenait à notre arrière-arrière-arrière-grand-père, je crois. Celui qui a rédigé les journaux intimes et dont tu portes le nom. Je suis même sûre qu'il y a dedans quelque chose à propos de l'anneau. Mais je ne me rappelle pas quoi.

— Sais-tu où il l'a eu ou de quelle manière ?

— Je crois qu'il lui avait été offert par sa femme. »

Sime était découragé. Si c'était vrai, il ne voyait pas quel lien cela pouvait avoir avec Kirsty Cowell. « Il a rencontré sa femme ici, au Canada, non ?

— Exact. Elle était servante, ou un truc dans le genre, à Québec. »

Une impasse.

Comme il restait silencieux, elle finit par dire : « Sime ? Tu es toujours là ?

— Oui, je suis toujours là. »

Il sentit son hésitation. « C'était le dixième anniversaire la semaine dernière, Sime. »

La remarque le désarçonna quelques secondes. « De quoi ?

— De l'accident de maman et papa. »

La culpabilité revint. Pendant les années qui s'étaient écoulées depuis l'accident, il avait à peine pensé à ses parents. Il se souvenait, bien sûr. Cela s'était passé à cette période de l'année. À l'automne, des pluies diluviennes avaient gonflé la Salmon River qui avait emporté le pont qui la franchissait et les voitures qui s'y trouvaient. Ironie du sort, seuls leurs parents avaient perdu la vie dans le drame.

« Quelqu'un a fleuri leur tombe. Je leur rends souvent visite. J'ai trouvé cela adorable que quelqu'un d'autre se souvienne. En revanche, je n'ai aucune idée de qui cela peut être », poursuivit Annie.

« Annie, il faut que je te laisse. Je t'appelle quand je suis de retour chez moi, OK ? »

Il raccrocha et ferma les yeux. Il avait appris à occulter tant de choses de sa vie. Comme la mort de ses parents. Il s'était toujours dit qu'il aurait le temps de leur dire qu'il les aimait, même s'il n'avait jamais été vraiment certain que ce soit le cas. Et la mort avait surgi et, pour la toute première fois, il s'était senti seul au monde.

La douleur de son ancêtre lors de la perte de son propre père lui revint en mémoire au milieu d'un déferlement de souvenirs d'enfance. C'était un soir d'hiver particulièrement froid, peu de temps après le nouvel an. La grand-mère leur en avait lu le récit, après le dîner. Annie et lui étaient assis à ses pieds, près du feu, pendant qu'elle lisait. Plus tard, dans la nuit, il en avait fait des cauchemars. Il ne pouvait imaginer à l'époque ce qu'il ressentirait s'il perdait l'un de ses parents. Et encore moins les deux.

CHAPITRE 22

Même si le ciel était encore baigné de lumière, l'intérieur de la *blackhouse* était aussi sombre qu'une nuit d'hiver. Les visages assemblés autour de la lueur tremblotante du feu de tourbe affichaient tous un air conspirateur.

Assis au milieu des hommes, j'écoutais et restais silencieux.

Je me rappelle encore parfaitement la première fois que nous avions perdu la récolte de pommes de terre, l'année précédente. Sur les *lazybeds*, les feuilles vertes et en pleine santé étaient devenues noires et gluantes en l'espace d'une nuit. Je me souviens que l'on m'avait envoyé vérifier le stock de pommes de terre dans la grange et, lorsque j'avais soulevé la bâche qui les protégeait, du parfum de pourriture qui s'était élevé des tubercules en décomposition, que nous avions cultivés et récoltés avec soin douze mois auparavant.

Catastrophe !

Sans la pomme de terre, nous ne pouvions pas survivre. Elle faisait partie de chaque repas. Notre maigre récolte d'avoine et d'orge ne servait qu'à améliorer une alimentation complètement tributaire de la patate. Et une maladie invisible nous avait dérobé cette source de vie. Une maladie envoyée par Dieu. Pour nous punir de nos péchés, comme l'aurait dit le prêtre.

Il devait y avoir un peu plus d'une douzaine d'hommes assis autour des braises de la tourbe, perdus dans le nuage de fumée qui flottait lourdement dans l'air de la salle de l'âtre. La faim se lisait dans leurs joues creusées. J'avais vu des hommes forts devenir faibles, comme moi, et des hommes robustes devenir maigres. J'avais vu ma mère et mes sœurs dépérir à vue d'œil, réduites à fouiller la côte pour y ramasser des coquillages. Des berniques et des palourdes. De la nourriture pour les vieilles femmes édentées. Elles cueillaient des orties pour faire de la soupe et des potentilles dont les racines, une fois séchées et moulues, donnaient une espèce de farine. Toutefois, ce n'était qu'un piètre substitut aux vraies céréales et nous en avions en quantité à peine suffisante pour nous nourrir.

Les pêcheurs ne laissaient plus sécher leurs poissons sur les rochers de peur que nous les volions et nous ne possédions pas de bateaux pour sortir en mer et pêcher pour nous-mêmes.

Comme toujours, mon père menait la discussion. Calum, le vieil aveugle, était assis à ses côtés et écoutait attentivement depuis son monde noyé dans l'obscurité. Il était à ce point amaigri que son Glengarry semblait engloutir son crâne.

La voix de mon père était chargée d'une fureur retenue. « Guthrie distribue les rations de céréales du comité pour les indigents et, ensuite, il en ajoute le prix à celui de nos loyers. Il passe pour un bienfaiteur tout en se fabriquant une excuse pour nous chasser de notre terre. Des loyers au-delà de nos moyens, des dettes que nous ne pourrons jamais rembourser. Et pendant que nous crevons de faim, lui et ses petits copains chassent le cerf, pêchent le saumon dans la rivière et festoient comme des rois. »

La grogne s'élevait autour du feu comme de la fumée. J'entendis des hommes de Dieu employer le langage du diable. « Il y a de la nourriture tout autour de nous, et nous ne pouvons rien manger », lança l'un des hommes.

La colère faisait trembler la voix de mon père. « Mais nous pourrions manger. Cela nous est seulement interdit. La loi qui sert les intérêts des riches nous en empêche. » C'était un de ses thèmes de prédilection et je l'avais souvent entendu exprimer son indignation à ce sujet. « Eh bien, trop c'est trop ! Le moment est venu de prendre la loi entre nos mains et de récolter ce que le Seigneur a mis sur terre pour nous tous, et pas seulement pour les privilégiés. »

Un silence de mort régnait autour du feu. Pas un des hommes présents n'ignorait ce que cela signifiait.

Le ton de mon père se fit plus dur, irrité par leur manque de courage. « C'est notre devoir de nourrir nos familles. Je n'ai pas l'intention de rester les bras croisés à regarder les miens mourir lentement.

— Que proposes-tu, Angus ? » C'était notre voisin, Donald Dubh, qui venait de parler.

Mon père se pencha vers le feu et dit d'une voix grave et ferme : « De l'autre côté de la colline Sgagarstaigh, les terres grouillent de cerfs. Dans ce que ces rupins ridicules appellent une forêt à cerfs. » Il laissa échapper un rire ironique. « Et il n'y a pas un fichu arbre à l'horizon ! » Son visage était dur comme la pierre et les lueurs des braises dansaient dans ses yeux noirs. « Si nous y allons demain, après minuit, il devrait y avoir assez de lumière pour que nous puissions chasser et pas une âme en vue. On tue autant de cerfs qu'on peut en transporter et nous les rapportons ici. »

Le vieux Jock Maciver prit la parole. « Si nous nous faisons prendre, nous finirons en prison, Angus. Ou pire.

— Pas si nous sommes assez nombreux, Jock. Une grande partie de chasse. S'ils nous attrapent, les journaux en parleront. Pense à ce que cela donnera. Des hommes affamés, arrêtés pour avoir tenté de nourrir leurs familles. Guthrie ne fera rien si nous sommes pris. Il sait que les tribunaux n'oseront jamais nous condamner. Ça serait la révolution ! »

Il n'y avait pas un homme autour du feu qui n'aurait donné son bras droit pour un cuissot de gibier. Mais tous craignaient les conséquences.

Quand ils furent partis, ma mère et mes sœurs revinrent dans la maison. Elles étaient restées dehors avec les autres femmes du village, assises autour d'une longue table installée entre les *blackhouses*, foulant le tweed fraîchement tissé pour l'assouplir. En général, elles chantaient tout en frappant le tissu et la discussion des hommes rassemblés autour du feu aurait dû être accompagnée par les voix de leurs compagnes entonnant des chants en gaélique à l'extérieur. Mais les femmes étaient silencieuses à cause de la faim. La première chose que vous vole la famine, c'est votre esprit.

Mon père sortit sa vieille arbalète du tiroir du bas de la commode et, à l'aide d'un chiffon, commença à passer de l'huile sur les traces de rouille apparues sur le fer. C'était une arme de guerre, lourde et mortelle, fabriquée par un forgeron, et que mon père avait échangée des années auparavant contre un écheveau de tweed. Il en était fier, ainsi que des carreaux qu'il avait lui-même confectionnés, courts mais bien équilibrés avec des empennages en plume et des pointes en silex.

Quand il eut terminé, il la mit de côté et commença à aiguiser le couteau de chasse qu'il avait utilisé lorsque le domaine l'avait employé comme aide lors des battues. Il était doué pour le *gralloch*, l'étripage du cerf. Les fois où je l'avais accompagné, je l'avais regardé faire avec une espèce de fascination. Et de dégoût. C'est un sacré spectacle de voir les entrailles d'un animal jaillir presque intactes, la vapeur s'élevant du sang encore chaud.

« Quel couteau faut-il que je prenne ? », lui demandai-je. Il me regarda, l'air grave.

« Tu ne viens pas, fils. »

Je sentis simultanément la morsure de la colère et celle de la déception. « Pourquoi ?

— Parce que si demain soir, pour une raison ou pour une autre, je ne reviens pas, quelqu'un devra s'occuper de ta mère et de tes sœurs. »

Ma gorge se serra. « Qu'est-ce que tu veux dire, si tu ne reviens pas ! »

Il rit en se moquant gentiment de moi et posa une main sur mon épaule. « Je n'ai pas l'intention de me faire attraper, mon garçon, mais si cela arrive, ils vont probablement m'emmener, avec tous ceux qu'ils attraperont, à la prison de Stornoway. Au moins jusqu'à ce qu'il y ait un jugement – ou qu'ils nous libèrent. Quoi qu'il en soit, tu devras prendre ma place jusqu'à mon retour. »

Je les regardai partir, peu après minuit. Il y avait encore de la lumière, et il y en aurait jusqu'au matin. La nuit était claire, avec une belle lune qui inonderait le paysage quand arriverait le crépuscule. Le vent était tombé, chose inhabituelle, et cela signifiait que les simulies allaient les dévorer vivants. Avant de s'en aller, mon père se frotta les mains et le visage avec du piment royal pour les tenir à distance.

Il devait y avoir une quinzaine d'hommes ou plus pour la partie de chasse, tous armés de couteaux et de gourdins. Deux d'entre eux avaient des arbalètes, comme mon père. Je grimpai sur la colline qui dominait Baile Mhanais et, déçu de ne pas être des leurs, je les regardai s'éloigner jusqu'à disparaître. À presque dix-huit ans, je n'étais plus un petit garçon.

Je trouvai un abri pour attendre leur retour et, tandis que je m'installais, je sentis les simulies se jeter sur mon visage et mes cheveux. Je ramenai ma veste sur ma tête et mes genoux sous mon menton et me mis à penser à Ciorstaidh. Pas un jour n'était passé sans que je pense à elle avec au ventre une douleur semblable à celle que provoquaient les privations. Je m'étais souvent interrogé sur ce que nous serions devenus si je m'étais enfui avec elle comme elle le souhaitait. Mais cela ne servait à rien de penser aux occasions manquées. Et cela faisait déjà plus d'un an que je ne l'avais pas revue.

Environ deux heures plus tard, j'entendis au loin des voix d'hommes amplifiées par la quiétude de la nuit. Je me levai et les vis apparaître au sommet de la colline de Sgagarstaigh, groupés et avançant à vive allure. Ils transportaient quelque chose de lourd. Ma première pensée fut qu'ils revenaient plus tôt que prévu et que c'était pour cela qu'ils ne rapporteraient qu'un seul cerf.

Je dévalai le chemin et traversai la bruyère d'été sèche. Le sol se dérobait sous mes pas et sapait la force de mes jambes. Tandis que je m'approchais, je pouvais les entendre respirer, comme des chevaux à la fin d'une course, mais pas une voix ne s'éleva pour me saluer quand ils me virent courir à leur rencontre.

Je cherchai le visage de mon père, troublé de ne pas le voir. Était-il resté en arrière pour continuer à chasser seul ? Ou avait-il été pris ? Je ne pouvais pas m'imaginer pire jusqu'à ce que je comprenne que ce n'était pas un cerf qu'ils transportaient, mais un homme. Ils s'arrêtèrent à ma hauteur et je vis qu'il s'agissait de mon père. Son visage était pâle comme la mort, sa chemise et sa veste noircies de sang.

Pendant un instant, nous restâmes ainsi dans la semi-obscurité, sans savoir quoi dire. J'étais pétrifié au plus profond de mon être et je n'aurais pas pu parler même si j'avais trouvé les mots. Je fixai mon père, tenu par les bras et les jambes, la sueur qui luisait sur les visages de ses porteurs.

« Ils nous attendaient », dit Donald Dubh. « Comme s'ils avaient été avertis de notre venue. Le garde-chasse, le garde-pêche et une demi-douzaine d'hommes du domaine. Ils avaient des fusils, mon garçon !

— Il est… ? » Je fus incapable de formuler cette pensée.

« Il est vivant », m'assura quelqu'un d'autre. « Mais Dieu sait pour combien de temps. Ils ont tiré des coups de semonce au-dessus de nos têtes. Mais ton père a refusé de battre en retraite. On aurait dit qu'il voulait qu'ils nous capturent. Qu'il voulait être exhibé devant le public et la presse. Comme un fichu martyr. » Il marqua une pause. « Il marchait devant nous, dans leur direction, en hurlant comme un dément. Et un de ces bâtards l'a visé. En plein dans la poitrine.

— Aye, et ensuite, ces lâches ont tourné les talons et se sont enfuis », poursuivit Donald Dubh. « C'est un meurtre, pur et simple. Mais tu peux mettre ta

tête à couper que pas un d'entre eux n'aura à en répondre. »

Quand nous le transportâmes dans la maison pour
le déposer sur le sol en pierre à côté du feu de tourbe,
ma mère était hystérique. Elle hurlait de désespoir et
déchirait ses vêtements. Quelques hommes essayèrent
de la calmer. Je vis mes sœurs glisser un œil, dissimulées dans la pénombre de la pièce du fond, le visage
couleur de cendre.

Je m'agenouillai à côté de mon père et découpai sa
chemise. Il y avait un trou béant là où la balle avait
déchiré sa poitrine, juste sous les côtes, déchiquetant
les os et la chair. La balle n'était pas ressortie de l'autre
côté et j'en déduisis qu'elle avait dû se loger dans sa
colonne vertébrale. La faiblesse de ses battements de
cœur et le fait que la blessure ne saignait plus signi-
fiaient qu'il avait perdu trop de sang pour s'en sortir.
Il était en état de choc et déclinait rapidement.

Il ouvrit des yeux comme embrumés par la cataracte
et je ne pense pas qu'il me voyait. Sa main agrippa
mon avant-bras. Une poigne de fer qui lentement se
desserra. Enfin un long soupir rauque s'échappa de ses
lèvres et la dernière étincelle de vie quitta son corps.

Je n'avais jamais ressenti un tel désespoir. Ses yeux
étaient encore ouverts, fixés sur moi. Délicatement, je
les recouvris de ma main pour abaisser ses paupières.
Puis, je me penchai pour embrasser ses lèvres et mes
larmes chaudes coulèrent sur sa peau déjà froide.

Le cercueil consistait en une boîte rectangulaire de
facture sommaire, teintée en noir avec des racines de
nénuphars. Il reposait sur les dossiers de deux chaises
installées sur le chemin devant notre *blackhouse*. Plus

d'une centaine de personnes étaient rassemblées et seuls les cris plaintifs des mouettes poussées vers les terres par le mauvais temps et l'océan à marée haute qui frappait inlassablement la plage de galets rompaient le silence.

Les hommes portaient des casquettes et les femmes avaient la tête couverte d'un foulard. Ceux d'entre nous qui le pouvaient étaient en noir. Nous formions surtout un triste ramassis d'êtres humains démoralisés, habillés de loques et de haillons, le visage livide et creusé par la faim.

Le vent avait viré au nord-ouest, emportant avec lui les derniers vestiges de l'été. Le ciel endeuillé, chargé de nuages bas, se préparait à libérer son chagrin sur la terre. Calum, le vieil aveugle, vêtu comme toujours de sa veste bleue élimée aux boutons jaunes décolorés, se tenait à côté du cercueil. Son visage ressemblait à du mastic. Il posa sa main squelettique sur le bois. Pendant les années qui s'étaient écoulées depuis qu'il avait perdu la vue, il s'était consacré à apprendre par cœur la Bible en gaélique. Il commença à réciter.

« Je suis la résurrection et la vie, dit le Seigneur. Celui qui croit en moi, même s'il meurt, vivra ; et quiconque vit et croit en moi ne mourra jamais. »

Et de tout mon cœur, je souhaitais que cela fût vrai.

On attacha des rames de chaque côté du cercueil et six d'entre nous le soulevèrent, trois à chaque rame. Le cercueil suspendu à hauteur d'épaule, nous emmenâmes mon père pour son dernier voyage. Pardessus la colline puis, de l'autre côté, vers l'étendue de sable argenté qui partait en courbe vers le cimetière.

Seuls les hommes l'accompagnèrent. Trente ou quarante. Quand nous arrivâmes enfin sur le petit carré de *machair* envahi par les herbes et parsemé de pierres, nous nous mîmes à trois pour creuser un trou dans le sol sablonneux. Il fallut une demi-heure de travail avant que le trou soit suffisamment profond. Il n'y eut ni cérémonie, ni adieux, ni prêtre pendant que le cercueil était descendu dans le sol avant d'être enseveli. On couvrit ensuite le sol meuble avec du gazon apporté de la ferme et des petites pierres furent disposées à la tête et au pied de la sépulture.

Et ce fut terminé. Mon père était parti. Enfoui dans la terre avec ses ancêtres, n'existant plus que dans les mémoires de ceux qui l'avaient connu.

Les hommes firent demi-tour et repartirent en silence le long de la plage, replaçant leurs pas dans ceux qu'ils avaient laissés à l'aller, me laissant seul, fouetté par le vent, juste en dessous des pierres dressées où j'avais eu mon premier rendez-vous avec Kirsty. La mort passe, mais la lutte pour la survie continue. Au-delà du cap, je voyais des femmes et des enfants sur le rivage. Des silhouettes misérables, voûtées au milieu des rochers à marée descendante, ramassant des coquillages. Et je sentis les premières gouttes de pluie couler sur mes joues comme les larmes que je n'avais pas versées.

Je me retournai et fus surpris de trouver Kirsty, debout derrière moi. Elle portait une longue robe noire et elle avait ramené la capuche de sa cape sur sa tête. Son visage était aussi pâle que des os blanchis au soleil. Nous restâmes ainsi à nous regarder fixement pendant ce qui me sembla durer une éternité et je vis qu'elle était choquée par mon apparence. « J'ai pleuré pour toi en apprenant la nouvelle », dit-elle d'une toute petite voix.

Je plissai le front. « Comment l'as-tu appris ?

— Des domestiques m'ont raconté qu'un homme avait été tué lors du raid sur la forêt des cerfs. Des hommes du village de Baile Mhanais, m'ont-ils dit. » Elle fit une pause, luttant pour contrôler sa voix. « Pendant un instant, j'ai cru qu'ils parlaient de toi, c'était horrible. Et puis, j'ai appris qu'il s'agissait de ton père. » Elle aspira sa lèvre inférieure et prit mon visage entre ses mains. Je sentis leur fraîcheur, leur douceur, sur ma peau brûlante. « Je suis tellement désolée, Simon. »

Sa compassion et ce moment de tendresse anéantirent ma volonté de rester brave et, enfin, les larmes vinrent.

« Le shérif est allé recueillir des témoignages », poursuivit-elle. « Mais on dirait que personne ne sait qui a tiré le coup fatal. Ils disent que c'était un accident. »

La colère m'aiguillonna soudainement avant de se résorber tout aussi rapidement. Rien ne pouvait changer ce qui venait de se passer. Rien ne pouvait me rendre mon père. À présent, il ne me restait plus qu'à être celui qu'il voulait que je sois. J'essuyai mes larmes. « Ma famille et mon village meurent de faim. Il voulait juste trouver de la nourriture. »

Une inquiétude sincère se lisait sur son visage. « J'ai entendu dire que vous aviez de nouveau perdu la récolte de pommes de terre. Mais mon père vous distribue des céréales, n'est-ce pas ?

— Regarde-moi donc, Ciorstaidh ! Cela nous tient tout juste en vie. Je n'ai pas mangé de manière correcte depuis des mois. Les enfants et les vieillards meurent. » Ma colère se réveillait. La fureur de mon père brûlait en moi. « Demande à ton père pourquoi les gens meurent de faim alors qu'il y a des cerfs dans les collines et du poisson dans les rivières. Demande-le-lui! »

Je me détournai. Elle saisit mon bras. « Simon! »

Je lui fis face, tourmenté par les sentiments que j'éprouvais pour elle et par tout ce qui nous séparait. Je dégageai mon bras. « Je suis responsable de ma famille à présent. Et je ne vais pas les laisser mourir de faim.

— Que vas-tu faire?

— Je vais rapporter un cerf pour les nourrir. Ou mourir en essayant. Comme mon père. » Je dévalai la pente sans me retourner puis traversai à grandes enjambées l'étendue de sable laissée humide et lisse par la marée descendante.

Quand la pluie arriva de la mer, elle enveloppa les coteaux comme une brume, dépossédant le paysage des couleurs de l'été et de sa chaleur. Cela faisait plus d'une heure que j'avais quitté le village, une corde solide enroulée sur l'épaule, l'arbalète de mon père attachée dans le dos, et un carquois de fortune cousu avec la jambe d'un vieux pantalon pour transporter les carreaux que mon père avait patiemment façonnés.

Privé de masse graisseuse pour me protéger des éléments, trempé jusqu'aux os, je tremblais de froid. Mais j'ignorais mon inconfort, totalement absorbé par le groupe de cerfs qui paissaient dans la vallée en contrebas. Ils étaient cinq, dos à la pluie, têtes baissées. Il m'avait fallu ramper vingt minutes sur le ventre pour m'en approcher suffisamment.

Les rochers qui me servaient de cache étaient situés à mi-hauteur sur le coteau de la colline. J'étais étendu sur une dalle de gneiss légèrement inclinée dans le sens de la pente. J'étais presque totalement dissimulé, l'endroit fournissait un angle de tir parfait.

Je glissai vers l'arrière pour que ma silhouette ne rompe pas l'horizon, armai l'arbalète et y glissai un carreau avant de ramper vers l'avant pour viser un cerf. Je voulais un tir propre et net.

Un mouvement attira mon regard, brisant ma concentration. Je vis un groupe de cinq ou six hommes, accroupis, qui traversaient le vallon contre le vent par rapport aux animaux, cachés par un amas de rochers. La pluie m'empêchait presque de les distinguer. Une partie de chasse du château. Je reconnus un rabatteur du domaine et, à quelques pas derrière, un garde-pêche qui retenait le poney qui servirait plus tard à transporter la carcasse de ce qu'ils auraient abattu.

L'adrénaline parcourut mes membres quand je reconnus parmi les chasseurs le frère de Ciorstaidh, George, grâce à sa tignasse rousse.

Ils étaient concentrés sur le cerf et je savais qu'ils ne m'avaient pas repéré sur ma position élevée. Je modifiai l'angle de mon tir et baissai la tête pour avoir George dans ma ligne de mire. Je le tins en joue pendant un long moment, me rappelant à quel point il m'avait humilié devant Ciorstaidh, mon index dangereusement proche de la détente pour libérer le carreau qui lui ôterait la vie, comme celle de mon père avait été prise par l'un des employés du sien. Mais chaque fibre de mon être luttait contre cette folie et, au bout du compte, j'enlevai le carreau et désarmai l'arbalète.

Je roulai sur le dos, hors de vue, et fixai le ciel d'étain en maudissant le destin. Quelques secondes de plus et je décochais le carreau. La bête, abattue, reposerait dans la vallée. Mais alors, les chasseurs du domaine me seraient certainement tombés dessus alors que j'aurais été en plein *gralloch*. Finalement, la providence avait été clémente avec moi.

Un tir retentit dans le froid et l'humidité de la fin de matinée. Je roulai à nouveau sur moi-même et regagnai mon poste d'observation. L'un des chasseurs avait tiré sur le seul cerf mâle adulte du groupe et c'est à ce moment-là que je compris qu'ils ne chassaient pas pour la nourriture. Ils voulaient un trophée. Une paire de bois.

Celui qui avait fait feu était un piètre tireur. La bête avait été touchée assez haut et vers l'arrière-train. Elle était tombée tandis que les autres cerfs se dispersaient et, à présent, elle essayait désespérément de se relever. La tête et les pattes avant en premier, comme un cheval. Un deuxième tir manqua lui aussi sa cible et l'animal parvint à s'enfuir, hagard et zigzaguant, l'arrière-train recroquevillé et visiblement en grande souffrance. Il remonta la pente et partit dans la bruyère. Un troisième tir claqua et, le temps que le premier tireur recharge son arme, le cerf avait disparu.

Oubliant toute prudence, ils se relevèrent et partirent à sa poursuite, cavalant à travers la tourbière, sur le sol inégal, souple et détrempé. L'un d'eux tomba et se releva, ruisselant d'eau brune et tourbeuse.

Je les vis escalader la colline et atteindre le sommet, George et le rabatteur loin devant les autres. Mais ils s'arrêtèrent là, scrutant l'étendue sauvage qui se déroulait sous leurs yeux. Une vallée profonde aux flancs abrupts et jonchée de rochers. Le sol de la vallée était à demi-marécageux et vous sapait les jambes. Au-delà, le paysage disparaissait rapidement dans la brume qui flottait entre les collines.

De là où j'étais couché, je n'avais pas le même champ de vision, mais à l'évidence, ils avaient perdu le cerf de vue. Le reste de la troupe les rejoignit au sommet de la colline. Il y eut un débat, bref mais vif, puis ils firent demi-tour à contrecœur et rebroussèrent chemin.

J'avais de la peine à y croire. Mon père aurait traqué un animal blessé jusqu'au bout du monde pour abréger ses souffrances. La pauvre bête devait être à l'agonie après s'être enfuie de la vallée.

J'attendis qu'ils soient redescendus dans le vallon avant de quitter mon abri et je courus à toutes jambes jusqu'à l'endroit où le cerf était tombé. La tourbe était labourée là où, avec ses sabots, il avait cherché une prise pour se remettre sur pied. L'herbe était tachée de sang, rouge sombre, presque noir. Cela me brisa le cœur. S'il devait mourir, il méritait au moins une mort rapide. Le blesser pour le laisser agoniser dans des souffrances effroyables était impardonnable.

Je savais ce qu'il me restait à faire et partis à vive allure à sa poursuite.

Je retrouvai sa piste après le sommet. S'il y avait beaucoup de sang au début, il se fit de plus en plus rare et je parvenais difficilement à en trouver la trace. La plaie devait coaguler. Mais je savais que l'animal devait souffrir d'une hémorragie interne et cette pensée m'encouragea à affronter le brouillard et la pluie, titubant, affaibli par la faim et le froid. Je cherchais des bruyères brisées et des traces de sabots dans la tourbe détrempée, avançant à un rythme désespérément lent, sachant que chaque moment perdu signifiait plus de souffrance.

Au bout d'un moment, je commençai à perdre espoir, doutant même que les empreintes remplies d'eau que je suivais fussent les siennes.

J'étais près d'abandonner quand je le vis. Il était tombé dans un trou peu profond à côté d'un loch. Il était en détresse, la respiration courte et faible. La perte de son sang l'avait privé d'oxygène. Il devait être étourdi et épuisé et, si la balle avait endommagé le foie, la douleur devait être considérable.

Je savais que s'il me voyait approcher, il paniquerait et tenterait de se relever. Et si je me retrouvais trop près, ses bois pouvaient m'être fatals. Je mis un genou à terre et m'immobilisai. Il ne m'avait pas vu et j'étais toujours contre le vent.

Très lentement, j'avançais à revers. Lentement, un pas après l'autre, je gagnai du terrain, jusqu'à ce que je distingue la vapeur qui s'élevait de sa fourrure. Son souffle rauque m'emplissait les oreilles. Je posai mon carquois et mon arbalète, sortis le long couteau de chasse de mon père. Il fallait que je sois rapide et précis.

Lorsque je fus assez près pour sentir son odeur, je bondis sur lui en un mouvement, le genou fermement planté dans sa nuque, tirant ses bois vers moi à l'aide de ma main gauche. Je passai le bras droit sous son menton et lui ouvris la gorge de ma lame, tranchant la veine jugulaire et l'artère carotide. Le peu de vie qui animait encore son cœur acheva d'expulser ses dernières gouttes de sang sur l'herbe.

Je me laissai glisser pour m'allonger dans le creux, à côté de sa tête, et regardai ses grands yeux de biche s'embrumer, comme l'avaient fait ceux de mon père. Il m'observait lui aussi, tandis que sa vie s'écoulait et que sa douleur s'éteignait avec lui. Je m'en voulais d'avoir mis tout ce temps à le trouver.

Quand il fut mort, je me mis à genoux et le fis rouler sur le dos. Je saisis la peau du scrotum et la tirai loin de son corps pour la sectionner tout en me rappelant ce que mon père disait toujours en exécutant ce premier acte rituel du *gralloch*. « T'auras pas besoin de ces *nae mare.* » Et de nouveau, la douleur de sa perte me prit, et celle de cet animal superbe. J'en avais assez de la mort.

Je m'obligeai à me concentrer pour me souvenir des gestes de mon père. Il était vital, disait-il, que les entrailles restent intactes. Le moindre contact avec leur contenu pouvait infecter la viande.

Je pratiquai une petite incision et y glissai deux doigts, la paume vers le ciel, pour empêcher ma lame d'accrocher les intestins, et la fis remonter vers le sternum pour ouvrir la paroi abdominale. Le *gralloch* commençait.

Je travaillais en silence, appliqué, avec le son de ma respiration pour seule compagnie. C'était une tâche difficile, qui vous retournait l'estomac, et je m'efforçais de ne pas trop penser à la créature fière et sensible qui avait été.

La graisse du cerf était épaisse et molle lorsqu'elle était encore chaude, mais se solidifiait au contact du froid. Mes avant-bras et mes mains en étaient couverts et, avec le sang qui était pris dedans, on aurait pu croire que j'avais enfilé des gants rouge vif. J'arrachai des poignées de sphaigne pour essayer de me nettoyer, mais c'était presque impossible.

Une fois les organes et les intestins de la bête sortis et fumants dans l'herbe, je repris mon souffle, toujours à genoux, penché en avant, les coudes plantés dans la tourbe, mon front enfoncé dans l'herbe. Je voulais pleurer. Mais je n'avais pas le temps de m'apitoyer sur mon sort. Comme j'avais vu faire mon père avant moi, je pris des mottes de mousse pour nettoyer la cavité. J'ôtai ensuite le rouleau de corde de mon épaule et l'attachai autour des bois et sur le sommet du museau pour faire une boucle autour des mâchoires en espérant que cela suffirait à maintenir sa tête droite pour que les bois ne s'accrochent pas à chaque rocher ou racine de bruyère pendant que je le traînerais.

Cependant, je n'avais pas réalisé à quel point j'étais affaibli. Même vidé, le cerf était encore incroyablement lourd. Je passai la corde autour de ma poitrine et sous mes aisselles de façon à pouvoir porter tout le poids de mon corps vers l'avant pour le tirer sur le sol accidenté. Je m'affalai à genoux au bout de deux cents mètres, épuisé, physiquement et mentalement. Jamais je ne pourrais rapporter l'animal à la maison.

Les larmes jaillirent de mes yeux et je laissai libre cours à ma frustration et à mon désespoir. Dieu et mon père étaient les témoins de mon échec. L'écho de mon tourment rebondit dans le vallon noyé de pluie.

Plus de dix minutes avaient dû s'écouler avant que je ne commence à réfléchir à ce que mon père aurait fait. La défaite n'était pas une option. Quel que soit le problème, avait-il l'habitude de dire, il y a toujours une solution. Et la solution me vint à l'esprit, simple et lumineuse. Si je ne pouvais pas emporter tout l'animal, je n'en prendrai qu'une partie.

La meilleure viande est à l'arrière. Les cuissots. D'une façon ou d'une autre, je devais les séparer de la partie antérieure de la bête. Je me motivai en conséquence pour batailler une seconde fois avec le cerf.

Toutefois, même après avoir entaillé et découpé la chair, la peau et les poils le long du côté inférieur des dernières côtes, les deux moitiés de l'animal étaient encore reliées par les ligaments vertébraux. Pour les atteindre avec mon couteau, je fus obligé de tourner la moitié postérieure dans un sens et la moitié antérieure dans l'autre. Épuisé, il me fallut plusieurs minutes pour récupérer avant de chercher les ligaments avec la pointe de mon couteau pour les sectionner. Après une dernière poussée, je fis faire un tour complet aux cuissots pour finir de désarticuler la colonne vertébrale. Enfin, presque aveuglé par la sueur, je parvins à les séparer du reste de la carcasse. Les cuissots étaient encore reliés par le bassin, mais j'espérais que cela me permettrait d'utiliser mon dos et mes épaules pour les transporter, une jambe passée sur chaque épaule.

Et c'est ce que je fis. Je rengainai mon couteau et hissai les jambes du cerf sur mes épaules, bandant les muscles de mes cuisses pour encaisser le poids tout en tendant les jambes. J'étais debout, capable de me déplacer, animé d'une détermination nouvelle.

Je ne pouvais pas me permettre de m'arrêter, de penser, ou d'écouter mes muscles qui m'imploraient d'abandonner. Je gardai la tête baissée pour ne pas voir la distance qui me restait à parcourir. Un pas après l'autre.

Tout en avançant, je pensais à Ciorstaidh, quand je l'avais portée jusqu'au château en sachant qu'il était hors de question d'abandonner. J'étais habité par le même sentiment. Je le devais à ma famille, à mon père, à cet animal dont la vie ne devait pas avoir été prise en vain.

Je ne sais combien de temps j'ai marché dans cet état proche de la transe. J'avais laissé le vallon derrière moi et je me dirigeais vers la colline de Sgagarstaigh. Je ne sentais plus mon corps et m'émerveillais d'être encore capable de serrer les mains.

Au milieu de l'après-midi, une trouée discrète apparut au milieu des nuages et la lumière du soleil dessina quelques taches fugaces sur la lande. Je vis un arc-en-ciel, vif et coloré sur le ciel anthracite. Au loin, sur la gauche, j'aperçus la mer. Je n'étais plus très loin de la maison, mais j'évacuai rapidement cette pensée de mon esprit.

Le plus grand danger qui me restait à affronter était la traversée de la route pour rejoindre le chemin qui franchissait la colline en direction de Baile Mhanais. J'allais me retrouver totalement à découvert, visible de n'importe quel passant. Et il y avait souvent du trafic sur cette voie en provenance ou à destination du château d'Ard Mor.

Ce n'est qu'à cet instant, alors que cette réflexion me traversait l'esprit, que je me rendis compte dans un accès de panique que j'avais égaré l'arbalète de mon père. Cela m'ôta mes dernières forces. Mes genoux lâchèrent et je tombai sur le sol en me penchant pour me décharger du poids des cuissots. Je restai ainsi quelques instants, allongé sur la tourbière humide avec les restes du cerf renversés à mes côtés.

J'essayai de me souvenir de ce que j'avais fait de l'arbalète. Je l'avais posée à terre avec le carquois avant de bondir sur le cou du cerf. Je devais les avoir laissés là, au milieu des herbes, à côté de la moitié antérieure de la bête, avec les entrailles. Comment avais-je pu être aussi distrait ? Cette arme était à mon père, et je ne pouvais pas revenir chez moi sans elle.

Toujours allongé, j'essayai de trouver en moi la volonté et l'énergie nécessaires pour refaire mon périple en sens inverse et la récupérer. J'entendais la voix de mon père dans ma tête. « N'y pense pas, mon garçon, fais-le. »

Il me fallut une vingtaine de minutes pour rejoindre le vallon. L'arbalète et le carquois étaient là où je les avais laissés. Sans avoir tiré un seul carreau. Je les jetai sur mon dos et repartis en courant vers la maison.

Mon moral s'améliorait à chaque pas. Je me sentais plus fort, rasséréné par l'espoir et le sentiment que je m'apprêtais à accomplir l'impossible. L'idée que, de là où il était, mon père m'observait et que je le rendais fier, me redonna du courage.

Je venais juste de passer la colline de Sgagarstaigh quand je les vis. Je me jetai immédiatement à terre. Le groupe de chasseurs qui avait tiré sur le cerf et l'avait blessé traversait la tourbière depuis la route où les attendait le garde-pêche en compagnie d'un poney attelé à une carriole. Ils avaient repéré l'arrière-train du cerf, abandonné à une centaine de mètres, là où je l'avais laissé, et s'en approchaient avec circonspection. Une fois dessus, ils furent soudainement sur leurs gardes. Je vis George se relever brusquement et balayer les alentours du regard. Je baissai la tête et m'aplatis le plus possible dans l'herbe pour ne pas risquer d'être vu.

Je maudis ma bêtise d'avoir laissé la carcasse à la vue de tous depuis la route. Après tout ce que j'avais enduré, être arrivé si près du but et devoir constater froidement mon échec était presque au-dessus de mes forces.

Finalement, n'y tenant plus, je relevai la tête et les vis qui traînaient l'arrière-train du cerf jusqu'à la route. Le garde-pêche et le rabatteur le chargèrent dans la carriole. J'avais du mal à imaginer ce qu'ils faisaient là. Le garde-chasse avait dû les renvoyer pour qu'ils trouvent et achèvent l'animal blessé. Ils inspectèrent une dernière fois l'horizon et je collai à nouveau mon visage contre le sol.

Quand je me risquai à regarder à nouveau, le groupe s'éloignait en direction du château, emportant la viande qui aurait dû nourrir ma famille. Je me laissai aller dans l'herbe, les yeux fermés. J'aurais voulu pleurer mais mes larmes étaient épuisées. Mon désespoir et ma fatigue dépassaient l'entendement et il me fallut plus de dix minutes pour trouver la force de me relever et de reprendre, accablé, le chemin de la maison.

Une fois passé le sommet de la colline, je vis la fumée qui s'échappait du chaume des *blackhouses* de Baile Mhanais. Deux choses me rongeaient. La fatigue et l'échec. J'en vins à espérer qu'il n'y ait pas d'au-delà pour que mon père ne puisse pas voir à quel point j'avais été indigne de lui.

Difficile de croire que nous l'avions enterré le matin même. Une vie entière semblait s'être écoulée depuis et je ne savais pas comment, revenant bredouille, j'allais pouvoir regarder ma mère et mes sœurs en face.

J'eus l'impression d'entendre mon nom, porté par le vent. Mon imagination sans doute. Puis, à nouveau. Je levai les yeux et aperçus Kirsty, au sommet de la colline. Je ne voulais pas qu'elle me voie dans cet état. Mais elle agita vivement la main pour me faire signe de la rejoindre et je ne pouvais l'ignorer.

À contrecœur, je quittai le chemin et escaladai la colline. Une fois à sa hauteur, j'osai à peine croiser son regard et, quand je le fis, j'y lus de l'effroi. Couvert du sang et de la graisse du cerf, trempé jusqu'aux os, je devais avoir l'air pathétique et effrayant. « Mon Dieu », fit-elle dans un soupir. Mais elle ne me demanda pas ce qui m'était arrivé. Au lieu de cela, elle se baissa et ramassa un grand panier en osier couvert d'un linge à carreaux, qui était posé à ses pieds. Elle me le tendit.

« Qu'est-ce que c'est ? » Ma voix me parut étrange, désincarnée.

« Prends-le. » Elle le poussa contre ma poitrine et j'attrapai l'anse. Il était étonnamment lourd.

« Qu'est-ce que c'est ? », répétai-je.

« Il y a du fromage, des œufs et de la viande froide. Et une quiche venant de la cuisine d'Ard Mor. »

Je n'avais pas la moindre idée de ce qu'était une quiche, mais je me sentis honteux. Je lui tendis le panier pour lui rendre. « Je ne peux pas le prendre. » Je vis la colère lui enflammer le regard.

« Ne sois pas stupide, Simon. Tu as la responsabilité de nourrir ta famille. C'est ce que tu m'as dit. Et si tu savais les risques que j'ai pris pour t'apporter tout ça… » Elle n'acheva pas sa phrase et je détournai le regard. « Je t'en apporterai d'autres. Comme et quand je pourrai. »

Je sentis la caresse de sa main sur mon visage et levai les yeux. Les larmes s'accumulaient le long de mes paupières inférieures. Elle se pencha pour déposer un baiser délicat sur mes lèvres avant de partir prestement. Je la suivis du regard jusqu'à ce qu'elle disparaisse. Je sentais le poids du panier dans ma main. Je devais ravaler ma honte. Au moins, je ne rentrais pas les mains vides.

Comme je redescendais la colline, je perçus un mouvement au loin. Une silhouette immobile, qui se découpait sur le ciel gris, debout à l'autre extrémité du chemin, là où il contournait la colline pour rejoindre la route. À deux ou trois cents mètres. Ce n'est que lorsqu'elle fit demi-tour et que je vis son profil que je reconnus George, le frère de Ciorstaidh.

CHAPITRE 23

I

Sime et Blanc furent accueillis au port par Arseneau au volant du minibus. Il leur annonça que Norman Morrison avait été retrouvé.

Le vent avait été particulièrement violent pendant la traversée du retour et, tandis qu'ils bifurquaient sur Chemin Mountain, au bout de Chemin Main, ils virent la foule assemblée au sommet de la falaise malmenée par les rafales. Plus d'une douzaine de voitures de police et de véhicules civils étaient agglutinés autour de la résidence Cowell. Arseneau se gara sur le bas-côté de la route et les trois détectives traversèrent la pelouse pour rejoindre la foule qui comptait une ving-taine d'insulaires et plusieurs policiers en uniforme venant de Cap-aux-Meules.

Sime jeta un coup d'œil en direction du pavillon d'été et vit Kirsty, le visage blafard, qui observait le spectacle depuis le porche. Un désenchantement pro-fond s'empara de lui. Très bientôt, il devrait la confron-ter à ses mensonges.

Une porte ouvrait sur des marches étroites en béton accrochées à la falaise, d'un gris incongru sur le rouge de la roche. Elles descendaient en pente raide vers une minuscule jetée partiellement constituée d'une arche en roche naturelle, augmentée des mêmes blocs de béton emboîtés que ceux du brise-lames du port. Un Seadoo Challenger quatre places bleu et blanc était amarré par des cordages usés à des anneaux de fer rouillés et recouvert d'une bâche. La houle de la marée montante l'agitait violemment. Un groupe d'officiers en vestes de survie orange progressait avec difficulté au milieu de l'affleurement rocheux voisin, transportant le corps sans vie de Norman Morrison. Dans l'esprit de Sime resurgit l'image du père de son ancêtre au retour de la funeste chasse au cerf. Quand ils atteignirent la jetée, les hommes déposèrent le corps sur le béton. De l'eau de mer et de l'écume lui sortaient de la bouche et coulaient sur son visage, jusque dans ses yeux ouverts.

Sime constata que Crozes, accompagné de l'infirmière, d'Aucoin et de Marie-Ange, était déjà en bas. Il se fraya un passage entre les badauds silencieux et commença à descendre les marches. Blanc le suivit. L'escalier était ouvert à tous les vents et les bourrasques tiraient sur sa veste et son pantalon, aplatissaient les boucles de ses cheveux.

Quand ils arrivèrent sur la jetée, l'infirmière, vêtue d'un jean et d'un anorak jaune, était penchée au-dessus du corps. Morrison était salement amoché. La plus grande partie de l'arrière de son crâne avait disparu. Sa peau était blanche comme la craie, les chairs boursouflées tendaient exagérément ce qui restait de son pullover et de son jean. À voir la position bizarre de ses membres, ses deux jambes et l'un de ses bras étaient probablement fracturés. Une de ses chaussures manquait, et l'on voyait son pied gonflé d'eau pointer par un trou dans sa chaussette.

L'infirmière se releva, le teint livide, des cernes bleuâtres autour des yeux. Elle s'adressa à Crozes. « Je suis bien incapable de vous dire comment il est mort. » Le vent et le fracas de la mer tout autour d'eux l'obligeaient à élever la voix. « Mais des blessures pareilles… De mon point de vue, il a dû tomber de la falaise. Et, à en croire l'état du corps, je dirais qu'il est dans l'eau depuis la nuit de sa disparition. »

Crozes lança un bref regard à Sime. « Dans ce cas, il ne pouvait pas être encore en vie la nuit dernière ? », demanda-t-il à l'infirmière.

« Aucune chance.

— Que diable faisait-il dans ce coin pendant une tempête ? », lança Marie-Ange.

Personne ne sut répondre. Crozes affichait une mine sinistre. « Bon, on ferait mieux de l'empaqueter et de l'emporter à l'aéroport. Plus vite l'autopsie sera faite, mieux ça sera. » Il se tourna vers Marie-Ange. « Je veux que tu démontes sa piaule dans le grenier. Morceau par morceau. »

II

La quiétude du salon de madame Morrison n'était rompue que par le sifflement du vent qui s'infiltrait dans les interstices des fenêtres et les sanglots d'une mère pleurant avec pudeur la mort de son fils. Dehors, le ciel s'était chargé et, comme lors de leur première visite, l'unique lampe allumée de la pièce se reflétait sur toutes les surfaces lustrées.

À l'aller, Blanc avait briefé Crozes sur l'interrogatoire d'Ariane Briand et, chose rare, le lieutenant avait esquissé un sourire. Il s'était tourné vers Sime. « Je m'installerai à côté de Thomas devant les moniteurs quand tu l'interrogeras », dit-il. « Cela va être intéressant d'entendre comment la veuve éplorée va s'en sortir cette fois-ci. » Mais d'abord, il fallait s'occuper de l'homme-enfant retrouvé mort dans la mer, au pied de la maison de Kirsty Cowell.

Madame Morrison était assise dans son fauteuil à côté de la cheminée éteinte et ne cessait de se tordre les mains. « Je ne comprends pas », ne cessait-elle de répéter. « Je ne comprends tout simplement pas. » Comme si comprendre pouvait lui ramener son fils.

Sime et Crozes s'installèrent inconfortablement sur le canapé et Blanc émergea de la cuisine avec une tasse de thé pour la mère éplorée. Il la posa sur la table basse à côté d'elle, sur le livre qu'elle était en train de lire. « Voilà pour vous, madame Morrison », dit-il. Sime n'était pas sûr qu'elle se rende compte de sa présence. Il s'assit dans le fauteuil face à elle.

À l'étage, Marie-Ange et son assistant procédaient à l'examen minutieux de la chambre de Norman Morrison.

« Vous nous avez dit qu'il n'avait jamais fait de fugue auparavant », entama Sime.

« Jamais.

— Mais il avait l'habitude de se promener sur l'île ?

— Il marchait beaucoup. Il aimait le grand air. Une fois, il m'avait raconté qu'il adorait sentir la piqûre de la pluie sur son visage quand elle était portée par un fort vent de sud-ouest.

— Avait-il des amis ? »

Elle lança un bref regard baigné de larmes dans sa direction. « Pas depuis que les enfants avaient cessé de venir. Ceux de son âge avaient tendance à l'éviter. Ils étaient embarrassés, j'imagine. Et quelques-uns des adolescents avaient l'habitude de l'embêter. Ça le mettait en colère.

— Vous nous avez dit qu'il était contrarié la nuit de sa disparition. »

Elle acquiesça.

« À cause du meurtre de monsieur Cowell?

— Il se fichait de monsieur Cowell. C'était à propos de madame Cowell qu'il était inquiet.

— Pensez-vous qu'il ait pu essayer de la voir? »

Elle se raidit en entendant la question et évita le regard de Sime. « Je ne sais pas où il est allé, ni pourquoi.

— Mais on l'a retrouvé au pied des falaises derrière la maison. Il devait avoir une raison de se trouver là.

— Je suppose, en effet. »

Sime réfléchit un instant. Découvrir les motivations d'un homme ayant l'esprit d'un enfant de douze ans n'était pas chose facile et sa mère, pensait-il, ne les y aidait pas franchement. « Il sortait le soir? Après la nuit tombée, je veux dire. »

Madame Morrison posa le regard sur la tasse de thé que Blanc avait préparée, comme si elle la voyait pour la première fois. Elle la porta à ses lèvres en la tenant à deux mains et en but une gorgée tout en haussant à peine les épaules. « Il n'avait pas pour habitude de me demander la permission.

— Vous voulez dire qu'il sortait après la tombée de la nuit?

— Je n'en sais rien. Je suis au lit à dix heures pile tous les soirs, monsieur Mackenzie. Et parfois, Norman avait des difficultés à dormir. Je sais qu'il lui arrivait de travailler jusqu'au petit matin sur son plafond. Il se peut qu'il soit sorti prendre l'air de temps en temps. » Elle prit sa lèvre inférieure entre ses dents pour l'empêcher de trembler et tenta de contenir ses larmes. « Mais je n'en sais rien.

— Est-ce que Norman était déprimé, madame Morrison ? »

Elle resta interdite. « Déprimé ?

— Vous nous avez dit que lorsque les enfants ont cessé de venir, il s'est réfugié dans son petit univers, à l'étage.

— Il n'était pas déprimé, monsieur. Il a recentré son existence. Comme cela arrive. Comme je l'ai fait quand mon mari est mort.

— Donc, même si vous dites qu'il n'était pas bien, vous ne le décririez pas comme suicidaire ? »

La question la choqua. « Grands dieux, non. Norman ne se serait jamais ôté la vie. Jamais une chose pareille ne lui serait venue à l'esprit ! »

Des coups discrets frappés à la porte leur firent tourner la tête. Marie-Ange se tenait debout dans l'encadrement de la porte du couloir, l'air hésitant. « Pardon de vous interrompre », dit-elle. « Je crois qu'il y a quelque chose que vous devriez voir.

— Madame, je vous prie de m'excuser », fit Crozes avant de se lever et de se diriger vers le couloir.

— Toi aussi, Simon. » Marie-Ange regardait son ex-mari avec une expression des plus étranges. Il se leva immédiatement.

Ils laissèrent Blanc avec madame Morrison et gagnèrent le grenier. Marie-Ange avait installé des spots sur pied et la chambre de Norman était éclairée comme un plateau de cinéma. Sime et Crozes enfilèrent des protections en plastique sur leurs chaussures et des gants en latex avant d'entrer. La chaleur qui régnait dans la pièce était étouffante et dans la lumière crue des spots, les couleurs du petit univers prenaient un éclat surnaturel.

Le sol avait été dégagé. Des objets étaient rangés en un semblant d'ordre sur le lit. Des peluches, des trains miniatures et la poupée démembrée de Norman avaient été glissés dans des étuis en plastique scellés.

« Je n'ai pas encore touché au plafond », expliqua Marie-Ange. « Mais nous l'avons photographié en détail. » Elle regarda brièvement Sime. « Il y a des trucs qui ne deviennent visibles que quand on l'examine minutieusement. Qui semblent faire simplement partie de l'ensemble jusqu'à ce qu'on y regarde de plus près. » Elle pointa un endroit précis du plafond avec une pince de laboratoire dotée d'un ressort. « Vous voyez, ce petit groupe de maisons, ici… » Elle désigna des maisons mitoyennes en demi-cercle disposées autour d'une pelouse circulaire, comme un petit parc. Une clôture la séparait de la rue et des figurines en plastique représentant des enfants, tête en bas, étaient rassemblées autour d'un feu de joie. Le foyer était rouge vif et bordé de pierres. La fumée avait été astucieusement confectionnée avec des fibres de coton accrochées à un bout de fil de fer presque invisible.

Crozes et Sime l'examinèrent de près, essayant de comprendre ce qu'il y avait à voir.

Très délicatement, Marie-Ange saisit un morceau de clôture du bout de sa pince et le dégagea doucement de la pâte à modeler. Elle le tint en l'air pour que ses deux collègues puissent l'observer. C'était un peigne à cheveux courbe dont les dents faisaient office de poteaux pour la clôture. « Il y en a d'autres », dit-elle en le laissant tomber dans la main tendue de Crozes. « Quatre en tout. Mais ce n'est pas le plus intéressant… »

Elle se tourna de nouveau vers le plafond et glissa l'extrémité de sa pince dans le feu de joie. Les petites pierres étaient en pâte adhésive bleue et elle y glissa la pince pour attraper quelque chose qui se trouvait en dessous. Elle trouva finalement ce qu'elle cherchait et fit osciller délicatement la pince pour extraire l'élément rouge fixé au centre du feu. L'objet était plus gros que ce que le montage ne laissait voir. Un ovale en pierre semi-précieuse serti dans de l'or tenu par une chaîne qui avait été enroulée sous la pâte à modeler. Elle se retourna et, de sa main libre, prit la main droite de Sime pour comparer le pendentif avec sa chevalière. Le bras et l'épée gravés dans chaque pierre étaient identiques. Sime sentit un frisson lui parcourir l'échine.

III

Sime vida le contenu du sac en plastique sur la table en verre du pavillon d'été et leva les yeux pour guetter la réaction de Kirsty. Elle parut bouleversée. Par ailleurs, il était évident qu'elle manquait de sommeil et donnait l'impression d'avoir vieilli de plusieurs années en à peine trois jours. Les traits de son visage s'étaient creusés et les ombres autour de ses yeux étaient plus sombres. Même ses iris bleus avaient perdu de leur éclat.

Il se pencha et orienta l'une des caméras vers les objets dispersés sur la table. « Est-ce que vous reconnaissez quelque chose ? »

Elle se saisit immédiatement du pendentif et, du bout des doigts, caressa la gravure sur la pierre. « Je vous avais dit qu'il était identique. Je peux le voir ? » Elle lui prit la main portant l'anneau pour les comparer. « Où avez-vous trouvé tout cela ?

— Tous ces objets vous appartiennent ? » Il y avait, en plus du pendentif, deux paires de boucles d'oreilles, les quatre peignes à cheveux qui faisaient office de clôture, un collier de diamants artificiels que Norman avait fixé au centre d'une route comme des plots lumineux et un bracelet dans lequel il avait installé un petit lac.

Elle acquiesça. « Où les avez-vous trouvés ?

— Avez-vous déjà eu l'occasion de voir le petit univers de Norman Morrison sur le plafond de sa chambre ?

— Non, pas personnellement. Mais tout le monde connaît son existence. Je crois que beaucoup de personnes sont allées le voir, par simple curiosité. » Elle fronça les sourcils. « Qu'est-ce que cela a à voir avec mes affaires ?

— Elles étaient toutes incrustées dans la pâte à modeler et faisaient partie de son petit univers, madame Cowell. Méconnaissables au premier regard, mais toutes y avaient une fonction, décor ou autre. » Il laissa passer un silence. « Avez-vous une idée de la façon dont elles ont pu se retrouver en sa possession ? »

Elle était désemparée et passablement perdue. « Je... Je ne sais pas. Il a dû les prendre dans la maison.

— Quand nous avons discuté de la photographie manquante, vous m'avez dit qu'il n'y avait jamais mis les pieds.

— En effet. » Elle se tut, consciente du caractère contradictoire de sa réponse. « Tout au moins, à ma connaissance.

— Vous pensez qu'il a pu y pénétrer une nuit, pendant que votre mari était en voyage d'affaires et que vous dormiez ici ?

— Les portes ne sont jamais fermées à clé. Mais il n'a pas pu tout prendre d'un coup. Je l'aurais remarqué. Il a dû faire ça en plusieurs fois. » Sa voix se brisa et elle lutta pour retenir ses larmes. « Pauvre Norman. » Elle leva les yeux. « Que faisait-il donc par ici, la nuit, en pleine tempête ?

— Sa mère dit qu'il se faisait du souci à votre sujet. »

Elle posa une main à plat sur sa poitrine puis ferma les yeux en secouant la tête. « Je n'aurais jamais imaginé que son obsession était aussi profonde. » Elle regarda Sime. « Que lui est-il arrivé, d'après vous ? »

Sime haussa les épaules. « Qui sait ? Peut-être est-il venu jusqu'ici pour voir si vous alliez bien. Peut-être n'avait-il pas conscience qu'il y aurait un flic dans la grande maison. Peut-être a-t-il été effrayé et s'est-il égaré dans la nuit. La tempête était violente. Enfin, je ne vous apprends rien. Il a dû se déplacer à l'aveugle. »

Elle laissa aller sa tête vers l'avant et fixa avec désarroi les objets que Norman avait dérobés pour les intégrer à son monde secret. « Quelle tristesse. »

Sime braqua de nouveau la caméra en direction de Kirsty et s'installa face à elle dans ce qui semblait être devenu son siège habituel. Il s'était mis à pleuvoir et, bien que la nuit ne soit pas encore tombée, la lumière du jour était extrêmement faible.

Elle le fixa avec une expression où se mêlaient résignation et lassitude. « D'autres questions ? »

Il hocha la tête et enchaîna. « Pourquoi ne nous avez-vous pas dit que vous vous étiez rendue chez les Briand la veille du meurtre ? »

Ses joues s'empourprèrent et sa réponse mit un moment à venir. « Parce que je savais que cela risquait d'influencer votre interprétation des événements de la nuit du meurtre.

— Votre "version" des événements. »

Elle leva un sourcil. « Et voilà. Très exactement ce que je voulais éviter…

— Et vous n'avez pas pensé que nous finirions par le découvrir ?

— Je n'avais pas les idées très claires. Pour être honnête, cela m'a paru hors sujet. Tout ce qui comptait, c'était ce qui s'était passé cette nuit-là. Tout ce qui avait pu s'effilocher, ou être dit la nuit précédente, n'avait rien à voir avec cela.

— S'effilocher ? » Sime plissa le front. « Cela semble étrange comme mot, dans ce contexte.

— Vraiment ? » Elle réfléchit. « Peut-être exprime-t-il ce que je ressentais. L'impression de m'effilocher.

— Vous m'avez dit que vous étiez ravie de découvrir que James avait une aventure. Que cela avait mis un terme à une situation qui vous rendait profondément malheureuse.

— Je sais ce que je vous ai dit.

— Mais ce n'était pas vrai.

— Si, c'était vrai ! », s'exclama-t-elle, indignée.

« Dans ce cas, comment expliquez-vous votre comportement ? Débarquer chez Ariane Briand, courir comme une furie dans sa maison à la recherche de James ?

— Comme une furie ? C'est la description qu'elle vous a faite ?

— Comment décririez-vous votre état ? »

Elle fixa ses mains posées sur ses cuisses. « Pathétique », dit-elle doucement. « Ce qui s'est passé. Ce que j'étais. Triste et pathétique. Tout ce que je vous ai dit sur mes sentiments était vrai. Mais je me sentais aussi blessée et humiliée. » Elle releva les yeux et Sime y lut un appel au secours, l'envie d'être comprise. « J'avais bu ce soir-là », poursuivit-elle, honteuse à présent. « C'est une chose dont je n'ai pas l'habitude. Il ne m'en a pas fallu beaucoup pour perdre la tête. Vous imaginez, assise seule ici dans le noir, à remâcher toutes ces années gâchées, me remémorer chaque petite chose qu'il a pu dire, ses grands gestes et ses promesses, et me demander si Ariane Briand était la première, ou seulement la dernière d'une longue liste. Tous ces voyages d'affaires. Je voulais savoir. Avoir une explication avec lui.

— Vous êtes donc partie sur le bateau que vous gardez amarré à la jetée au pied de la falaise? »

Elle fit oui de la tête. « C'était une véritable folie. Je ne suis pas très douée avec un bateau. Mais l'alcool m'était monté à la tête et je m'en fichais. Si la météo avait été plus mauvaise, je ne pense pas que je m'en serais sortie. James serait encore en vie et on aurait retrouvé mon corps, rejeté par la mer, sur une plage quelque part. » Elle le fixait sans le voir. Elle était ailleurs, revivant ces instants de folie. « J'étais, vraiment, en lambeaux. » Son regard changea soudainement et le transperça. « Je ne suis pas fière de moi, monsieur Mackenzie. Dieu seul sait ce qui m'est passé par la tête ou dans quel état émotionnel je me trouvais. Je voulais avoir une explication avec lui. Face à face. Mettre les choses au point. Je voulais tout simplement savoir. Tout savoir.

— Et comme il n'était pas là, vous vous en êtes pris à sa maîtresse, faute de mieux.

— Je ne m'en suis pas pris à elle!

— Selon madame Briand, vous avez déclaré… » Sime consulta les notes qu'il avait rédigées lors de l'entrevue informelle avec l'épouse du maire. « Je n'ai pas l'intention de perdre James sans me battre. Et si je ne peux pas l'avoir, ni vous ni personne ne l'aurez. » Il releva la tête. « Est-ce bien ce que vous avez dit? »

Elle secoua négativement la tête. « Je ne crois pas.

— Elle aurait déformé vos propos?

— Ça ne me ressemble pas.

— Mais est-ce que cela s'approche de ce que vous avez exprimé ?

— Probablement », admit-elle, l'air visiblement embarrassé.

« Oui ou non ?

— Oui ! », lâcha-t-elle sèchement. « Oui, oui, oui ! J'ai perdu les pédales, OK. La boisson, l'émotion… » Elle haussa mollement les épaules. « Enfin, bref. J'ai pété les plombs. Ma vie était finie. Prisonnière de cette foutue île. Seule. Sans presque personne de mon âge autour de moi. Aucune chance que je rencontre quelqu'un d'autre. Je ne voyais mon futur que comme une morne succession d'années solitaires, dans une maison vide. »

Sime se cala dans son fauteuil et laissa le silence s'installer, comme la poussière retombe après un combat. « Vous avez conscience, madame Cowell, que ce que vous avez dit à madame Briand pourrait être interprété comme une menace d'assassiner votre mari.

— Oui, évidemment, et c'est ainsi que vous aimeriez le tourner, n'est-ce pas ? », répondit-elle d'un ton sarcastique.

« Vous m'avez dit que, la nuit du meurtre, vous ne saviez pas que votre mari allait revenir sur l'île. »

Elle fixa ses mains.

Sime attendit quelques instants. « Vous comptez me répondre, oui ou non ? »

Elle leva les yeux. « Vous ne m'avez pas posé de question.

— Très bien. Est-il vrai que vous ne saviez pas que votre mari allait revenir chez vous ce soir-là ? »

Elle détourna les yeux vers la fenêtre qui se trouvait derrière lui et le paysage au-delà des falaises. Pas de réponse.

« Toujours selon madame Briand, il aurait eu une conversation brève et tendue sur son portable, plus tôt dans la soirée, et serait parti immédiatement après. Est-ce vous qui l'avez appelé ? »

Ses yeux revinrent se poser sur lui. Il vit dans son regard qu'elle avait abandonné la lutte.

« Nous pouvons vérifier la liste des appels, madame Cowell.

— Oui », souffla-t-elle, cessant de se faire prier.

« Que lui avez-vous dit ?

— Je lui ai dit que je voulais lui parler.

— Pour lui dire quoi ?

— Toutes les choses que je voulais régler avec lui la veille. Seulement, je n'étais plus ivre. Plutôt froide. En colère. Je voulais éclaircir tout ce dont nous n'avions jamais eu l'occasion de discuter pour ne pas m'interroger dessus jusqu'à la fin de mes jours.

— Et qu'a-t-il dit ?

— Que nous avions assez parlé, et qu'il n'avait aucune intention de venir sur l'île. Tout au moins à ce moment-là.

— Comment l'avez-vous fait changer d'avis ?

— Je lui ai d'abord raconté que, pour commencer, j'allais rassembler tous ses vêtements et en faire un grand feu de joie au sommet des collines. Et que si cela ne suffisait toujours pas, j'incendierais sa précieuse maison avec tout ce qu'elle contenait, son ordinateur et toutes ses archives professionnelles. » Elle esquissa un sourire. « Apparemment, cela a fait l'affaire. »

Il se prépara à porter le coup de grâce. « Donc, tout ce que vous nous avez raconté à propos de ce qui s'est passé cette nuit-là était un mensonge.

— Non !

— Comme vous n'aviez pas pu vous expliquer avec lui la veille, chez Ariane Briand, vous avez menacé, à mots couverts, de le tuer, et la nuit suivante, vous l'avez attiré sur l'île en le menaçant de mettre le feu à sa maison. Quand il est arrivé, vous vous êtes affrontés, verbalement au début, puis physiquement.

— Non !

— Avec préméditation ou non, vous vous êtes emparée d'un couteau et, prise de fureur, vous l'avez poignardé trois fois en pleine poitrine.

— Ce n'est pas ce qui s'est passé !

— Vous avez immédiatement regretté votre geste et vous avez essayé de le réanimer. Et comme cela ne marchait pas, vous avez inventé cette histoire d'intrus que vous vous êtes empressée d'aller raconter à vos voisins.

— Il y avait un intrus. Je n'ai pas tué mon mari ! » Elle le fusilla du regard, la respiration lourde. Il se cala dans son siège, les mains tremblantes, n'osant pas ramasser les papiers posés sur ses genoux de peur que cela se voie.

« On dirait que le lion vient d'attraper la gazelle », lâcha-t-elle d'un ton haineux.

« C'est ce que vous aurez à subir de la part d'un procureur si jamais vous deviez vous retrouver à la barre des témoins, madame Cowell. » Il savait qu'il ne s'agissait que de preuves indirectes et que des accusations ne suffisaient pas à garantir une inculpation. Mais une preuve établie, même infime, pouvait faire pencher la balance.

Le visage de Kirsty Cowell était cramoisi. Était-ce de peur, de culpabilité, de colère ? Impossible à dire.

« Vous m'inculpez ?

— Non.

— Bien », fit-elle en se levant. « Dans ce cas, cet interrogatoire est terminé. Et si vous voulez me reparler, ce sera en présence d'un avocat. » Elle passa à côté de lui à grandes enjambées, poussa la porte à moustiquaire et sortit sous le porche. Sime se leva et, depuis la fenêtre, la vit descendre les marches à toute allure et s'éloigner en longeant le bord des falaises. Ses bras croisés, ses cheveux qui flottaient derrière elle lui rappelèrent Ciorstaidh qui s'éloignait sur le *machair* après avoir dit à son aïeul qu'elle le détestait.

Quand Sime se retourna, Crozes l'avait rejoint. Il avait l'air euphorique. « Tu l'as presque coincée », dit-il. « Super boulot, Sime. »

CHAPITRE 24

I

Dans la demi-obscurité, la lumière des lampes incrustées dans le plafond accrochait les bouteilles et les doseurs d'alcool, et miroitait sur le bar. Sime était accoudé, seul, au comptoir lustré, pendant que le barman nettoyait des verres pour ne pas mourir d'ennui. Il n'avait pas eu envie de dîner avec le reste de l'équipe, ni de les rejoindre ensuite pour jouer au bowling. Des amis et des collègues qui avaient travaillé dans la même équipe pendant des mois, partageant un moment de détente, dans une ambiance de franche camaraderie. Riant. Ils poussaient des hourras quand l'un d'eux réussissait un strike et le son de leurs voix rebondissait sur les parois de la vaste salle de bowling. Ils sentaient que la résolution de l'affaire était proche et le moral était au beau fixe. Norman Morrison n'était qu'une fausse piste. Au pire, sa mort n'était rien de plus qu'un accident malheureux.

Sime leur tournait le dos, mais il ne pouvait ignorer le brouhaha.

Il en était à son troisième ou quatrième whisky et en avait perdu le compte. Mais l'oubli qu'il espérait trouver dans la boisson ne lui paraissait pas plus proche que lorsqu'il s'était installé au bar. Si l'alcool avait un quelconque effet sur lui, il n'en était pas conscient.

Même avec la meilleure volonté du monde, il ne pouvait effacer de son esprit le regard d'animal blessé de Kirsty quand elle lui avait dit que le lion avait attrapé la gazelle. Cela l'avait laissé avec le sentiment d'être impitoyable, un prédateur.

Il ne savait plus que croire à son sujet. En revanche, le fait qu'elle lui avait dit la vérité au sujet du pendentif ne souffrait plus de doute, et cela le troublait profondément. Comment s'étaient-ils retrouvés en possession des mêmes armoiries gravées dans la même cornaline semi-précieuse ? Lui avec un anneau, elle avec un pendentif. Ils faisaient à coup sûr partie d'un même ensemble.

Crozes n'y avait prêté aucune attention. Rien à voir avec l'enquête, avait-il dit. Et Sime avait été bien incapable de trouver le moindre argument pour le contredire. Cela n'avait aucun lien tangible avec le meurtre.

Pourtant, Sime était encore hanté par le moment où il avait posé pour la première fois les yeux sur la veuve, persuadé de la connaître. Vu sous cet angle, l'écusson représentant un bras et une épée n'était pas anodin. En revanche, Sime n'avait aucune idée de ce qui les reliait.

S'il y avait une connexion, et que cet anneau et ce pendentif avaient véritablement une signification, la réponse devait se trouver dans les journaux intimes. Quelque chose dans cette histoire avait déclenché ses rêves et réveillé les souvenirs qu'il en gardait. Et Annie pensait se souvenir qu'il en était fait mention, même s'il ne s'en rappelait pas. Bien sûr, il savait que sa grand-mère ne leur avait pas tout lu. Et il se souvenait vaguement que ses parents avaient exprimé leur préoccupation à propos de l'une des histoires. Pas convenable pour de jeunes enfants, avaient-ils dit.

Il avait besoin de remettre la main sur ces journaux intimes.

« Je vous en sers un autre, monsieur ? » Le barman fit un signe de tête en direction de son verre vide sur le bar. Mais Sime ne se sentait pas capable d'en avaler un autre. Il fit non de la tête. Il était temps d'affronter la nuit et les démons de l'insomnie, allongé sur le dos à fixer l'écran de la télévision et le théâtre d'ombres qu'il projetait sur les murs.

Le sol du couloir menant à sa chambre lui donna l'impression d'être couvert de mélasse tant il avait du mal à soulever ses pieds. Il referma la porte de sa chambre et s'y adossa. Quand il ferma les yeux, le sol se déroba et, l'espace d'un instant, il eut l'impression qu'il allait tomber. Il les rouvrit rapidement.

Il trouva la télécommande du téléviseur dans l'obscurité et le mit en marche. Mieux valait un flot de stupidités pour s'extraire du monde que de subir un silence chargé de reproches. Il se débarrassa de ses chaussures et s'allongea avec précaution. Ses côtes le faisaient moins souffrir. L'infirmière ne s'était pas trompée. De simples contusions. À nouveau, il se demanda qui avait bien pu l'attaquer la veille. Ce n'était pas Norman Morrison. Et certainement pas Kirsty. Alors, qui ? Il étala ses mains sur le lit, de part et d'autre de son bassin. Une force invisible pesait sur son corps et l'enfonçait dans le matelas.

Sa gorge était irritée et ses yeux le brûlaient. Il les ferma et vit vaciller des lueurs rougeâtres derrière ses paupières. Il respirait lentement mais avec difficulté, comme si chaque souffle lui demandait un effort. Tout son corps n'aspirait qu'à une chose, dormir.

Les heures passaient dans un délire fiévreux, sans qu'il soit complètement conscient, ni vraiment endormi. L'écoulement du temps était ponctué par de brefs coups d'œil involontaires vers son réveil. Il était 1 h 57 la dernière fois qu'il avait regardé. 2 h 11 à présent. La chaîne de télévision diffusait son habituel programme nocturne de téléachat et d'affaires en or. Présentement, un ustensile de cuisine capable de découper n'importe quel légume en une douzaine de tailles et de formes différentes.

Sime balança ses jambes hors du lit et se leva. La démarche raide, il alla jusqu'à la salle de bains en évitant de regarder le miroir, et ouvrit le robinet d'eau froide. Il s'aspergea le visage d'eau glacée. Le choc atténua momentanément la fatigue qui l'engourdissait et il se sécha vigoureusement à l'aide d'une serviette. De retour dans la chambre, il enfila ses chaussures.

Derrière le rideau, il fit coulisser la porte vitrée puis la moustiquaire avant de déverrouiller la fenêtre extérieure pour la faire glisser sur le côté et se faufiler dans l'obscurité sur le parking. Le vent soufflait à travers la baie en bourrasques froides. Il remonta la fermeture de son sweat à capuche, fourra ses mains dans ses poches et commença à marcher. Tout était bon pour échapper à l'ennui insoutenable qui accompagnait l'insomnie.

La lumière jaune des lampadaires dessinait des taches étranges sur le goudron et se reflétait sur le toit des voitures garées sur le parking. La route principale nord-sud était déserte. Le seul signe de vie était les lumières des fenêtres de l'hôpital juste en face. Elles brillaient pour les malades et les morts, et pour ceux qui s'occupaient d'eux.

Il venait de parcourir une cinquantaine de mètres quand il entendit une femme crier. Puis, la voix d'un homme. Il crut tout d'abord à une femme en train de se faire agresser, et il pivota sur lui-même, cherchant à localiser les voix. Il réalisa soudain qu'il s'agissait d'un couple faisant l'amour. Les voix dérivaient dans la nuit depuis l'une des chambres de l'hôtel dont les rideaux étaient tirés sur la fenêtre ouverte pour laisser circuler l'air.

Sime ferma les yeux. La vie des autres, pensa-t-il, en éprouvant la douleur de l'amour perdu, des moments partagés enfuis à jamais. Bien que son mariage soit mort et au-delà de tout espoir de résurrection, il regrettait la chaleur et le réconfort de la proximité avec un autre être humain.

Il se tint immobile pendant un instant, gêné, écoutant les échos de la communion physique des deux étrangers derrière le rideau, s'apitoyant sur son propre sort. Soudain, une pensée ignoble s'infiltra dans son esprit. Il repéra les portes vitrées de sa propre chambre, fit un décompte rapide et la jalousie, pure et incandescente, lui enflamma l'esprit.

Sans réfléchir, il fonça en direction de la chambre des amants, fit brutalement glisser la porte moustiquaire sur le côté et écarta les rideaux. La lueur blafarde des lampadaires se glissa dans la chambre et se répandit sur le lit, surprenant l'homme et la femme en pleine passion. L'homme roula sur le côté et la femme s'assit, les yeux écarquillés, braqués sur la silhouette postée dans l'encadrement de la fenêtre. La lampe de chevet s'alluma et Sime vit, sans parvenir à y croire, Marie-Ange et Daniel Crozes, leur nudité à demi cachée par les draps enchevêtrés.

« Sime ! », laissa échapper Marie-Ange presque involontairement, sur un ton à la fois inquiet et incrédule.

Tant de choses défilèrent dans son esprit au même instant qu'aucune d'entre elles ne parvint à fixer son attention. Sa femme et son patron faisaient l'amour dans une chambre d'hôtel. Deux personnes couchaient ensemble. Des personnes qu'il connaissait. L'une qu'il respectait, l'autre qu'il avait aimée. Enfin, quand soudainement le brouillard qui avait envahi son esprit se leva, il comprit, comble de la trahison, que ce n'était pas une aventure d'une nuit.

Il vit la bouteille de champagne à moitié pleine posée sur la commode, les deux verres vides. Les vêtements abandonnés sur le sol.

« Depuis combien de temps ? », fit-il.

Marie-Ange serra les draps contre sa poitrine pour masquer ses seins, comme s'il ne les avait encore jamais vus. « Ça ne te regarde pas. Nous ne sommes plus ensemble, Sime. Notre mariage est terminé.

— Depuis combien de temps ? »

Elle ne put maintenir plus longtemps son attitude d'indignation vertueuse et elle détourna le regard, incapable de soutenir celui de Sime, douloureux, chargé de reproches.

Sime se tourna vers Crozes. « Lieutenant ? » l'interpella-t-il avec ironie. À son tour, Crozes baissa les yeux.

« Je suis désolé, Sime », se contenta-t-il de dire.

Sans réfléchir, Sime passa de l'immobilité à la fureur. En quelques pas, il fut de l'autre côté de la chambre, saisit son supérieur par les épaules, l'arracha du lit et le projeta contre le mur. Les poumons de Crozes se vidèrent sous le choc et, au même moment, le poing serré de Sime s'abattit sur son ventre. Crozes se plia en deux et le genou de Sime le cueillit en plein visage, faisant éclater sa lèvre contre ses dents de devant. Le sang gicla sur ses cuisses et son torse nus. Sime entendit Marie-Ange crier et la voix gargouillante de Crozes, la bouche remplie de sang. Mais rien ne pouvait apaiser sa colère. Il fit pivoter Crozes à trois cent soixante degrés et le projeta une seconde fois contre le mur. Une chaise se renversa. La bouteille de champagne bascula et brisa l'un des verres. Du poing, Sime frappa le côté du crâne de Crozes. Le lieutenant tomba à genoux et seul le ton impératif, menaçant et grave de la voix de Marie-Ange empêcha Sime de l'achever.

« Arrête ça tout de suite ou je te descends ! »

Il tourna la tête et la vit, agenouillée sur le lit. Elle avait lâché les draps, oubliant sa pudeur, et tenait son Glock 26 réglementaire à deux mains, braqué en direction du crâne de Sime.

Ils entendirent des voix à l'extérieur de la chambre et des coups violents et frénétiques contre la porte.

Sime lança un regard noir à son ex-femme, le souffle court. « Tu ne me descendras pas. »

Les yeux de Marie-Ange étaient de glace. « Chiche. »

Et soudainement, la folie s'évanouit, comme les flots se retirent après une brusque montée des eaux. Sime regarda Crozes, ensanglanté, battu, recroquevillé sur le sol et, pendant un instant, il eut presque pitié de lui. Pourquoi s'était-il laissé emporter par une telle fureur ? Les gens tombent amoureux, c'est ainsi. Pour des tas de raisons. L'amour les choisit. Pas l'inverse. Il finit par comprendre que c'étaient leurs mensonges qui lui avaient inspiré un tel sentiment de trahison, une colère si inconsolable.

« Pour l'amour de Dieu ! Ouvrez, là-dedans ! », hurlait une voix de l'autre côté de la porte qui vibrait sous les coups de poing. Il enjamba Crozes, toujours face contre terre, et ouvrit la porte. Thomas Blanc, Arseneau et deux autres flics étaient entassés dans le couloir, les yeux ronds, stupéfaits. Sime vit leur attention se porter sur la pièce derrière lui. Crozes, allongé sur le sol, en sang, Marie-Ange, nue comme un ver sur le lit, son Glock 26 encore en main.

Sans dire un mot, il se faufila au milieu de ses collègues bouche bée et remonta le couloir, perdu dans un maelström de confusion, de regret, de colère et de douleur. Il fallait qu'il sorte, qu'il respire de l'air frais, il avait besoin de temps pour réfléchir, pour réévaluer les choses. Derrière lui, il entendit un bruit de course, accompagné par la voix de Thomas Blanc. « Sime, Sime ! Nom de Dieu, arrête-toi ! »

Sime l'ignora, poussa violemment la porte battante ouvrant sur la réception, ce qui fit sursauter le gardien de nuit, avant de faire claquer les portes d'entrée et de retrouver le froid et l'obscurité.

Il avait déjà parcouru la moitié du parking, avançant à l'aveugle dans la nuit, quand Blanc lui saisit le bras et l'obligea à s'arrêter. Il se retourna brusquement et le fixa sauvagement. Sans doute avait-il l'air fou. Blanc le dévisageait sans comprendre, le regard inquiet.

« Tu as perdu la tête, Sime, ou quoi ! » Ce n'était pas une question. « Tu te rends compte de ce que tu viens de faire ? Crozes est un officier supérieur et tu lui as cassé la gueule.

— Et lui couche avec ma femme depuis Dieu sait quand. » Sime ne savait pas quelle réaction il espérait de la part de Blanc, mais il ne s'était pas attendu à de l'embarras. Son coéquipier semblait avoir perdu l'usage de la parole. La vérité s'abattit sur Sime, alourdie par le poids de l'humiliation. « Tu étais au courant. »

Sime dégagea son bras. Blanc baissa les yeux vers le sol, visiblement très mal à l'aise.

« Ce qui veut dire que tout le monde était au courant, c'est ça ? »

L'espace d'une seconde, le regard de Blanc croisa le sien avant de se détourner à nouveau.

« Mais personne n'a trouvé utile de m'avertir. »

Blanc inspira profondément. « Nous pensions te rendre service, Sime. On voulait te protéger. Vraiment. » Il espérait que Sime comprendrait.

Sime lui jeta un regard chargé de colère et de mépris. « Va te faire foutre », dit-il calmement. « Allez tous vous faire foutre ! » Il tourna les talons et s'éloigna dans la nuit.

II

Le port était surplombé sur son côté sud par un immense rocher qui se dressait au-dessus des quais. Un escalier en bois l'escaladait en zigzaguant jusqu'à un belvédère au sommet. Sime s'y trouvait, debout, totalement exposé au vent, après avoir effectué la longue et lente montée avec des jambes de plomb. Il avait erré sans but précis dans un état proche de la transe pendant toute la nuit pour finalement aboutir au port. Là, il était resté au bord de l'eau, le regard braqué vers l'île d'Entrée, à l'autre bout de la baie. D'une façon ou d'une autre, il se sentait toujours ramené à elle. Seule une poignée de lueurs scintillant faiblement dans le lointain trahissaient sa présence dans les ténèbres.

Agrippé à la rambarde de bois du belvédère, il résistait au violent vent de sud-ouest. Il contemplait les lumières des îles qui s'étendaient sous lui, du nord au sud. Il savait que le lever du soleil était proche et, pour la première fois, il prit toute la mesure du proverbe selon lequel l'heure la plus sombre vient juste avant l'aurore.

Alors qu'il marchait sans but dans la nuit, il s'était efforcé de ne penser à rien, atteignant un état proche du zen dans lequel il n'avait laissé aucun des événements de ces derniers jours empiéter sur sa conscience. Mais à présent, vaincue par l'épuisement, sa résolution s'effondrait et toutes ces pensées envahissaient son esprit.

Il déroulait sa vie sur les derniers mois en une boucle sans fin, s'arrêtant pour la première fois sur tous les petits détails qui lui avaient échappé. Les signes révélateurs qu'il avait ignorés, consciemment ou pas. En y repensant, Marie-Ange et Crozes devaient avoir une aventure depuis bien plus d'un an. Elle avait transformé sa culpabilité en une colère qu'elle avait retournée contre lui. Si elle était infidèle, c'était à cause de Sime. Si elle avait fini dans les bras d'un amant, Sime en était responsable. Cela expliquait tant de choses. Que l'affection se soit muée en mépris, l'intimité en impatience puis en colère.

Il comprenait pour la première fois ce qu'il ressentait depuis le départ de Marie-Ange. Un profond chagrin. Pour l'amour qu'il avait perdu. Comme si elle était morte. À cette différence près que le corps était encore là. Marchant, parlant, le raillant, le tourmentant.

Il se cramponna un peu plus à la rambarde pour se stabiliser, le corps raidi par la tension nerveuse, et il fut presque pris au dépourvu quand il sentit la tiédeur des larmes qui coulaient sur ses joues.

Il faisait encore nuit quand il regagna l'hôtel. Le long bâtiment de deux étages semblait assoupi, baigné par la lumière jaune des lampadaires. Aucune trace apparente du drame qui s'y était joué quelques heures plus tôt. Sime se demanda quels membres de l'équipe dormaient, ce qu'ils s'étaient chuchoté dans les chambres et les couloirs. Il s'en fichait à présent. La douleur de l'humiliation s'était évanouie, le vidant de toute émotion, indifférent à l'opinion des autres.

Posté derrière la réception, le gardien de nuit le fixa avec une curiosité à peine dissimulée. Dans sa chambre, la chaîne de téléachat vendait un appareil d'exercice qui promettait de faire travailler « chaque muscle de votre corps ». Sime verrouilla toutes les portes et éteignit la télévision. Il se débarrassa de ses chaussures et se glissa tout habillé entre les draps. 5 h 30 venaient juste de passer. Il resta allongé un moment, grelottant, avant de progressivement retrouver un peu de chaleur. Lentement, elle s'insinua dans ses membres, imprégna ses pensées. Il sentit son corps se détendre et la lueur rouge des chiffres du réveil disparut dans l'obscurité quand ses paupières se fermèrent sur ses yeux douloureux.

CHAPITRE 25

Les avis d'expulsion sont arrivés quelques jours après l'enterrement de mon père, mais aucun d'entre nous n'a l'intention de partir.

Je sens le vent sur mon visage qui refroidit ma sueur tandis que je m'échine sur ce sol rebelle. Il ne fait pas froid, mais le ciel d'été est chargé de pluie, et la brise qui forcit me dit qu'il ne tardera pas à la libérer. J'ai une bêche entre les mains avec laquelle je déterre les cailloux sous mes pieds, pour essayer de rendre ce coin sauvage à peu près cultivable. Ici, le sol est fin, sablonneux, et les pierres abondent. Mais si nous voulons survivre à cette maudite famine, nous devons produire plus de nourriture.

Je lève les yeux de mon travail et vois Ciorstaidh qui dévale la colline dans ma direction. Essoufflée, son visage rosi par la course. Je suis content de la voir tout au moins jusqu'à ce qu'elle soit suffisamment proche pour que je puisse lire l'expression de son visage.

Une fois devant moi, il lui faut quelques instants pour reprendre son souffle. « Ils arrivent », hoquette-t-elle.

« Qui ? »

Elle a encore du mal à parler. « Le shérif et une trentaine de policiers. Et des hommes du domaine, avec George à leur tête. Ils ont tous bu de la bière au château pour se motiver. »

Je ferme les yeux et, au milieu de l'obscurité, je sens que la fin de tout ce que j'ai connu est proche.

« Il faut que tu persuades les villageois de partir. »

J'ouvre les yeux et secoue lentement la tête. « Ils n'accepteront pas.

— Mais il le faut !

— C'est leur maison, Ciorstaidh. Ils ne la quitteront pas. Hommes, femmes, enfants, nous sommes tous nés ici. Nos parents, leurs parents, et leurs parents avant eux. Nos ancêtres sont enterrés ici. Il est hors de question que nous partions.

— Simon, s'il te plaît. » Sa voix m'implore. « Vous ne pouvez pas l'emporter. Les policiers sont armés de bâtons et ils apportent des fers. Et que ce soit juste ou non, ils ont la loi pour eux.

— Au diable la loi ! »

Elle sursaute. Je vois la douleur dans ses yeux et regrette immédiatement d'avoir élevé la voix.

Elle se reprend et sa voix n'est plus qu'un chuchotement. « Le voilier *Heather* a jeté l'ancre ce matin dans le loch Glas. Quelle que soit la résistance dont vous ferez preuve, ils ont l'intention de vider Baile Mhanais et d'embarquer tout le monde. » Elle se tut quelques secondes. « Je t'en prie, Simon. Essaie au moins de convaincre ta famille de partir avant qu'ils n'arrivent. »

Je secoue la tête, saisi d'un mauvais pressentiment. « Ma mère est la plus têtue de tous. Et si elle refuse de partir, je resterai. »

Elle me fixe, essayant sans doute de trouver les mots qui me feraient changer d'avis. Puis, sans crier gare, elle fond en larmes. Je suis partagé entre mon trouble et l'envie soudaine de la protéger. Je remonte la pente pour la prendre dans mes bras. Je ressens dans mon corps l'écho des sanglots qui secouent le sien. « Tout est de ma faute », dit-elle.

Je passe mes doigts dans ses cheveux, sentant la petitesse de son crâne contre la paume de ma main. « Ne dis pas de bêtises. Rien de tout cela n'est de ta faute. Tu ne peux pas être tenue responsable des agissements de ton père. »

Elle se recule et me fixe de ses yeux noyés de larmes. « Pourtant, c'est le cas. Il ne ferait rien de tout cela si ce n'était pas à cause de moi.

— Je ne comprends pas.

— George nous a vus ensemble. L'autre jour, sur la colline, quand je t'ai donné le premier panier. » Elle s'arrêta, comme effrayée à l'idée de poursuivre. « Ce bâtard a tout raconté à notre père. »

Je suis choqué d'entendre un tel mot dans sa bouche.

« Il était furieux, Simon. Il est entré dans une telle colère que j'ai vraiment cru qu'il allait me tuer. Il m'a dit qu'il préférerait me voir morte plutôt qu'avec un petit fermier de rien du tout. C'est là qu'il a décidé les expulsions. Jusqu'à présent, Baile Mhanais a été épargné parce que tu m'avais sauvé la vie. Maintenant, il veut s'assurer que nous ne nous reverrons plus jamais. Que tu te retrouves sur un bateau à destination du Canada et que tu me perdes à jamais. » À nouveau les larmes et sa voix qui tremble et manque de se briser. « Il faut que tu viennes avec moi. Toi, ta mère et tes sœurs. »

Je la dévisage, incrédule. « Avec toi ? Mais comment ? Où ? »

Elle respire difficilement. « J'ai été enfermée dans ma chambre pendant des jours, Simon. Prisonnière dans ma propre maison. Jusqu'à ce matin. » Elle essuie les larmes du revers de ses mains et se concentre sur son récit. « J'ai convaincu une des bonnes de me laisser sortir et, pendant que mon père était en bas avec le shérif et l'agent foncier, je me suis rendue dans son bureau. J'ai toujours su qu'il y conservait de l'argent, et je savais qu'il m'en fallait pour m'enfuir. »

Je me l'imagine, cherchant fiévreusement, tremblante de peur, craignant à chaque instant d'entendre des bruits de pas dans l'escalier.

« J'ai trouvé la boîte où il met l'argent dans le tiroir du bas de son bureau. Mais elle était fermée à clef et j'ai dû la forcer avec une dague de cérémonie qu'il utilise comme coupe-papier. » Elle ferme les yeux quelques instants, revivant le moment. « Dès que je l'ai fait, j'ai su que je ne pouvais plus revenir en arrière. » Elle cligne des yeux et braque sur moi son regard effrayé. « La boîte contenait deux cents livres, Simon ! »

Deux cents livres ! Je peux à peine m'imaginer une telle quantité d'argent, et encore moins la tenir entre mes mains.

« Nous pouvons partir très loin d'ici avec une telle somme. Nous tous. Toi, moi *et* ta famille. » Elle m'implore du regard et je ne parviens pas à lui résister. Elle prend ma main gelée entre les siennes. « Je ne peux pas retourner chez moi. J'ai défié mon père. J'ai volé son argent. » Elle serre ma main jusqu'à me faire mal. « Quand tout le monde sera parti, je peux prendre un cheval et une carriole aux écuries du château. Je vous retrouverai au pied de la cascade, près du vieux carrefour de Sgargarstaigh. Nous irons vers le sud et nous trouverons un bateau pour la traversée vers l'Écosse. »

*

L'atmosphère est suffocante dans la *blackhouse*. La tourbe qui vient juste d'être déposée sur le feu libère des volutes de fumée qui s'infiltrent dans le plafond de la pièce, piquent les yeux et irritent les poumons. Mais c'est surtout la voix de ma mère qui emplit la pièce. Une voix rageuse, proche de l'hystérie. Annag et Moireach se tiennent derrière elle, livides de peur.

« Tu es responsable de ce qui nous arrive, Sime ! Toi et cette stupide fille. Mon Dieu, comme son père a raison. Vous ne pouvez pas être ensemble en ce bas monde. Vous appartenez à des milieux différents. Elle le sien, et toi le tien. Comment as-tu pu imaginer une seule seconde que tu serais accepté dans son monde ? Ou qu'elle s'abaisserait à faire partie du nôtre. »

Je n'ai jamais été proche de ma mère. Toujours le protégé de mon père. Et depuis sa disparition, elle n'a cessé d'être véhémente, geignarde, sans arrêt quelque chose à me reprocher, comme si elle me tenait responsable de ce qui lui était arrivé. Mais je reste patient, et je n'oublie pas la responsabilité que mon père m'a confiée.

« Tu étais bien contente d'accepter la nourriture qu'elle nous a apportée ces deux dernières semaines. »

Mais cela ne fait qu'accroître sa colère. « Si j'avais su que cela venait d'elle, je ne l'aurais jamais accepté ! »

Et pour la première fois, j'explose. « Et d'où crois-tu qu'elle venait ? De Dieu ? Tu crois que c'était quoi, la manne divine ? » Je lui jette un regard noir. « Tu es aussi mauvaise que le châtelain. Il pense que lui et les siens sont meilleurs que nous. Et tu penses que nous sommes meilleurs qu'eux. Mais tu sais quoi ? Personne n'est meilleur qu'un autre. Nous sommes tous les enfants de Dieu, tous égaux sous les cieux, et les hasards de la naissance n'y changent rien.

— N'invoque pas le nom du Seigneur dans cette histoire ! Je ne te laisserai pas blasphémer dans cette maison.

— Ce n'est pas un blasphème. Lis donc ta Bible, ignorante ! » La phrase est sortie sans que je puisse m'en empêcher. Elle me gifle violemment et manque de me faire tomber.

Mais je ne cède pas et je continue à la fixer avec mépris. Mon visage me brûle. « Nous partons. » Et je me tourne vers mes sœurs. « Prenez vos affaires, nous n'avons pas beaucoup de temps. »

La voix de ma mère fend la fumée. « Vous ne bougez pas ! » Même si ses yeux restent braqués sur moi, les filles savent que c'est à elles qu'elle s'adresse et elles se figent sur place. « Ce n'est pas mon fils qui va me dire quoi faire. Je suis née dans cette maison, comme chacun de vous. Et nous n'en partirons pas. »

Pour la première fois, Annag parle, d'une voix faible et tremblante. « Peut-être a-t-il raison, maman. S'ils sont quarante ou plus pour nous chasser, nous n'avons aucune chance. Peut-être devrions-nous partir avec la fille du châtelain. »

Ma mère tourne lentement la tête et lui lance un regard qui changerait n'importe qui en pierre. « Nous restons », assène-t-elle d'un ton si définitif qu'il ne laisse pas l'ombre d'un doute sur le fait que cela ne sert plus à rien de discuter. « Les filles, allez ramasser des pierres. Des bonnes pierres de la taille d'un poing pour fracasser un crâne de policier. » Puis elle se tourne vers moi. « Tu es un Mackenzie, mon fils. Et les Mackenzie n'abandonnent pas sans se battre. »

Je me demande ce qu'aurait fait mon père.

Le vent est tombé et, avec lui, la température. Puis, la pluie est arrivée. Fine et pénétrante, elle se déplace comme la brume sur les montagnes. Les policiers arrivent. Ils ressemblent à des spectres alignés au sommet de la colline, des silhouettes grises contre le ciel gris.

Les villageois, et tous les métayers et leurs familles de la commune, sont rassemblés au milieu des maisons et le long du littoral. Nous sommes près de deux cents, et nous sommes pitoyables. Affaiblis par la famine, sous-équipés pour faire face à une bande de policiers et d'ouvriers agricoles costauds et bien nourris. Mais nous sommes animés d'une juste colère. Ce sont nos maisons et notre terre. Nos ancêtres ont vécu ici aussi loin qu'on s'en souvienne et bien avant qu'un quelconque châtelain s'imagine que sa fortune pouvait suffire à acheter et vendre nos âmes.

Je suis prêt au combat. Mon cœur saigne pour Ciorstaidh, mais je ne peux pas abandonner ma famille. Même si je sais que tout ceci est sans espoir. Je sais aussi que, avant la fin du jour, je serai mort ou sur un navire en route pour le Nouveau Monde. Je ne suis plus effrayé. Juste résolu.

Je sens la peur se déplacer comme une inconnue parmi mes compagnons tandis que nos ennemis se regroupent sur la colline, une masse sombre impressionnante, au silence menaçant. Un calme étrange vient de tomber sur Baile Mhanais. Sans vent, la mer est étale, comme retenant son souffle. Même le cri plaintif des mouettes ne vient pas briser la tranquillité de la fin de matinée.

Deux hommes se détachent du groupe et descendent le sentier dans notre direction. Ce n'est que lorsqu'ils sont suffisamment proches que je reconnais l'agent. Le laquais du châtelain. Dougal Macaulay, le gestionnaire du domaine. Un homme détesté par tous parce qu'il fut un jour l'un des nôtres et qu'à présent, il exécute les ordres du châtelain. Il pense sans aucun doute que de côtoyer l'aristocratie le hisse au-dessus de ses semblables. Cela s'entend dans le ton qu'il emploie quand les deux hommes s'arrêtent à quelques mètres à peine de la foule. Ma mère, mes sœurs et moi sommes au premier rang.

Il pose un regard hautain sur les villageois assemblés avant de déclarer en gaélique : « Voici monsieur Jamieson, le shérif. »

Monsieur Jamieson est un homme de taille et de corpulence moyennes, âgé de quarante-cinq ou cinquante ans. Il porte des bottes en cuir et un long manteau constellé d'une myriade de minuscules gouttes de pluie qui scintillent. Son chapeau est enfoncé jusqu'aux sourcils et l'on aperçoit à peine ses yeux. Sa voix est forte et son ton a l'assurance de la classe dominante. Son souffle tourbillonne autour de sa tête comme du brouillard tandis qu'il s'exprime en anglais, une langue dont quatre-vingt-dix pour cent, ou plus, des gens de la commune ne comprennent pas un traître mot.

« Habitants de Baile Mhanais. Je suis ici pour vous informer que les avis d'expulsion qui vous ont été remis il y a de cela quatorze jours ont expiré. Je vous demande donc, dans un souci de préserver la paix et l'ordre, de quitter les lieux sans quoi je n'aurais d'autre choix que de faire procéder à votre expulsion par la force. » Même si peu d'entre nous comprennent ses paroles, le ton est éloquent.

Je sens la colère monter en moi. « Monsieur Jamieson, si quelqu'un venait vous voir et vous demandait de quitter votre maison, comment le ressentiriez-vous ? »

Il releva légèrement la tête, comme pour mieux me voir. « Jeune homme, si j'avais des loyers en retard, je n'aurais pas d'autre choix que d'obtempérer. La loi est la loi.

— Aye, votre putain de loi ! » crie quelqu'un avec une bonne maîtrise de l'anglais courant.

« Il n'y a pas lieu d'employer un tel langage ! » lâche sèchement l'agent du domaine.

La voix de Donald Dubh retentit derrière mon épaule : « Comment donc pouvons-nous payer nos loyers alors que nous n'avons pas d'argent et aucun moyen d'en gagner ? » Je me retourne et vois son visage, aussi gris que l'océan. Je suis surpris de l'entendre parler anglais.

Monsieur Jamieson tend la mâchoire, décidé à clore la discussion. « Je ne suis pas ici pour débattre des problèmes sociaux en jeu. Seulement pour faire appliquer la loi. Je vous avertis que ceci est un rassemblement illégal et que si vous ne vous dispersez pas dans le calme je me verrai dans l'obligation de vous lire le *Riot Act**. »

Je n'ai aucune idée de ce qu'est le *Riot Act*, ni ce que sa lecture implique, mais l'agent du domaine traduit ses mots en gaélique et un silence inquiet s'installe dans l'assistance. Personne ne bouge et le shérif sort de sa poche intérieure une feuille de papier qu'il commence à déplier.

« Pour l'amour de Dieu ! », s'exclame l'agent. « S'il vous lit le *Riot Act* et que vous ne vous dispersez pas dans l'heure, ils peuvent vous pendre. »

---

* Loi anti-émeute. Une fois lue, les personnes rassemblées ont une heure pour se disperser avant d'être arrêtées. *(Note du traducteur.)*

Un frisson parcourt l'assistance, mais la foule reste immobile. Monsieur Jamieson s'éclaircit la gorge et sa voix retentit. « Notre Souveraine la Reine demande et commande à toutes les personnes ici assemblées de se disperser immédiatement... » Une pierre lancée de l'attroupement le frappe en plein front. Son chapeau s'envole en virevoltant, il met un genou à terre et l'exemplaire du *Riot Act* échoue dans la boue. Il porte la main à sa tête et le sang qui coule entre ses doigts semble d'un rouge encore plus vif sur sa peau blême.

Macaulay glisse une main sous son bras et l'aide à se relever. « Bande d'imbéciles », nous hurle-t-il. « Vous l'aurez voulu. »

Il éloigne le shérif, légèrement courbé et qui se tient encore la tête. Son chapeau gît dans la boue et je vois son crâne dégarni, ses cheveux grisonnants, huilés et plaqués en arrière. Il ne ressemble plus à une figure d'autorité mais simplement à un homme humilié. Si je ne savais pas ce qui va se produire à présent, j'éprouverais presque de la peine pour lui.

Les deux hommes sont à mi-chemin du sommet de la colline quand Macaulay hèle les types qui sont venus avec eux. Le silence se fait pendant un bref instant puis une clameur s'élève et la charge commence.

Ils dévalent la colline en courant, trente, quarante ou plus. Les policiers devant, matraques levées, hurlant à pleins poumons tout en chargeant. Mon sang se glace. Et la foule répond. Une pluie de pierres fend les airs en direction des policiers. Leurs casques les protègent un peu, bras et matraques levés pour éviter les projectiles, mais certains sont frappés en plein visage ou dans la tête. Plusieurs trébuchent et tombent. Mais cela ne stoppe pas l'assaut.

D'autres pierres volent, mais ils sont presque sur nous et j'entends le premier crâne se briser quand une matraque frappe une tête. Celle d'un homme que je connais bien. Un métayer installé du côté de la plage. Il tombe.

Le chaos ! Les voix des hommes et des femmes pris dans un combat inégal s'élèvent dans le matin calme. Une cacophonie sanglante. Je vois des matraques se lever et s'abattre juste devant mes yeux, comme les navettes qui vont et viennent au milieu de la trame sur un métier à tisser. J'ai encore ma pierre en main, et je l'envoie, fermement serrée dans mon poing, dans la figure d'un jeune policier avant qu'il ne me frappe avec sa matraque. Je sens et j'entends ses dents se briser, je vois le sang jaillir de sa bouche tandis qu'il tombe.

Nous battons en retraite sous l'attaque, parant les coups avec nos bras et nos mains. Je ne sais pas où sont ma mère et mes sœurs. Je suis assailli par le spectacle et le fracas de la bataille. Les premiers villageois tombés sont frappés et roués de coups de pied, sans merci. Peu importe si ce sont des femmes ou des enfants. Je vois une adolescente, qui vit à trois maisons de chez nous, hurlant, couchée sur le dos, deux policiers lui piétinant la poitrine.

J'aperçois le spectacle pathétique de Calum le vieil aveugle chancelant, son Glengarry piétiné dans la boue, les bras levés pour se protéger des coups qu'il ne voit pas arriver. Un homme qui a combattu pour la Grande-Bretagne à la bataille de Waterloo. Fauché par le coup vicieux d'un jeune homme qui n'était pas encore né quand Calum luttait pour qu'il soit libre. Sa tête s'ouvre presque en deux et il tombe, sang et cerveau coulent de son crâne brisé. Mort avant de toucher le sol.

Cela me met dans une telle rage que je perds tout contrôle, me ruant sur ces bâtards, hurlant de toutes mes forces, faisant tournoyer mes poings comme un dément. J'en attrape un au visage, l'autre à la gorge, avant qu'un coup ne s'abatte sur le côté de mon crâne et ne me paralyse. Je sens mes genoux qui lâchent et tout devient noir et silencieux.

Je ne sais combien de temps je suis resté inconscient. La première chose que je ressens est une douleur fulgurante dans ma tête. Ensuite, la lumière. Rouge sang d'abord, puis d'un blanc aveuglant qui me fait plisser les yeux.

Je ne peux pas bouger. Je panique, pensant que je suis paralysé, avant de comprendre que le corps d'un homme est allongé sur moi. J'arrive à dégager mes jambes et à m'asseoir à demi, le dos contre le mur de la *blackhouse* derrière moi. L'homme est Donald Dubh. Il me fixe, les yeux immobiles. Mais il ne voit rien. Il y a d'autres corps sur le chemin. Hommes, femmes et enfants. La plupart sont encore vivants, mais atrocement blessés. J'entends les gémissements sourds de douleur des villageois semi-inconscients. Quelque part, une femme se lamente. Je tourne la tête sur le côté et je la vois courir le long de la côte, les pieds glissant sur les galets. Deux policiers sont à sa poursuite. Ils la rattrapent à côté de la jetée. Elle tombe à terre sous leurs coups et ils commencent à la piétiner.

J'ai l'impression de vivre le pire des cauchemars, sans pouvoir me réveiller. Un peu plus haut, entre les deux premières *blackhouses* au sommet du village, des ouvriers du domaine, menés par George Guthrie, facilement reconnaissable à sa chevelure rousse, traînent une vieille femme hors de sa maison. La vieille

Macritchie. Quatre-vingts ans sonnés et clouée au lit depuis des mois. Je me rappelle qu'elle faisait partie des femmes présentes lorsque ma mère a mis au monde Moireach.

Elle est encore allongée sur son matelas quand ils la traînent hors de chez elle et la laissent tomber dans la boue. Sa chemise de nuit se déchire, et je vois son vieux corps pâle et rabougri. Ses cris de protestation restent coincés dans sa gorge. Et ces salauds commencent à la frapper. Je n'arrive pas à croire que je suis le témoin d'une telle inhumanité, d'une telle absence de compassion. Je détourne le regard. Les larmes coulent sur mes joues et la bile monte dans ma gorge.

Je balaye le village du regard. Presque tous les habitants sont partis, semble-t-il, mais je ne sais pas où. Et je sais que je dois disparaître d'ici avant que George et son équipe ne me trouvent. Sinon, ma peau ne vaudra pas chère.

Je parviens à me mettre à genoux et me laisse tomber dans un étroit passage entre deux maisons. Il y fait humide et sombre, l'odeur des déchets humains saisit la gorge. Je rampe sur mes genoux et mes coudes jusqu'aux granges construites derrière les maisons, presque collées au flanc de la colline. À cet endroit, le sol monte franchement, couvert d'un épais tapis de bruyères et de fougères où les pierres affleurent. Je me mets debout et m'arrête quelques secondes pour retrouver mon souffle et mon courage. Dès que j'aurai grimpé au-dessus du niveau des maisons, je serai à découvert, visible par n'importe qui depuis le village. Il va me falloir fournir un effort surhumain pour atteindre le sommet de la colline car il n'y a pas de chemin et la pente est presque verticale par endroits.

À coup sûr, quelqu'un va me prendre en chasse. Mais ils vont certainement emprunter le chemin qui part du village, le plus long, et si je trouve la force de grimper, cela me donnera une bonne avance.

Je tends les mains au-dessus de ma tête pour saisir les racines des bruyères et commence à me hisser sur les premiers mètres, à la recherche de points d'appui pour mes pieds. Animé tout à la fois par la peur et la colère, je tends les muscles de mes épaules et de mes cuisses, et grimpe rapidement au-dessus du niveau des toits des *blackhouses*. Je jette un rapide coup d'œil sur ma gauche et vois l'une d'entre elles s'enflammer. Comme à Sgagarstaigh, les hommes du domaine, armés de torches, mettent le feu aux portes et aux toits.

J'entends un cri en contrebas. Je suis repéré. Je n'ose pas me retourner et poursuis mon ascension, augmentant même mon effort. Je crapahute jusqu'à un affleurement rocheux et me laisse tomber dessus de tout mon long, sur le dos. Je roule sur moi-même pour observer le pied de la colline. Des flammes s'élèvent d'autres toits. Notre *blackhouse* est en feu elle aussi, et je me souviens de tous les étés où, mon père et moi, nous avons trimé à enlever le chaume pour l'utiliser comme engrais avant de le remplacer pour l'hiver suivant. En s'effondrant, les poutres envoient des gerbes d'étincelles dans la brume.

Un groupe de policiers s'est détaché des autres. Ils remontent le chemin en courant pour tenter de me couper la route. À moins de cinq mètres en dessous de moi, je vois George Guthrie lancé à ma poursuite. Son visage est tourné vers moi, les traits tordus par l'effort et la détermination, presque aussi rouge que ses cheveux.

En un éclair, je suis sur pied et me lance à l'assaut de la pente avec une vigueur renouvelée, dérapant tandis que mes mains et mes pieds cherchent des prises. Je suis obligé de me hisser à la force de mes bras et de mes épaules qui me font souffrir. Quand, enfin, j'atteins le sommet de la colline, je me redresse, les jambes flageolantes, et contemple le village qui fut mon foyer. Tout est en feu. Des acclamations s'élèvent quand un autre toit s'effondre.

Au loin, sur ma gauche, je vois une longue file de villageois que l'on conduit en haut de la montée, en direction de la colline de Sgagarstaigh. Ceux qui ne peuvent pas marcher sont entassés dans des carrioles avec le peu d'affaires qu'ils ont pu sauver. Beaucoup sont enchaînés, voûtés, ensanglantés, ils essaient tant bien que mal de se tenir debout et reçoivent des coups de matraque sur les épaules s'ils trébuchent.

Et là, parmi eux, je vois ma mère. Enchaînée elle aussi. Le visage marbré de sang, elle titube, courant presque pour suivre le rythme. Des petits pas rapides, contraints par la chaîne qui passe entre ses chevilles. Annag et Moireach courent à ses côtés et la rattrapent par les bras quand elle manque de tomber.

La culpabilité m'écrase. Je les ai abandonnées. J'ai trahi mon père. Pire, je sais que je ne peux rien faire.

J'entends la respiration haletante de George lui déchirer la poitrine. Il n'est plus qu'à trois ou quatre mètres du sommet. Je me penche pour ramasser quelques cailloux et je les lance dans sa direction. L'un d'eux le touche à l'épaule et il lève un bras pour se protéger la tête. Ce faisant, il perd prise et glisse jusqu'aux rochers en dessous. Mon attention est attirée sur le chemin par les cris des policiers qui franchissent le sommet de la colline et viennent dans ma direction.

Leurs cris attirent l'attention de certains villageois de la file qui avance à marche forcée vers Loch Glas, et ma mère et mes sœurs lèvent les yeux vers moi. Je n'ai toutefois pas le temps de m'appesantir sur ma culpabilité. Je tourne les talons et m'enfuis à toutes jambes. Je franchis la crête de la colline en suivant un sentier creusé par les sabots d'innombrables cerfs, qui serpente dans la bruyère et contourne d'énormes rochers préhistoriques surgissant en angles bizarres à la surface de la pente. Je patauge dans un petit ruisseau en crue. Les bras en rythme, la tête inclinée en arrière.

En contrebas, loin sur ma gauche, j'aperçois le croissant de sable argenté de *Traigh Mhor*, et les pierres dressées, témoins silencieux des générations qui m'ont précédé. Elles me rappellent aussi cruellement que c'est à cause de ma relation avec Ciorstaidh que ce malheur s'est abattu sur nous.

Pour la première fois, je regarde derrière moi. George n'a pas lâché prise. Plusieurs centaines de mètres derrière lui, les policiers perdent du terrain, ralentis par leurs lourdes bottes et leurs uniformes trempés. George, lui, est rapide, en forme, bien nourri et il bouillonne de colère. Je sais qu'il finira par me rattraper.

Je serre les dents et reprends ma course, la respiration calée sur le mouvement de mes bras et de mes jambes. Mes poumons me brûlent. Loin sur ma droite, j'aperçois Ard Mor, niché entre deux collines et, au-delà, le calme de plomb de la baie presque entièrement perdue sous la pluie. Je continue, le relief et le sentier des cerfs me ramènent vers la côte où les falaises de roche noire encaissent les assauts incessants de l'Atlantique depuis la nuit des temps.

À travers la brume, je devine les îles et une brève crevasse au milieu des nuages laisse passer la lumière du soleil qui, faiblement, peint des touches argentées à la surface de l'océan.

Le *machair* qui longe le sommet de la falaise est relativement plan, l'herbe fraîchement broutée est courte. Les chardons s'agrippent à mes pieds nus tandis que je bondis au-dessus des rochers et patauge à travers les tourbières. Mon esprit me pousse à continuer mais mon corps me conjure de m'arrêter. Presque aveuglé par la sueur, je me laisse emporter par la pente du *machair* qui descend vers une crique discrète dont la maigre bande de sable argenté paraît phosphorescente sous l'écume de la marée montante. Je suis le sentier jusqu'à la plage. Je sais que c'est là que George va me rattraper. Inutile de gâcher plus d'énergie. Mes pieds s'enfoncent dans le sable humide. Il est temps de m'arrêter et de lui faire face.

Je stoppe ma course, titubant, et me penche en avant quelques secondes, les bras appuyés sur mes cuisses pour me soulager du poids de mon corps. Puis, je me redresse et me retourne.

George est presque sur moi, à quelques mètres. Il ralentit et s'arrête, le souffle court. La pluie et la sueur assombrissent sa tignasse rousse qui retombe en mèches ternes autour de son front. La haine et le mépris qui irradient de son regard me donnent presque envie de me recroqueviller sur moi-même.

« Espèce de petit merdeux ! », éructe-t-il. « Tu as vraiment cru que tu pourrais être avec ma sœur ? » Il tire du fourreau accroché à sa ceinture un couteau de chasse et étend le bras sur sa droite, le manche fermement serré dans son poing, la longue lame de son arme scintille dans ma direction. « Je vais te vider comme l'animal que tu es. » Il jette un coup d'œil par-dessus son épaule, en direction des falaises. Pas un signe des policiers. « Et personne en vue pour témoigner qu'il ne s'agit pas de légitime défense. »

Il avance lentement vers moi. J'écarte les pieds pour me préparer à l'assaut, les yeux rivés sur le couteau. Il est suffisamment proche pour que je sente son odeur. Il essaie de capter mon regard, mais je ne quitte pas la lame des yeux et, sur un coup de tête, je décide de prendre l'initiative. Je me rue en avant, le buste tourné sur le côté pour que mon épaule le heurte en pleine poitrine et j'empoigne sa main armée avec les deux miennes.

Nous nous écroulons sur la plage. Je tombe sur lui et ses poumons se vident brusquement, en une explosion courte et douloureuse. Je lui tords le poignet et l'avant-bras, l'obligeant à lâcher le couteau qui glisse sur le sable.

Rapidement remis de sa surprise, il me repousse sans difficulté. Il est bien plus fort que moi. Il se relève, grimaçant de douleur et peine à retrouver son souffle. Je me penche et ramasse une poignée de sable que je lui jette au visage. Il l'évite en tournant rapidement la tête et je vois son regard se poser sur son couteau, à demi enterré dans le sable. Rapidement, nous estimons lequel d'entre nous va l'atteindre en premier. Il plonge sur sa droite, roule sur le sol et s'en saisit avant que j'aie le temps de faire un geste. L'instant d'après, il est de nouveau sur pied et le vent emporte le sable pris dans ses vêtements. Il reprend confiance en lui.

Je suis dos à la mer, sans possibilité de l'esquiver. Je recule avec précaution au fur et à mesure qu'il s'avance, sentant les vaguelettes se briser autour de mes chevilles. Sa bouche se tord en une espèce de grimace qu'il doit s'imaginer être un sourire mais qui évoque plutôt un animal sauvage montrant les dents.

Il se jette sur moi et, tandis que j'essaie à nouveau de lui saisir le poignet, je sens sa lame entailler la peau de mon avant-bras. Nous nous empoignons, nos visages presque collés l'un à l'autre, et reculons en titubant pour finalement tomber dans l'eau. Je pivote sur moi-même, essayant d'éviter le couteau et, pendant un instant, l'océan nous submerge. Quand je parviens à sortir la tête de l'eau, à bout de souffle, le spectacle qui s'offre à moi me laisse interloqué. L'océan est rouge. George a lâché prise et, pris de panique, je me relève avec difficulté pour chercher cette blessure que je ne sens pas. C'est alors que je réalise que George flotte à la surface, sur le ventre, inanimé. Une nappe de sang tourbillonne autour de lui.

J'empoigne sa veste, le traîne sur la plage et le retourne. Sous lui, le sable vire au rouge. Imbibant rapidement ses vêtements, son sang s'écoule d'une blessure qu'il a dû se faire quelque part à l'abdomen en tombant sur son couteau. Il est encore vivant. Il me fixe, les yeux remplis de terreur. Ses lèvres s'animent, mais aucun son ne sort de sa bouche. La vie le quitte lentement.

Je m'agenouille à côté de lui. Je sens le froid de la mer m'enserrer les jambes avant d'entendre des cris en provenance des falaises. Je lève les yeux. Trois policiers nous observent d'en haut. De là où ils sont, ils ont dû se rendre compte que George est mort et, en me voyant ainsi penché au-dessus de son corps, je sais à quelle inévitable conclusion ils ont dû arriver. Leur expliquer ce qui vient réellement de se passer serait vain.

Je me lève et pars en courant sur le sable sec. Je les entends crier pendant qu'ils entament la descente mais je sais qu'ils ne me rattraperont pas. Je m'éloigne de l'océan et patauge dans un bras de mer couvert de terre et d'herbes coupantes. Je remonte sur le *machair* et cours me mettre à couvert au milieu des collines, remerciant la nature pour cette bruine opaque qui m'avale comme le reste du paysage.

*

Je n'ai aucune idée du temps qu'il m'a fallu pour rejoindre le carrefour. L'eau descend la colline en cascade sur des blocs de gneiss brisés pour finir ici, dans ce que l'on appelle la mare de la noyade. L'ancienne route de Sgagarstaigh passe à proximité et, un peu plus loin en bas de la colline, bifurque vers Ard Mor. Presque plus personne ne l'emprunte. Elle est désaffectée depuis que sir John Guthrie a fait construire le château et la nouvelle route qui y mène depuis l'est.

Kirsty attend, abritée par le seul sorbier qui pousse là, avec un cheval et une carriole. La bête manifeste son impatience en battant des sabots et en reniflant dans le froid. Le soulagement de Kirsty est manifeste, jusqu'à ce qu'elle constate l'état dans lequel je suis.

« Que s'est-il passé ? Où sont ta mère et tes sœurs ?

— Enlevées. Comme tous ceux du village qui ont survécu à l'attaque. Ils sont probablement à bord du *Heather* à l'heure qu'il est.

— Mais pourquoi ne vous êtes-vous pas enfuis avant qu'ils n'arrivent ? » Je lis la fatigue et la tension autour de ses yeux.

« Ma mère n'a pas voulu partir. Ensuite, c'était trop tard. » Je ravale mes larmes et attends de retrouver ma voix. « Baile Mhanais a été incendié. Certains de mes voisins sont morts. Tous les autres ont été emmenés en direction de loch Glas. » Je fixe le sol, terrifié à l'idée de croiser son regard. De lui raconter la suite.

Finalement, je relève soudainement la tête. « Ton frère est mort, Ciorstaidh. »

Son regard s'assombrit sous le choc de la nouvelle. « George…? »

Je hoche la tête.

« Comment?

— Je me suis échappé. Il m'a poursuivi. Nous nous sommes battus sur la plage après les falaises. Il avait un couteau, Ciorstaidh. Il voulait me tuer. M'étriper comme un animal. C'est ce qu'il a dit. »

Sa voix est à peine plus audible qu'un souffle. « Tu l'as tué?

— Je n'en avais pas l'intention. Je te le jure. Nous avons fini dans l'eau et il est tombé sur sa propre lame. »

Elle ne sanglote pas, mais des larmes glissent sur ses joues. « Pauvre George. Je l'ai toujours détesté. Je ne sais pas s'il méritait de mourir. Mais d'une façon ou d'une autre, il l'a bien cherché. » Elle se mord la lèvre pour refouler une peine intérieure qui contredit ses paroles. Il avait tout de même dû exister quelques moments d'affection entre eux lorsqu'ils étaient enfants.

« On va m'accuser de l'avoir tué. Peu importe que ce soit lui qui ait eu l'intention de me supprimer. Tu peux être certaine qu'on va me rechercher pour meurtre. Et si on m'attrape, je serai pendu. »

Je vois la détermination tranquille qui anime sa mâchoire. « Ils ne te prendront pas », dit-elle en se tournant vers la carriole et en ouvrant la malle située à l'arrière. Elle contient deux petites valises. Elle en sort une et l'ouvre après l'avoir posée au sol. « Je t'ai apporté quelques vêtements appartenant à George, et une paire de ses bottes. Cela risque d'être un peu grand mais cela fera l'affaire. Tu ne peux pas voyager dans cette tenue. »

Je regarde le pantalon plié, la veste, la chemise repassée, rangés dans la valise. Et les bottes noires et luisantes de George. Et je pense à ce qu'il aurait ressenti en m'imaginant les enfiler. « Je ne peux pas voyager. »

L'incompréhension lui fait plisser le front. « Que veux-tu dire ?

— Je ne peux pas abandonner ma mère et mes sœurs.

— Simon, tu m'as dit toi-même qu'elles étaient probablement déjà sur le bateau. Tu ne peux rien faire. »

Je ferme les yeux, saisi d'une envie de crier. Elle a raison, bien sûr, mais je ne parviens pas à l'accepter.

Elle me saisit le bras et me force à la regarder. « Écoute, Simon. Le *Heather* doit appareiller pour un endroit qui s'appelle Ville de Québec. Quelque part sur la côte est du Canada. Si nous parvenons à rejoindre Glasgow, j'ai plus d'argent qu'il n'en faut pour payer notre voyage sur le prochain bateau pour Québec. Une fois qu'on sera là-bas, on devrait chercher la trace de leur arrivée, dans des registres ou je ne sais quoi. On les trouvera. Mais nous devons partir. Maintenant. Il faut que nous soyons en route pour l'Écosse avant que la police ne se lance à ta poursuite. »

CHAPITRE 26

Il se réveilla en sursaut, accablé par la douleur et les remords qui habitaient ses songes. Le rêve s'était déroulé conformément au souvenir qu'il conservait du récit qu'on lui avait raconté, mais les expériences de la vie qu'il avait connues depuis lors l'avaient peuplé d'images et d'émotions qui lui étaient inconnues lorsqu'il n'était encore qu'un petit garçon. Et une fois encore, Ciorstaidh avait les traits de Kirsty Cowell et son ancêtre les siens.

La lumière se glissait autour des rideaux tirés de sa chambre. Il vérifia l'heure. Sept heures passées de quelques minutes. Il n'avait pas dormi longtemps.

Les péripéties de la vie de son aïeul le hantaient de plus en plus fréquemment. Et quand il n'était pas éveillé, son subconscient les invoquait pour peupler ses brefs moments de sommeil. Il lui semblait n'y avoir aucune échappatoire.

L'évacuation de Baile Mhanais et la fuite avec Ciorstaidh avaient en quelque sorte bouclé le récit et l'avaient ramené à son premier rêve. À leur séparation sur le quai de Glasgow. Et c'était cela qui, à présent, occupait toutes ses pensées. Il avait toutefois le sentiment qu'un élément était encore absent. Il ne parvenait pas à déterminer ce dont il s'agissait. Il repassa dans son esprit les événements de ce jour fatidique, quand l'*Eliza* avait emporté Simon vers le Nouveau Monde, laissant Ciorstaidh derrière lui. La promesse que son ancêtre avait faite, tout en sachant qu'il ne pourrait pas l'honorer. Tout était comme il l'avait rêvé et conforme au souvenir qu'il avait du récit qui lui en avait été fait des années auparavant. Et pourtant, il savait qu'il avait oublié quelque chose. Un élément perdu dans le temps, hors de portée.

Un coup sur la porte acheva de dissiper le rêve et ses bribes, et le souvenir des événements de la veille vint soudainement les remplacer. La déprime le submergea comme une avalanche.

De nouveau un coup. Plus insistant cette fois.

Sime était moulu de fatigue, les yeux ensommeillés, il peinait à se concentrer. Il balança ses jambes hors du lit et glissa ses pieds dans ses chaussures, ses vêtements étaient froissés et humides de sueur.

« C'est bon ! », cria-t-il quand les coups reprirent. Il repoussa les mèches de cheveux de son visage et se frotta vigoureusement les yeux avant d'ouvrir la porte.

Il trouva Crozes, debout dans le hall. L'espace d'un instant, Sime se demanda s'il allait l'attaquer. Mais sa silhouette sombre resta immobile. La coupure de sa lèvre avait cicatrisé, son œil et sa joue gauche étaient couverts de bleus. « Je peux entrer ? »

Sime recula, tenant la porte grande ouverte. Crozes passa devant lui puis se retourna pour lui faire face tandis qu'il refermait. « Bon, nous pouvons gérer ça de deux manières », entama-t-il.

« Oh ? » Sime n'arrivait pas à lire quoi que ce soit dans ses yeux inexpressifs. Crozes était si pâle sous son bronzage que sa peau virait au jaunâtre.

« Soit nous faisons comme si rien ne s'était passé et on continue. » Il hésita. « Soit je fais un rapport pour agression, ce qui aboutira à ta suspension immédiate et très certainement à ton licenciement. »

Sime l'observa, pensif, reprenant lentement ses esprits. « Je vais te dire pourquoi tu ne vas pas faire ça. » Crozes attendit. Impassible. « Tout d'abord, tu seras obligé d'admettre que tu te tapais l'épouse d'un collègue. Ensuite, chaque personne du service saura que je t'ai mis une branlée et tu devras supporter cette humiliation. » Crozes resta silencieux. « Ce sera la fin de nos deux carrières. Et je ne pense pas que c'est ce que nous voulons, ni toi ni moi.

— Donc, que proposes-tu ?

— Je dirais que nous pouvons gérer ça de deux manières. » Il ressentit un plaisir presque pervers à retourner ses propres mots à Crozes. « Nous pouvons faire comme si rien ne s'était passé. »

Crozes contenait bien sa colère. « Ou ?

— Ou j'alerte la hiérarchie sur le fait que tu couches avec ma femme depuis un an et on voit ce qui se passe.

— Le résultat sera le même. »

Sime haussa les épaules. « Peut-être. » Il était surpris de se sentir aussi détendu, dénué d'émotion. Comme s'ils étaient en train de discuter de la vie d'autres personnes. Il se rendit soudain compte qu'il s'en fichait. De la Sûreté, de Marie-Ange, de Crozes. « Cela dépendra duquel de nous deux prendra l'initiative.

— Je pourrais t'arrêter sur-le-champ. Ce n'est pas comme s'il n'y avait pas de témoins.

— Et qu'est-ce qui te dit que je n'ai pas déjà appelé le capitaine McIvir pour lui faire un rapport complet sur ce qui s'est passé ? Y compris ta liaison avec ma femme. » Il vit Crozes se raidir.

« Et tu l'as appelé ? »

Sime laissa la question planer pendant un long moment. « Non », finit-il par dire.

Le soulagement de Crozes fut visible. « Bon, nous sommes d'accord ?

— Vraiment ?

— Rien ne s'est passé la nuit dernière. Si Marie-Ange et moi entretenons une relation, elle n'a commencé qu'après votre séparation. On boucle cette enquête et nous passons le reste de nos carrières loin les uns des autres. »

Sime dévisagea Crozes. « Autrement dit, tu veux que je la boucle. » Il vit la mâchoire de Crozes se serrer.

« Tu peux voir ça de la façon qui t'arrange. J'expose juste les choix possibles. »

Un silence lourd s'installa. Finalement, Sime détourna les yeux et alla s'asseoir sur le bord de son lit. « Comme tu veux », fit-il, l'air las.

Crozes hocha la tête et son attitude changea en un éclair. Il redevint lieutenant, concentré sur l'affaire. Le meurtre de James Cowell. Comme si rien ne s'était passé entre eux, il expliqua : « La police de la ville de Québec a enfin retrouvé la trace du maire Briand. Il est à l'auberge Saint-Antoine. » Il jeta un coup d'œil à sa montre. « Il y a un vol dans trois quarts d'heure. Je veux que Blanc et toi, vous soyez dedans. »

CHAPITRE 27

I

« Seigneur ! » Blanc leva les yeux du dossier posé sur ses genoux. Ils étaient quelque part au-dessus de la Gaspésie, probablement à moins d'une heure de la ville de Québec. La première heure de vol s'était déroulée dans un silence tendu et Blanc s'était plongé dans les notes rédigées par Arseneau au sujet du maire Richard Briand. Incapable de se contenir, il regarda Sime, coincé à côté de lui dans le petit Jetstream de dix-neuf places qui assurait la navette. « Tu as lu ce truc ? »

Sime était à des kilomètres, suivant les traces de son ancêtre dans l'Écosse du XIXᵉ siècle et, s'il se mettait à penser au présent, il se morfondait en songeant aux cicatrices mal refermées de sa relation avec Marie-Ange. Il jeta un coup d'œil à son collègue. « Non », répondit-il, l'air indifférent.

Le teint habituellement pâle de Blanc vira au rose sous l'effet de l'excitation. « Tout le monde sait qu'on ne devient pas un poids lourd de la politique sans argent. Et Briand ne fait pas exception à la règle. Même si ce n'est qu'un maire sur une île.

— Il a de l'argent. Et alors ? »

« — C'est la manière dont il l'a gagné qui est intéressante.

— Raconte.

— Les homards. » Il laissa Sime digérer l'information.

« Il travaillait dans le même secteur que Cowell ?

— Pas seulement, Sime. Ils étaient concurrents. On
peut dire qu'ils se partageaient le marché. Cowell possédait peut-être la moitié de la flotte de pêche, mais
Briand a l'autre moitié. Et d'après les notes d'Arseneau, l'année dernière, le maire a tenté de prendre le
contrôle de l'ensemble et il s'est planté. Apparemment, il y a eu une grosse prise de bec entre les deux
hommes. Ils se détestaient cordialement. »

Les implications de ce que lui racontait Blanc ne lui
échappèrent pas. Les rêves, le journal et les mariages
ratés battirent en retraite dans un coin de son esprit.
« Et une fois Cowell mort, la veuve ne représente-
rait qu'un obstacle mineur à l'extension de son petit
empire. »

Blanc acquiesça. « Exactement. Et la pilule a dû être
amère quand Cowell s'est installé chez son épouse. »

Sime réfléchit. « Ce qui fournit à Briand un double
mobile pour meurtre plutôt solide.

— Ça jette une lumière bien différente sur cette
histoire, non ?

— À l'exception d'une petite chose.

— Laquelle ?

— S'il en avait après Cowell, pourquoi s'en est-il
pris à Kirsty ?

— Peut-être voulait-il les éliminer tous les deux.
Ainsi, il était sûr que les affaires de Cowell seraient
mises en vente.

— Dans ce cas, pourquoi ne l'a-t-il pas fait ?

— Fait quoi ? », dit Blanc en fronçant les sourcils.

« Les tuer tous les deux. Il en avait l'occasion. »

Blanc était désemparé. « Peut-être a-t-il paniqué. »

Sime secoua la tête. « Il en avait tué un, pourquoi ne pas tuer l'autre ? Et il y a autre chose. Briand s'est envolé pour la ville de Québec le lendemain matin du meurtre, ce n'est donc pas lui qui m'a attaqué il y a deux nuits de cela. Et le fait que je me sois fait tomber dessus par un type portant une cagoule corrobore les déclarations de Kirsty Cowell au sujet de l'intrus, la nuit du meurtre. Ce qui, d'une certaine manière, la mettrait hors de cause. »

Blanc gratta le sommet de son crâne dégarni et luisant. « Cela soulève aussi la question de savoir pourquoi tu as été attaqué, tout simplement. »

Sime hocha la tête. « En effet. Mais ça ne change rien au fait que j'ai bel et bien été agressé. » Il devint silencieux, se remémorant avec une acuité douloureuse le moment où il avait cru mourir. Il lança un regard au dossier posé sur les genoux de Blanc. « Tu as fini avec ça ?

— Oui. »

Sime tendit le bras pour l'attraper. « Bon, j'imagine qu'il vaudrait mieux que je le lise avant que nous arrivions à Québec. » Il feuilleta les notes d'Arseneau à rebours et commença à lire. Au bout de quelques secondes, il se rendit compte que Blanc continuait à le fixer. Il leva la tête et lut de l'embarras dans son regard. « Qu'est-ce qu'il y a ?

— Il faut que nous mettions les choses au clair, Sime.

— À quel propos ?

— La nuit dernière. »

Sime se replongea dans le dossier. « Laisse tomber.

— Je ne peux pas.

— Et pourquoi donc ?

— Parce que je n'aime pas avoir en tête l'idée que tu puisses m'en vouloir.

— Je ne t'en veux pas.

— Ce n'est pas l'impression que tu donnais à deux heures du matin. »

Sime soupira et se tourna vers Blanc. « Écoute, Thomas, j'étais un peu chamboulé, OK ? Je venais tout juste de découvrir que mon épouse et le lieutenant couchaient ensemble dans mon dos depuis Dieu sait quand. Et si elle n'avait pas braqué son pistolet sur moi, j'aurais peut-être tué son amant. »

Blanc contemplait ses mains tout en les triturant. « En tout cas, tu avais raison. Tout le monde savait. » Il leva les yeux, l'air grave. « Tout le monde trouvait ça malsain. Seulement, tu n'as jamais été proche de qui que ce soit, Sime, et aucun de nous n'a pensé que c'était à lui de te le dire. De mon point de vue, ce n'était certainement pas à moi de le faire. »

Sime secoua la tête et faillit s'esclaffer. Comment auraient-ils pu lui annoncer ça ? Eh, Sime, tu sais que le lieutenant Crozes se tape ta femme ? « À ta place, je n'aurais probablement rien dit non plus. Mais cela n'a plus d'importance maintenant. C'est fini. Terminé. Il faut passer à autre chose. »

Mais Blanc avait clairement une idée derrière la tête. « Qu'est-ce que t'a dit Crozes quand il est venu dans ta chambre ce matin ? »

Sime leva un sourcil. « Tu es au courant ? »

— Tout le monde est au courant, Sime. »

Sime soupira. « Nous avons convenu de laisser tout cela derrière nous. » Et il reprit la lecture du dossier.

« Cela signifie qu'il ne va rien entreprendre contre toi ? », lui demanda Blanc après un long silence.

« S'il fait ça, cela ne donnera rien de bon, ni pour lui ni pour moi, Thomas. Donc, non, il ne fera rien. » Sime détourna les yeux du dossier et vit Blanc qui secouait la tête. « Quoi encore ?

— Ça ne tient pas debout, Sime.

— Tu penses qu'il aurait dû m'accuser ? » Sime ne put dissimuler sa surprise.

« Je pense qu'il est comme un animal blessé. Il saigne et il est dangereux. » Blanc posa sur lui ses petits yeux sombres. « Tu lui as mis une sacrée branlée ce matin, Sime. Devant sa maîtresse. Et quand tu as ouvert la porte de la chambre, toute l'équipe l'a vu, allongé sur le sol, nu et en sang. Une sacrée humiliation. Et ça, il va en souffrir bien plus longtemps que de tous les coups que tu as pu lui administrer. » Il regarda Sime avec gravité. « S'il t'a dit qu'il voulait oublier cette histoire, il ment. Quoi qu'il ait pu te dire ou te promettre, ne le crois pas. Il te baisera à la première occasion. »

II

Il fallut à peine moins de vingt minutes à leur taxi pour aller de l'aéroport à l'auberge Saint-Antoine dans le quartier du vieux port de la ville de Québec. Bien qu'il ait grandi dans les Cantons-de-l'Est, c'était la première fois que Sime mettait les pieds dans la capitale de la province.

C'était une ville ancienne et impressionnante avec son château fortifié dominant le port et la rivière, son fouillis de vieilles maisons et de ruelles étroites, blotties sous les anciens murs de la cité. Tout avait été rénové pour en faire une attraction touristique où s'alignaient de nombreux hôtels et restaurants.

Le fleuve Saint-Laurent y était large et ils pouvaient observer le ferry qui arrivait du port de Lévis, sur la rive opposée, pendant que leur taxi se garait devant l'hôtel où logeait Briand. La plupart des chambres donnaient sur le fleuve, mais l'entrée était située dans la petite rue Saint-Antoine, bordée d'immeubles en pierre et au bout de laquelle s'élevait une colline boisée. Briand avait une chambre mansardée au quatrième étage, dotée d'une fenêtre voûtée avec vue sur le fleuve. Plutôt habitué à être celui qui maîtrise la situation, il était d'une humeur exécrable quand il les accueillit.

Il referma la porte derrière eux. « Je suis en état d'arrestation, oui ou non ?

— Bien sûr que non », le rassura Blanc. Mais cela n'eut pas l'effet escompté.

« Eh bien, j'ai l'impression du contraire. J'ai eu une visite de la Sûreté locale hier soir, qui m'a intimé l'ordre de ne pas quitter ma chambre avant que vous ne m'ayez interrogé. J'ai l'impression d'être assigné à résidence. J'ai déjà raté une réunion ce matin et maintenant, je vais être en retard pour la suivante.

— Un homme est mort, monsieur Briand », fit Sime. Il observa le maire. C'était un homme de grande taille, bien portant et plutôt séduisant. Il avait le regard acéré et conquérant des politiciens, bien mis, manucuré, avec ce vernis de sophistication que seul l'argent peut acheter. Avec ses cheveux bruns et épais, plaqués en arrière, et son visage bronzé, Sime avait immédiatement reconnu l'homme qui se tenait aux côtés d'Ariane Briand sur le portrait qui, chez elle, trônait sur le buffet. Il portait un pantalon noir et une chemise blanche aux manches soigneusement retroussées.

« Je suis au courant », répondit-il sèchement. « Mais je ne vois pas en quoi cela me concerne.

— Il s'agissait de votre principal concurrent, et il sautait votre femme », balança Blanc.

Le teint de Briand s'empourpra sous son bronzage. « Quoi qu'il ait pu se passer, ou pas, entre Cowell et ma femme, c'était terminé. » Il serrait les dents pour contenir sa colère.

Blanc ne sembla pas surpris. « D'après ce que nous savons, Cowell vivait toujours avec votre femme au moment du meurtre. Ses affaires étaient encore chez elle. »

Sime se rappela le manteau trop grand pour Cowell accroché à côté de sa porte.

« S'il était revenu cette nuit-là, il les aurait trouvées sur le pas de la porte.

— Et comment le savez-vous ? », s'étonna Sime.

« Parce que c'est là que je les avais mises. »

Les deux détectives semblèrent étonnés et il y eut un moment de flottement. « Vous étiez chez votre épouse le soir du meurtre ? », demanda Blanc.

« En effet.

— Je pense que vous feriez mieux de nous fournir une explication. »

Briand soupira lourdement et traversa la chambre pour ouvrir les portes-fenêtres donnant sur le fleuve. Il inspira profondément et pivota sur lui-même pour leur faire face, le visage à demi obscurci par le contre-jour. Il avait l'habitude de trouver et d'occuper le point focal dans une pièce. « Si vous n'avez jamais vécu sur une île », commença-t-il, « vous ne pouvez pas comprendre comment les rumeurs et les demi-vérités s'y transforment en mensonges patents.

— Cela arrive dans n'importe quelle petite communauté », intervint Blanc. « Et de quelle rumeur ou demi-vérité est-il question dans le cas présent ? »

Briand demeura imperturbable. « Contrairement à ce que pensent certains, ma femme ne m'a pas fichu dehors. Nous avons eu une brouille, certes. Cela arrive dans un mariage. Nous avons décidé de nous séparer temporairement. Un genre de période d'accalmie.

— Et quand a débuté la liaison entre votre femme et Cowell ? », enchaîna Sime.

« Après notre séparation. Elle m'a avoué depuis qu'elle avait fait cela pour me rendre jaloux.

— Était-ce vraiment sa seule motivation quand elle lui a demandé de venir s'installer avec elle ? », ironisa Blanc.

« Elle ne lui a rien demandé de tel. » Briand semblait sur la défensive. « Cowell s'est invité lui-même. Il a débarqué une nuit sur le pas de sa porte, une valise à la main, et lui a annoncé que sa femme venait de découvrir leur relation. » Il passa sa main sur les contours parfaitement rasés de sa mâchoire, visiblement gêné de parler de ce qui avait été pour lui, sans aucun doute, une expérience humiliante. « Ariane et Cowell ont eu une passade, c'est vrai, mais elle et moi étions en train de nous réconcilier. Elle s'apprêtait à lui dire que c'était terminé quand il est apparu cette nuit-là avec sa valise. Elle s'est retrouvée déstabilisée. Elle n'a pas su comment s'en dépêtrer. D'après elle, il était obsédé. Presque inquiétant. C'en était arrivé à un point où elle avait peur de lui pour ainsi dire. J'ai fini par la convaincre qu'elle devait lui révéler la vérité. Que nous allions nous remettre ensemble et que son aventure avec lui était terminée. Nous avions l'intention de régler ça avec lui cette nuit-là. Nous deux. La nuit où il a été tué. Je suis venu à la maison après son départ et nous avons attendu et attendu. Mais il n'est jamais revenu.

— Vous affirmez que vous avez passé toute la nuit dans la maison de votre épouse la nuit où Cowell a été assassiné? », dit Sime.

« En vérité, c'est ma maison », précisa Briand la voix serrée par l'agacement. « Et, oui, Ariane et moi étions à la maison, tous les deux, toute la nuit.

— C'est un alibi bien commode », commenta Blanc. « Je me demande bien pourquoi votre femme ne nous en a rien dit.

— Peut-être parce que vous ne le lui avez pas demandé. » Sa voix était empreinte de sarcasme.

« Oh, nous n'y manquerons pas. » Le ton de Blanc trahissait son énervement.

« Et, comme par hasard, vous avez tous les deux pris l'avion le lendemain matin pour venir ici », ajouta Sime.

« Le hasard n'a rien à voir là-dedans », dit Briand. « Nous sommes partis ensemble. C'est ce que nous avions prévu, pour qu'elle puisse se prémunir des conséquences de sa rupture avec Cowell. J'ai réservé les vols et l'hôtel moi-même pour rester discret. Je n'avais pas de rendez-vous avant-hier. Nous avions donc deux jours devant nous avant qu'elle ne reparte. »

Sime avait du mal à l'admettre, mais son histoire sonnait vraie. La photographie d'Ariane et Briand avait probablement été remise à sa place sur le buffet la nuit où ils avaient prévu d'annoncer la nouvelle à Cowell. Le manteau suspendu à côté de la porte était celui de Briand. Et Ariane n'avait pas fait la valise de Cowell à son retour de l'aéroport, mais la nuit où il avait été tué. De toute façon, le mari et la femme se fournissaient un alibi. Et une chose était certaine. Comme Sime l'avait fait remarquer à Blanc, ce n'était pas Briand qui l'avait attaqué sur l'île d'Entrée. Il se trouvait à Québec quand c'était arrivé.

« Quand avez-vous appris le meurtre de Cowell ? », demanda-t-il.

« Pas avant qu'Ariane n'arrive à la maison. Elle a appelé pour me prévenir.

— C'était sur toutes les chaînes », fit remarquer Blanc.

« Nous ne regardions pas les informations, sergent-détective. Nous essayions de sauver notre mariage. De nous retrouver. Personne ne savait où nous étions. Nous avions éteint nos portables. Il n'y avait que nous. Une chambre d'hôtel, deux ou trois restaurants. Le monde n'existait pas.

— Et qu'avez-vous ressenti quand vous avez appris la mort de Cowell ? », fit Sime.

Un petit sourire sardonique se dessina sur les lèvres du maire. « Pour être parfaitement honnête, j'ai failli sauter de joie. Ce type foutait en l'air ma vie privée et ma vie professionnelle. Sa pauvre femme mérite une médaille.

— Sa femme ? », s'exclama Blanc, surpris.

« Évidemment.

— Et pour quelle raison ?

— Pour l'avoir tué. »

Au-dessus d'eux, le château Frontenac, avec ses tours et ses flèches, ses toits de cuivre verdis et sa brique orange, dominait l'horizon. Construit sur le site de l'ancien château Haldimand, qui avait autrefois abrité une succession de gouverneurs coloniaux britanniques, c'était à présent un hôtel de luxe. À ses pieds, les couleurs de l'automne peignaient la colline de jaune et de rouge vif tandis qu'un flot constant de touristes empruntait le funiculaire qui faisait l'aller-retour jusqu'aux anciens remparts de la ville.

Sime et Blanc étaient installés à la terrasse d'un café sous des parasols jaunes et observaient les passagers qui embarquaient et débarquaient au terminal des ferries du fleuve, de l'autre côté de la route. Un énorme paquebot de croisière de luxe, amarré au quai, rapetissait le vieux port. Les canons qui gardaient ce qui avait été autrefois le plus important port en eaux profondes du littoral est de l'Amérique du Nord pointaient à travers les créneaux du rempart, inutilisés depuis près de deux siècles et peints de laque noire.

Ils attendaient le taxi qui devait les ramener à l'aéroport et Blanc en était à son deuxième café et à sa troisième cigarette. Il avait déjà appelé Crozes pour lui faire son rapport. « Il a l'air content », dit-il. « Cela sort presque définitivement Briand du tableau et recentre l'enquête sur l'épouse.

— Mais nous n'avons toujours pas de preuve sérieuse contre elle. Rien de concret. »

Blanc haussa les épaules. « On devrait avoir le rapport du légiste dans la journée et les premiers résultats d'analyse. » Il scruta Sime attentivement. « Qu'est-ce qu'il y a entre elle et toi, Sime ? »

Il se sentit rougir. « Qu'est-ce que tu veux dire ?

— Toute cette histoire avec l'anneau et le pendentif, cette idée comme quoi tu la connais. J'ai bien vu comment tu la regardes.

— Et je la regarde comment ? », lui demanda Sime, soudain gêné.

« Je ne sais pas. C'est difficile à dire. Tu ne la regardes pas comme un flic regarde habituellement un suspect. Il y a un truc personnel, et ce n'est pas bon. Pas professionnel. Tu le sais, Sime. »

Sime ne répondit pas et Blanc devint pensif.

« Tu l'as interrogée à propos de ses origines écossaises l'autre jour.

— Et alors ?

— Tu es écossais, non ? C'est bien de là que viennent tes ancêtres ? »

Sime réfléchit. « C'est marrant, tu sais. En grandissant, je n'ai jamais voulu être autre chose que Canadien. Québécois. Bien sûr, j'étais au courant de mon héritage écossais. En arrivant ici, mes ancêtres parlaient le gaélique. Et mon père était tellement fier de nos racines écossaises. Il tenait à ce que nous parlions anglais à la maison. Enfin, ça, je te l'ai déjà dit. » Il jeta un bref regard en direction de Blanc. « Le problème, c'est que je ne voulais pas être Écossais. Je ne voulais pas être différent. La majorité des autres gosses de ma classe était d'ascendance française. Nous parlions tous français entre nous. Je voulais simplement être l'un d'eux. J'étais presque dans le déni quant au fait d'être Écossais. J'imagine que cela a dû être une déception immense pour mon père. »

Sime contemplait le port, pensif.

« Mais si tu remontes sur cinq générations, mon arrière-arrière-arrière-grand-père est arrivé d'Écosse à Québec sans un sou en poche. Lui et sa famille avaient été chassés de leurs terres dans les Hébrides extérieures, et il avait été séparé de sa mère et de ses sœurs. »

Blanc avala une bouffée de fumée. « Et son père ?

— Son père avait été tué en essayant de braconner du cerf sur le domaine pendant la Famine de la pomme de terre.

— Je croyais que cela s'était passé en Irlande. »

Sime secoua négativement la tête. « La famine sévissait tout autant dans certaines parties de l'Écosse. » Il fit un signe de tête en direction du port. « Après avoir débarqué, il est allé consulter les registres de la capitainerie pour essayer de savoir quand le bateau sur lequel se trouvait sa famille était arrivé. Pour les retrouver. Le navire s'appelait le *Heather*.

— Et ?

— Il n'en a pas trouvé trace. On lui a dit qu'il était considéré comme perdu en mer. À cette époque, si un bateau sombrait, personne n'était au courant. » Il se souvenait parfaitement de sa grand-mère lisant ce passage du journal. Comment son aïeul s'était saoulé avant d'être tiré des griffes de quelques crapules par un Irlandais qu'il avait rencontré. Il agita la tête. « Difficile d'imaginer ce que ça a dû être. Expulsé de tes terres, embarqué de force. Arriver sur une terre étrangère, totalement démuni. Sans famille, sans amis.

— Que lui est-il arrivé ? »

Sime haussa les épaules. « Il s'en est pas mal sorti au bout du compte. Il a même fini par se faire une bonne réputation comme artiste, contre toute attente.

— Tu as une de ses toiles ?

— Une seule. Un paysage. J'imagine qu'il s'agit des Hébrides. Un endroit plutôt lugubre. Pas un arbre, rien. » Il lui vint à l'esprit que l'imagerie qui donnait naissance aux décors de ses rêves devait venir de cette peinture accrochée dans son appartement. Il se tourna vers Blanc. « Et toi ? Quelles sont tes racines ?

— Moi, mon arbre généalogique remonte aux premiers Acadiens qui se sont installés au Canada. Ils venaient de Loudun, une ville de l'ouest de la France, dans la région Poitou-Charentes. » Il sourit. « Je suis donc un "Frenchy" pur sang. J'imagine que la différence fondamentale entre mes ancêtres et les tiens, c'est que les miens sont venus volontairement. Des pionniers. »

Un taxi se rangea le long du trottoir et klaxonna. Les deux hommes se levèrent prestement et Blanc laissa quelques pièces de pourboire sur la table.

III

Ils décollèrent peu après le milieu de la journée et devaient atterrir sur les îles vers deux heures. Crozes avait averti Blanc par téléphone qu'il organisait une réunion de l'équipe à la Sûreté pour évaluer les indices rassemblés jusque-là et décider de la suite des opérations.

Sime laissa aller sa tête contre le dossier de son siège et ferma les yeux. Il retrouva l'image du visage de Kirsty Cowell qui l'attendait, comme gravée sur sa rétine. Il pensa à ce que Blanc lui avait dit au café à propos de son comportement vis-à-vis d'elle. « Il y a un truc personnel, et ce n'est pas bon. Pas professionnel ». Il se demanda s'il n'était pas en train de perdre son objectivité dans cette enquête.

Il sentit l'avion virer à gauche au-dessus de la ville pour suivre le fleuve vers le nord en direction du golfe. Blanc lui donna un petit coup de coude. Il était installé côté hublot et admirait le paysage pendant que l'avion effectuait son virage. C'était une belle journée d'automne, claire et lumineuse, et les couleurs de la forêt qui bordait les berges du fleuve étaient spectaculaires à la lumière du soleil, comme accentuées avec un logiciel de retouche d'images. « Regarde », dit-il. « Tu vois ce chapelet d'îles sur le fleuve ? »

Sime se pencha contre lui pour les apercevoir. Les îles se détachaient nettement sur les eaux sombres du Saint-Laurent. Roche grise et feuillage d'automne. Il en compta neuf ou dix, de tailles variables, échelonnées sur le trajet du fleuve, au nord-est de la ville.

« La troisième en partant de l'île d'Orléans », indiqua Blanc. « Grosse-Île. C'est là que se trouvaient les quartiers de quarantaine pour les immigrants, au XIXe et au début du XXe siècle. Tu en as déjà entendu parler ? »

Sime hocha la tête avec gravité. « Oui.

— Pauvres bougres. C'était pire que l'enfer, il paraît. »

Et les souvenirs que Sime gardait de l'expérience de son ancêtre lui revinrent à l'esprit.

CHAPITRE 28

Ce voyage est un cauchemar au-delà de tout ce que j'ai pu imaginer. Et il ne fait que commencer! Dieu seul sait quels malheurs nous attendent.

J'ai appris à ne pas penser à Ciorstaidh, cela me fait souffrir et accroît ma dépression. Si elle avait été à bord avec moi comme prévu, nous aurions été installés dans l'une des quelques cabines passagers du pont supérieur. C'est elle qui avait nos papiers et quand on a découvert que je n'en possédais pas, pas plus qu'une preuve que mon passage avait été acquitté, le second m'a expliqué que j'allais devoir payer mon voyage. On m'a donc assigné à la cuisine pour préparer les repas des passagers du pont inférieur, parmi lesquels je devrais également me trouver une place.

La cuisine n'est en fait qu'une pièce rudimentaire et le trio de cuistots dont je fais partie ne sait pas travailler sur une mer démontée telle que celle qui nous secoue depuis le départ.

L'eau potable contenue dans les barriques est verte. Presque imbuvable. Dans les sacs, la moitié du grain est moisie. Il n'y a quasiment pas de viande et, de toute façon, elle ne restera pas comestible longtemps. Je ne sais pas comment nous allons faire pour que le stock de pommes de terre, d'oignons et de navets dure tout le trajet.

On m'a dit que la grande majorité des deux cent soixante-neuf personnes entassées à l'entrepont viennent de l'île de Skye. Elles ont été chassées de leurs terres et envoyées à Glasgow par leur propriétaire qui a payé leur voyage vers le Canada. Beaucoup ne possèdent rien d'autre que ce qu'ils ont sur le dos. Ils n'ont pas un sou et pas la moindre idée de ce qui les attend à destination.

L'*Eliza* n'a pas été conçu pour transporter des passagers. C'est un cargo. Il regagnera les îles britanniques chargé de marchandises en provenance du Nouveau Monde et les gens qui peuplent l'entrepont à l'aller sont considérés comme du ballast payant.

Ce que l'on nomme entrepont n'est qu'une cale sommairement aménagée pour accueillir des humains. Des box ont été construits de chaque côté de la coque et au centre du bateau, sur deux niveaux, entre les ponts supérieur et inférieur. Ils procurent juste assez d'espace pour s'allonger sur les bordages tachés et crasseux.

Des familles y sont entassées, à huit ou dix dans un box. Il n'y a pas de toilettes. Seulement des seaux en étain qu'il faut transporter, leur contenu débordant et se renversant, jusque sur le pont supérieur pour les vider par-dessus bord. L'odeur des excréments sature l'air et il n'y a pas d'eau pour laver le sol.

Pas plus que d'intimité pour faire sa toilette, ce qui est très embarrassant, surtout pour les femmes. Elles ont recours à des couvertures que les membres de la famille tiennent en l'air pour les protéger des regards.

Il fait sombre et l'atmosphère est oppressante. Par mauvais temps, les écoutilles sont fermées et nous ne voyons pas le soleil pendant plusieurs jours. La seule source de lumière provient des lampes à huile qui dansent au-dessus de nos têtes et exhalent leurs fumées dans un air déjà irrespirable. Certaines fois, je ne peux même pas voir assez pour écrire ce récit de ma vie et, quand le navire fait des embardées et tangue au milieu d'une tempête, j'en viens à me dire que personne n'aura l'occasion de le lire. Étant quasiment le seul passager de l'entrepont à parler anglais, j'ai eu la chance que la femme du capitaine me prenne sous son aile. Elle m'a procuré de quoi écrire mon journal ainsi qu'un endroit pour le mettre à l'abri. L'écriture est la seule chose qui m'aide à ne pas perdre la tête pendant ces heures et ces jours interminables.

Le mal de mer est violent, et la mélodie de la souffrance humaine que je suis maintenant habitué à entendre jour et nuit est constamment ponctuée par le son des vomissements. Je songe souvent à ma mère et à mes sœurs, à bord du *Heather*, et combien cela doit être pénible pour elles aussi. C'est une pensée que je peux à peine supporter.

Il y a un autre mal à bord qui n'est pas provoqué par les mouvements du bateau mais par je ne sais quelle maladie. J'ai remarqué un homme qui paraît plus souffrant que les autres. Un homme jeune et robuste, de cinq ou six ans mon aîné. Son nom est John Angus Macdonald. Il a deux jeunes enfants et sa femme en attend un troisième. Il souffre de violentes nausées et de diarrhées, et cela fait deux jours qu'il n'a rien avalé. Ce soir, sa poitrine et son ventre se sont couverts de boutons rougeâtres.

Cela fait deux semaines que nous sommes en mer et John Angus Macdonald est mort. Il était installé avec sa famille dans le box voisin du mien et je l'ai vu dépérir sous mes yeux.

Ce matin, nous avons organisé un bref service funèbre. Une poignée d'entre nous a été autorisée à monter sur le pont pour la cérémonie. Je ne saurais décrire à quel point cela fut merveilleux de respirer de l'air frais même si, au bout du compte, cela n'a rendu que plus difficile le retour dans l'entrepont.

John Angus était enveloppé avec le drap dans lequel il était mort, sommairement cousu. Je me trouvais là uniquement parce que je suis l'un des rares à savoir lire et écrire. Quelqu'un m'a fourré une bible en gaélique dans les mains et m'a demandé d'en lire un passage. Je me suis souvenu de celui qu'avait récité le vieux Calum sur le cercueil de mon père. Après quelques instants, j'ai fini par le retrouver. Jean, chapitre XI, verset 25. « Je suis la résurrection et la vie, dit le Seigneur. Celui qui croit en moi, même s'il meurt, vivra ; et quiconque vit et croit en moi ne mourra jamais. »

Et ils ont fait glisser son corps par-dessus bord. En voyant la minuscule gerbe d'écume qu'il a faite en crevant la surface des eaux démontées, j'ai réalisé, pour la première fois de ma vie, à quel point nous sommes insignifiants.

Je ne sais pas dans combien de semaines la grossesse de sa veuve Catrìona arrivera à terme, mais son ventre est énorme et il ne devrait pas se passer beaucoup de temps avant qu'elle accouche. Un petit qui ne connaîtra jamais son père.

Je me sens une responsabilité envers elle à présent que son compagnon est parti. Je suis dans le box voisin et, en même temps, ce qui se rapproche le plus d'un père pour ses enfants. Au moment où j'écris ces lignes dans la pénombre, le petit garçon et la petite fille sont lovés contre mes jambes et partagent ma couche maintenant que leur père n'est plus là. Tout ce que je peux faire pour eux, c'est essayer de faire en sorte qu'ils aient un peu de nourriture supplémentaire.

*

Le temps est toujours exécrable. Les écoutilles sont fermées depuis plusieurs jours pour nous protéger des intempéries et j'ai l'impression que je pourrais tailler l'air en tranches avec mon couteau.

Plus tôt aujourd'hui, j'ai discuté avec un membre de l'équipage qui m'a expliqué que le temps de traversée moyen était normalement de quatre à six semaines. Toutefois, en raison du mauvais temps, nous sommes très en retard, et il estime que le voyage pourrait durer jusqu'à deux mois. J'ai immédiatement fait l'inventaire du garde-manger. Après une brève estimation, j'en suis arrivé à la conclusion que nous serons à court d'eau et de nourriture bien avant d'arriver à destination.

La maladie de John Angus Macdonald s'est propagée. Onze personnes sont mortes et ont été balancées par-dessus bord. Beaucoup de mes compagnons de voyage souffrent de diarrhées chroniques. Les planches sur lesquelles nous dormons sont souillées. Mêlé aux vomissures, cela donne un mélange qui rend les planchers glissants. Nous n'avons aucun moyen de les nettoyer et la puanteur a franchi le seuil du supportable.

Je connais parfaitement les symptômes de la maladie qui nous accable dans l'entrepont, et en surveille attentivement la moindre manifestation sur ma personne. Jusque-là, la maladie m'a épargné, mais pas la misère.

*

Cette soirée a été l'une des plus traumatisantes de toute ma vie.

Catrìona Macdonald était sur le point d'accoucher. Le bateau gîtait violemment et les lampes à huile se balançaient en projetant parmi nous des ombres semblables à des démons. Il était presque impossible de distinguer quoi que ce soit.

La pauvre femme était en détresse et les femmes plus âgées et expérimentées s'étaient rassemblées autour d'elle pour aider à l'accouchement. Les cris de Catrìona parvenaient à couvrir le rugissement de l'orage et ses enfants, terrifiés, s'agrippaient à moi dans le box voisin.

Il est rapidement devenu évident qu'il y avait un problème. J'ai conduit les enfants dans le box opposé pour qu'ils ne puissent rien voir. Entendre était déjà bien suffisant. Même dans la semi-obscurité, je pouvais analyser l'attitude des femmes qui s'affairaient autour de la jeune veuve. Leur agitation silencieuse et inquiète m'a renvoyé à ce jour, il y a de nombreuses années, quand Annag et moi étions accroupis derrière le grillage à poules, dans l'embrasure de la porte de la salle du foyer de notre *blackhouse* où ma mère accouchait.

J'ai laissé les enfants aux bons soins d'une famille dans le box attenant et je suis allé voir par moi-même. Tout d'abord, les femmes m'ont éloigné. Ce n'était pas la place d'un homme, disaient-elles. Mais j'ai forcé le passage et me suis plaqué contre la paroi. J'ai vu la pauvre Catrìona Macdonald, allongée sur le dos, jambes écartées. Le bébé sortait dans le mauvais sens, comme Moireach.

Il n'y avait pas de sage-femme à bord et la femme qui essayait de faire sortir le bébé était dépassée. J'ai fermé les yeux et me suis remémoré clairement comment j'avais vu, à travers la fumée de la tourbe, la sage-femme de Baile Mhanais tourner le bébé. Quand je les ai rouverts, il m'est apparu encore plus clairement que si je ne faisais rien, l'enfant allait mourir.

J'ai écarté la femme. Les autres ont poussé des cris de surprise en me voyant prendre sa place. J'ai calé mes genoux contre la paroi du box pour résister aux mouvements du navire tout en saisissant le bébé. Je l'avais déjà vu faire. Je savais que je pouvais y arriver.

Il se présentait par les fesses, les bras et les jambes encore à l'intérieur. Une fille. Je me suis représenté ce que j'avais vu la sage-femme faire, libérer les jambes du bébé l'une après l'autre, puis tourner doucement pour sortir d'abord un bras, puis l'autre. Les hurlements de la mère me mettaient les nerfs à vif. Comme pour ma mère, il y avait du sang partout et ma confiance en moi commençait à s'évanouir. Tout le corps était sorti, mais la tête était encore coincée à l'intérieur. Le bébé se noyait dans le sang et le liquide.

Presque aveuglé par ma propre sueur, je sentais la vie de l'enfant me filer entre les doigts. J'ai essayé de me rappeler ce que la sage-femme avait fait pour dégager la tête, luttant pour me concentrer sur ce que j'avais vu ce jour-là. Comment elle avait palpé le ventre de la mère pour sentir la tête avant de pousser franchement avec la paume de la main.

Les femmes me criaient de tout lâcher, mais j'étais persuadé d'être le seul à pouvoir sauver la vie de cette petite fille.

J'ai passé la main sur le ventre ensanglanté de Catrìona et trouvé la tête du bébé, ronde et dure. J'ai soutenu le corps de l'enfant avec le creux de mon bras et appuyai vers le bas, fermement, tout en criant « Poussez ! » La tête est sortie de façon si inattendue que j'ai trébuché et manqué de tomber. J'ai senti les mains des femmes qui me saisissaient pour me retenir. J'ai donné ensuite une bonne gifle sur les fesses du bébé, comme j'avais vu la sage-femme le faire avec Moireach.

Pendant un instant, rien ne s'est passé. Puis, un toussotement et un cri. J'ai coupé le cordon ombilical avec mon couteau et me suis retrouvé avec cette minuscule créature, couverte de sang et de mucus, blottie contre ma poitrine, ouvrant les yeux pour la première fois.

J'ai presque été emporté par l'émotion en berçant cette nouvelle vie dans mes bras.

Les femmes ont apporté des draps pour tenter de stopper les saignements de Catrìona, mais elle était indifférente à la douleur ou au fait qu'elle risquait de perdre la vie. Dans la pénombre, elle a posé sur moi ses yeux fiévreux et tendu ses mains tremblantes vers sa petite fille. Quelqu'un l'a enlevée de mes bras et emmaillotée dans une couverture avant de la remettre à sa mère. Catrìona l'a serrée contre sa poitrine, comme s'il s'agissait de la chose la plus précieuse sur terre. Et pour sa mère, en cet instant, je suppose que c'était le cas.

Catrìona m'a regardé et, d'une voix à peine audible, au milieu des rugissements de l'orage et des craquements du navire, elle a soufflé : « Merci. »

Cela fait quarante-cinq jours que nous sommes en mer. L'un des cuisiniers est mort, l'autre est malade, et je fais de mon mieux pour nourrir les passagers restants. Cela fait des semaines qu'il n'y a plus de viande, le grain est épuisé et il ne reste que quelques légumes fripés avec lesquels je confectionne une soupe claire en quantité suffisante pour apaiser la faim de tout le monde. Notre réserve d'eau, bien qu'elle ait été répugnante dès le début du voyage, est elle aussi à sec. Si nous ne succombons pas à cause de la maladie, nous mourrons de faim.

De plus en plus de passagers sont frappés par le mal qui a emporté John Angus Macdonald. Et, maintenant, Catrìona elle aussi en présente les symptômes.

Elle n'a pas été bien depuis la naissance de son bébé et son état se détériore rapidement. Je passe la plupart de mes soirées à la réconforter et à occuper les enfants. Le bébé serait certainement mort si, quelques box plus loin, une femme n'avait pu l'allaiter. Je m'arrange donc pour que les Macdonald et la nourrice aient suffisamment de nourriture pour survivre.

Ciorstaidh n'est plus qu'un souvenir lointain. Pourtant je sais que, le restant de mes jours, je regretterai l'instant où je l'ai perdue sur le quai.

Ce soir, une autre lourde responsabilité est venue s'ajouter sur mes épaules. Catrìona sait qu'elle va mourir. Comment ne le saurait-elle pas ? Je venais d'emmitoufler ses enfants dans une couverture et de leur caresser la tête jusqu'à ce qu'ils s'endorment. J'ai vu qu'elle m'observait avec de grands yeux tristes. Elle a tendu la main pour m'attraper le poignet et m'a chuchoté : « Ma grand-mère me disait toujours que si on sauve une vie, on en est responsable. » Elle a toussé, projetant de la morve et des crachats sur ses draps, et il lui a fallu un moment avant de se reprendre. « Quand je serai partie, tu devras prendre soin de mon bébé. De mes enfants aussi. Fais ce que tu peux, Sime. Je n'ai personne d'autre. »

Je n'ai que dix-huit ans. Mais comment refuser ?

Hier, nous avons jeté trois corps par-dessus le bastingage. Cela se fait sans cérémonie maintenant, même si je chuchote toujours l'adieu de Calum à mon père. Si personne ne l'entend, je sais qu'au moins Dieu écoute.

Le temps s'est amélioré ces derniers jours, et nous avançons à meilleure allure. Après les obsèques, j'ai passé un petit moment sur le pont et j'ai entendu quelqu'un crier : « Terre ! » J'ai couru avec d'autres vers bâbord et tendu le cou pour voir au-delà de la houle. Et là, dans le lointain, j'ai vu un petit groupe d'îles qui ponctuaient l'horizon. Un membre de l'équipage derrière mon épaule a dit : « Dieu merci. Nous arriverons demain ou le jour d'après. »

J'ai ressenti un tel soulagement que j'ai eu envie de sauter de joie. Je voulais déjà y être. Que tout ceci s'arrête. Toutefois, ma joie fut de courte durée. L'homme poursuivit : « Ne t'emballe pas trop, mon garçon. Ils ne nous laisseront pas accoster à Québec tout de suite. Nous nous arrêterons d'abord à Grosse-Île. Et si tu pensais que ce que tu viens de vivre était difficile… » Sa voix s'est perdue.

« Que voulez-vous dire ? », ai-je demandé. « Qu'est-ce-que c'est Grosse-Île ?

— C'est l'enfer sur terre, fiston. Une île sur le fleuve Saint-Laurent, à quelques kilomètres en aval de la ville. Nous y serons mis en quarantaine. Les malades seront soignés et mourront probablement. Et nous, nous serons retenus jusqu'à ce qu'ils soient sûrs que nous ne sommes pas contaminés. Alors seulement ils nous laisseront partir. »

J'en aurais pleuré.

Plus tôt aujourd'hui, ce fut extraordinaire de voir la terre de part et d'autre du navire tandis que nous nous engagions dans l'embouchure du Saint-Laurent. Cependant, les rives sont si éloignées qu'elles rompent à peine la ligne qui sépare le ciel de la mer. Je n'imaginais pas qu'un fleuve puisse être aussi grand.

Tous ceux qui en étaient capables s'étaient agglutinés sur le pont pour observer notre progression et les rives qui se rapprochaient de chaque côté. Le grand continent d'Amérique du Nord.

Sur les deux cent soixante-neuf passagers qui ont quitté Glasgow, entassés dans l'entrepont, vingt-neuf sont morts.

Le soleil était presque couché quand nous avons longé un chapelet d'îles sombres qui émergeaient des flots du fleuve avant de jeter l'ancre à Grosse-Île. Huit ou dix autres navires mouillaient dans la baie. Tous arboraient le drapeau jaune de la quarantaine. On aurait cru que nous avions apporté toutes nos maladies avec nous dans ce nouveau monde.

J'ai vu à terre une série de baraquements et des bois s'élevant sur la colline juste derrière. Une chaloupe a quitté la jetée en bois pour rejoindre notre navire et les gouttes d'eau de ses rames accrochaient les dernières bribes de lumière en retombant, comme de l'argent liquide, dans le cours du fleuve.

Un homme est monté à bord, en queue-de-pie, bottes et pantalon épais. Son visage décharné aux joues creusées était surmonté d'un chapeau. « C'est le médecin », m'a expliqué l'un des marins.

« L'un d'entre vous parle-t-il anglais ? », a-t-il demandé.

Au bout d'un moment, j'ai fini par lever la main. « Oui, moi, sir.

« — Quelle langue parlent ces gens ?

— Le gaélique.

— Mince », a-t-il lâché. « Notre interprète gaélique est mort il y a deux jours. Il va falloir que tu le remplaces. » Il s'est avancé vers moi et m'a examiné attentivement du regard avant d'ouvrir ma chemise pour inspecter ma poitrine. « Pour l'instant, tu as l'air d'être plutôt en bonne santé. » Il parlait anglais avec un accent étrange, nasal et traînant. « Je vais examiner ces gens pour déterminer lesquels d'entre eux sont malades et doivent être soignés. Les autres seront installés dans les lazarets au bout de l'île.

— Les lazarets ?

— Simplement des cabanes, mon garçon. » Il a balayé le pont du regard. « Je suppose que les malades sont toujours sur le pont inférieur.

Ils ont fini par nous faire débarquer. Nous avons été transportés en chaloupes et rassemblés sur le quai, dans l'obscurité, seulement éclairés par des lanternes suspendues à des poteaux. Une collection d'âmes en peine, en haillons, les cheveux longs, sales et emmêlés, les barbes pendantes sur des visages cadavériques. Pas un seul d'entre nous n'avait de chaussures. Un homme portait même un jupon offert par la femme du capitaine pour protéger son intimité. Son humiliation était vive.

Trente-neuf malades, dont la majorité ne pouvait plus marcher, ont été emportés directement dans les bâtiments de l'hôpital. Des hommes gantés et masqués qui se déplaçaient parmi nous comme des serviteurs de la mort nous ont confisqué les quelques affaires que nous possédions. Heureusement, mes journaux étaient entre les mains de la femme du capitaine, en sécurité.

Catrìona Macdonald a été emmenée avec les autres malades, et je me suis retrouvé en charge de ses enfants, son bébé dans les bras. On nous a fait grimper dans des carrioles pour effectuer le court trajet jusqu'à la pointe nord-est de l'île.

Le médecin s'est installé à côté de moi et des enfants. Son épuisement était palpable. « J'ai vu des choses », m'a-t-il-dit, « qu'aucun homme ne devrait voir. J'ai supporté ce qu'aucun être humain ne devrait supporter. » Il s'est tourné vers moi, le regard vide. « J'étais croyant, avant, fiston. Mais si Dieu existe, il nous a abandonnés voici bien longtemps. »

Notre convoi misérable s'est ébranlé dans la nuit, une lanterne accrochée à chaque carriole. Le chemin s'enfonçait à l'intérieur des terres, la mer se trouvant quelque part sur notre droite. À gauche s'étendait ce que le médecin a décrit comme un lagon infesté de moustiques. Il l'a appelé la baie du Choléra. L'endroit où l'*Eliza* a jeté l'ancre se nomme la baie de l'Hôpital.

Il m'a raconté que près de cent mille personnes sont passées par Grosse-Île cette année. La plupart débarquant de bateaux en provenance d'Irlande. Il m'a expliqué que là-bas les gens mouraient de la Famine de la pomme de terre par dizaines de milliers. J'imaginais parfaitement ce que cela devait être.

« Pendant ces sept derniers mois, la fièvre typhoïde a emporté cinq mille malheureux sur Grosse-Île. C'est de cela que souffrent la plupart des malades de l'*Eliza*.

— Ils vont mourir ? », ai-je demandé.

« Certains d'entre eux. Les plus robustes survivront. Tout bien considéré, on ne fait pas du mauvais travail. Mais notre ambulance fait autant office de corbillard. Et nous œuvrons vingt-quatre heures par jour et sept jours par semaine. » Il secoua la tête. « Cette année,

346

la typhoïde nous a pris deux ambulanciers et la moitié de nos interprètes. »

Je n'ai pas su quoi lui répondre. Cinq mille morts ? C'était inimaginable.

Nous avons traversé le seul village de l'île. Des maisons et une église, en retrait le long de la route. « Qui habite ici ?

— Les employés de la quarantaine et leurs familles », m'a-t-il expliqué. « Médecins, infirmières, interprètes, administrateurs, chauffeurs. Et les hommes de Dieu, bien sûr. Ils sont venus en personne constater quel enfer le Ciel avait créé sur terre. » Son cynisme et son absence de foi faisaient peine à entendre et j'éprouvais des difficultés à le regarder en face. Je me suis aussi demandé quel genre de personnes venaient travailler dans un tel endroit et y amenaient leur famille avec eux.

Après le village, le terrain est devenu plus plat et nous nous sommes retrouvés près de la mer. Enfin, nous avons vu les lazarets, leurs longues silhouettes dans la nuit, disposés en rangées dominant la côte rocheuse.

Quand nous avons mis pied à terre, le médecin m'a dit qu'on ferait certainement de nouveau appel à mes services avant de me remercier pour ma patience et de repartir en direction du village. Mais il se trompe, car je n'ai pas l'intention d'attendre. Je ne souhaite pas rester ici et j'en partirai dès que possible.

Un employé de la quarantaine nous a conduits jusqu'au dernier baraquement. Il semblait sans fond, compartimenté dans sa longueur, des passages ouverts menant d'une section à une autre. Les murs, le toit et les poutres sont grossièrement blanchis à la chaux. Des lampes à huile sont suspendues au plafond, et les ombres rôdent et se déplacent tels des fantômes parmi les centaines de personnes allongées côte à côte sur des couchettes en bois posées contre chaque mur. Des couchettes superposées, installées au centre de la baraque, grincent sous le poids des corps. Un seul drap sert parfois à couvrir huit ou dix personnes.

Ce sera donc notre maison pendant les jours ou les semaines à venir, jusqu'à ce que nous ayons la fièvre typhoïde et que nous en mourions, ou que nous survivions et que nous puissions passer à l'étape suivante de ce voyage infernal.

Les enfants agrippés à mes jambes, je me suis avancé d'un pas traînant pour prendre possession de notre espace sur des planches de bois marquées par les graffitis de tous les désespérés qui nous ont précédés et tachées de Dieu sait quelles déjections.

La nourrice a pris le bébé de Catrìona Macdonald pour le nourrir. On nous a expliqué que nous aurions rapidement quelque chose à manger. J'en ai éprouvé une certaine reconnaissance. Mais je voulais surtout m'en aller.

On ne peut pas vraiment dire que je me sente mieux, mais après trois repas dignes de ce nom, j'ai retrouvé de la force physique.

Le médecin qui avait accueilli le bateau est venu me chercher ce matin pour me dire que l'administrateur voulait me parler. J'ai retraversé l'île avec lui, juché sur sa carriole, et il m'a montré les gardes armés postés aux abords du village le plus proche des lazarets. « Ils se relaient jour et nuit », m'a-t-il dit.

Je l'ai regardé, l'air surpris. « Des gardes ? Et que protègent-ils ?

— Ils empêchent les gens qui sont en quarantaine de se faufiler dans le village ou de s'échapper. C'est un sale truc, la typhoïde, fiston. Les autorités sont prêtes à tout pour la contenir. »

Des enfants jouaient au milieu des maisons. Ils ont cessé leurs jeux pour nous regarder passer. Des yeux sombres remplis de méfiance qui m'ont donné l'impression d'être l'un de ces lépreux dont il est question dans la Bible.

La baraque de l'administration, un long bâtiment dont les fenêtres donnaient sur la baie, était à côté de la jetée. L'administrateur lui-même était un Écossais originaire d'un endroit appelé Dumfries. Il m'a dit qu'il travaillait là depuis plus de dix ans. Je lui ai demandé s'il n'avait pas peur de contracter la typhoïde. Il s'est contenté de sourire et a répondu que la crainte ne vous quittait jamais. Toutefois, s'il avait dû l'attraper, il considérait que, depuis le temps, il serait déjà tombé malade.

« Tu parles le gaélique à ce qu'on m'a dit. » J'ai acquiescé. « Nous avons des interprètes pour la plupart des langues, mais notre interprète gaélique nous a quittés récemment. En réalité, il était Irlandais, mais il communiquait avec les Écossais de manière satisfaisante, apparemment. »

L'administrateur s'était tourné vers les fenêtres pour observer la flotte de bateaux ancrés dans la baie.

« Je me demandais si tu serais en mesure de nous aider avec un petit problème. Il s'agit d'un Irlandais appelé Michaél O'Connor qui est arrivé ici le 5. Il semblerait qu'il ne parle pas un mot d'anglais. » Il a tourné les talons pour me faire face. « Ce type est fou. Il a même eu des accès de violence à une ou deux occasions. Il monte à bord de l'ambulance et vient ici deux à trois fois par jour pour hurler et crier. Peut-être pourrais-tu lui parler pour nous. Découvrir ce qu'il peut bien vouloir. »

J'ai trouvé Michaél O'Connor dans le lazaret n° 3. J'ai été surpris de constater qu'il n'était pas beaucoup plus vieux que moi. Il était assis seul à une table, le regard perdu dans le vide. Apparemment, presque tous les hommes se rasent et se font couper les cheveux après un ou deux jours sur l'île, mais Michaél avait encore une barbe épaisse et des cheveux qui lui arrivaient aux épaules, emmêlés et pleins de nœuds. Il a posé sur moi ses yeux celtes d'un bleu très pâle, inexpressifs.

Je lui ai parlé en gaélique et son visage s'est animé. « Mon gars, j'ai cru que tu étais un autre de ces fichus bonshommes qui viennent me baragouiner en anglais. Il n'y en a pas un seul qui parle la langue de Dieu et je n'arrive pas à me faire comprendre. » Il m'a ensuite observé avec méfiance. « Tu parles un drôle de gaélique, tout de même.

— Pas autant que le tien.

— D'où es-tu?

— D'Écosse. »

Il est parti d'un rire tonitruant et m'a asséné une grande claque dans le dos. Je crois que c'était la première fois que j'entendais quelqu'un rire depuis des mois. « Ah, tu es un Écossais! Ce qu'il y a de mieux, après un Irlandais, bien sûr, mais tu feras l'affaire. Ce sont "eux" qui t'envoient?

— Aye. Ils voudraient savoir ce que tu leur veux. »

Son sourire s'est estompé et son visage a pris une teinte sombre. « Mon frère Seamus a quitté Cork à bord de l'*Emily* il y a quatre mois. Il a été placé ici en quarantaine, alors il doit y avoir une trace de son passage quelque part. Ils sont foutrement méticuleux avec leurs registres. Tout ce que je veux savoir, c'est s'il est arrivé ici sain et sauf et s'il est allé à Québec après sa quarantaine.

— Et tu n'as pas trouvé le moyen de leur poser la question ? »

Soudain, à ma grande surprise, il s'est mis à parler anglais avec un accent irlandais à couper au couteau et en ponctuant ses phrases de grossièretés. « Ces enfoirés ne parlent pas la langue maternelle, Écossais. Juste ce p'tain d'anglais.

— Mais toi, tu le parles. » J'ai levé les mains, l'air de ne pas le comprendre. « Alors, où est le problème ? »

Ses yeux pétillaient de malice. « Je n'ai jamais donné aux Anglais le plaisir de m'entendre parler leur putain de langue. Et ce n'est pas maintenant que je vais le faire. »

J'ai éclaté de rire en hochant la tête. « Mais ces gens ne sont pas Anglais, Michaél. Ils sont Canadiens. Et ils ne parlent qu'anglais ou français. »

Il s'est esclaffé de nouveau. Un rire gras, fort et communicatif. « Dans ce cas, on dirait bien qu'il va falloir que j'apprenne le p'tain de français. »

Ils m'ont autorisé à consulter les registres des arrivées et des départs dans le bureau de l'administration cet après-midi. Je me suis assis à une table avec un énorme volume dans lequel était enregistré l'arrivée de chaque navire. Sa provenance, le moment de son arrivée, combien de personnes étaient à bord, combien étaient mortes ou malades.

J'ai cherché le *Heather*, parti de loch Glas dans les Hébrides. Mais je n'en ai pas trouvé trace. J'ai demandé à l'employé de bureau si tous les bateaux s'arrêtaient ici, à Grosse-Île. C'était un petit homme gris, le cheveu rare, des yeux verts et tristes. Il m'a expliqué que chaque bateau est censé s'arrêter ici, mais que, cette année, la pression du nombre est telle que si le médecin ne trouve pas de malade à bord, le bateau est autorisé à poursuivre sa route, sans quarantaine.

En entendant cela, je me suis pris à espérer que ma mère et mes sœurs n'aient pas eu affaire à la maladie à bord du *Heather* et qu'elles soient allées directement à Québec. Je le saurai quand j'y arriverai.

Je me suis ensuite intéressé à la liste des passagers de l'*Emily* dont l'arrivée a été enregistrée au 2 juillet. La traversée a duré cinquante-sept jours avec cent cinquante-sept passagers dans l'entrepont. Neuf sont morts durant le voyage et seize étaient malades en arrivant. Seamus O'Connor comptait parmi les survivants. L'employé grisâtre a levé ses yeux verts avec lassitude lorsque je lui ai demandé des renseignements supplémentaires. « Seamus O'Connor. Arrivé sur l'*Emily* de Cork, Irlande, le 2 juillet. Pouvez-vous me dire quand ces passagers sont partis pour Québec ? »

Il a ouvert un autre volume énorme et parcouru d'un doigt osseux à l'ongle sale la colonne des entrées. « Voilà », a-t-il dit. « L'*Emily* a été retenu en quarantaine pendant seulement quatre jours. Six des seize personnes hospitalisées sont mortes. » Il a fait glisser son doigt le long d'une autre colonne avant de relever la tête. « Seamus O'Connor en faisait partie. Il a été inhumé dans les fosses communes. »

Les fosses communes se trouvaient dans une zone plate et herbeuse proche de la pointe sud-ouest de Grosse-Île. Le terrain remontait de part et d'autre et se couvrait de roches et d'arbres. On apercevait, à travers les arbres au-delà des fosses, les flots endormis du fleuve. La ville de Québec était un peu plus haut en amont. Les morts pouvaient presque la voir.

Des rangs de croix blanches sommaires émaillaient l'herbe jeune qui venait de repousser sur la terre fraîchement remuée. J'ai trouvé Michaél debout au milieu des arbres pour se protéger de la bruine, contemplant les croix. Il portait une veste bleue en laine et des pantalons larges déchirés, retenus par des bretelles. Les coutures de ses bottes étaient pourries et prêtes à céder. Ses mains étaient enfoncées dans ses poches.

Il a pointé le menton en direction des tombes. « Ce sont mes compatriotes qui sont enterrés là », a-t-il dit.

« Et les miens. »

Il m'a regardé. « Chez vous aussi, c'est la famine ?
— Oui.

Il a détourné le regard. Ses mâchoires serrées trahissaient sa colère. « Pas un de ces pauvres bougres n'aurait fait le choix de partir. Mais s'ils étaient restés, ils seraient morts de faim. » Il a reposé son regard enflammé de rage sur moi. « Pas un seul des propriétaires terriens n'a levé le petit doigt pour les aider. » Puis, il a soudainement posé la question qu'il redoutait, je le savais. « Alors, qu'as-tu appris au sujet de Seamus ? »

J'avais appréhendé ce moment autant que lui. Je n'avais pas la moindre idée de la manière dont on annonçait à quelqu'un la mort d'un proche. Mais cela n'a pas été nécessaire. Il l'a lu sur mon visage. Il a brusquement tourné la tête vers les rangées de croix.

« Il est là, n'est-ce pas ? » Il n'attendait pas de réponse. J'ai vu de grosses larmes silencieuses glisser sur ses joues pour aller se perdre dans sa barbe. « Pourquoi ne m'a-t-il pas attendu ? » Il a essuyé ses larmes du revers de la main, gêné. « Je l'ai supplié de me laisser partir avec lui. Mais non. C'était trop risqué pour son petit frère. Il voulait partir d'abord, se faire sa place et s'assurer que cela vaille la peine que je vienne. »

Il est resté ainsi un long moment, essayant de se contenir. Je ne savais pas quoi dire.

« Il s'est toujours occupé de moi », a-t-il fini par poursuivre. « Il ne voulait pas me faire courir de risques. Maman était morte de faim, vois-tu. Et P'pa a été emporté par le choléra. Il ne lui restait que moi. » Il s'est tourné vers moi « Moi aussi, je serais mort de faim s'il n'avait pas été là. Je ne lui ai jamais demandé d'où venait la nourriture qui nous gardait en vie, mais il revenait toujours à la maison avec quelque chose. »

Son visage s'est fendu d'un sourire sans joie, pour masquer sa douleur.

« Et il a eu cette idée lumineuse de venir ici. Il avait entendu dire beaucoup de bonnes choses sur ce pays. Que l'on pouvait avoir son propre lopin de terre. Être un homme libre. Pas pieds et poings liés avec un salaud de propriétaire. Il m'a confié à une tante et m'a promis qu'il m'enverrait de quoi le rejoindre dès qu'il nous aurait trouvé quelque chose de mieux. Mais je n'ai pas pu attendre. Comment aurais-je pu? J'ai volé un peu d'argent et j'ai payé mon passage à bord du *Highland Mary* en partance de Cork. » Sa voix s'est étranglée et il a refoulé ses émotions avant de se reprendre. « Et maintenant… » Nos regards se sont croisés et j'ai lu une douleur intense dans ses yeux. « Maintenant, je ne sais plus quoi faire de ma vie. » Il y a eu un long silence. « Mais je vais te dire une chose. » Soudain, la flamme était de retour. « Je ne vais pas moisir dans ce putain d'endroit. »

J'étais assis à la table de notre lazaret quand Michaél est venu me chercher ce matin. J'ai passé les derniers jours à apprendre à compter en anglais aux enfants de Catrìona, ainsi que quelques rudiments de vocabulaire. Le gaélique ne les aidera pas à s'en sortir dans ce pays où l'on ne parle qu'anglais et français.

Le garçon doit avoir huit ans et la fille aux alentours de six, mais ils ne sont pas comme les enfants du même âge qui habitaient Baile Mhanais. Il n'y a aucune joie en eux. Pas d'étincelle. La faim et le deuil ont brisé leur cœur. Ils restent assis docilement et font ce que je leur dis, simplement avides de l'attention que je leur manifeste. Soucieux de faire plaisir pour en retirer de l'affection. Comme des animaux de compagnie.

Les yeux de Michaél avaient retrouvé leur malice et il avait toutes les peines du monde à contenir son excitation. Il m'a agrippé le bras et m'a entraîné dehors, nous éloignant d'un bon pas des lazarets en direction du rivage, inquiet que l'on puisse nous entendre.

Sa voix n'était qu'un souffle rauque. « Je pars de Grosse-Île ce soir.

— Comment ? », ai-je lâché, surpris.

Il a secoué la tête. « Ne t'occupe pas de ça. Ça coûte les yeux de la tête. Et les gardes vont nous plomber s'ils nous repèrent. Un bateau doit nous retrouver sur la côte nord-est et nous emmener jusqu'à la rive nord du Saint-Laurent. De là, on pourra partir vers l'ouest en direction de la ville de Québec. Moi et trois autres types. Tous Irlandais. » Il a marqué une pause. « Mais on pourrait faire de la place à un Écossais s'il a envie de nous accompagner. »

Mon cœur battait la chamade. Une chance de s'enfuir. « Je viens », ai-je dit. « Mais je n'ai pas d'argent.

— Fichus Écossais! Vous n'en avez jamais! Mais ne t'inquiète pas pour ça. Tu me rembourseras plus tard. Tant que ça ne te dérange pas de voyager en seconde classe. » Un sourire est apparu au milieu de ses bacchantes. « Alors, tu marches avec nous? »

J'ai fait oui de la tête.

En fin d'après-midi, en dépit de mon envie désespérée de quitter cette île maudite, j'ai commencé à regretter la décision que j'avais prise de m'enfuir avec Michaél et les Irlandais. J'avais juré à Catrìona Macdonald que je m'occuperais de ses enfants. Et même si je trouvais injuste de sa part de m'avoir chargé d'une telle responsabilité, je ne pouvais m'empêcher de me sentir coupable de les abandonner ainsi. J'ai donc décidé d'aller à l'hôpital pour lui en parler.

C'était ma première visite dans le baraquement de l'hôpital et, lorsque j'en ai franchi le seuil, j'ai eu l'impression de changer de monde, de passer de l'enfer sur terre à l'enfer véritable.

L'endroit était long et sombre, et les fenêtres obturées par des draps pour chasser la lumière du jour. Après avoir respiré de l'air pur pendant trois jours, le choc n'en était que plus terrible. Les lits étaient alignés côte à côte, presque collés les uns aux autres. Des cadres en bois avec un fond de planches et un matelas pouilleux.

Les infirmières, dans des uniformes sales, tachés et usés, se déplaçaient parmi les malades comme des archanges, soulageant de leur mieux douleurs et souffrances. Mais elles n'étaient en fait rien de plus que des éboueurs ramassant les déchets que la mort semait derrière elle. La fatigue se lisait sur leurs visages livides aux yeux cernés d'ombre. Même si le médecin m'avait raconté que le taux de guérison était plutôt satisfaisant, j'avais du mal à croire que quiconque puisse survivre à un endroit pareil. Les praticiens portaient de longues robes et des chapeaux, ainsi que des masques pour se préserver des miasmes de l'infection qui saturaient l'air qu'ils respiraient.

J'ai immédiatement eu l'envie de tourner les talons et de sortir mais je me suis armé de courage. Si je devais quelque chose à Catrìona Macdonald, c'était au moins une explication. J'ai arrêté l'une des infirmières pour lui demander dans quel lit elle se trouvait. Elle a attrapé une liasse fixée sur une planche accrochée au mur et passé plusieurs pages en faisant glisser son index sur les noms. Au bout d'un moment, son doigt s'est immobilisé sur une ligne. « Ah, voilà, Catrìona Macdonald. Elle est morte ce matin. »

Il faisait chaud dehors. Le soleil se montrait par intermittence derrière les nuages. Je suis resté quelques instants à respirer goulûment l'air frais tout en luttant contre des sentiments contradictoires. J'étais soulagé de ne pas avoir eu à l'affronter et, en même temps, je pleurais cette femme que j'avais secourue lorsqu'elle donnait la vie. Enfin, la pensée que ses enfants et son bébé ne la connaîtraient jamais me mortifiait.

J'ai rejoint Michaél dans le lazaret nº 3. Il était attablé avec un petit groupe de conspirateurs. Mes compagnons d'évasion. « Il faut que je te parle », lui ai-je dit avant de l'entraîner dehors.

Je suppose que l'aura de la mort devait planer autour de moi car il m'a regardé bizarrement. « Qu'est-ce que je peux faire pour toi, l'Écossais ?

— Il me faut de l'argent. »

Il a froncé les sourcils. « Pour quoi faire ?

— C'est une longue histoire. Je te rembourserai quand je pourrai. » Je ne pouvais pas lui avouer que j'en avais besoin pour racheter ma conscience. Même si je ne le connaissais pas depuis longtemps, j'avais fini par me rendre compte que Michaél savait cerner les gens.

Il m'a observé un long moment. Un regard qui semblait lire au plus profond de mon âme. Puis il a souri et il m'a dit : « Et zut ! Ce dont on aura besoin, on le volera. » Il a fouillé dans sa poche et en a sorti une petite bourse fermée par un lacet noué. Il m'a saisi la main et me l'a fourrée dedans. « Il y a dix souverains en or là-dedans. J'espère qu'ils vont servir une bonne cause. »

J'ai hoché la tête, bouche entrouverte, désarçonné par tant de générosité. « C'est le cas. Mais je ne peux pas te prendre autant.

— Prends-le ! », a-t-il beuglé. « Et ne me demande jamais où je l'ai eu. Ces damnées pièces sont trop lourdes de toute façon. Et en plus, il y a la tête de cette fichue reine d'Angleterre dessus. Un Irlandais qui se respecte ne peut pas se permettre d'être retrouvé mort avec ça dans ses poches. »

Je suis immédiatement allé voir la famille Mackinnon qui avait pris soin des enfants de Catrìona en mon absence. J'ai été direct avec eux. Je leur ai annoncé que Catrìona était morte et que je quittais l'île le soir même. J'ai sorti les pièces que j'ai répandues sur la table en leur expliquant que c'était un dédommagement pour qu'ils s'occupent des enfants. Ils avaient déjà trois enfants à eux, mais le mari et sa femme fixaient l'argent avec des yeux ronds. Ni l'un ni l'autre n'en avaient jamais vu autant. Ni moi d'ailleurs. Et, l'espace d'un instant, je me suis demandé comment diable j'allais pouvoir rembourser Michaél.

En apprenant la nouvelle de la mort de leur mère, les enfants sont restés silencieux. Peut-être l'ont-ils tellement croisée que la mort ne signifie plus grand-chose pour eux. La nouvelle de mon départ les a bien plus attristés. Ils se sont accrochés à moi en pleurant doucement, leurs petites mains serrant les pans de ma veste. Je les ai serrés contre moi, luttant pour ne pas pleurer à mon tour tout en me demandant comment je pouvais être aussi égoïste.

Je les ai embrassés avant de me dégager de leur étreinte et de me relever pour prendre le bébé dans mes bras, comme cette nuit-là, sur le bateau. Elle m'a regardé comme si elle savait qu'elle n'allait plus me revoir et a refermé ses petits doigts sur mon pouce. Ses yeux me fixaient avec une telle intensité. J'ai déposé un baiser sur son front et chuchoté : « Porte-toi bien, petite fille. » Elle a souri.

Je peux à peine écrire, assis par terre, grelottant à cause du froid et de l'humidité, assis aussi près que possible des flammes pour me réchauffer les os et éclairer mes pages. Les yeux bleu clair de Michaél m'observent avec curiosité. Il ne comprend pas cette compulsion qui me pousse à coucher ma vie sur papier. Pourtant, ces deux derniers mois, elle est devenue l'unique chose capable de donner un sens à ma vie.

Un surplomb rocheux où nous nous sommes réfugiés nous protège de la pluie et du froid, et j'aperçois le lent mouvement du fleuve à travers les arbres en contrebas. De l'autre côté, invisible, se trouve le théâtre des horreurs de Grosse-Île. J'ai du mal à croire que cela fait moins de deux heures que nous

nous sommes faufilés hors des lazarets à la faveur de l'obscurité et que Michaél et moi soyons les seuls survivants.

Nous étions cinq. Le ciel était dégagé plus tôt dans la journée mais, lorsque nous sommes sortis, peu après minuit, il s'était couvert et la pluie menaçait. La nuit paraissait impénétrable.

Nous nous déplacions à moins d'un mètre l'un de l'autre, laissant les cabanes derrière nous, et nous traversions le vaste terrain plat et marécageux qui s'étend entre les lazarets et le village. Seule était visible la silhouette de l'escarpement boisé qui s'élève au milieu des églantiers vers le nord de l'île. Cette partie n'a jamais été défrichée et la traverser s'annonçait difficile.

Nous y étions presque quand la main de Dieu est intervenue. Une énorme trouée a déchiré les nuages et la clarté de la lune a baigné Grosse-Île. On se serait crus en plein jour. Nous étions pris en pleine lumière, visibles de toutes parts. Et l'on nous a vus. Les gardes en lisière du village. Quelqu'un a crié, des voix se sont élevées et un tir a claqué dans la nuit.

Nous avons couru à toutes jambes vers les arbres. Une fois à l'abri, nous avons traversé, en nous enfonçant jusqu'aux genoux dans la végétation, les églantiers et les broussailles qui lacéraient nos vêtements et notre peau. Grimper. Escalader les rochers et les racines, trébucher et tomber, poussés par la panique.

Nous entendions les soldats lancés à notre poursuite et, quand nous sommes arrivés au sommet de la colline, une volée de plombs a sifflé à nos oreilles. Un des Irlandais est tombé à terre. « Laissez-le ! », a crié l'un des autres, mais Michaél s'est arrêté et s'est accroupi à côté de lui pour le basculer sur le dos. Je me suis arrêté également, terrorisé et essoufflé. Michaél m'a regardé, l'air grave. « Il est mort », m'a-t-il annoncé. « On ne peut rien pour lui. » En une fraction de seconde, il était à nouveau debout et m'entraînait à travers les arbres en me tirant par la manche.

La descente fut plus aisée et nous avons dévalé la pente comme des dératés en zigzaguant entre les troncs jusqu'à ce que nous apercevions au milieu du feuillage les reflets de la lune à la surface de l'eau. Pour la première fois depuis le début de notre évasion, il me vint à l'esprit que si le bateau n'était pas là, nous serions coincés puis tués ou capturés.

Mais il était là comme prévu et nous attendait en dansant au rythme du fleuve. Nous avons rampé sur les rochers, pataugé dans l'eau et les deux hommes qui s'y trouvaient nous ont hissés à bord. « Vite, vite ! » criaient-ils avec fébrilité tandis que derrière nous retentissaient déjà les pas des soldats.

À cet instant, Dieu est intervenu une seconde fois. Le clair de lune s'est évanoui et la nuit nous a enveloppés comme un nuage de poussière, nous masquant à la vue de nos poursuivants. Nous avons quitté le rivage et les bateliers se sont arc-boutés sur leurs rames pour nous propulser dans le courant. Des coups de feu ont retenti sur la rive. Nous pouvions voir la bouche des fusils s'embraser dans l'obscurité mais aucun tir ne nous a atteints et nous étions bientôt hors de portée. Libres.

Toutefois, nous n'étions pas encore tirés d'affaire. Pas encore. Le fleuve semblait se mouvoir avec lenteur mais le courant était puissant et les rameurs devaient lutter pour que nous ne soyons pas emportés. Apparemment, nous n'avions que peu de contrôle sur l'endroit où nous conduisait le fleuve. Nous étions accroupis, le souffle court, saisis de peur, totalement à la merci de nos passeurs et de ces eaux noires et profondes.

Il fallut une éternité avant que la ligne sombre du rivage émerge face à nous et, soudain, nous y étions, glissant au milieu des rochers avant d'aborder une plage de galets. De là, le terrain s'élevait en pente raide et les arbres poussaient presque jusqu'au bord de l'eau.

J'ai su qu'il y avait un problème quand j'ai entendu un coup de feu en descendant du bateau. Je me suis tourné vers la poupe et j'ai vu l'un des Irlandais s'effondrer. Un rameur a braqué un pistolet sur les trois d'entre nous qui restaient pendant que son complice fouillait les poches du mort avant de le balancer dans le fleuve.

« OK, donnez-nous votre argent. » Sa voix tremblait.

« On ne vous donnera pas plus d'argent que ce que vous avez déjà eu », a dit Michaél.

« Bon, de la manière dont je vois ça, vous avez deux solutions. Vous nous donnez votre argent maintenant ou je le prends sur vos cadavres.

— Vous nous tuerez dès qu'on vous l'aura donné », a lancé l'autre Irlandais.

L'homme au pistolet a souri. « C'est un risque à prendre. »

La vitesse à laquelle l'Irlandais s'est jeté sur lui l'a pris par surprise. Mais, quand les deux hommes sont tombés à terre, le coup est parti et l'Irlandais s'est affaissé sur lui. L'autre rameur a pivoté sur lui-même et a dégainé un autre pistolet. J'ai à peine eu le temps de voir l'éclat de la lame de Michaél avant qu'elle ne plonge entre les côtes de l'homme, droit au cœur.

Michaél s'est penché immédiatement en avant pour ramasser son pistolet et, alors que le premier rameur essayait de se dégager du corps de l'Irlandais qu'il venait d'abattre, il lui a tiré dans la poitrine à bout portant.

Tout s'était passé à une telle vitesse que j'avais à peine eu le temps de bouger de l'endroit où j'avais débarqué. J'étais pétrifié d'horreur, ébahi et incrédule.

« Enfoirés ! », s'est exclamé Michaél. « Amène-toi, l'Écossais, aide-moi à leur faire les poches. Ramasse tout l'argent que tu peux et tirons-nous d'ici. »

Une fois notre triste besogne terminée, nous avons jeté les corps dans l'eau et Michaél s'est signé en faisant ses adieux à ses camarades. Nous avons ensuite repoussé les bateaux vers le fleuve et, alors que la pluie commençait à tomber, nous avons escaladé la berge.

À nous deux, nous avons six souverains d'or, dix dollars canadiens et la chance d'être encore en vie. Je n'ai aucune idée de ce que nous réserve l'avenir, mais le mien semble désormais inextricablement lié à celui de Michaél. Je jette un coup d'œil au-dessus du feu dont les lueurs dansent sur son visage livide, mangé par la barbe. Sans lui, je serais mort à l'heure qu'il est.

CHAPITRE 29

I

L'atmosphère du centre opérationnel de la Sûreté de Cap-aux-Meules était tendue. L'équipe était assise autour d'une table ovale et tous évitaient soigneusement tout contact oculaire avec Sime ou Marie-Ange. Une carte des îles de la Madeleine était collée sur l'un des murs, le drapeau jaune et vert de la Sûreté ornait celui d'en face. Un tableau noir, couvert de gribouillis à la craie, occupait presque tout le mur du fond à côté de la porte. Des noms, des numéros de téléphone, des dates, des lieux.

Lapointe était de retour de Montréal après avoir assisté à l'autopsie. Il leur exposa que le légiste n'avait pas pu établir grand-chose d'autre que la cause de la mort. N'importe lequel des coups de couteau aurait été fatal, même sans que les deux autres aient été portés. L'arme utilisée avait une lame étroite de quinze centimètres avec une dentelure sur le dos. Peut-être un couteau à écailler le poisson, pensait-il. À part quelques hématomes, les seules autres blessures que le légiste avait pu trouver étaient des traces de griffures sur le visage de Cowell. Son hypothèse était qu'elles avaient été faites par des ongles au cours d'une lutte.

Crozes prit un chiffon et effaça rapidement un bout du tableau noir. Au sommet, il inscrivit le nom de James Cowell puis, juste en dessous, tira une ligne jusqu'au bas du tableau. Passant alternativement à gauche et à droite de la ligne, il nota les noms des suspects.

Il pointa ensuite le nom de Briand, en bas du tableau. « Comme nous l'avons établi, Briand a un mobile sérieux. Sa femme le trompait avec Cowell, et les deux hommes étaient des concurrents acharnés en affaires. Briand est en fait celui qui avait le plus à gagner de la mort de Cowell. Même sans tenir compte du facteur de la jalousie. » Il laissa passer un silence. « Mais il a un alibi en béton. Il était chez lui, avec sa femme. » Il se tourna vers Sime et Blanc. « Pendant que vous reveniez de Québec en avion, Arseneau et Leblanc l'ont interrogée une deuxième fois. Elle a confirmé son histoire. »

Sime avait du mal à le regarder en face. « Bien sûr qu'elle confirme », dit-il. « Elle aussi a un mobile, lieutenant. À les croire, elle était prête à larguer Cowell, mais ne savait pas comment le lui annoncer. Son mari a même dit qu'elle en avait peur. Il est tout à fait possible qu'ils aient conspiré pour l'éliminer. »

Crozes opina du chef. Toutefois, en dépit de son vernis de professionnalisme, sa gêne était évidente. « C'est juste. Mais nous n'avons pas le moindre indice qui place l'un d'eux sur la scène de crime.

— Dans ce cas, on devrait en chercher. »

Crozes masqua son irritation avec difficulté. « Cela fait des années que des gens cherchent une forme de vie extraterrestre, Sime. Cela ne veut pas dire qu'elle existe. Sans preuve du contraire, et dans la mesure où ils se fournissent l'un et l'autre un alibi, je crois que nous devons les écarter. »

Il prit sa craie et barra le nom de Briand avec fermeté. La pièce était silencieuse. Il tapa ensuite sur le nom de Morrison avec le bout de la craie.

« Je pense qu'il n'y a personne parmi nous pour croire que Norman Morrison a quoi que ce soit à voir avec le meurtre. C'était un pauvre garçon. Attardé. L'âge mental d'un gamin de douze ans. Et même s'il était obsédé par madame Cowell, je suis convaincu que son histoire de passage à tabac sur ordre de James Cowell pour lui donner un avertissement n'était que cela. Une histoire. Que quelqu'un lui ait mis une raclée, ça ne fait pas de doute, mais il est fort peu probable que nous découvrions un jour de qui il s'agit. Par ailleurs, si sa mère ne peut pas jurer qu'il était au lit chez lui la nuit du meurtre, la fouille de son domicile n'a pas permis de trouver l'arme du crime ou des vêtements qu'il aurait pu porter pendant l'agression. Et certainement pas une cagoule. Sa mère aurait su s'il avait eu une chose pareille en sa possession. Et, d'après elle, ce n'était pas le cas.

— Et sa mort ? », demanda Lapointe.

« Un accident malheureux, Jacques. Il s'est fait du souci pour madame Cowell quand il a entendu parler du meurtre. Nous pensons qu'il est sorti durant la tempête pour voir si elle allait bien. Il faisait nuit. L'île était balayée par des vents de force dix ou onze. Il a dû se perdre et tomber dans le vide. »

Crozes traça une autre ligne en travers du nom de Morrison avant de faire face à la pièce.

« Et puis, il y a monsieur Clarke. » Il se gratta le menton. « Il a clairement manifesté son antipathie vis-à-vis de Cowell. Il l'a accusé de la mort de son père et de la perte du bateau familial. Mais son épouse jure qu'il était chez lui, au lit, et nous n'avons absolument aucune preuve du contraire. » Il élimina son nom d'un coup de craie. Enfin, il leva les yeux sur le seul suspect restant. « Ce qui nous laisse madame Cowell qui, de mon point de vue, est et a toujours été l'assassin le plus probable. »

Avec un trouble croissant, Sime écouta Crozes monter l'accusation contre elle. C'était solide, inattaquable, et il savait qu'en d'autres circonstances il n'y aurait rien trouvé à redire. Mais ce cas était différent, pour une raison simple. Il ne voulait pas que cela soit vrai.

« Elle est le seul témoin du meurtre », poursuivit Crozes. « Elle était là quand c'est arrivé. Elle ne le nie pas. Elle était couverte de son sang. Et, en effet, elle nous a raconté une histoire pour l'expliquer. Il n'y a toutefois pas l'ombre d'une preuve pour le confirmer sur la scène de crime. En fait, rien ne peut laisser penser qu'il y avait un troisième individu. » Il inspira longuement. « Elle nous a menti plus d'une fois. Sur le fait qu'elle était heureuse que son mari l'ait quittée. Ou qu'elle ne partait jamais de l'île. Sur le fait qu'elle ne savait pas qu'il allait revenir cette nuit-là. Elle a admis tous ces mensonges. Pourquoi quelqu'un d'innocent mentirait-il ? »

Il balaya du regard les visages braqués sur lui et sut que son exposé était convaincant.

« Elle l'a menacé. Pas directement. Mais elle ne conteste pas avoir dit à Ariane Briand que si elle ne pouvait pas l'avoir, alors personne d'autre ne le pourrait. Dans son dernier interrogatoire, Sime a esquissé très clairement et avec beaucoup de concision le scénario le plus plausible. Nous avons tous vu les enregistrements. Il l'a accusée d'avoir piégé son mari en le menaçant de mettre le feu à leur maison pour le faire revenir sur l'île et de l'avoir tué dans un accès de jalousie. Il a suggéré que, immédiatement saisie de remords, elle avait tenté de le ranimer et, n'y parvenant pas, elle avait inventé une histoire à propos d'un intrus. » Il regarda Sime. « Excellent travail, Sime. » Il y avait une certaine tension dans sa voix.

Sime se sentit rougir. Il ne voulait pas qu'on lui attribue le mérite de quoi que ce soit dans cette histoire. C'était comme si Crozes le savait et jetait délibérément du sel sur une blessure dont Sime ne voulait même pas admettre l'existence. De plus, à la lumière des événements de la nuit précédente, chaque compliment de Crozes était à double tranchant. Sime ne dévia pas. « Il y a deux problèmes », intervint-il.

« Oh ? » Crozes fit mine d'être intéressé. « Et quels sont-ils ?

— Le type qui m'a attaqué il y a deux nuits de ça. Tu dis qu'il n'y a aucune preuve que le soi-disant intrus de Kirsty Cowell existe. Mais ce type correspond à la description, cagoule incluse.

— Il pourrait s'agir de quelqu'un souhaitant détourner les soupçons de sa personne.

— Comme qui ?

— Comme Owen Clarke.

— Qui a un alibi. Et aucune raison de m'attaquer à laquelle je puisse songer.

— Son fils, alors. Il a pu se sentir humilié par toi, devant ses amis, et voulu te donner une leçon.

— Lui aussi a un alibi. »

Crozes devint cinglant. « Oui, si on croit ses potes. Réfléchis, Sime. Quelle raison le tueur pourrait-il avoir de s'en prendre à toi ? Je pense que c'est une fausse piste. Et je ne veux pas qu'on perde de temps là-dessus. Et l'autre problème ?

— C'est simple », expliqua Sime. « Nous n'avons en réalité aucune preuve matérielle contre madame Cowell.

— Oh, mais si. » Le sourire de Crozes suintait la satisfaction. « Ou, tout du moins, ça ne saurait tarder. Le rapport d'autopsie indique que Cowell avait des griffures sur le visage, très certainement faites par des ongles. » Un silence. « Madame Cowell prétend que son assaillant portait des gants. Dans ce cas, comment a-t-il pu laisser des griffures ? Si le labo trouve une correspondance entre les résidus prélevés sous les ongles de madame Cowell avec la peau du visage de son mari, on la tient. »

II

Sime avait déjà traversé la moitié du parking pour récupérer la Chevrolet et la ramener à l'auberge quand il se rendit compte qu'il avait oublié son portable sur le bureau du centre opérationnel. Il ne l'avait pas chargé depuis plusieurs jours et voulait le brancher en rentrant à l'hôtel. Il passa en vitesse devant la sculpture de cormoran qui ornait la pelouse et grimpait jusqu'à la porte d'entrée quand Marie-Ange sortit. Elle cherchait quelque chose dans son sac et manqua de lui rentrer dedans. Elle laissa échapper un petit cri de surprise et ils se retrouvèrent à quelques centimètres l'un de l'autre. La surprise se transforma rapidement en colère, et il fit mine de se recroqueviller sous le feu de son agressivité. Elle lança un regard rapide derrière elle. Le hall d'entrée était vide. « J'aurais dû te descendre », lui lança-t-elle dans un souffle. « Comme cela, on serait libérés de ton malheur, tous les deux.

— Eh bien, comme tu en es la source, peut-être aurait-il été préférable que tu retournes ton arme contre toi. »

Ses lèvres se tordirent en un rictus de mépris. « Tu te crois vraiment plus malin que tout le monde, Simon.

— Au moins, je suis honnête. » Étrangement, il ne ressentait presque aucune émotion. « Et peut-être que, en effet, tu aurais dû me descendre. Tu m'as déjà fait subir presque tout ce qui était possible. »

Elle força le passage pour continuer son chemin mais il lui agrippa le bras. Elle pivota prestement la tête. « Lâche-moi !

— Je suis tellement content que nous n'ayons pas eu cet enfant », lui assena-t-il.

Brièvement, les lèvres de Marie-Ange formèrent un sourire étrange, presque pervers. « Ouais, tu peux être reconnaissant. Il n'était même pas de toi. »

Elle dégagea son bras et s'éloigna rapidement avant de tourner à l'angle du bâtiment.

Son regard resta perdu dans le vide après qu'elle eut disparu. Son visage le chauffait comme si elle l'avait giflé. Jusqu'à cet instant, il n'imaginait pas qu'elle puisse le faire souffrir plus qu'elle ne l'avait déjà fait.

CHAPITRE 30

La nouvelle de la grossesse de Marie-Ange l'avait transformé. Il avait passé sa vie à la recherche de quelque chose, une raison d'être, un but à son existence et, soudainement, il lui semblait l'avoir trouvé.

Cependant, dès le début, Marie-Ange avait été ambivalente. Sime ne comprenait pas pourquoi elle ne partageait pas son excitation. Ils venaient de traverser une période difficile et il pensait qu'un enfant pourrait être le ciment qui les maintiendrait ensemble. Avec le recul, il avait réalisé qu'elle ne l'avait probablement vécu que comme un obstacle à leur séparation. La responsabilité d'un enfant et d'une famille qu'elle ne désirait pas.

L'échographie avait été l'occasion d'une nouvelle dispute. Sime désirait connaître le sexe de l'enfant. Pas elle. Et, comme toujours, elle avait eu le dernier mot.

Après quatre mois de grossesse et des rendez-vous réguliers chez le gynécologue, elle ne manifestait toujours pas le moindre instinct maternel. Chez Sime, au contraire, le sentiment de paternité l'occupait tout entier. Il s'était surpris à observer des enfants revenant de l'école et à s'imaginer ce qu'il ressentirait une fois père. Cela ravivait les souvenirs de son premier jour de classe, quand il avait convaincu ses parents qu'il pouvait rentrer seul chez lui pour finalement se

perdre. Il s'était même mis à s'intéresser aux pous-
settes et aux sièges auto.

Cela avait aussi réveillé la mémoire du récit de son
aïeul quand il avait mis au monde ce bébé à bord du
navire et de son départ de Grosse-Île, lorsque la petite
fille avait agrippé son pouce avec ses doigts minuscules. Sime voulait éprouver cette sensation. L'amour
absolu et inconditionnel d'un enfant. L'idée qu'une
part de lui-même lui survivrait.

Vers la dix-septième semaine, Marie-Ange avait
pris quelques jours de congé pour se rendre chez ses
parents à Sherbrooke. Sime était occupé par une
enquête dans l'arrière-pays le jour où elle devait rentrer. Cet après-midi-là, il avait reçu un coup de fil lui
annonçant qu'elle avait été admise d'urgence à l'hôpital à cause de saignements abondants. Il lui avait
fallu plus de vingt-quatre heures pour rejoindre Montréal.

Sans la moindre idée de ce qui s'était passé, il s'était
directement rendu à l'hôpital où il avait passé près de
deux heures assis dans une salle d'attente. Personne
ne lui disait rien et cela le mettait hors de lui.

Des gens allaient et venaient. Des malades, des
proches inquiets. Sime était à deux doigts de mena-
cer l'infirmière de l'accueil quand Marie-Ange avait
franchi les portes battantes. Elle était pâle comme la
mort, les épaules voûtées, et serrait contre elle un petit
sac contenant quelques affaires. Quand il avait traversé la pièce pour la rejoindre, elle avait passé le bras
autour de ses épaules et enfoui son visage contre son
torse. Les sanglots lui déchiraient la gorge et, quand
elle avait relevé les yeux pour le regarder, il avait vu
que son visage était inondé de larmes. Elle n'avait
pas eu besoin de lui dire qu'ils avaient perdu le bébé.

Étrangement, les jours suivants, ils furent plus proches qu'ils ne l'avaient été depuis bien des années. Sime la choyait. Cuisine, lessive, petit-déjeuner au lit. Ils flemmardaient ensemble le soir, installés sur le canapé avec un verre de vin à regarder des imbécillités à la télévision.

Elle lui avait annoncé la nouvelle la semaine d'après. Son gynécologue lui avait appris qu'elle ne pourrait plus avoir d'enfant.

Sime avait été anéanti. Peut-être plus que par la perte du bébé. Il avait reconnu la sensation de deuil qu'il avait éprouvée après le décès de ses parents. Le regret. L'impression d'être seul au monde pour toujours. D'une certaine manière, il manquait à son devoir vis-à-vis de ses parents, mais aussi de leurs parents et de leurs parents avant eux. Tout s'arrêterait avec lui. À quoi tout cela avait-il donc servi?

CHAPITRE 31

I

Sime était pétrifié sur le seuil de la porte d'entrée. Marie-Ange avait toujours affirmé qu'apprendre qu'elle ne pourrait lui donner d'enfant l'avait changé. Les avait changés. Que cela avait été le début de la fin. Sa faute à lui, pas la sienne.

Et maintenant, la révélation que l'enfant n'était même pas de lui.

Cependant, quelque chose sonnait faux. Découvrir Marie-Ange et Crozes dans le même lit la veille au soir. Comprendre qu'ils étaient amants depuis des mois, des années peut-être. Et repasser dans son esprit ce moment atroce où elle avait perdu l'enfant. Tout cela le conduisit soudainement à réinterpréter ces événements. Comme si des écailles lui étaient tombées des yeux. Il ressentit une soudaine poussée de colère et d'incrédulité. Il partit en courant et contourna l'angle du bâtiment.

Elle était assise au volant de la deuxième voiture de location, le moteur au ralenti, mais ne semblait pas décidée à partir. Il traversa le parking en courant et ouvrit la portière côté conducteur. Elle leva les yeux vers lui, en larmes, comme ce jour-là à l'hôpital.

« Menteuse », lui lança-t-il.

Elle cligna des paupières comme s'il venait de la frapper.

« C'était bien mon enfant. Mais tu t'es dit que si tu allais jusqu'au bout, tu te retrouverais coincée avec moi, c'est ça ? » Elle resta silencieuse. « C'est ça ? »

Elle lui parut absente.

« Tu n'es pas allée chez tes parents cette semaine-là. Tu as subi un avortement, n'est-ce pas ? Chez un médecin véreux. Tu ne pouvais pas le faire légalement sans que je sois au courant. » Il la fixa, incrédule. « Tu as tué mon enfant. »

Elle resta silencieuse pendant un long moment puis, dans un souffle, elle dit : « Notre enfant. » Elle referma la portière, engagea la marche avant de la boîte automatique et traversa le parking en accélérant.

II

Longtemps après qu'elle fut partie, Sime, debout sur le sentier littoral, contemplait la baie de Plaisance et les contours désormais familiers de l'île d'Entrée, posée sur l'horizon. Des enfants jouaient pieds nus sur la plage, couraient dans les vaguelettes et criaient lorsque l'eau froide éclaboussait leurs petites jambes. Le vent lui emmêlait les cheveux et s'engouffrait dans sa veste. Il se sentait vide. Le gouffre qui l'habitait le rongeait comme une sensation de faim inassouvie. La fatigue l'engourdissait.

Plus il observait cette île qui, ces derniers jours, avait fini par dominer sa vie, plus l'envie d'y retourner l'obsédait. Il en ignorait la raison, mais il était convaincu que les réponses aux questions qu'il se posait se trouvaient là-bas.

Il regagna le parking, monta dans la Chevrolet, remonta le chemin Principal puis bifurqua vers le nord après l'hôpital et chez Tim Horton's, en direction du port. Il trouva le batelier dont le chalutier avait été réquisitionné par la Sûreté. Il était assis à la poupe et démêlait des filets de pêche tout en fumant un cigarillo. Il leva les yeux, surpris, quand Sime enjamba le bastingage. « J'ai besoin que vous m'emmeniez sur Entrée », fit Sime.

« Le lieutenant Crozes m'a dit qu'on aurait besoin de moi, mais plus tard dans la journée.

— Changement de programme. Je dois m'y rendre maintenant. »

Quand ils accostèrent à l'île d'Entrée, Sime lui dit qu'il pouvait rejoindre Cap-aux-Meules. Il rentrerait avec le ferry. Il regarda le bateau quitter l'abri du brise-lames et s'engager sur les eaux dansantes de la baie puis tourna les talons et passa devant le minibus qu'ils avaient laissé garé là pour circuler sur l'île. Il aurait pu l'emprunter mais il préférait marcher, sentir l'île sous ses pas. Il croisa des bateaux de pêche aux noms ordinaires comme *Wendy Cora* et *Lady Bell,* puis emprunta la vaste artère non goudronnée de Chemin Main qui longe la côte ouest de l'île. Le soleil inondait la baie depuis le cap lointain en se glissant entre les nappes de nuages. Au sud-ouest, bien plus près, Sandy Hook, un long banc de sable, s'étendait depuis La Grave, à l'extrémité est de l'île de Havre-Aubert, pointant vers l'île d'Entrée comme un doigt osseux.

La brise se rafraîchissait légèrement mais conservait encore un peu de tiédeur. Il continua vers le sud après avoir dépassé le restaurant Chez Brian Josey. Sur sa gauche, une chaîne barrait le chemin grimpant jusqu'à la petite piste d'atterrissage qui avait autrefois été fréquentée par des vols touristiques hivernaux entre l'île d'Entrée et Havre-aux-Maisons. La courte bande de bitume où Cowell avait l'habitude de poser son monomoteur et de monter au volant de sa Range Rover. L'avion était encore là, garé sur le tarmac.

Au sommet de la pente, la route pénétrait dans les terres. Il la suivit jusqu'à arriver à l'église anglicane. C'était un bâtiment simple, de couleur blanche, en bardeaux, avec de petites fenêtres voûtées aux montants verts. Elle se dressait sur la colline avec une vue panoramique vers l'ouest. Une énorme croix blanche, retenue par d'épais câbles d'acier pour résister aux vents puissants, projetait son ombre sur le cimetière.

Sime ouvrit le portail et passa devant une cloche de navire suspendue à un support en métal rouillé pour se promener au milieu des stèles dans la lumière de la fin d'après-midi. *Rifleman Arthur E. McLean*; *Curtis Quinn*; *Dickson, enfant de Leonard et Joyce*. Certaines remontaient à des décennies. D'autres étaient plus récentes. Mais ceux qui avaient fait valoir leur droit à une place sur les coteaux de l'île d'Entrée avaient peu de chance de voir s'installer à leurs côtés un grand nombre d'insulaires. La population diminuait régulièrement et risquait de s'éteindre.

L'ombre de Sime tomba sur une vieille stèle de moins de cinquante centimètres de haut, rongée par les intempéries et légèrement penchée. Il discerna difficilement le nom de *McKay* et s'accroupit pour ôter plus d'un siècle d'algues et de lichen accumulés. *Kirsty McKay. Fille d'Alasdair et Margaret. Décédée le 5 août 1912 à l'âge de quatre-vingt-deux ans.* Il s'agissait forcément de l'arrière-arrière-arrière-grand-mère de Kirsty. La vieille dame dont il avait vu la photographie dans l'album commencé par la mère de celle-ci. Il essaya de se rappeler son visage, mais ce détail s'était effacé de sa mémoire. Il lui restait juste cette impression diffuse d'une époque où les gens d'une certaine génération paraissaient tous se ressembler. Peut-être était-ce dû à un style de coiffure très répandu ou à une mode dans les vêtements et les chapeaux. Ou aux limitations des premiers appareils photographiques. Les clichés sépia ou noir et blanc, une mauvaise lumière. Trop sombre ou trop lumineux, trop de contraste ou trop peu.

Quoi qu'il en soit, Sime trouva passablement triste de tomber ainsi sur la tombe de cette vieille dame. Dans un album photo, une image perpétue l'illusion de la vie. Longtemps après la mort, il reste un sourire ou un froncement de sourcils. Mais un trou dans la terre, avec une pierre marquant l'endroit où repose votre tête, c'est pour l'éternité. Il posa sa main sur la pierre. Elle était fraîche contre sa peau et il éprouva une très étrange sensation d'affinité avec la vieille femme dont les restes reposaient sous ses pieds. Comme si elle établissait un pont entre le passé et le présent. Entre lui et son arrière-arrière-arrière-petite-fille.

Il se releva et, bien qu'il fasse encore bon, il frissonna. La chair de poule lui envahit les bras et les épaules comme si un spectre l'avait frôlé.

Des vêtements étendus sur un fil fixé au mur d'une maison moderne sans caractère, à côté de l'épicerie, pour sécher au soleil de la fin septembre, claquaient dans le vent. Deux hommes en bleus de travail élimés et chaussés de bottes en caoutchouc interrompirent leur conversation pour le regarder passer le croisement. La route était pierreuse et en mauvais état à cet endroit. Un vieux labrador aux pattes arrière raidies par l'arthrose lui emboîta le pas.

« Duke ! », appela l'un des hommes. « Duke ! Ici mon chien. » Mais Duke l'ignora et resta dans le sillage de Sime.

Là où le chemin obliquait à droite vers le phare, la route décrivait un virage à gauche en direction de la maison des Cowell. Duke le précéda et grimpa la colline en clopinant comme s'il connaissait la destination de Sime qui hésita un bref instant. Il n'était pas en droit de revenir à la maison, n'avait pas de raison valable pour le faire. Les interrogatoires de Kirsty étaient terminés et, dans tous les cas, elle n'accepterait plus de lui parler sans la présence d'un avocat. Malgré tout, il suivit Duke.

La maison construite par Cowell n'était plus qu'un coup de folie déprimant. Elle symbolisait l'échec de son mariage, le vide, l'absence d'amour. Il fit un pas dans la véranda. « Il y a quelqu'un ? » Sa voix résonna et rebondit dans tous les espaces vides de la maison, mais il n'obtint pas de réponse. Il traversa la pelouse jusqu'au pavillon d'été et trouva l'agent de police de Cap-aux-Meules qui se confectionnait un sandwich dans la cuisine. Le jeune homme leva la tête, légèrement surpris.

« Je pensais que vous étiez tous retournés à Cap-aux-Meules », dit-il.

Sime se contenta de hausser les épaules. « Où est madame Cowell ?

— Vous allez encore l'interroger ?

— Non. »

Le policier mordit dans son sandwich et fit descendre la bouchée avec une gorgée de café. Il dévisagea Sime d'un air curieux. « La dernière fois que je l'ai vue, elle était sur la route qui escalade cette colline.

— Où mène-t-elle ?

— Nulle part en particulier. Elle se perd au bout d'un moment. »

Quand il sortit du pavillon, Sime trouva Duke qui l'attendait. Le labrador lui donna l'impression de sourire puis se mit en route comme s'il lui montrait le chemin. Sime regarda le chien s'éloigner de sa démarche maladroite et atteindre le sommet de la colline. Là, il s'arrêta et tourna la tête en arrière. Sime pouvait sentir son impatience.

Toutefois, il ne le suivit pas et emprunta le sentier qui menait aux falaises et à l'escalier étroit qui rejoignait la jetée. La vedette des Cowell dansait doucement au gré de la houle de l'après-midi.

Il s'imagina Kirsty, à demi-ivre, enflammée par l'humiliation et la jalousie, dévalant ces marches dans le noir pour traverser la baie dans un petit bateau en direction de Cap-aux-Meules. Quel degré de désespoir avait-elle atteint pour faire une chose pareille ?

Il tourna les talons et rebroussa chemin. Une fois au pavillon, il vit que Duke l'attendait toujours, juché au sommet de la colline.

Sime n'avait pas de raison de parler de nouveau avec Kirsty. Et pourtant, il voulait la revoir. Il voulait lui dire à quel point il haïssait cette situation, quand bien même il savait qu'il ne le ferait pas. Il décida de rejoindre Duke. Le chien attendit qu'il soit à quelques mètres puis se leva et repartit en boitant.

La route était accidentée et des cailloux de toutes tailles glissaient sous ses pieds. Quand il atteignit le sommet, Sime se retourna pour contempler la vue.

Le pavillon semblait déjà loin et, posé sur la pointe sud de l'île, le phare paraissait minuscule. De l'autre côté de l'eau, Havre-Aubert paraissait suffisamment proche pour qu'on la touche en tendant simplement le bras. Le vent, plus fort à cet endroit, faisait voler ses cheveux, gonflait sa capuche et la tirait derrière lui. Il tourna le dos au panorama et vit Duke qui l'attendait toujours. Il atteignit un point où la route devenait un sentier tracé dans l'herbe par l'usure. Il se divisait en deux et partait d'un côté en serpentant vers le sommet de Big Hill. De l'autre, il redescendait vers les falaises et les empilements de roches rouges qui émergeaient de l'océan.

Soudain, il la vit. Très près du rebord de la falaise. Sa silhouette se découpait sur l'incendie de lumière qui embrasait l'océan en contrebas. Ils faisaient face à l'est, dos au golfe du Saint-Laurent et à l'Amérique du Nord, tournés vers la terre lointaine d'où étaient arrivés leurs ancêtres.

Duke la rejoignit avant lui. Elle se pencha pour lui flatter le cou puis s'accroupit à côté de lui. Sime la vit sourire, enjouée comme il ne l'avait encore jamais vue. Jusqu'à ce qu'il pénètre dans son champ de vision et qu'elle tourne la tête dans sa direction. Son sourire s'évanouit et elle se releva immédiatement. Son attitude devint manifestement hostile, elle était sur la défensive. « Que voulez-vous ? », lui demanda-t-elle froidement quand il arriva à sa hauteur.

Sime enfouit ses mains dans ses poches et haussa les épaules. « Rien. Je me promenais, tout simplement. Pour tuer le temps en attendant l'arrivée du ferry. » Il fit un signe de tête en direction du rebord de la falaise. « Vous êtes un peu près du bord. »

Elle rit. C'était la première fois qu'il la voyait sincèrement amusée. « Je ne vais pas me jeter dans le vide, si c'est ce que vous craignez. »

Il sourit. « Non, je ne pensais pas à ça. » Il parcourut du regard la ligne déchiquetée des falaises. « En revanche, il y a beaucoup d'érosion dans le coin. Ce ne doit pas être très prudent de trop s'approcher.

— Je suis touchée par votre sollicitude. » Le sarcasme était de retour.

Il la fixa droit dans les yeux. « Je me contente de faire mon travail, madame Cowell. Je n'éprouve aucune antipathie à votre égard. »

Elle laissa échapper un soupir d'incrédulité. « M'accuser d'avoir assassiné mon mari ne passe pas à mes yeux pour une marque de sympathie.

— Je ne faisais qu'évaluer l'hypothèse la plus vraisemblable. » Il réfléchit un instant. « Un jour, un légiste m'a raconté que lorsqu'il procédait à l'autopsie d'une victime de meurtre, il avait le sentiment d'être son dernier défenseur sur cette terre. Il devait trouver et évaluer les indices que le corps du défunt lui confiait.

— Et c'est ce que vous faites pour James ?

— D'une certaine manière, oui. Il n'est plus en mesure de nous parler. Il ne peut pas nous raconter ce qui s'est passé. Et quoi qu'il ait pu faire ou être, il ne méritait pas de mourir de cette façon. »

Elle l'observa pendant un long moment, imperturbable. « Non, il ne méritait pas ça. »

Un silence gêné s'installa entre eux. « Vous avez vraiment l'intention de passer le reste de votre vie ici ? », lui demanda-t-il enfin.

Elle rit. « Eh bien, cela va dépendre de si vous me mettez ou non en prison. » Il lui répondit par un sourire timide. « La vérité, monsieur Mackenzie, c'est que quoi que j'aie pu dire sous le coup de l'émotion, j'aime sincèrement cette île. Enfant, j'y ai joué partout. J'en ai arpenté chaque pouce depuis que je suis adulte. Big Hill, Jim's Hill, Cherry's Hill. Ce sont de modestes reliefs au milieu du paysage, mais quand vous êtes jeune, ce sont les Alpes ou les Rocheuses. Votre monde se résume à l'île et tout ce qui se trouve au-delà est lointain, exotique. Même les autres îles de l'archipel.

— Ce n'est pas un endroit facile à vivre, je n'aurais pas cru ça de vous.

— Cela dépend de ce à quoi on est habitué. Nous ne connaissions rien d'autre. Tout au moins, pas avant que nous ayons grandi. Le climat est rude, c'est certain, mais même cela, on finit par l'accepter, parce que c'est ainsi. Les hivers sont longs et si froids que, parfois, la baie gèle et que l'on peut traverser à pied jusqu'à Amherst. » Et elle précisa à son attention : « Il s'agit de Havre-Aubert.

— Comment se fait-il qu'ici vous parliez anglais alors que les autres îles sont francophones ?

— Elles ne le sont pas toutes », corrigea-t-elle. Une bourrasque plaqua ses cheveux sur son visage. Elle les écarta avec son petit doigt et les rejeta en arrière. « Au nord, ils parlent anglais. Sur Grande-Entrée et à Old Harry et Grosse-Île. James était originaire d'Old Harry. Sinon, vous avez raison, la majorité des habitants des îles de la Madeleine parlent français. Nous ne devons être, je suppose, que cinq ou dix pour cent à nous exprimer en anglais. » Elle haussa les épaules. « C'est notre héritage, notre culture. Et quand on est minoritaire, on a tendance à protéger ces choses-là, à les entretenir, à les défendre. Comme la minorité française au Canada. »

Duke, qui s'était éloigné pour renifler les hautes herbes, se trouvait très près du rebord de la falaise. Elle l'appela mais le chien se contenta de lever la truffe, ne leur accordant qu'un regard distrait.

« Venez », dit-elle à Sime. « Si nous remontons le chemin, il nous suivra. » Elle sourit. « Duke consacre sa vie à suivre chaque personne qui visite l'île. »

Ils avancèrent sur le chemin, côte à côte, d'un pas nonchalant. Quiconque les aurait aperçus de loin aurait pu les prendre pour de vieux amis. Mais en réalité, il planait entre eux un silence tendu.

« Vous êtes probablement au courant, mais sur Entrée nous employons encore les noms anglais des îles. *Magdalen* au lieu de Madeleine. Cap-aux-Meules s'appelle *Grindstone*, Havre-Aubert, *Amherst* – ça, je vous l'ai déjà dit. Havre-aux-Maisons est connue sous le nom d'*Alright Island*. » Elle devait avoir l'impression que de parler de choses légères aiderait à dissiper celles, pesantes, qui créaient cette tension. « Tout l'archipel est entouré d'épaves de bateaux. J'ai eu l'occasion de voir une carte où elles étaient toutes localisées. Il y en a des centaines, tout autour de la côte.

— Pourquoi ont-ils tous atterri ici ?

— Qui sait ? Le mauvais temps, la poisse, l'absence de phares à l'époque. Et, je suppose, le fait que nous sommes au beau milieu du principal couloir maritime conduisant au Saint-Laurent et à Québec. » Elle lui lança un coup d'œil en biais et se mordit la lèvre. « Comment diable parvenez-vous à faire la conversation avec une personne que vous considérez comme une meurtrière ?

— Ce n'est pas nécessairement ce que je pense. » Il regretta immédiatement ses paroles. Parce que, tout bien considéré, c'était ce qu'il pensait. Simplement, ce n'était pas ce qu'il voulait penser.

Elle le dévisagea avec intensité. Comme si ses yeux bleus pouvaient pénétrer ses défenses et se saisir de la vérité. « Bien sûr », finit-elle par dire, sans conviction.

Duke les frôla en traînant la patte et se jeta dans un fossé rempli d'eau sur le côté du chemin. Il pataugea dedans pendant un moment pour se rafraîchir puis s'en extirpa avec difficulté. Il secoua violemment son pelage et aspergea généreusement Kirsty et Sime. Elle laissa échapper un cri, recula d'un pas et manqua de perdre l'équilibre quand Sime lui attrapa le bras pour l'empêcher de tomber.

Elle rit. « Fichu chien ! » Son sourire s'effaça soudainement quand elle s'aperçut que Sime la tenait encore. L'embarras les gagna tous les deux et il la lâcha, gêné par ce contact physique inattendu.

Ils suivirent Duke qui courait avec une vigueur renouvelée vers le sommet de la colline. Le vent soufflait fort. À leurs pieds, la baie scintillait sous le soleil. La maison des Cowell trônait fièrement au bord des falaises, le pavillon d'été où Kirsty était née juste derrière. Le toit de la voiture de police étincelait à côté de la Range Rover beige de Cowell.

« Vous n'avez pas de voiture ? », lui demanda Sime de but en blanc.

« Non.

— Comment vous déplacez-vous ?

— On n'a pas besoin de voiture sur l'île. On peut se rendre partout à pied.

— Mais James éprouvait le besoin d'en avoir une.

— Il rapportait souvent des choses dans l'avion. J'imagine que si j'en avais eu besoin, j'aurais pu utiliser la sienne. Sauf que je ne conduis pas. »

Sime fut surpris. « C'est inhabituel. »

Elle ne répondit pas. Son attention fut attirée par la main droite de Sime quand il la passa dans ses cheveux. « Qu'est-il arrivé à votre main? »

Il la regarda et constata que ses jointures étaient violacées et éraflées, légèrement enflées là où il avait frappé Crozes. Il la mit dans sa poche, gêné. « Rien », dit-il. À sa grande surprise, elle tendit le bras pour lui saisir le poignet et tirer sa main hors de sa poche pour pouvoir l'examiner.

« Vous vous êtes battu.

— Vous croyez? »

Elle leva un sourcil. « Cette île est un endroit rude, monsieur Mackenzie. Il n'y a pas de policiers ici. Les hommes règlent souvent leurs différends à coups de poing. Ce n'est pas la première fois que je vois des jointures abîmées. » Elle laissa passer un silence et regarda à nouveau sa main. « Et hier, les vôtres n'étaient pas dans cet état. »

Elle le lâcha. Il massa ses articulations avec son autre main, comme pour dissimuler les dégâts, et sentit sous ses doigts l'anneau avec le bras brandissant l'épée. En dépit de son envie de lui avouer la vérité, il dit simplement : « C'est personnel. » Il évita son regard.

« Laissez-moi deviner. Les hommes frappent rarement des inconnus, et comme vous ne connaissez personne par ici, il s'agit probablement de quelqu'un que vous connaissez. L'un de vos collègues. Un autre enquêteur. J'ai raison? »

Il braqua ses yeux dans ceux de Kirsty, mais demeura silencieux.

« Dans la mesure où je ne vois pas d'autre blessure sur votre visage en dehors de celle que vous avez récoltée l'autre soir, il ne me paraît pas hasardeux de considérer que vous étiez l'agresseur. Ce qui signifie que vous deviez avoir une puissante motivation pour vous en prendre à un collègue. Ne serait-ce pas, par hasard, à cause d'une femme ? » Elle haussa un sourcil en posant la question. Comme la réponse ne venait pas, elle ajouta : « Et comme la seule femme de l'équipe est votre ex…

— Il couchait avec elle. » Les mots lui avaient échappé et, même s'il le souhaitait, il ne pouvait les reprendre. Son visage s'empourpra.

« Avant votre séparation ? »

Il fit oui de la tête.

« Et vous venez de le découvrir ? »

— Oui.

— Et vous lui avez mis une raclée ?

— Oui.

— Tant mieux pour vous. »

Elle était parvenue à retourner la situation. C'était elle qui le questionnait et il se retrouvait dans la position de l'accusé, contraint de justifier ses actes.

Elle sourit et remarqua : « Eh bien, on dirait que nous ne sommes pas si différents, vous ne trouvez pas ? » Il la regarda sans comprendre. « Chacun de nous est capable de perdre son sang-froid à l'idée de perdre l'être aimé. » Elle soupira. « Vous, plus que quiconque, devriez comprendre ce qui m'a poussée à me rendre à Cap-aux-Meules cette nuit-là pour avoir une explication avec James et l'épouse Briand. »

Sime avait la bouche sèche. « C'est aussi ce qui vous a poussée à le tuer ? »

Elle le fixa pendant de longues secondes. « Je crois que vous connaissez déjà la réponse à cette question. »

Duke, lassé de les attendre, les avait rejoints et s'était assis à leurs pieds, visiblement contrarié.

« Lors de notre première rencontre, vous pensiez déjà me connaître. »

Il acquiesça. Il voulait lui parler des journaux intimes. De ses rêves. De la petite fille prénommée Kirsty à qui son aïeul avait sauvé la vie. L'adolescente qu'il avait embrassée sur une île des Hébrides balayée par le vent puis perdue sur un quai de Glasgow. Et comment, dans ses rêves, elle avait fini par se confondre avec la femme qui se tenait devant lui sur cette colline venteuse de l'île d'Entrée.

Sans crier gare, elle lui caressa la joue du bout des doigts et dit : « Vous ne savez rien de moi. »

L'instinct, ou un mouvement fugace, lui fit tourner la tête. Le policier de Cap-aux-Meules remontait le chemin qui escaladait la colline. Même à plus de deux cents mètres de distance, Sime put discerner son embarras. Leur attitude devait sembler anormalement intime. Sime le détective, Kirsty, suspectée de meurtre, si près l'un de l'autre au sommet de la colline, ses doigts effleurant son visage.

Elle écarta sa main et Sime se hâta de descendre la colline pour rejoindre le policier. Duke se remit sur ses pattes et courut à sa suite.

Le jeune policier poursuivit son ascension et ils se retrouvèrent à mi-chemin. Son regard était lourd de sous-entendus, mais il garda ses réflexions pour lui. « Le lieutenant Crozes a essayé de vous joindre, monsieur.

— Pourquoi ne m'a-t-il pas appelé sur mon portable ? » Sime plongea la main dans sa poche et réalisa soudain qu'il n'était finalement pas retourné au centre opérationnel pour le récupérer. « Bon sang ! Je vais le rappeler avec le fixe du pavillon. »

Il lança un bref coup d'œil par-dessus son épaule et suivit le policier jusqu'au pavillon d'été. Kirsty les regarda s'éloigner depuis le sommet de la colline.

Crozes fulminait. Que diable faisait-il sur Entrée ? Mais Sime l'écoutait à peine. De là où il se trouvait dans le salon du pavillon, il pouvait voir Kirsty descendre de la colline d'un pas lent. Il laissa Crozes pester contre lui sans prendre la peine de répondre. Au bout d'un moment, le lieutenant se calma et conclut froidement : « Nous réglerons ça plus tard. Le rapport préliminaire du labo est arrivé. Lapointe leur avait demandé de faire les tests ADN en priorité. Ils viennent de faxer les résultats.

— Et ? » Sime se doutait que cela ne présageait rien de bon.

« Les échantillons prélevés sous les ongles de Kirsty Cowell contiennent des résidus de peau correspondant aux marques sur le visage de son mari. » Il fit une pause et Sime perçut dans son ton quelque chose qui ressemblait à du plaisir. « En fait, c'est peut-être aussi bien que tu sois là-bas, Sime. Je veux que tu l'arrêtes et que tu la ramènes ici pour que nous l'inculpions officiellement de meurtre. »

Sime resta silencieux.

« Tu es toujours là ?

— Oui, lieutenant.

— Bien. On vous attend tous les deux vers six heures. » Il raccrocha.

Sime resta immobile un long moment avec le combiné à la main avant de le reposer sur son support. Il vit par la fenêtre que Kirsty avait atteint la grande maison et traversait la pelouse en direction du pavillon d'été. Duke l'avait rejointe et lui tournait dans les jambes avec toute l'excitation que lui autorisait son arthrose. Sime se tourna vers le policier qui ne le quittait pas des yeux. « Je vais avoir besoin d'un témoin pour ce qui va suivre. » Le visage du jeune homme rosit sous l'effet de l'excitation. À l'évidence, il allait vivre une situation à laquelle il n'avait encore jamais été confronté.

Sime sortit sous le porche au moment où Kirsty escaladait le perron. Elle sentit immédiatement que quelque chose avait changé. « Il y a un problème ? »

— Kirsty Cowell, vous êtes en état d'arrestation pour le meurtre de James Cowell. »

Elle devint livide. « Pardon ? », fit-elle d'une voix tremblante, visiblement bouleversée.

« Comprenez-vous ce que je viens de vous dire ?

— Je comprends ce que vous dites, ce que je ne comprends pas, c'est pourquoi vous me le dites. »

Sime prit une longue inspiration, conscient de la présence du policier à ses côtés. « Vous avez le droit de contacter un avocat dans les plus brefs délais. Je vous ramène au poste de police de Cap-aux-Meules où vous aurez accès à un téléphone gratuit pour contacter un service d'avocats si vous n'avez pas d'avocat personnel. Tout ce que vous direz pourra être utilisé comme preuve devant une cour de justice. Comprenez-vous ce que je viens de vous dire ? » Il attendit. « Désirez-vous parler à un avocat ? »

Elle resta un long moment à le regarder, sans ciller, et l'on pouvait lire dans ses yeux les émotions conflictuelles qui l'assaillaient. Soudain, elle leva la main et le gifla là où quelques minutes plus tôt elle l'avait caressé tendrement du bout des doigts.

Le policier s'avança rapidement pour lui saisir les poignets.

« Lâchez-la ! » Le ton impérieux de Sime eut sur le jeune homme un effet aussi puissant que la gifle de Kirsty et il la lâcha immédiatement, comme s'il avait reçu une décharge électrique en la touchant. En croisant le regard de Kirsty, Sime ressentit la morsure du regret. « Je suis désolé », dit-il.

CHAPITRE 32

I

Sime laissa Kirsty préparer un sac sous la surveillance du policier pendant qu'il se rendait au port pour y récupérer le minibus. L'aller-retour lui laissa le temps de réfléchir. Mais il avait du mal à mettre de l'ordre dans ses pensées. Depuis l'instant où, pour la première fois, il avait posé les yeux sur l'île d'Entrée, il avait ressenti quelque chose de menaçant dans l'ombre profonde qu'elle projetait sur l'horizon. Ce sentiment de fatalité qui l'avait saisi à son arrivée venait de trouver un dénouement presque pervers. La femme qui, dans son esprit, s'était confondue avec la fille de ses rêves et la Ciorstaidh des journaux intimes avait, au bout du compte, assassiné son mari. Et c'était à lui qu'avait incombé son arrestation.

De retour au pavillon d'été, il chargea le sac de Kirsty Cowell dans le minibus. La mine maussade, elle se glissa à côté de lui sur le siège passager. Ils laissèrent le policier chargé de surveiller la scène de crime et roulèrent en silence à travers l'île. Vers l'ouest, le soleil, déjà bas dans le ciel, projetait un liseré doré sur les nuages roses et gris, et déposait à la surface de la baie des chatoiements semblables à des trésors perdus.

Il savait que c'était probablement la dernière fois qu'il mettait les pieds sur l'île et il laissa son regard errer avec tristesse sur ses douces ondulations verdoyantes, ses maisons aux couleurs vives et les montagnes de casiers à homards empilés le long de la route. Quand le chemin cahoteux qui faisait office de route passa en serpentant en dessous de l'église, il lança un regard rapide vers le coteau parsemé de stèles. Quelque part là-haut se trouvait la pierre couverte de lichen qui signalait la dernière demeure de, à plusieurs générations de distance, l'aïeule de Kirsty et il lui sembla qu'il pouvait presque entendre les reproches de la vieille dame.

Il y avait foule sur la jetée pour accueillir le ferry. Sime reconnut Owen et Chuck Clarke qui le suivaient d'un œil sombre. Quand le bateau eut déchargé sa cargaison de passagers et de marchandises, tous observèrent en silence Sime entrer en marche arrière dans la cale des véhicules au volant du minibus. Kirsty, assise à côté de lui, à la vue de tous, le regard inexpressif et le visage figé, regardait droit devant elle. Cette femme qui n'avait pas quitté l'île depuis dix ans. Cela ne pouvait vouloir dire qu'une seule chose.

Il resta assis avec elle dans le véhicule jusqu'à ce que la rampe d'accès soit remontée et les cache aux yeux des curieux rassemblés sur le quai. Le ferry tangua doucement en contournant le brise-lames pour se diriger vers la baie. Sans un mot, Sime plongea la main dans sa poche, en sortit une paire de menottes et, avant qu'elle ne comprenne ce qui se passait, prit le poignet gauche de Kirsty et la menotta au volant. Visiblement choquée, il vit les pupilles de ses yeux bleus se dilater sous l'effet de la colère et de la douleur. « Mais qu'est-ce que vous foutez ?

— Je ne peux pas prendre le risque de vous laisser libre sur le bateau au cas où vous sauteriez par-dessus bord. »

Elle le fixa, l'air incrédule, la bouche entrouverte. « Vous pensez vraiment que je pourrais me suicider ?

— Ça s'est vu. » Il réfléchit. « À moins que vous préfériez venir sur le pont, menottée à mon bras, comme cela tous les passagers et l'équipage vous verront. »

Sa mâchoire se crispa et elle recommença à fixer le vide à travers le pare-brise. « Je reste dans le fourgon. »

Il hocha la tête et descendit péniblement du minibus. Il se dirigea vers l'escalier menant au pont supérieur et, une fois en haut, il gagna la proue. Il ferma ses yeux douloureux qui le démangeaient et laissa le vent lui caresser le visage comme de l'eau froide, rafraîchissant, vivifiant, mais pas assez pour effacer la fatigue, la culpabilité et la trahison.

Il fit demi-tour et, d'un pas mal assuré, alla jusqu'à la poupe. Accroché au bastingage, il regarda l'île d'Entrée disparaître dans le crépuscule. Il se rappelait le contact des doigts de Kirsty sur sa joue. Il les sentait presque. Et tout ce qu'il était en train de faire lui parut injuste.

II

Tandis qu'ils passaient devant l'hôpital et l'auberge Madeli, des mèches de nuages noirs déchiquetés en provenance de l'ouest filaient à travers l'île, illuminées par un coucher de soleil flamboyant qui brûlait d'un blanc éclatant sur l'horizon et virait au jaune puis au rouge et au violet sur le ventre des nuages. On aurait dit que le ciel était en flammes et Sime n'avait jamais assisté à un tel spectacle.

Mais tout ce qui brûle intensément se consume rapidement et, lorsqu'ils arrivèrent au poste de police sur le chemin du Gros-Cap, le soleil avait disparu, laissant derrière lui un ciel calciné.

Il y subsistait encore un peu de lumière quand Sime guida Kirsty jusque dans le bâtiment à un étage. La lumière électrique dessinait de grands rectangles jaunes à travers les portes vitrées et, lorsqu'ils les poussèrent pour entrer, toutes les têtes se tournèrent dans leur direction. Depuis la porte ouverte de l'administration où les secrétaires les considérèrent avec des yeux ronds. Depuis le centre opérationnel, où plusieurs membres de l'équipe d'enquêteurs paressaient autour d'une table encombrée de papiers, d'ordinateurs portables et de téléphones. Ils étaient détendus. Le travail était achevé. Thomas Blanc croisa brièvement le regard de Sime puis détourna les yeux.

Crozes se trouvait au bout du couloir. Il se retourna et Sime lut une expression de satisfaction sur son visage encore meurtri par leur rencontre nocturne. « Par ici », lança-t-il.

Il s'écarta de la porte menant aux cellules pour les laisser passer. Une policière en uniforme attendait à l'intérieur. Kirsty franchit le seuil en jetant un regard noir à Crozes. Sime la fit s'arrêter devant la première des deux cellules et elle se tourna vers lui. Elle affichait le même mépris que celui qu'il avait pris l'habitude de subir de la part de Marie-Ange. « En tout cas, maintenant, nous savons qui se tapait votre femme », lâcha-t-elle.

Crozes, interloqué, plissa les yeux et inclina légèrement la tête. Sime s'en fichait. Il se pencha en avant dans la cellule pour déposer le sac de Kirsty à côté de la couchette étroite installée le long du mur de droite.

Elle examina la pièce. « C'est là ? », lui demanda-t-elle. « C'est là que vous allez me garder ?

— Pour l'instant », répondit Crozes.

Les murs étaient peints d'un jaune citron pâle identique à celui des draps du lit. Le revêtement de sol en plastique était bleu, comme l'oreiller et la couette. « Très méditerranéen », ironisa-t-elle. « Et les couleurs sont coordonnées. Qu'est-ce qu'une fille peut demander de plus ? »

La cellule n'avait pas de porte pleine. Seulement des barreaux qui la fermaient en coulissant. Il n'y avait aucune intimité. Un équipement en Inox incluait à la fois un lavabo et un w.-c. Au fond, à côté de la deuxième cellule, se trouvait une douche carrelée. Glauque et déprimant. Toutefois, aussi abattue qu'elle pouvait l'être, Kirsty était fermement décidée à ne pas le laisser transparaître.

« Avez-vous parlé à un avocat ? », s'enquit Crozes.

« Je n'en ai pas. » Et, sans regarder Sime, elle ajouta : « Il m'a dit que je pourrais en appeler un d'ici. »

Crozes acquiesça. « La porte à côté. » Et il la conduisit dans la salle d'interrogatoire. « J'imagine que vous voudrez être assistée par votre avocat lors des prochains interrogatoires. »

Kirsty fit le tour de la pièce en clignant des paupières. « Plutôt deux fois qu'une. » Elle pointa un doigt sur Sime, debout dans l'embrasure de la porte. « En revanche, vous ne tirerez rien de moi tant qu'il sera dans le bâtiment. »

Le centre opérationnel était vide quand ils y entrèrent et Sime se demanda où tout le monde était passé. Il ne tarda pas à saisir. Crozes ferma la porte derrière eux. Son ton était grave et menaçant. « Je ne vais même pas te demander ce que tu pouvais bien foutre sur l'île d'Entrée. Ni comment elle est au courant. »

Sime le regarda sans comprendre. « Au courant de quoi ?

— À propos de nous. »

Sime lui montra son poing. « Des jointures abîmées. Un visage tuméfié. Un mariage brisé. Pas besoin d'être grand clerc pour assembler les morceaux. »

Le visage de Crozes resta impassible et quelles que furent ses pensées à cet instant, il les garda pour lui. « Elle va être inculpée et détenue ici jusqu'à ce que soit organisée sa comparution au tribunal de Havre-Aubert. Les audiences suivantes se dérouleront sur le continent. » Il inspira longuement. « En attendant, toute l'équipe rentre à Montréal dès demain matin. Et ta participation à l'enquête s'arrête là.

— Que veux-tu dire ?

— Je veux dire que quelqu'un d'autre va prendre ta place comme interrogateur. »

Sime le fusilla du regard. « Autrement dit, tu me vires de l'enquête. »

Crozes se tourna vers la table et, nonchalamment, commença à rassembler les documents éparpillés sur la table. « Ça ne vient pas de moi, Sime. » Il ouvrit une mallette, y fourra les papiers puis il se tourna de nouveau pour lui faire face à Sime. « Tu ne vas pas bien. Les gros bonnets de la rue Parthenais le savent. Les gens s'inquiètent pour ton bien-être. » Il fit une pause avant d'asséner le coup de grâce, un petit sourire satisfait sur les lèvres. « Ils veulent que tu te mettes en arrêt maladie pour une évaluation médicale. Un rendez-vous a déjà été pris avec un conseiller. »

Sime comprit que Crozes venait de le baiser. Exactement comme Thomas Blanc l'avait prédit.

III

Sime était assis seul dans sa chambre pendant que le reste de l'équipe dînait au La Patio. Il ne parvenait pas à se sortir de la tête l'image de Kirsty, accablée, assise sur le bord du lit étroit dans sa cellule de la Sûreté. Il avait conscience d'être incapable de la moindre objectivité quant à sa culpabilité ou son innocence. Mais cela importait peu. Elle était inculpée de meurtre. Et c'était grâce à lui que l'enquête était parvenue à ce dénouement.

Mais il se sentait mal à l'aise. Deux jours plus tôt, il était cloué au sol, en pleine nuit, et fixait le visage masqué de l'homme qui s'apprêtait à le tuer. Un homme correspondant à la description de l'intrus qui, d'après les déclarations de Kirsty, avait tué son mari. Crozes avait balayé du revers de la main ce qu'il considérait comme une fausse piste. Mais il n'avait pas vu l'expression dans le regard de l'agresseur et n'avait donc pas compris, contrairement à Sime, qu'il avait réellement l'intention de le tuer. Ce n'était pas un gamin qui essayait de l'effrayer. Seuls le destin et un insulaire au sommeil léger l'avaient sauvé d'une mort certaine.

Plus inexplicable encore était la raison pour laquelle ce type aurait voulu le tuer. Crozes l'avait souligné. Il avait beau ressasser cette histoire, elle n'avait aucun sens.

En temps normal, il aurait eu des difficultés à s'endormir. Mais ce n'était pas des circonstances normales. Ses patrons de la Sûreté avaient raison. Il n'était pas apte au service. En réalité, il n'était pas apte à grand-chose. Il se dit que le moment n'était peut-être pas si loin où il allait devoir chercher un autre boulot. Et les anciens flics au bout du rouleau n'étaient pas des candidats à l'embauche très engageants.

Il se prit le visage entre les mains. Dans son esprit, l'idée de son enfant perdu luttait avec la douleur de sa séparation avec Marie-Ange et la colère qu'il ressentait pour ce qu'elle avait fait. Il aurait voulu pleurer, mais les larmes ne venaient pas. Il resta assis, l'œil fixé sur la chevalière à sa main droite. L'or incrusté de cornaline rouge dans laquelle était gravé un bras armé d'une épée. Du même ensemble que le pendentif de Kirsty.

Il se rappela les paroles de sa sœur. « Je suis même sûre qu'il y a quelque chose à propos de l'anneau dedans. Mais je ne me rappelle pas quoi. » Il était persuadé que, parmi les souvenirs qui lui restaient de ces histoires entendues des années auparavant, quelque chose lui échappait.

D'une façon ou d'une autre, il savait qu'il devait impérativement mettre la main sur ces journaux intimes.

CHAPITRE 33

Il n'y eut pas les habituelles blagues et plaisanteries qui accompagnent la conclusion d'une enquête couronnée de succès. Les détectives affectés au meurtre de James Cowell par la Sûreté de Québec au 1701 rue Parthenais à Montréal se présentèrent le matin suivant, l'air grave, au contrôle du petit aéroport de Havre-aux-Maisons. Ils furent guidés sur le tarmac jusqu'au King Air à treize places qui, en l'espace de trois heures, les ramènerait à Montréal.

Une fois l'équipement chargé dans la soute, ils s'entassèrent dans la minuscule cabine passagers. À nouveau, Sime se retrouva assis seul à l'avant, isolé de ses collègues. Comme lors du vol aller, il évitait de croiser le regard de Marie-Ange. La tension qui régnait à bord du petit appareil était palpable.

Ils décollèrent contre le vent et, quand l'avion vira à gauche, la baie de Plaisance apparut dans le hublot de Sime. Le soleil se levait derrière l'île d'Entrée et projetait son ombre interminable à travers la baie en direction de Cap-aux-Meules. Un poing serré dressant un doigt accusateur.

Sime détourna le regard. C'était la dernière fois qu'il voyait l'île. Comme quand, la veille, il avait posé les yeux sur Kirsty Cowell une ultime fois. Elle allait se réveiller dans quelques instants pour affronter son premier jour de détention et attendre l'audience qui allait lui permettre de clamer officiellement son innocence.

Il soupira. Il se sentait fatigué. Tellement fatigué.

CHAPITRE 34

I

La clinique de traitement de l'insomnie se trouvait dans l'unité de recherche et de psychothérapie comportementale de l'hôpital général juif sur le chemin de la Côte-Sainte-Catherine, presque dans l'ombre du mont Royal et à quelques rues du cimetière juif lui-même situé au pied de la colline.

Le soleil parvenait encore à réchauffer l'atmosphère et il y avait des feuilles sur les arbres mais le vent transportait déjà avec lui les premières fraîcheurs de l'automne. Le ciel était plutôt dégagé et Montréal se prélassait dans la douceur de la fin septembre. Depuis le bureau où il avait passé la dernière demi-heure à répondre patiemment à des questions, Sime pouvait voir le flot des véhicules qui roulaient vers le sud sur la rue Légaré. Il faisait chaud dans la pièce. L'atmosphère était rendue encore plus étouffante par le soleil qui filtrait à travers les fenêtres et la cadence démarrage-arrêt des voitures en contrebas était hypnotique. Sime avait des difficultés à se concentrer.

Catherine Li, avait-il estimé, venait tout juste de passer la quarantaine. Elle portait une blouse à col ouvert et un pantalon noir. C'était une femme séduisante, élancée, des cheveux bruns coupés court et les yeux noirs et

légèrement bridés de quelqu'un dont les racines ances-
trales se situaient quelque part en Asie. Le Canada
était un tel melting-pot d'ethnies différentes, et bien
qu'il se considérât lui-même comme un natif francophone, il lui paraissait néanmoins bizarre que cette
femme s'adresse à lui en français.

La plaque apposée sur sa porte lui avait appris qu'elle
avait un doctorat et dirigeait l'unité de recherche.

Il n'y avait pas eu de préambule. Pas de bavardages.
Elle l'avait invité à s'asseoir avant d'ouvrir un dossier posé sur le bureau devant elle et de prendre des
notes quand il répondait à ses questions. Des questions
générales à propos de son éducation, son travail, son
mariage, ses sentiments sur divers sujets, politiques
et sociaux. Elle l'avait interrogé sur ses symptômes.
Quand étaient-ils apparus, quelle forme prenaient-ils,
à quelle fréquence il dormait. Rêvait-il ?

Pour la première fois, elle recula dans son siège et
l'observa. Elle examinait son visage, pensa-t-il. Un
visage qui, quand il le voyait dans le miroir chaque
matin, lui était de moins en moins familier. Les yeux
cernés, injectés de sang. Les joues creuses. Il avait
perdu du poids et ses cheveux s'étaient ternis. À
chaque fois qu'il regardait son reflet, il lui semblait
voir son propre fantôme.

De manière inattendue, elle se mit à sourire et il
lut de la chaleur et de la sympathie dans son regard.
« Vous connaissez, bien sûr, la raison de votre présence ici », dit-elle. Ce n'était pas une question mais
il hocha quand même la tête. « Vos employeurs de la
Sûreté vous ont adressé à moi parce qu'ils craignent
que votre état de santé ne vous empêche d'accomplir
votre travail. » Elle laissa passer un silence. « Pensez-
vous que ce soit le cas ? »

Il hocha encore la tête. « Oui. »

Elle continuait de sourire. « En effet, ça l'est. En fait, c'est une évidence. Les toxines qui se sont accumulées dans votre corps en raison du manque de sommeil ont sans aucun doute altéré vos capacités physiques et mentales. J'imagine également que vous avez dû remarquer que votre faculté de concentration et votre mémoire étaient elles aussi affectées. Fatigué pendant la journée, irritable et épuisé, et pourtant incapable de dormir la nuit. »

Il se demanda pourquoi elle lui disait des choses qu'il savait déjà.

Elle posa ses mains sur son bureau et croisa les doigts. « Il existe deux sortes d'insomnie, monsieur Mackenzie. L'insomnie aiguë qui dure pendant une courte période, en général quelques jours. Et la variété chronique, que l'on peut définir comme étant une impossibilité à dormir au moins trois à quatre nuits par semaine pendant un mois ou plus. » Elle reprit sa respiration. « À l'évidence, vous entrez dans la catégorie chronique.

— À l'évidence », approuva Sime avec ironie. Elle ne lui apprenait toujours rien de nouveau. Si elle remarqua son ton, elle n'en laissa rien paraître et mit sans doute cela sur le compte de l'irritabilité qu'elle venait de décrire comme l'un de ses symptômes.

« La cause de votre état peut également être définie de deux manières. Comme insomnie primaire ou secondaire.

— Quelle est la différence ?

— Eh bien, l'insomnie primaire n'a pas de lien avec une quelconque condition physique ou psychologique. C'est un problème sans causes extérieures. L'insomnie secondaire, en revanche, signifie que vos difficultés à dormir sont liées à d'autres facteurs. Il y a de nombreuses choses qui peuvent avoir une influence sur votre sommeil. Arthrite, asthme, cancer. Une douleur. Ou la dépression. » Elle le regarda pensivement. « Et c'est cette dernière raison qui, à mon avis, est à l'origine de votre problème. Une dépression profonde déclenchée par la fin de votre mariage. » Elle inclina légèrement la tête. « Avez-vous conscience d'être déprimé ?

— J'ai conscience d'être malheureux. »

Elle hocha la tête. « Les rêves vivaces que vous m'avez décrits sont un symptôme d'accompagnement fréquent de l'insomnie provoquée par la dépression ou l'anxiété. »

Étrangement, il se sentait presque soulagé qu'on lui explique ainsi la raison de ses rêves. C'était un symptôme provoqué par quelque chose qui échappait à son contrôle. C'était normal, si toutefois le symptôme d'un problème psychologique pouvait être considéré comme normal.

Il se rendit compte que Catherine Li l'observait attentivement. « Vous êtes encore avec moi ?

— Oui.

— Il existe une école de pensée qui affirme que les rêves sont en fait un phénomène chimique. Qu'ils sont directement influencés par des variations des neurotransmetteurs du cerveau. Avez-vous entendu parler du sommeil paradoxal ?

— Non, désolé.

— Le sommeil paradoxal est une phase du sommeil qui survient quatre à cinq fois par nuit et qui peut, si on additionne ces phases, représenter jusqu'à 120 minutes d'une nuit de sommeil. C'est également durant cette phase que surviennent la plupart des rêves. Pendant le sommeil paradoxal, c'est normalement l'acétylcholine et ses régulateurs qui dominent, tandis que la sérotonine diminue. »

L'expression de Sime indiquait clairement qu'il était perdu. « Ce qui signifie ? »

Elle rit. « Cela signifie que je devrais vous prescrire des ISRS.

— Mais bien sûr, pourquoi n'y avais-je pas pensé ? »

Elle lui adressa un sourire ironique. « Des inhibiteurs sélectifs de la recapture de la sérotonine. Cela devrait remonter vos taux de sérotonine et améliorer votre humeur.

— Bref, un antidépresseur », soupira-t-il.

Elle secoua la tête. « Ce n'est pas un vulgaire antidépresseur. En fait, les plus connus d'entre eux ne feraient probablement qu'aggraver votre état. Je pense que celui-ci devrait vous aider. »

Inexplicablement, Sime fut déçu. Il ne savait pas à quoi il s'attendait, mais une pilule de plus ne lui paraissait pas être une solution à son problème.

II

Depuis son retour, l'appartement lui semblait encore plus froid et vide. Quelques jours d'absence avaient suffi à en effacer toute chaleur humaine. Il sentait le renfermé. De la vaisselle sale était empilée dans la cuisine. Sime n'avait pas trouvé le temps ni le courage de la laver avant de partir. Pas plus que de sortir la poubelle dans laquelle quelque chose dégageait une odeur signalant qu'il avait largement dépassé la date limite de consommation. Dans la chambre à coucher, le panier à linge sale débordait. Le lit n'était pas fait, comme toujours. Ses vêtements traînaient sur le sol là où il les avait laissé tomber. La poussière s'accumulait par couches sur toutes les surfaces de chaque pièce. Des choses qu'il avait cessé de voir. Les symptômes classiques d'un esprit embourbé dans la dépression.

Il passa la soirée assis dans le salon. La télévision était allumée, mais il ne la regardait pas. Il avait froid, mais il ne lui vint pas à l'esprit de mettre le chauffage.

Il se rappela le conseil d'un professeur à l'école de police. « Parfois, il arrive que l'on pense trop et que l'on agisse trop peu. » Il balaya l'appartement du regard et vit ce qui se passait quand on réfléchissait trop et que l'on ne faisait rien du tout. À un moment, sans s'en rendre compte, il avait tourné le dos à la vie, paralysé par l'inertie. Ce n'était pas ce qu'il voulait, loin de là. Pourtant, il n'avait rien d'autre. Il désespérait de dormir. Pas pour se reposer, mais pour s'évader. Être quelqu'un d'autre, à un autre endroit, une autre époque. Il contempla le tableau de son ancêtre accroché au mur. Ce paysage morne et sombre. Il aurait aimé pouvoir y entrer.

Les pilules qu'on lui avait prescrites étaient posées sur l'étagère au-dessus du lavabo de la salle de bains. L'heure de les prendre approchait, mais il avait peur d'aller se coucher au cas où il ne trouverait pas le sommeil. Le médecin lui avait dit qu'ils mettraient du temps à agir et il n'avait pas le courage d'affronter une autre nuit sans sommeil.

Il se leva, animé par le désir soudain de reprendre possession de sa vie. Ici et maintenant.

Il passa l'heure suivante à ramasser les vêtements qui traînaient par terre et à les entasser dans le lave-linge. Après l'avoir mis en route, il remplit le lave-vaisselle et l'alluma à son tour puis il vaporisa du désinfectant sur toutes les surfaces de la cuisine avant de les nettoyer. Il descendit les poubelles dans le local du sous-sol. Une fois en bas, il se souvint des paroles de Marie-Ange sur l'île d'Entrée. Quand il lui avait parlé de ses affaires, elle avait répondu : « Je n'en veux plus de ces affaires. Pourquoi tu ne fourres pas tout ça dans une poubelle ? »

Il reprit l'ascenseur jusqu'à l'appartement, animé d'une énergie nouvelle. Une fois dans la chambre, il ouvrit en grand les portes de la penderie. Les vêtements qu'elle avait laissés s'y trouvaient, suspendus à la tringle, les chaussures rangées en dessous. Les tee-shirts et les sous-vêtements soigneusement pliés sur des étagères. Des choses qu'il se rappelait avoir vues sur elle. Il saisit un de ses tee-shirts et le porta à son visage. Même propre, il avait son odeur. Ce parfum particulier qu'elle portait. Quel était son nom déjà ? *Jardins de Bagatelle*. Il ne savait pas d'où il sortait ce nom, mais cette odeur serait à jamais associée à elle. La sensation de perte l'envahit à nouveau, comme une douleur physique en pleine poitrine.

Pris d'une rage soudaine, il fonça dans la cuisine pour y prendre un grand sac-poubelle noir et revint dans la chambre. Il décrocha les vêtements et les fourra dans le sac. Suivirent ses tee-shirts, ses culottes et ses soutiens-gorge, une chemise de nuit, toutes ses chaussures. Il lui fallut un deuxième sac, puis un troisième. Il les traîna ensuite jusqu'à l'ascenseur et descendit au sous-sol. Il hésita un bref instant avant de vider les sacs sur la rampe des déchets recyclables. *Bye bye*, Marie-Ange.

Tandis que l'ascenseur remontait, il se vit dans le miroir et les larmes lui montèrent aux yeux. Il aurait pu être père. Il injuria son reflet.

De retour dans l'appartement, il était décidé à ne pas se laisser distraire par des émotions négatives. Il s'essuya le visage, défit le lit et mit ses draps et ses serviettes sales dans un grand sac à linge qu'il emporta dans sa voiture. Il franchit le pont et déposa sa lessive dans une laverie ouverte jour et nuit sur la rue Ontario Est. Il la récupérerait le lendemain. Quand il fut chez lui, il sortit des draps propres de l'armoire à linge et fit son lit.

Pendant la demi-heure qui suivit, il passa tous les tapis de l'appartement à l'aspirateur puis vida un paquet entier de chiffons antistatiques pour nettoyer chaque meuble, chaque étagère, chaque table, ébloui par la poussière qu'il ramassait. Il vaporisa du désodorisant dans toutes les pièces, manqua de suffoquer tant le parfum était sucré, et ouvrit les fenêtres.

À une heure du matin, l'appartement était plus propre et frais qu'il ne l'avait jamais été depuis le départ de Marie-Ange, et il n'y subsistait plus une seule trace d'elle. Sime était debout au milieu du salon, essoufflé par ses efforts, le front en sueur. S'il avait fait ça pour se sentir mieux, il n'avait pas l'impression que cela avait fonctionné. C'était un comportement de maniaque, il le savait, mais c'était une bonne chose de faite. Cependant, quand il s'assit, il savait au fond de lui-même qu'il n'avait rien fait d'autre que de reculer l'instant où il devrait poser sa tête sur l'oreiller et essayer de dormir.

Il regagna la chambre et se déshabilla, veillant à mettre ses affaires dans le panier à linge sale. Une nouvelle discipline. Il alla ensuite dans la salle de bains pour se doucher. Quand il sortit de la douche, il s'arrêta devant le miroir, heureux que la buée masque son reflet. Il prit le nombre prescrit d'ISRS, remplit son verre à dents, but un peu d'eau pour les faire descendre puis se brossa les dents.

La buée commençait à se dissiper et il vit son fantôme qui l'observait, les yeux creusés. Il avait à la fois tout et rien changé.

Il se sécha vigoureusement les cheveux avec une serviette et enfila un caleçon propre. De retour dans le salon, il s'assit et fit défiler les chaînes pendant une demi-heure puis éteignit la télévision. Il se retrouva noyé dans un silence assourdissant. Il éprouvait une telle fatigue physique qu'il pouvait à peine se lever. Mais, dans le même temps, son esprit voyageait à la vitesse de la lumière sur une autoroute astrale et il n'avait pas la moindre envie de dormir.

En dépit des contre-indications, il ouvrit le bar et en sortit une bouteille de whisky. Il se servit généreusement et fit la grimace à la première gorgée. Le whisky et le dentifrice ne faisaient pas bon ménage. Il se força à le boire. Puis un autre, et encore un.

Enfin, la tête prise de vertiges, il gagna sa chambre et se glissa entre les draps propres. Ils étaient frais, et la chaleur et la torpeur que lui avait procurées le whisky se dissipèrent. Il ferma les yeux et laissa l'obscurité l'envelopper. Et il attendit. Et attendit. Implorant pour que la libération vienne.

Rien ne se passa. Il essayait de toutes ses forces de garder les yeux fermés. Mais, au bout d'un moment, ils s'ouvrirent d'eux-mêmes et il se retrouva une fois de plus à fixer les ombres du plafond, tournant de temps à autre la tête vers le halo rouge des chiffres du réveil pour décompter les heures. Au bout d'un certain temps, peut-être deux heures plus tard, le cri de frustration pure qui lui déchira la gorge retentit dans tout l'appartement.

À 7 h 30, la lumière du jour dessinait un liseré sur le pourtour des rideaux de la chambre et il n'avait pas dormi. À contrecœur, épuisé, il repoussa les couvertures et se leva pour s'habiller. Il était temps d'aller affronter l'orage rue Parthenais.

III

Il éprouva un sentiment étrange en empruntant l'ascenseur pour accéder au quatrième étage de la Sûreté comme il l'avait fait un nombre incalculable de fois au long des mois et des années. Il redoutait l'ouverture des portes, la longue remontée du couloir où étaient accrochées toutes ces photographies en noir et blanc de crimes anciens et de policiers morts. Et quand, moins d'une minute après, ses pas y résonnèrent, il se sentit complètement déconnecté.

Il croisa des visages connus en passant devant la salle des enquêteurs. Des visages qui souriaient et lui disaient bonjour. Des sourires gênés, des regards curieux.

À hauteur de la plaque bleue indiquant *Division des enquêtes sur les crimes contre la personne*, il bifurqua dans l'enfilade de bureaux qui hébergeaient la Criminelle. La porte du centre opérationnel était entrouverte et il sentit les têtes se tourner sur son passage mais il ne risqua pas un regard à l'intérieur.

Les bureaux des supérieurs étaient disposés autour d'une zone remplie d'imprimantes, de fax, d'armoires de classement et de talkie-walkie en charge. Comme dans des aquariums, les parois en verre des bureaux laissaient voir tout ce qui s'y passait.

Le capitaine Michel McIvir émergea de l'un d'eux, le regard baissé, concentré sur une liasse de papiers qu'il tenait à la main. Il se rendit compte de la présence de Sime et releva la tête. Une ombre rapide passa sur son visage et céda la place à un sourire forcé. D'un geste de la main, il l'invita à entrer dans son bureau. « Je suis à vous dans une minute, Sime. »

Sime s'installa dans le bureau du capitaine. La décoration consistait en une photographie encadrée de Paris la nuit et un immense drapeau québécois pendant mollement sur son mât. À l'extérieur, on apercevait le mont Royal dans le lointain et le givre du début de matinée qui scintillait sur les toits plats des immeubles en briques à trois étages situés en face.

Le capitaine entra et s'assit à son bureau. Il ouvrit un dossier devant lui et passa en revue les quelques feuilles imprimées qu'il contenait. Quelle comédie, songea Sime. Quel que soit leur contenu, il les avait déjà lues. Le capitaine mit ses mains à plat sur le bureau et posa les yeux sur Sime. Il le fixa attentivement pendant plusieurs instants.

« Catherine Li m'a faxé hier soir le rapport qu'elle a rédigé suite à votre consultation d'hier. » Il jeta un rapide coup d'œil sur son bureau pour faire comprendre à Sime qu'il s'agissait là du fameux rapport. Il pinça les lèvres puis inspira. « J'ai également pris le temps de visionner les enregistrements de votre interrogatoire du suspect sur l'île d'Entrée. » À nouveau, le pincement de lèvres caractéristique. « C'était pour le moins inégal, Sime. »

De manière inattendue, il se leva de derrière son bureau et alla fermer la porte. Il resta debout, la main sur la poignée, à regarder Sime, et baissa d'un ton.

« Je suis aussi au courant d'un incident survenu sur l'archipel pendant l'enquête. » Il hésita. « Un incident qui reste, et devra rester, confidentiel. » Il lâcha la poignée et regagna son bureau mais il resta debout. « Ne croyez pas que je n'éprouve aucune compassion, Sime. »

Sime demeura impassible. Il n'avait pas besoin de compassion.

« Ce qui est clair, en revanche, à en juger par ce que dit le médecin et d'après ce que j'ai vu de mes propres yeux, c'est que vous êtes souffrant. » Il posa une fesse sur le bord de son bureau et se pencha en avant comme un médecin vaguement condescendant. « C'est pour cela que je vous mets en congé maladie jusqu'à nouvel ordre. »

Même s'il s'y attendait, Sime se raidit. Quand il s'exprima, sa voix lui parut lointaine, comme si elle appartenait à quelqu'un d'autre. « En d'autres termes, je suis puni et Crozes s'en tire à bon compte. »

McIvir eut un mouvement de recul, comme si Sime l'avait giflé. « Il n'est pas question de punition, Mackenzie. Je vous fais une fleur. C'est pour votre bien. »

Exactement ce que les gens disent quand ils vous font avaler un remède ignoble, pensa Sime.

Le capitaine baissa à nouveau la voix et s'adressa à lui sur le ton de la confidence. « Les événements impliquant le lieutenant Crozes ne sont pas passés inaperçus. Pas plus qu'ils ne resteront lettre morte. » Il se redressa. « Mais cela ne vous concerne pas. Pour l'instant, je veux que vous partiez et que vous vous rétablissiez. »

Une fois dans la rue, Sime prit une inspiration longue et profonde. Il se sentait libre pour la première fois depuis des années. Il était temps de rentrer chez lui. De retourner dans la matrice.

Et, enfin, de se plonger dans les journaux intimes.

IV

Le trajet de Montréal à Sherbrooke lui prit moins de deux heures, presque toujours en direction du levant, au cœur des Cantons-de-l'Est. De Sherbrooke, il continua jusqu'à Lennoxville et emprunta la route 108 vers l'est.

Tandis qu'il roulait au milieu de la forêt, il sentit son cœur se serrer ainsi qu'un étrange sentiment de nostalgie. C'était là qu'il avait grandi, là où plusieurs générations auparavant ses ancêtres s'étaient construit une nouvelle vie. Littéralement. En abattant les arbres, en défrichant la terre, et en choyant le sol pour qu'il donne de quoi les nourrir. Énormément d'immigrants venaient d'Écosse et il se demanda combien d'entre eux avaient été victimes des expulsions. Il passa un panneau indiquant *Le Chemin des Écossais* et, tandis qu'il s'enfonçait de plus en plus profondément dans les bois, il fut frappé par la quantité de noms de villages à consonance écossaise. East Angus, Bishopton, Scotstown, Hampden, Stornoway, Tolsta.

Un soleil doux perça le ciel d'automne, transformant chaque arbre en vitrail naturel. Les dorés et les jaunes, les orange et les rouges des feuilles d'automne éclataient, vifs et lumineux, sublimés par les rayons du soleil qui transformaient la forêt en une cathédrale de couleurs. Sime, les sens émoussés par des années de grisaille citadine, avait oublié comme ces teintes d'automne pouvaient être époustouflantes.

De nouvelles routes filaient à travers la forêt en longues lignes droites, ondulant au rythme du relief, comme les voies romaines en Europe qui illustraient si bien la détermination résolue d'un peuple. La forêt s'étalait devant lui à perte de vue dans toute sa splendeur bariolée comme un océan à la houle paisible.

Et il se rappela avec précision l'instant où son ancêtre avait été confronté à ce spectacle pour la première fois.

CHAPITRE 35

Il nous a fallu cinq jours de marche pour atteindre notre destination et c'est la première occasion que j'ai de mettre à jour mon journal. Nous avons dormi dans les bois, ou sous des haies, et mendié de la nourriture et de l'eau dans les maisons que nous avons croisées en chemin. Toutes les personnes que nous avons rencontrées ont été incroyablement généreuses. Peut-être parce qu'elles aussi sont passées par là un jour.

Ce sont les arbres qui m'émerveillent le plus. De là où je viens, on peut marcher un jour entier sans en voir un seul. Ici, il est impossible de faire deux pas sans rentrer dans l'un d'eux. Et les couleurs, tandis que les jours raccourcissent et que les températures baissent, ne ressemblent en rien à ce que j'ai déjà pu voir. On dirait que le paysage est en feu.

En descendant vers le sud, nous sommes tombés par hasard sur des villages et des communes s'établissant dans les vallées le long des rivières. Des cabanes en rondins, à peine plus qu'un abri amélioré, construites autour d'églises sommairement bâties. Il y avait des bazars et des scieries qui poussaient comme des champignons le long des cours d'eau, et des petites écoles où les enfants des immigrants apprenaient à parler leur nouvelle langue. Les arbres étaient abattus, les terrains défrichés, et je fus impressionné par la quantité de gens qui se trouvaient dans ce pays qui m'avait paru si vaste et vide.

Nous sommes arrivés au village de Gould dans le canton de Lingwick hier matin un peu avant midi. Dimanche. On nous avait dit qu'il fallait venir ici si nous voulions de la terre. Le village est construit autour d'un carrefour et la voie principale descend presque à pic côté nord vers la vallée de la River Salmon. Il y a un bazar, une église et une école. Et pas une âme en vue quand nous y avons fait notre entrée.

C'est à cet instant que j'ai entendu les psaumes en gaélique s'échapper de l'église. Cela ne ressemble pas à un chant normal mais plus à une psalmodie louant le Seigneur avec un ou deux meneurs dirigeant la congré-gation dans son chant sans musique. Ces sons m'étaient si familiers et évoquaient tellement mon foyer qu'ils m'ont donné la chair de poule. Ces chants ont quelque chose de particulier, une connexion primitive avec la terre et le Seigneur, qui ne m'a jamais laissé insensible.

« Qu'est-ce que c'est que ça ? », m'a demandé Mi-chaël.

J'ai éclaté de rire. « C'est la musique de mon île.

— Eh bien, je suis content de ne pas venir de ton île. Je trouve ça diablement bizarre. »

Nous nous tenions devant l'église quand les fidèles sont sortis sous le soleil de la mi-journée. Ils nous ont jeté des regards curieux, intrigués par ces deux jeunes types en guenilles, barbus, les cheveux emmêlés, les chaussures en lambeaux, avec une poignée d'affaires à la main.

Quand le prêtre a eu fini de serrer les mains de ses ouailles, il est venu vers nous. C'est un homme grand, mince, aux cheveux bruns et au regard prudent. Il s'est présenté en anglais comme étant le révérend Iain

Macaulay et nous a souhaité la bienvenue dans ce qu'il a appelé le village hébridéen de Gould.

« Dans ce cas, nous sommes venus au bon endroit », lui ai-je répondu en gaélique. Il a soudainement relevé les sourcils. « Mon nom est Sime Mackenzie et je viens du village de Baile Mhanais sur le domaine de Langadail sur l'île de Lewis et Harris. Et voici mon ami, Michaél O'Connor, d'Irlande. »

Toute la méfiance avait disparu de son regard et il nous serra chaleureusement les mains. Quand les fidèles ont appris que j'étais un compatriote, ils se sont rassemblés autour de nous et, chacun leur tour, nous ont serré la main et souhaité la bienvenue.

« En effet, vous êtes venus au bon endroit, monsieur Mackenzie », m'a dit monsieur Macaulay. « Gould a été fondé par une soixantaine de familles venant des Hébrides, chassées de leurs terres en 1838. Et, trois ans plus tard, elles ont été rejointes par quarante autres familles expulsées de la côte ouest de Lewis. C'est là où vous serez le plus chez vous sans y être vraiment. » Je me suis senti ragaillardi par la chaleur de son sourire. « Et qu'est-ce qui vous amène jusqu'ici ?

— Nous avons entendu dire qu'ils donnaient des terres gratuitement », ai-je répondu.

Un vieil homme en costume sombre s'est avancé. « Aye, c'est vrai. Et vous tombez bien, les gars. L'employé de la British American Land Company doit arriver dans la matinée pour attribuer des parcelles. » Il désigna du doigt les terres situées au-delà de l'église. « Là-bas, vers le sud, dans ce qu'ils appellent l'étendue Saint-Francis.

— Mais pourquoi donc donneraient-ils des terres pour rien ? » a demandé Michaél. Il était encore profondément méfiant vis-à-vis de ceux qui procla-maient posséder de la terre, mais j'ai été soulagé de constater qu'il modérait ses propos.

« S'il y a bien une chose dont ce pays ne manque pas, mes garçons, c'est de la terre. La compagnie la donne pour que des colons s'y installent. Comme cela, le gouvernement passera des contrats avec elle pour qu'elle construise des ponts et des routes. »

Nous avons quitté Gould tôt le lundi matin pour emprunter un chemin qui nous a conduits à près d'un demi-kilomètre dans la forêt. Le prêtre était avec nous ainsi qu'un grand nombre de villageois accompagnant une vingtaine de colons pleins d'espoir et l'employé de la British American Land Company.

Après dix ou quinze minutes de marche, nous sommes arrivés dans une petite clairière. Le soleil passait à peine la cime des arbres et il faisait un froid glacial mais le ciel était dégagé et une autre belle jour-née d'automne s'annonçait.

Monsieur Macaulay a demandé à ceux qui vou-laient des terres de se regrouper. « Nous allons tirer les lots », a-t-il annoncé.

« Qu'est-ce que cela veut dire ? », lui ai-je demandé.

« C'est une pratique que l'on trouve dans la Bible, monsieur Mackenzie », m'a-t-il expliqué. « Le plus couramment en lien avec la division de la terre sous Josué. Je vous renvoie à Josué, chapitres XIV à XXI. Dans notre cas, je vais tenir dans ma main un paquet de petits bâtons de différentes longueurs. Chacun de vous va en tirer un et celui qui tirera le plus long aura le premier lopin de terre. Et ainsi de suite jusqu'au plus court qui aura le dernier.

— Et pourquoi faites-vous ça ? », a grogné Michaél.

« Le fait est, monsieur O'Connor, que la première parcelle est la plus proche du village. La dernière sera la plus éloignée et la moins accessible. Il s'agit donc du moyen le plus juste de déterminer qui aura quoi. C'est la volonté de Dieu. »

Nous avons donc tiré les lots. À mon grand étonnement, j'ai obtenu le plus long bâton. Michaél a hérité du plus petit et son visage s'est assombri sous sa barbe.

Nous nous sommes ensuite rendus au point de départ de la première parcelle, celle qui m'était destinée. Le prêtre m'a tendu une petite hache et m'a dit de tailler une encoche avec dans l'arbre le plus proche. « Pourquoi faire? » ai-je demandé. Mais il s'est contenté de sourire et m'a dit que je comprendrais bien assez tôt.

J'ai donc fait une encoche dans l'arbre le plus proche, un grand pin. « Et maintenant?

— Quand nous allons nous mettre à chanter », a-t-il dit, « commencez à marcher en ligne droite. Quand nous nous arrêterons, faites une encoche dans l'arbre le plus proche, puis tournez à angle droit et recommencez à marcher quand le chant reprend. Une autre encoche quand nous arrêtons, un autre virage et quand nous aurons chanté trois fois, vous aurez délimité votre parcelle.

— Elle devrait faire approximativement quatre hectares », dit l'employé de la British American Land Company. « Je vous accompagnerai pour enregistrer votre propriété sur la carte officielle. »

Michaél s'est esclaffé et a lancé : « Eh bien, si vous pouviez chanter un peu plus lentement et que je coure aussi vite que possible au milieu des arbres, j'aurais une bien plus grande parcelle. »

Monsieur Macaulay a souri avec indulgence. « Aye, vous pourriez en effet. Mais vous risqueriez de vous briser le dos en arrachant tous les arbres pour la rendre cultivable. Plus grand, ce n'est pas forcément mieux, monsieur O'Connor. » Après quoi, il s'est tourné vers l'assemblée, a levé la main et le chant a commencé. J'ai été surpris de reconnaître le 23e psaume. J'allais arpenter ma terre au son du *Seigneur est mon berger*!

Les voix s'éloignèrent au fur et à mesure que j'avançais au milieu des arbres, l'employé de la compagnie juste derrière moi. Mais elles me parvenaient encore dans la quiétude du matin, un son étrange qui nous suivait dans la forêt. Ils sont arrivés à la fin du premier couplet et j'ai entaillé l'arbre le plus proche dans le silence qui a suivi, j'ai pivoté vers la droite et j'ai attendu qu'ils reprennent.

Après de multiples départs et arrêts, et une pause pour déjeuner, il faisait presque nuit quand Michaél a arpenté sa parcelle. Nous étions presque enroués tant nous avions chanté. Jamais, j'en étais sûr, le 23e psaume n'avait été chanté autant de fois en une seule journée. Tandis que nous regagnions le village à la nuit tombée, Michaél m'a dit : « C'est trop loin de ma parcelle. Je vais d'abord t'aider à préparer la tienne et on s'occupera de la mienne plus tard. »

Je l'ai gardé pour moi mais j'étais content de ne pas me retrouver seul pour accomplir ce travail.

Hier, Michaél et moi avons passé notre première nuit dans ma nouvelle maison.

Nous avons travaillé sans relâche du matin au soir chaque jour de ces deux dernières semaines pour dégager un bout de terrain suffisamment grand pour y ériger une cabane. Un travail difficile à se faire des ampoules avec les scies et les haches prêtées par les gens du village. Abattre les arbres est assez simple une fois qu'on a pris le coup. Mais les déplacer quand ils sont à terre est une autre histoire. Quant à déterrer les racines, c'est presque impossible. Quelqu'un a promis qu'il nous prêterait un bœuf au printemps pour nous aider à sortir les plus récalcitrantes. Mais la priorité était d'édifier une baraque avant que l'hiver arrive. Les températures baissent et nous avons fait la course avec la nature. Un des plus anciens villageois m'a dit que j'avais peut-être connu quelques rares saupoudrages de neige sur Lewis et Harris, mais que c'était sans commune mesure avec les quantités de neige qui allaient bientôt tomber.

Ces derniers jours, nous avons élagué les troncs, nous les avons taillés à la bonne longueur, et hier tout le village est venu pour l'érection de la cabane. Nous n'y serions certainement pas arrivés seuls et nous n'avions aucune idée de la manière dont il fallait entailler et emboîter les rondins aux quatre angles.

Les murs font un peu plus de deux mètres de haut – la hauteur maximale à laquelle des hommes peuvent lever un tronc. Le toit est en pente raide, couvert de bardeaux taillés à la main et recouvert de gazon.

Je n'aurais jamais cru cela possible, mais à la fin de la journée, la cabane était terminée. Rien de bien grandiose, mais nous avions un toit au-dessus de la tête avec une porte pour nous protéger des intempéries.

Quelqu'un a apporté un vieux lit-clos sur une carriole et l'a remonté pour moi dans ma maison fraîchement achevée. Sur la même carriole se trouvaient une table de cuisine donnée par quelqu'un d'autre et une paire de chaises branlantes tout juste capables de soutenir notre poids. On a ouvert une bouteille d'alcool et tout le monde a bu une gorgée pour baptiser la maison.

Ensuite, tous debout autour de la table, nous avons prié. La prochaine étape sera la construction d'une cheminée contre l'un des pignons. Quelque chose que je devrais réussir à faire tout seul. Comme cela, nous pourrons allumer un feu et réchauffer les lieux.

Le problème étant de nous réchauffer dans l'intervalle.

Après le départ des villageois, Michaél est allé jusqu'à la rivière chercher de l'eau avec des seaux et j'ai rassemblé du petit bois et fendu quelques bûches pour allumer un feu au centre de la cabane. Elle n'a pas encore de plancher. J'ai donc aménagé un foyer en pierre sur la terre battue pour le contenir.

Même si la pièce se remplissait rapidement de fumée, je savais qu'elle finirait par s'évacuer par les fentes et les interstices entre les rondins, comme la fumée de notre vieille *blackhouse* passait à travers le chaume.

Soudain, la porte s'est ouverte en grand et Michaél a couru à l'intérieur en criant « Au feu ! Au feu ! » à pleins poumons avant de balancer un seau d'eau sur mon foyer préparé avec soin.

« Mais, bon sang, qu'est-ce qui te prend ? » ai-je crié.

Mais il s'est contenté de me regarder avec des yeux ronds et fous. « Tu ne peux pas allumer un feu au milieu d'une maison en bois, mon vieux ! Tu vas faire brûler tout le putain de truc ! »

Je ne lui ai pas adressé la parole de toute la soirée. Peu après la tombée de la nuit, la température est descendue si bas que nous n'avons pas eu d'autre choix que de nous coucher. C'est Michaél qui a fini par rompre le silence. Il voulait lancer une pièce pour décider qui aurait le lit. Mais je lui ai dit que dans la mesure où nous étions dans ma maison, c'était mon lit et qu'il pouvait donc dormir par terre.

Je ne sais pas combien de temps s'était écoulé après que j'ai éteint la lampe à huile, mais il faisait nuit noire quand j'ai senti Michaél se glisser dans le lit à côté de moi, les mains et les pieds glacés, amenant tout son air froid avec lui. J'ai longtemps hésité à le chasser à coups de pied pour finalement en arriver à la conclusion que deux corps généreraient plus de chaleur qu'un seul et j'ai donc fait semblant de dormir.

Ce matin, ni lui ni moi n'avons fait de commentaire à ce sujet. À mon réveil, il était déjà debout et avait fait un feu dans la clairière sur lequel bouillait une casserole d'eau. Quand je suis sorti avec ma tasse en fer-blanc pour me préparer un thé, il m'a annoncé l'air de rien qu'il avait l'intention de se fabriquer un lit dans la journée. « Ce fichu sol est bien trop dur », m'a-t-il expliqué.

CHAPITRE 36

I

Arrivé au chemin Kirkpatrick, Sime bifurqua et roula en direction du nord à travers la ville de Bury, blottie parmi les arbres dans une vallée portant le même nom. Bury avait envoyé ses enfants mourir lors des deux guerres mondiales et honorait leur mémoire sur des plaques fixées aux murs de l'ancien manège militaire de Bury.

La route qui descendait vers la ville s'appelait Mc-Iver et longeait le cimetière. La dernière demeure des parents de Sime occupait la pente située sur le côté ouest de la route. L'herbe soigneusement tondue était ponctuée de stèles sur lesquelles étaient gravés des noms écossais, anglais, irlandais et gallois. Dans la ville elle-même, presque tous les vestiges de la culture anglaise et celtique avaient été remplacés par du français, à l'exception de quelques noms de rue qui, eux aussi, étaient appelés à disparaître progressivement.

Il avait convenu de retrouver Annie dans la maison de leur grand-mère à Scotstown mais il voulait d'abord faire une halte dans la ville de son enfance. Un pèlerinage dans le passé.

Il conduisit jusqu'au bout de Main Street et suivit la courbe qui quittait la ville. Il tourna ensuite à gauche pour traverser la rivière juste derrière le dépôt de bois. Un pick-up des années 1950, rouge vif, parfaitement restauré, trônait dans l'allée d'une maison en bardeaux peinte en vert et crème avec des rocking-chairs sous le porche d'entrée. Un peu plus loin, en retrait derrière les arbres, se dressait la maison qui n'avait cessé de le fasciner lorsqu'il était enfant. Une folie de tourelles avec un toit rouge à multiples pans. La maison elle-même était couverte de bardeaux arrondis rappelant des écailles de poisson, peints en bleu, vert, rouge, gris et pêche. Une maison de conte de fées faite de bon-bons bariolés. Elle n'avait pas toujours été aussi colo-rée. La vieille dame qui vivait là quand il était petit détestait les enfants.

C'était un drôle de retour au pays. Doux-amer. Son enfance avait été plutôt heureuse, même s'il n'avait jamais vraiment trouvé sa place au sein de sa famille. Il était certain d'avoir déçu ses parents. Il aurait aimé pouvoir croiser le garçon qu'il avait été à dix ans, sur cette route empruntée chaque jour pour aller à l'école et en revenir. Il aurait pu lui dire des choses. Lui don-ner des conseils.

Son ancienne maison de famille tombait en décré-pitude dans un jardin laissé à l'abandon. Sa vente avait été confiée à un agent immobilier, mais il n'avait jamais eu d'offre. Sime n'avait jamais vrai-ment compris pourquoi. C'était une jolie maison à deux étages avec un porche d'entrée et du terrain, située dans une zone déboisée à la lisière de la ville. Sa chambre se trouvait dans le grenier, derrière une fenêtre en demi-cercle de laquelle on voyait la route. Il avait adoré cette chambre. Elle l'isolait du reste de la maison et lui donnait l'impression de dominer le monde.

Debout sur la route, à côté de sa voiture dont le moteur tournait au ralenti, il contemplait la fenêtre de son enfance, son ouverture sur le monde. Elle n'avait plus de vitres. La plus grande partie du bardage qui se trouvait en dessous était tombée ou avait été arrachée. Des pigeons avaient élu domicile dans sa chambre et des corbeaux étaient alignés sur le faîtage comme des messagers de l'Apocalypse.

Qu'était-il arrivé à la joie, se demanda-t-il. S'évaporait-elle au soleil comme la pluie sur le bitume mouillé? Était-ce autre chose qu'un moment passager qui n'existait que dans notre mémoire? Ou un état d'esprit qui changeait comme le temps qu'il fait? La joie qu'il avait connue dans cette maison s'était envolée depuis longtemps et il ne ressentait que de la tristesse à se tenir là, témoin de ce qui était perdu à jamais, comme les vies de ses parents et de toutes les générations qui les avaient précédés.

Il ferma les yeux. Il avait presque envie de rire. Les médicaments que lui avait prescrits la psy ne lui remontaient pas vraiment le moral. Il grimpa dans sa voiture et prit la direction de Scotstown.

II

Sime ne conservait que peu de souvenirs de Scotstown. Bien qu'il sache que la ville avait été fondée par des colons écossais au XIXe siècle, lui et ses camarades avaient appris à l'école que, contrairement à ce qu'ils croyaient, elle ne s'appelait pas comme cela à cause du nombre d'Écossais qui vivaient là. En fait, son nom venait de celui de John Scott, le premier dirigeant de la Glasgow Canadian Land and Trust Company, qui avait fondé la colonie.

La ville avait été riche autrefois, avec une activité forestière florissante et une centrale hydroélectrique sur la River Salmon. Le chemin de fer avait apporté fret et commerce ainsi que des habitants en grand nombre. Sime supposait que c'était encore une ville moyenne prospère lorsqu'il était enfant, mais sa population ne dépassait pas à présent quelques centaines d'habitants et la plupart de ses entreprises avaient mis la clé sous la porte. Sur les murs des scieries délabrées et réduites au silence, des pancartes patinées par les intempéries annonçaient « À vendre » ou « À louer ».

Sa mère avait trouvé un emploi chez le dépanneur de Bury lors de sa première année d'école et les vacances scolaires étaient devenues problématiques. Cette année-là, et plusieurs années de suite, elle avait conduit Sime et Annie à Scotstown pendant les vacances d'été et d'hiver avant de se rendre au travail, pour les laisser chez leur grand-mère. Et c'est à cette époque que celle-ci leur avait lu les journaux intimes.

Sa maison, rue Albert, illustrait le déclin de la ville. Elle se dressait, comme celle de ses parents, au milieu d'un jardin envahi par les mauvaises herbes. À l'époque de sa splendeur, elle était impressionnante. Deux étages, un porche qui courait devant l'entrée et se prolongeait sur deux côtés et une grande terrasse à l'arrière. Elle était peinte en jaune et blanc avec une toiture rouge très inclinée. À présent, la peinture était passée, écaillée et verte de mousse. La balustrade en bois du porche était pourrie.

Une voiture était garée au pied de deux immenses pins et d'un érable qui projetaient leurs ombres sur la maison. Sime se souvenait d'eux. Ils avaient probablement survécu à celui qui les avait plantés un siècle plus tôt ou davantage. Il se gara derrière le véhicule et sortit sur le trottoir. Il se revit, lui et sa sœur, jouant à cache-cache au milieu des arbres, dévalant la pente vers la rivière derrière la maison, les jours d'été accablés de chaleur, pour pêcher à l'ombre. Le bruit de la rivière s'élevait au bout du jardin et il lui sembla presque entendre le grincement du rocking-chair de sa grand-mère quand elle leur faisait la lecture sous le porche.

Il remonta l'allée envahie par les herbes et grimpa les quelques marches menant à la porte d'entrée. La culpabilité de n'être pas resté en contact avec sa sœur pendant toutes ces années l'envahissait un peu plus à chaque pas. Annie, au contraire, lui avait religieusement adressé chaque année des cartes pour son anniversaire et pour Noël auxquelles il n'avait jamais répondu. Jamais décroché le téléphone ni envoyé un email. L'angoisse de la revoir lui serrait la poitrine.

La porte s'ouvrit en grand à son approche et sa sœur apparut dans l'embrasure, les yeux écarquillés par l'impatience. Il fut choqué de constater à quel point elle paraissait avoir vieilli. Des mèches grises zébraient ses cheveux autrefois blonds et brillants qu'elle coiffait à présent en un chignon sévère. Elle avait pris du poids et était devenue une sorte de matrone. Ses yeux verts, en revanche, n'avaient rien perdu de la chaleur qui les habitait déjà lorsqu'ils étaient enfants. Quand elle le vit, son expression changea. « Mon Dieu, Sime ! Quand tu m'as dit que tu ne dormais pas, je n'aurais jamais imaginé... »

Il lui adressa un sourire timide. « Cela fait un bon moment que je n'ai pas fait une bonne nuit de sommeil, frangine. Pas depuis que je suis séparé de Marie-Ange. »

La surprise fit place à la compassion et elle s'avança vers lui pour le prendre dans ses bras et le serrer contre elle, oubliant les années sans nouvelles. Le soulagement qu'il éprouva dans ce simple moment d'affection lui fit presque monter les larmes aux yeux. Il l'étreignit à son tour. Il n'avait pas éprouvé une chaleur si authentique depuis des années.

Ils restèrent ainsi un long moment sous le porche puis elle recula et le regarda, les mains posées sur ses épaules, bras tendus. Il vit ses yeux qui brillaient de larmes. « C'est certainement mieux », dit-elle. « Toi et Marie-Ange. » Elle hésita. « Je n'ai jamais vraiment accroché avec elle. »

Il sourit et se demanda pourquoi les gens s'imaginaient que cela devait être réconfortant d'apprendre que la personne que vous aviez aimée n'était pas appréciée.

Annie regarda derrière lui en direction de la jungle qu'était devenu le jardin et parut embarrassée. « Gilles venait tous les quinze jours pour tondre et nous avons essayé d'entretenir la peinture. Que cela reste propre au moins. » Elle haussa les épaules. « Mais avec une famille… » Sa voix se perdit. « C'est loin de Bury et quand la neige arrive… » Elle afficha un sourire teinté de regrets. « Les hivers sont si longs.

— Personne ne veut l'acheter?

— Une ou deux personnes au début. Mais tu l'as constaté toi-même, Sime. La ville meurt doucement, alors ce n'est pas facile de vendre. Et quand cela a commencé à se voir que la maison était inhabitée depuis un moment, plus personne n'a été intéressé. » Elle sourit à nouveau pour chasser ces pensées. « Viens, entrons. »

Il hocha la tête.

L'intérieur était sombre et il flottait dans l'air une odeur de renfermé et d'humidité. Il eut l'impression de replonger dans une vie passée. Une maison qui avait autrefois été un foyer et qui était dorénavant uniquement peuplée par les souvenirs de leur enfance. Sime marcha lentement sur les planchers qui gémirent sous ses pas, balayant du regard le salon qui occupait presque tout le rez-de-chaussée. En dehors d'une vieille table de pique-nique pliante et de deux chaises, la pièce était vide, mais il n'eut pas de mal à se remémorer comment elle était autrefois. Pleine de meubles imposants et sombres. Un vieux piano, un buffet. Des tapis indiens sur le sol, des bibelots sur le manteau de la cheminée en pierre. Tout autour de lui, le papier peint décoloré laissait voir les ombres révélatrices des emplacements où des tableaux avaient été accrochés. Il vit un grand rectangle pâle au-dessus de la cheminée, le fantôme d'un cadre qui avait empêché le papier de se décolorer. Mais il n'avait aucun souvenir des tableaux eux-mêmes.

Ils se rendirent sur la terrasse à l'arrière de la maison et entendirent le bruit du courant de la rivière qui s'élevait au milieu des arbres. Ils restèrent là quelques instants, appuyés à la rambarde, à respirer l'odeur humide des bois et apprécier sur leur peau la fraîcheur de la brise qui se faufilait à travers le feuillage. Annie se tourna vers lui. « Alors, de quoi s'agit-il, Sime ? »

Il lui raconta. Le meurtre sur l'île d'Entrée. Sa certitude, en rencontrant la veuve pour la première fois, qu'il la connaissait. Son anneau et le pendentif de cette femme. Comment cela avait déclenché son premier rêve et fait remonter à la surface ses souvenirs des journaux intimes. Elle l'écouta attentivement et, quand il eut terminé, elle lui dit : « Suis-moi. »

Une grosse sacoche en cuir était posée sur la table de pique-nique poussiéreuse. Annie la ramassa et s'assit en la posant sur ses genoux, puis elle invita Sime à s'asseoir en tapotant la chaise à côté d'elle. Tandis qu'il s'installait, elle sortit un lot de livres du sac. Il s'agissait de petits volumes reliés cuir, craquelés, de différentes tailles et couleurs, retenus ensemble par plusieurs tours d'une ficelle jaune terminée par un nœud.

« Ce sont les journaux ? » Il chuchotait presque. Elle opina du chef et il tendit la main pour les toucher. Les voir, pouvoir les palper, lui donnait l'impression d'être un témoin de l'histoire, d'en faire partie.

Elle défit la ficelle pour ouvrir le volume du dessus tandis qu'il l'observait, tremblant d'impatience. Elle souleva la couverture en cuir et il vit les pages jaunes et fragiles de l'intérieur. Des pages couvertes d'une écriture manuscrite maladroite, délavée par les années.

« C'est le premier », dit-elle. Avec précaution, elle feuilleta les pages à rebours pour atteindre le verso de la couverture. Il y était inscrit en ronde anglaise épaisse : *Di-ciadaoin 21mh latha de'n t-Iuchair, 1847.*

« Qu'est-ce que cela veut dire ?

— Il s'agit de la date en gaélique, Sime. Mercredi 21 juillet 1847.

— Comment diable sais-tu cela ? Tu ne parles pas le gaélique. »

Annie éclata de rire. « Mamie m'avait appris les nombres, les jours de la semaine et les mois en gaélique. J'étais toute petite, mais je ne les ai jamais oubliés. »

Il sembla déçu. « Ils sont en gaélique ? »

Elle sourit. « Non. Seulement la date. Il a rédigé ses journaux en anglais. »

Sime examina la page. Il y avait une signature sous la date. Difficile à déchiffrer à première vue. Il pencha la tête sur le côté et plissa les yeux. « Sime Mackenzie », lut-il à voix haute. L'homme qui lui avait légué son nom. Il fut saisi par l'émotion. « Je peux le prendre ? »

Elle le lui tendit et il le prit entre ses mains comme s'il risquait de se briser. Son ancêtre avait lui aussi tenu ce livre. Sa main avait conduit la plume avec laquelle il avait formé les lettres, les mots et les phrases qui contaient l'histoire de sa vie. De la naissance de sa sœur. Le sauvetage de Kirsty. La mort de son père. L'évacuation de Baile Mhanais. La terrible traversée de l'Atlantique. L'enfer de Grosse-Île.

« Je me suis dit que cela aurait un caractère symbolique de te remettre les journaux ici. Comme c'est là qu'on nous les a lus », expliqua Annie. Elle posa sa main sur la sienne. « Mais maintenant, je crois que nous devrions aller à la maison. La famille a hâte de te voir. Tu auras largement le temps de les lire. »

III

Annie habitait une grande maison en bois peinte en gris, truffée de coins et de recoins, sur Main Street, prise en sandwich entre la bibliothèque et le centre communautaire de Bury. Le passé militaire de la ville était encore visible grâce au bâtiment qui avait hébergé la Branche 48 de la Légion royale canadienne de Bury, de l'autre côté de la route, derrière le bureau de poste. Main Street était calme. Des arbres qui la bordaient, des feuilles tombaient doucement sur des pelouses impeccablement entretenues. La rue comptait trois églises. Anglicane, unie et catholique. Bury avait un fort héritage religieux, autant que militaire, et les Mackenzie s'étaient rendus chaque dimanche à l'église presbytérienne unie du Canada qui avait absorbé la plupart des églises écossaises pendant la Grande Fusion.

Sime se gara dans l'allée, derrière la voiture de sa sœur, et ils grimpèrent les marches conduisant au porche. Il jeta un coup d'œil sur le jardin. De grands érables abandonnaient leurs feuilles colorées sur l'herbe fraîchement tondue. Au-delà, un garage double était presque masqué à la vue. Son appréhension revint. Si sa sœur lui avait pardonné sa négligence, il n'était pas sûr que sa famille serait aussi compréhensive.

Elle le sentit et lui prit la main. « Viens dire bonjour à tout le monde. Ils ne vont pas te mordre. » Elle ouvrit la porte et le guida le long d'un couloir sombre jusqu'à une salle de séjour lumineuse dont les larges fenêtres ouvraient sur le jardin. Dès qu'il entra dans la pièce, il ressentit la pesanteur de l'atmosphère. Son neveu et sa nièce jouaient à une console branchée sur la télévision. Son beau-frère était assis sur un fauteuil en cuir et faisait mine de lire le journal. Tous tournèrent la tête dans sa direction quand il fit son apparition. « Luc, viens dire bonjour à ton oncle. »

Luc avait une quinzaine d'années et une tignasse blonde coiffée en arrière avec du gel. Docilement, il traversa la pièce et lui serra la main avec sérieux. Toutefois, même s'il évitait son regard, on pouvait lire un semblant de curiosité dans ses yeux. « Tu n'étais pas plus grand que ça la dernière fois que je t'ai vu », dit Sime sans trop savoir quoi dire d'autre.

Sa sœur l'avait suivi en trottinant. Une fille dégingandée avec un appareil dentaire qui le dévisagea avec intérêt.

« Magali devait encore être un bébé », dit Annie.

Magali lui présenta ses joues, l'une après l'autre, et Sime se pencha maladroitement pour l'embrasser. Les deux adolescents retournèrent ensuite à leur jeu et leur père posa son journal et se leva. Il s'avança vers Sime, la main tendue, un sourire glacial aux lèvres.

« Gilles. » Sime hocha la tête et lui serra la main.

« Sympa de te revoir après tout ce temps. Je ne crois pas que je t'aurais reconnu si je t'avais croisé dans la rue », lâcha Gilles.

Sime sentit la piqûre du reproche. « Il n'a pas été bien, Gilles », fit immédiatement Annie d'un ton sec. L'avertissement était clair.

Il faisait nuit quand ils prirent place autour de la table pour le repas du soir. C'était la première fois que Sime participait à un repas de famille depuis le décès de ses parents.

Annie fit de son mieux pour combler les silences en donnant à Sime des nouvelles des uns et des autres. Luc excellait en sport et était l'une des stars montantes de l'équipe de basket de l'école. Le garçon rougit. Magali, elle, était première de sa classe et voulait devenir médecin. Magali continuait à le fixer avec une curiosité non dissimulée. Gilles était devenu directeur du lycée de Bury et caressait l'idée de se lancer en politique.

Sime fut surpris. « Quel parti ? », demanda-t-il.

« Le Parti québécois », répondit Gilles. Il s'agissait du parti indépendantiste. Sime hocha la tête. Il n'avait jamais été convaincu par l'idée d'un État indépendant extérieur à la fédération canadienne. Mais il n'en souffla mot.

« Comment ça se fait que tu ne viennes jamais nous voir ? », fit soudainement Magali.

Un silence gêné tomba autour de la table. À l'évidence, cela avait été un sujet de conversation au sein de la famille avant son arrivée et il sentit toutes les paires d'yeux se braquer sur lui.

Il posa son couteau et sa fourchette, décidé à dire la vérité. « Parce que je me suis conduit de manière égoïste et égocentrique, Magali. Et que j'avais oublié à quel point ta mère est une personne merveilleuse. » Il ne trouvait pas le courage de regarder sa sœur. « Mais j'ai l'intention de vous rendre visite régulièrement à partir de maintenant et peut-être que nous pourrons apprendre à nous connaître un peu mieux. » Il accrocha le regard de Magali. « Et si la médecine t'intéresse, je pourrai t'emmener un de ces jours visiter les laboratoires de pathologie de la Sûreté de Montréal. »

Elle ouvrit de grands yeux. « Vraiment ? »

Il sourit. « Sans problème. »

Elle resta bouche bée. « J'adorerais ça. »

« Tu es armé ? » C'était la première fois que Luc prenait la parole depuis son arrivée.

« Habituellement, oui », répondit Sime. « Mais pas en ce moment. Parce que je suis comme qui dirait en arrêt maladie.

— Quel genre d'arme ?

— Eh bien, un policier dispose en général d'un Glock 17. Mais les détectives comme moi sont équipés d'un Glock 26.

— Combien de coups ?

— Treize. Les pistolets t'intéressent, Luc ?

— Tu m'étonnes. »

Sime haussa les épaules. « Eh bien, peut-être que je pourrais t'emmener au stand de tir de la police un jour et tu pourras en essayer toi-même.

— Sans déconner ?

— Luc ! », le réprimanda son père.

« Désolé », dit le garçon. Mais il ne l'était pas le moins du monde. « Ce serait génial. »

Sime jeta un coup d'œil vers Annie et la vit sourire de plaisir. Il savait qu'elle n'aimait pas les armes, mais tout ce qui pouvait créer des liens et rapprocher la famille était positif.

Ils passèrent le reste du repas à le bombarder de questions sur les enquêtes auxquelles il avait participé, les meurtres sur lesquels ils avaient lu des articles ou dont on avait parlé à la télévision. De paria de la famille, il était soudain devenu quelqu'un d'original et d'intéressant, en tout cas du point de vue des enfants. Gilles demeura plus réservé. Toutefois, juste comme Annie s'apprêtait à le conduire à l'étage pour lui montrer sa chambre, Gilles lui serra chaleureusement la main et dit : « Ça me fait plaisir que tu sois venu, Sime. »

IV

La chambre de Sime se trouvait sous le toit, avec un chien-assis côté jardin. Annie alluma une lampe de chevet et disposa les journaux sur le lit par ordre chronologique. Il la regarda faire avec un sentiment mêlé d'appréhension et d'excitation. Il avait hâte de les lire, mais il craignait qu'ils ne lui apportent pas l'illumination qu'il attendait à propos de l'anneau qui avait déclenché ses rêves et ses possibles liens avec une femme inculpée de meurtre sur l'île d'Entrée.

Annie attrapa le dernier journal et le lui tendit. « Après ton coup de fil », expliqua-t-elle, « je les ai ressortis et j'ai passé le plus clair des deux jours suivants à les lire. Tu imagines les souvenirs qu'ils ont ravivés. Je pouvais presque sentir l'odeur de la maison de grand-mère. Et j'entendais même cette petite cassure qu'elle avait dans la voix quand elle lisait. » Elle fit une pause. « Tu sais qu'elle ne nous lisait pas tout ? »

Il fit oui de la tête. « Je sais qu'il y a des choses que nos parents ne voulaient pas que nous entendions. Je ne vois pas quoi, cependant.

— Tu comprendras à la lecture », dit Annie. « Quand tu as appelé, tu as parlé de l'anneau, et c'est à ça que je me suis intéressée. » Elle le dévisagea de ses yeux vert foncé, l'air perplexe, puis elle ouvrit le journal qu'elle tenait en main et y chercha une page qu'elle avait marquée d'un Post-it. « Ses entrées deviennent de moins en moins régulières et finissent par cesser complètement. Mais tu devrais commencer par là, Sime. Mamie ne nous a jamais rien lu de tout cela. Si elle l'avait fait, je suis sûre que tu te souviendrais de la signification de l'anneau. » Sime prit le journal. « Quand tu l'auras lu jusqu'à la fin, tu pourras revenir en arrière et suivre l'histoire depuis le début. Je pense que tu sais où chercher. »

Elle s'approcha de lui et l'embrassa avec tendresse sur la joue.

« J'espère que tu y trouveras les réponses à tes questions. »

Sime resta debout un instant à écouter le silence de la pièce autour de lui après qu'Annie fut partie. Il entendit le hululement lointain d'un hibou. Le journal lui semblait de plus en plus lourd dans sa main. Il tira une chaise devant un petit bureau situé sous le chien-assis.

Il s'installa et alluma la liseuse. Soigneusement, il ouvrit le journal à la page qu'Annie avait marquée et commença à lire.

CHAPITRE 37

Jeudi 19 mai 1853

J'ai posé un plancher sur les poutres du toit de ma cabane en rondins pour faire un grenier. J'ai construit une chambre d'appoint, des toilettes intérieures à l'arrière et, sur la façade, un porche couvert avec des moustiquaires. Je m'assois souvent dessous à la fin de la journée pour regarder le soleil se coucher derrière les arbres et je rêve éveillé à ce qui se serait passé si je n'avais pas été séparé de Ciorstaidh sur un quai de Glasgow en ce jour funeste.

J'ai déboisé et labouré presque toute ma parcelle et cultivé de quoi me nourrir et vendre un peu. À certains moments de l'année, moi et quelques gars de Gould nous traversons la frontière pour gagner un peu d'argent dans les grandes exploitations du Vermont aux États-Unis. À d'autres, ma terre m'occupe suffisamment. Particulièrement au moment de la moisson, quand je dois me dépêcher de rentrer les récoltes avant les premières gelées qui peuvent survenir dès septembre.

Récemment, j'ai été embauché à temps partiel pour enseigner l'anglais aux enfants à l'école de Gould. La plupart de ceux qui arrivent n'ont parlé que le gaélique chez eux, mais quand vient le moment d'apprendre à lire et à écrire, ils doivent le faire en anglais.

Si j'en parle aujourd'hui c'est parce qu'une chose extraordinaire m'est arrivée à l'école, pas plus tard qu'hier matin.

Il y a une nouvelle institutrice cette année, Jean Macritchie. Elle est mariée à Angus Macritchie, le maire de la municipalité de Lingwick. C'est une dame très raffinée. Je dirais qu'elle a autour de quarante-cinq ans. Elle ne se donne pas de grands airs, mais elle est polie et s'exprime avec douceur. Elle porte des robes en coton imprimé, des châles en soie et me fait penser à une artiste. En réalité, l'art est sa grande passion et elle a créé une classe d'arts plastiques pour les enfants.

L'heure du repas venait de sonner. J'avais fini de noter des copies et je déambulais dans sa classe. Tout le monde était parti manger, mais la nature morte que madame Macritchie avait disposée pour servir de modèle aux enfants était encore là. Juste un pichet et un verre d'eau avec quelques fruits. Les travaux des enfants reposaient encore sur leurs pupitres.

Je me suis promené parmi eux pour les observer. La plupart étaient franchement ratés. Certains me firent même rire. Et un ou deux étaient plutôt réussis. Je n'ai aucune idée de ce qui m'y a poussé, car je n'avais jamais rien dessiné de ma vie, mais j'ai été pris d'une soudaine envie de voir ce que j'étais capable de faire. J'ai donc pris une feuille de papier vierge et un fusain sur le bureau de madame Macritchie et je me suis installé pour dessiner.

C'est incroyable comme je me suis laissé embarquer. Je ne sais pas combien de temps je suis resté assis à suivre les lignes que mon œil me dictait de dessiner, utilisant le plat du fusain pour créer la lumière et les ombres, mais je n'ai pas entendu madame Macritchie arriver jusqu'à ce qu'elle me parle. J'ai bondi de surprise. J'ai levé les yeux et je l'ai vue qui examinait mon dessin avec attention. « Depuis combien de temps dessinez-vous, Sime ?

— Je n'en ai aucune idée », ai-je bafouillé. « Une demi-heure peut-être. »

Elle s'est mise à rire. « Non, je voulais dire, est-ce que vous pratiquez le dessin depuis longtemps ? »

Ce fut à mon tour de rire. « Non, absolument pas. C'est la toute première fois. »

Son sourire s'est évanoui. « Vous plaisantez, n'est-ce pas ?

« Eh bien… non », ai-je fait en regardant mon dessin. « C'est si mauvais que ça ? » J'espérais la faire rire encore une fois, mais elle conserva son sérieux.

« Je ne sais pas si vous vous en rendez compte, Sime, mais vous avez un véritable talent. » Je n'en avais pas la moindre idée. Elle joignit les mains et posa l'extrémité de ses doigts sur ses lèvres. « Que diriez-vous que je vous donne quelques leçons ? »

Je l'ai regardée, éberlué. « Sérieusement ?

— Sérieusement. »

Je n'ai pas réfléchi plus de deux secondes avant de hocher la tête vigoureusement. « J'aimerais beaucoup. »

Vendredi 7 juillet 1854

Aujourd'hui se déroulait le tout dernier jour du trimestre. Les enfants sont partis en vacances. Bien sûr, cela signifie que mes revenus de professeur vont se tarir jusqu'en septembre et qu'il va falloir que je travaille durement ma terre cet été.

Cela signifie aussi mettre de côté la peinture jusqu'au début de la nouvelle année scolaire quand j'aurai de nouveau du temps à y consacrer. J'ai pris tant de plaisir à la découverte de ce talent inattendu. Madame Macritchie a été d'une grande patience cette année, m'enseignant avec rigueur les bonnes techniques. D'abord en dessin, puis en peinture. C'est dans la peinture que j'ai trouvé mes plus grandes joies. Au début, j'ai peint les choses que je voyais autour de moi. Les gens et les lieux. Et puis, à un certain moment, je ne sais plus quand, j'ai commencé à peindre les paysages de mon enfance dont je me souvenais. Baile Mhanais, le château d'Ard Mor. Des paysages marins, les montagnes, les tourbières nues des Hébrides balayées par le vent. Ces derniers mois, j'ai consacré presque tout mon argent à l'achat de matériel. Toiles, peintures et pinceaux. Je crains que cela ne soit en train de devenir une addiction.

Bref, j'étais en train de ranger mes affaires quand madame Macritchie est entrée dans ma salle de classe. Son attitude était inhabituellement familière, presque forcée.

« Sime », dit-elle, « vous vous souvenez du tableau que vous m'avez donné ? Le paysage avec le cerf et les chasseurs qui lui tirent dessus, dissimulés derrière des rochers.

— Oui. » Je ne m'en souvenais que trop bien. Sa réalisation m'avait directement ramené au jour de l'enterrement de mon père, quand j'avais pourchassé le cerf blessé pour l'achever. J'avais été heureux de pouvoir lui en faire cadeau, un modeste remerciement pour le temps qu'elle m'avait consacré.

« Monsieur Morrison et sa femme sont venus de Red Mountain pour dîner chez nous hier soir. Il a monté une scierie là-bas. »

J'ai opiné du chef, sans comprendre où elle voulait en venir.

« Monsieur Morrison est originaire de l'île de Lewis. Il a vu votre toile avant le dîner, lorsque nous étions dans le salon. Elle est accrochée au-dessus de la cheminée. Elle l'a tellement fasciné qu'après le dîner il est retourné la voir et l'a contemplée pendant un très long moment. Quand je lui ai demandé ce qui l'y attirait, il m'a simplement répondu qu'elle le transportait chez lui. Qu'il pouvait presque toucher la bruyère et sentir l'odeur de la fumée de tourbe portée par le vent. » Elle a hésité. « Il m'a demandé s'il pouvait l'acheter.

— Eh bien, ce n'est pas possible », ai-je lâché avec indignation. « C'est un cadeau que je vous ai fait. »

Elle sourit. « Sime, je serai extrêmement heureuse de la remplacer par n'importe laquelle de vos autres peintures. En outre, monsieur Morrison a dit qu'il paierait volontiers cinq dollars pour l'avoir. »

J'ai senti ma mâchoire se relâcher et ma bouche s'ouvrir sous l'effet de la surprise. Cinq dollars, cela représentait une petite fortune. « Vraiment ?

— Il veut cette toile, Sime. »

Je ne savais pas quoi dire.

« Je vous propose, si vous êtes d'accord, de la lui vendre pour le montant proposé et de vous remettre l'argent directement.

— Moins un pourcentage pour vous », ai-je immédiatement ajouté. « Je ne me serais jamais lancé dans une aventure pareille sans votre aide. »

Elle s'est contentée de rire. « Sime, Sime… Je ne vous ai pas donné votre talent. Dieu l'a fait. Je vous ai seulement aidé à le domestiquer. L'argent vous appartient. Vous l'avez gagné. D'ailleurs, j'ai une suggestion à vous faire. »

Je ne voyais vraiment pas de quoi il pouvait s'agir.

« Je pense qu'il est temps que vous organisiez une petite exposition de vos tableaux. Vous en avez assez maintenant pour que cela en vaille la peine. La salle paroissiale serait un endroit idéal et, si nous l'annonçons correctement, elle devrait attirer du monde. La plupart des gens d'ici se souviennent encore des îles. Et vous en avez capturé l'essence dans vos œuvres. Vous pourriez en vendre quelques-unes. »

Samedi 22 juillet 1854

Je suis tellement excité que je sais qu'il est inutile d'essayer de dormir. Je ne sais pas l'heure qu'il est et je m'en fiche. Je suis assis sous le porche depuis que je suis revenu de la ville et cela fait un bon moment que le soleil a disparu derrière les arbres.

L'exposition de mes toiles dans la salle paroissiale a eu lieu aujourd'hui et dans l'après-midi deux cents personnes ou plus sont venues les voir. Et pas seulement de Lingwick. De partout. D'aussi loin que Tolsta dans l'est et Bury à l'ouest. J'avais trente dessins et tableaux présentés. Et nous les avons tous vendus. Apparemment, tous ceux qui viennent de là-bas veulent accrocher un petit morceau de leur pays natal dans leur maison.

Je suis assis là, avec près de quarante dollars en poche et une liste de gens qui m'ont commandé des toiles. C'est une petite fortune. Plus que je ne pourrais espérer gagner en faisant quoi que ce soit d'autre. Et il n'y a rien d'autre que j'aime autant faire que ça.

Pour la première fois depuis que je suis né, je sais ce que je veux faire de ma vie.

CHAPITRE 38

Sime fut soudainement tiré de sa lecture par une lampe de sécurité qui s'alluma juste sous sa fenêtre. Il refit surface dans la réalité de la chambre mansardée de la maison de sa sœur à Bury. Il se sentait à la fois déboussolé et passablement déçu. Il ne voyait pas où les événements du journal conduisaient, ni en quoi ils étaient pertinents.

Il se leva et se pencha au-dessus du bureau pour regarder par la fenêtre dans le jardin. Dans la lumière qui inondait le porche latéral et la pelouse au-delà, il vit sa sœur, emmitouflée dans un manteau, équipée d'une lampe torche. Elle traversait la pelouse et se dirigeait vers les arbres à l'autre bout.

Le projecteur s'éteignit et il ne vit plus que le faisceau de la lampe torche qui fendait l'obscurité du jardin jusqu'à ce qu'un autre projecteur situé au-dessus des portes du garage ne se déclenche pour éclairer l'allée et l'aire de manœuvre juste devant. Elle ouvrit une porte et disparut à l'intérieur. Quelques instants plus tard, une lumière jaune apparut à la fenêtre du grenier au-dessus des portes du garage et le projecteur s'éteignit, replongeant le jardin dans l'obscurité.

Sime se rassit et se reprit dans le journal.

Il en feuilleta rapidement les pages, essayant d'en suivre le déroulement sans se laisser encombrer l'esprit par les détails. Selon toute vraisemblance, son aïeul avait connu un véritable succès, exposant son travail à Québec et à Montréal. Au bout du compte, ses peintures lui rapportaient des sommes conséquentes. Suffisamment pour qu'il puisse en vivre, ce qui devait être rare à cette époque. Mais son art était populaire. Les immigrants écossais voulaient tous leur petit bout de terre natale et il parvenait tout juste à satisfaire la demande.

Soudain, Sime fut arrêté net par la première ligne d'une entrée rédigée près de quinze ans plus tard, lorsque son arrière-arrière-arrière-grand-père devait avoir une quarantaine d'années.

CHAPITRE 39

Samedi 26 juin 1869

Je suis assis à ma table ce soir et j'écris ceci avec la conviction profonde qu'il existe une force guidant nos vies que nous ne comprendrons jamais. Je pourrais, j'imagine, l'attribuer à Dieu. Mais dans ce cas, je devrais lui rendre grâce aussi bien pour les mauvaises choses que pour les bonnes et, à dire vrai, je ne sais plus très bien ce en quoi je crois. La vie m'a apporté autant de bienfaits que de malheurs, mais ce sont ces derniers qui mettent notre foi à l'épreuve. Et d'une certaine manière, nous avons tendance à considérer ce qui est bon comme allant de soi. Mais je ne m'y risquerai plus. Pas après ce qui est arrivé aujourd'hui.

J'ai passé la semaine à Québec où se tenait une exposition de mes œuvres dans la vieille ville fortifiée, presque au pied du château Haldimand. Il y avait soixante tableaux exposés et c'était aujourd'hui le dernier jour. Il ne restait que deux peintures qui n'avaient pas trouvé preneur. L'après-midi touchait à sa fin et je me préparais à partir quand une jeune femme est entrée dans la galerie.

Elle était extraordinairement belle, ce qui a immédiatement attiré mon regard, même si, pour être honnête, elle n'appartenait pas à la classe de ceux que l'on s'attend à trouver dans une galerie d'art. Elle devait avoir à peine vingt ans et, quoique vêtue convenablement, elle portait des vêtements simples, comme ceux d'une bonne ou d'une servante. Toutefois, quelque chose en elle me fascinait et je ne parvenais pas à détacher mes yeux de sa personne tandis qu'elle évoluait nonchalamment dans la galerie, passant d'une toile à l'autre. Elle passait du temps devant chacune d'elle et paraissait captivée.

Il y avait d'autres visiteurs et j'ai été distrait par un acheteur potentiel qui a entrepris de me questionner sur l'un des invendus.

Quand il a été parti, sans rien acheter dois-je préciser, j'ai entendu une femme s'éclaircir la voix et je me suis retourné. Elle était là, juste à côté de moi. Elle me scrutait avec une telle intensité que mon estomac s'est serré. De près, elle était encore plus belle. Elle a souri. « Pardonnez-moi de vous déranger, monsieur. On m'a dit que vous étiez l'artiste.

— Oui », ai-je répondu avec une inhabituelle timidité.

« Ce sont des paysages écossais, n'est-ce pas ?

— En effet.

— Ils sont très beaux.

— Merci. » Ma langue semblait collée contre mon palais.

« Mais ce ne sont pas des paysages quelconques, n'est-ce pas ? »

J'ai souri. « C'est juste. Ce sont des paysages des Hébrides extérieures.

— Et pourquoi avez-vous choisi cet endroit en particulier ? »

J'ai ri. « C'est là où j'ai grandi. » J'ai hésité. « Souhaitez-vous acheter ?

— Oh, grands dieux, non ! », a-t-elle dit en manquant d'éclater de rire. « Même si j'avais un endroit où les accrocher, je n'en aurais pas les moyens. » Son sourire s'est effacé, et un silence gêné et étrange s'est installé entre nous. Puis, soudain, elle a demandé : « Pourquoi êtes-vous venu au Canada ? »

Sa franchise m'a surpris, mais je lui ai dit la vérité. « Parce que mon village de l'île de Lewis et Harris a été évacué par son propriétaire. Je n'ai pas eu le choix.

— Et où avez-vous embarqué ? »

J'ai froncé les sourcils, légèrement irrité par ses questions. Toutefois, je suis resté courtois. « Glasgow », ai-je fait.

Elle m'a regardé droit dans les yeux. « À bord de l'*Eliza* ? »

J'étais stupéfait. « Eh bien, oui. Mais comment donc savez-vous cela ? Vous deviez être encore un bébé à cette époque. »

Elle a souri, mais j'ai aussi lu de la tristesse dans son expression. « C'est très exactement ce que j'étais », a-t-elle confirmé. « Mise au monde à bord de l'*Eliza* par un homme des Highlands qui savait comment accoucher un bébé se présentant par le siège. »

Je jure que mon cœur s'est arrêté de battre pendant une minute complète.

« Un homme qui m'a donné la vie, ma vie », a-t-elle ajouté. « J'ai toujours su que son nom était Sime Mackenzie. » Pas un seul instant ses yeux n'avaient quitté les miens. « J'ai entendu parler de vous pour la première fois il y a de cela trois ans environ. Un article dans le journal. Et je me suis toujours demandé, mais sans jamais avoir osé l'espérer jusqu'à maintenant, si c'était vous. »

Je suis resté sans voix. Un million d'émotions envahissaient mon esprit. J'avais surtout envie de la prendre dans mes bras, comme je l'avais fait à bord de l'*Eliza*, toutes ces années auparavant. Bien sûr, je n'en ai rien fait. Je suis juste resté figé devant elle, comme un idiot.

« La famille qui m'a élevée m'a donné son nom, Mackinnon. Et le nom de baptême de ma mère.

— Catrìona. » Le nom m'avait échappé dans un souffle.

« Je voulais vous donner ceci. »

Elle a sorti une chevalière en or décorée d'un bras et d'une épée gravés dans de la cornaline rouge. Je pouvais à peine en croire mes yeux. La bague que Ciorstaidh m'avait donnée sur le quai de Glasgow, le jour où je l'avais perdue. La bague que j'avais donnée à la famille Mackinnon à qui j'avais confié le bébé à Grosse-Île. Ma seule richesse en dehors de l'argent emprunté à Michaél. Mon dernier lien avec Ciorstaidh, le plus grand sacrifice que je pouvais faire.

« Je suppose qu'elle devait valoir une petite fortune », m'a dit Catrìona. « Mais ils ne l'ont jamais vendue. Ils n'ont jamais pu s'y résoudre. L'argent que vous leur aviez donné leur a permis de se construire une nouvelle vie et j'ai grandi avec cet anneau autour du cou, accroché à une chaîne. » Elle me l'a tendue. « Je vous la rends aujourd'hui, pour vous remercier du don de la vie que vous m'avez fait. »

CHAPITRE 40

Sime était sous le choc. Sans qu'il les sente monter, des larmes lui envahirent les yeux et brouillèrent l'écriture de son aïeul.

Il n'avait aucun souvenir, parmi ceux qu'il conservait des lectures de sa grand-mère, de Ciorstaidh donnant une bague à Simon dans le port de Glasgow, ou de son ancêtre s'en séparant sur Grosse-Île pour participer au paiement de l'entretien du bébé. Comme le lui avait dit Annie, s'il avait su comment l'histoire se finissait, et que la bague, en fin de compte, lui était revenue, jamais il n'aurait pu oublier son importance.

Il regarda sa main, posée devant lui sur le bureau, la chevalière scintillant dans la lumière. Il caressa légèrement la gravure du bras et de l'épée du bout de l'index. Comment aurait-il pu imaginer l'histoire dont ce simple objet inanimé avait été témoin ? Comment avait-il pu le porter à son doigt avec insouciance pendant toutes ces années sans avoir la moindre idée de sa signification ?

Il se leva, traversa la pièce et s'assit sur le lit pour feuilleter les journaux intimes jusqu'à ce qu'il y trouve ce qu'il cherchait. Enfin, il tomba dessus. Le récit de son ancêtre relatant le moment où il avait perdu Ciorstaidh sur le quai, exactement comme dans son rêve. À l'exception de la bague qu'elle lui avait offerte dans les instants qui avaient précédé leur séparation. Un bijou de famille qu'elle avait emporté au cas où il leur faudrait quelque chose à vendre.

Il continua à parcourir les journaux et arriva au moment où, sur Grosse-Île, son ancêtre avait donné la bague aux Mackinnon. Après coup. Sans doute coupable à l'idée que ce n'était pas lui qui faisait un sacrifice, mais Michaél. Sime avait oublié tout cela. En continuant à tourner les pages, il se rendit compte de la foule de détails absents des lectures de sa grand-mère. Peut-être avait-elle paraphrasé ou sauté des passages. Il comprit qu'un jour ou l'autre, il lui faudrait prendre le temps de s'asseoir et de les lire intégralement, du début à la fin. Après tout, il s'agissait aussi de son histoire. De son passé.

Soudain, il lui vint à l'esprit qu'il n'avait aucune idée de ce qui était arrivé à Michaél. Était-ce ce récit que ses parents ne voulaient pas que leur grand-mère leur lise ? Il chercherait plus tard. Il ne restait que deux entrées dans le dernier journal. Il retourna s'installer au bureau dans le halo de lumière et recommença sa lecture.

CHAPITRE 41

Samedi 25 décembre 1869
En ce jour de Noël, en ce mois le plus sombre et le plus froid de l'année, j'ai l'extraordinaire plaisir d'écrire ici qu'après le dîner de ce soir, j'ai demandé sa main à Catrìona Mackinnon, l'enfant que j'ai mise au monde il y a vingt-deux ans de cela et dont je suis tombé éperdument amoureux. À ma plus grande joie, elle a accepté et nous nous marierons au printemps, dès que la neige aura fondu et que la chaleur du soleil aura redonné vie à la terre.

Dimanche 13 août 1871
Ceci est l'ultime entrée de mon journal. Je la rédige pour témoigner de la naissance de mon fils, Angus, nommé ainsi en hommage à mon père. Et de la mort de sa mère, Catrìona, en couches. Tout à la fois le plus heureux et le pire jour de ma vie.

CHAPITRE 42

I

Quelques coups discrets frappés à sa porte trouèrent le voile de ses émotions. Il se leva. « Oui ? », fit-il. La porte s'ouvrit. Annie portait encore son manteau. Elle le regarda, l'air inquiet et traversa la pièce pour essuyer les larmes qui coulaient sur ses joues.

« Je vois que tu as lu jusqu'à la fin. »

Il hocha la tête, incapable de parler.

« Quelle tristesse », poursuivit Annie. « Avoir subi tant de choses pour finalement la perdre lors de l'accouchement. »

Sime pensa à son propre enfant, perdu avant même d'être né. « Ce que je ne comprends pas, c'est comment Kirsty Cowell s'est retrouvée en possession du pendentif. Ils sont assortis », dit-il.

Elle lui prit la main et examina l'anneau. « Si seulement il pouvait nous parler », regretta Annie. Puis, elle releva la tête. « Viens, il faut que je te montre quelque chose. »

Ils gravirent l'escalier grinçant qui menait au grenier au-dessus du garage. Des grains de poussière dansaient dans la lumière électrique qui projetait des ombres anguleuses en travers des marches. Annie souleva la

trappe qui fermait le grenier. Le sol était presque entièrement envahi de cartons, de coffres et de caisses de
rangements, de vieux meubles couverts de draps qui
les protégeaient de la poussière. Des miroirs et des
tableaux étaient entassés contre le mur.

« Comme je te l'ai dit, il y a là tout ce qui vient de
chez maman et papa et qui avait de la valeur », expliqua Annie. « Et quand grand-mère est morte, j'ai également fait déménager ses affaires ici, en attendant de
décider de ce que j'allais en faire. » Les restes accumulés de toutes ces vies passées étaient plongés dans
l'ombre épaisse que dessinait la lumière crue d'une
ampoule. « Cela faisait des années que je n'avais
pas mis les pieds dans le grenier », précisa Annie.
« Jusqu'à ce que tu me téléphones en fait. Après quoi
je suis venu ici pour chercher les journaux intimes.
C'est là que j'ai vu les tableaux posés contre le mur
du fond. Je n'y ai pas prêté attention sur le moment,
mais en y repensant aujourd'hui, je me suis dit qu'il
devait s'agir de ceux qui se trouvaient dans la maison
de grand-mère. Ceux qui étaient accrochés aux murs
quand nous étions enfants. Et qu'ils étaient peut-être
l'œuvre de Sime Mackenzie. »

Il la suivit au fond du grenier où une douzaine de
toiles encadrées étaient posées contre le mur.

« Je me suis dit que j'allais monter jeter un œil pendant que tu lisais les journaux. »

Elle souleva la plus proche et la retourna pour l'exposer à la lumière. C'était une peinture à l'huile, noir-
cie par les années. Un paysage lugubre des Hébrides.
Des nuages noirs et bas suspendus sur les tourbières
pourpres et vertes, laissant passer au loin les rayons du
soleil qui se reflétaient à la surface d'un loch oublié.
Cela aurait pu être le décor des rêves de Sime ou

n'importe laquelle des images évoquées par la lecture de journaux que leur grand-mère leur avait faite. Des images nourries par les tableaux suspendus aux murs de sa maison. Il pensa à celui qui était accroché dans son appartement. Annie l'inclina pour lui montrer la signature. « SM », lut-elle. « C'est l'un des siens. »

Une par une, elle fit passer les toiles à Sime. Toutes avaient été peintes par son ancêtre. Un arc de sable argenté avec la mer venant mourir dessus, verte et ombrageuse. Un village de *blackhouses* vu depuis le sommet d'une colline. Baile Mhanais. Et là, le même village, les toits incendiés, des hommes courant au milieu des maisons avec des torches, des policiers alignés sur la colline. Les expulsions.

« Et celui-ci », dit-elle enfin. « Je m'en suis rappelée dès que je l'ai vu. Il était accroché au-dessus de la cheminée. Et il porte sa signature. » Elle hésita. « C'est elle ? »

Sime prit le tableau et le dirigea vers la lumière. Pour la deuxième fois en une semaine, tout autour de lui s'immobilisa. Sur la toile, une jeune fille à l'aube de ses vingt ans le regardait droit dans les yeux. Des yeux celtiques bleus, des cheveux noirs tombant en cascade sur ses épaules. Ce sourire discret et mystérieux si familier. Un pendentif rouge et ovale, serti d'or, retenu autour de son cou par une chaîne. Et même si la gravure n'était pas nette, il reconnut la forme en V caractéristique du bras plié tenant une épée de sa chevalière.

Dans le silence paisible et profond du grenier, sa voix sonna comme le frottement des crins d'un archer sur les cordes d'un violoncelle. « C'est Kirsty. » Plus jeune, certainement, mais c'était elle. Soudain, il se rappela le portrait qui surmontait la cheminée. Toutes les heures, les jours, les semaines et les mois qu'ils avaient passés dans la maison de leur grand-mère. Rien d'étonnant à ce qu'il ait été persuadé de la connaître.

Il le retourna et ôta du revers de la main la poussière et les toiles d'araignées accumulées pour mettre au jour une date. *24 décembre 1869*. Le lendemain, son ancêtre demandait sa main à Catrìona. Sous la date, on devinait un mot tracé au crayon. Un nom. Il le lut à voix haute. « Ciorstaidh. » Un dernier adieu à son amour perdu. Peinte d'après le souvenir qu'il avait gardé d'elle.

Il leva les yeux. Tout était flou. « Je ne comprends pas.

— La femme sur l'île d'Entrée doit être une descendante, ou une parente, d'une manière ou d'une autre », avança Annie.

Sime secoua négativement la tête. « Non.

— Mais elle a le pendentif. »

Il s'était rarement senti aussi perdu. « Je ne peux pas l'expliquer, Annie. J'aurais juré que c'était elle. Oui, elle a le pendentif assorti à la bague. Le même que sur le portrait. Mais j'ai vu la tombe de son arrière-arrière-arrière-grand-mère. Sa date de naissance. Elle aurait eu le même âge que la Ciorstaidh de Sime, de Langadail. » Il marqua une pause, se rappelant le froid de la pierre quand il avait posé sa main dessus. Il revit l'inscription. « C'était une Kirsty, elle aussi. Mais pas Kirsty Guthrie. Elle s'appelait McKay. Fille d'Alasdair et de Margaret. »

II

Même sans être insomniaque, il n'aurait pas pu dormir cette nuit-là. Son cerveau en ébullition cherchait désespérément à donner un sens à des connexions improbables. Il repassait inlassablement dans sa tête la moindre conversation qu'il avait eue avec Kirsty Cowell. Chaque récit des journaux intimes.

Il finit par abandonner et laissa la nuit le submerger tout en essayant de se vider l'esprit, les yeux fixés sur le plafond, à se demander s'il n'était rien de plus qu'un pion pris dans un jeu sans début ni fin, hors du temps.

La nuit était déjà bien avancée quand, sans qu'il sache d'où cela venait, il se souvint d'une phrase que son père avait pour habitude de citer quand on abordait le sujet de la famille et de ses racines écossaises. « Le sang est fort, Sime. Le sang est fort. » Ce refrain l'accompagna au bout de la nuit, se répétant inlassablement jusqu'à ce que les premières lueurs grisâtres tombent du ciel comme de la poussière. Il se leva tôt, espérant ne pas déranger le reste de la maisonnée.

Il avait prévu de laisser un mot à l'attention d'Annie dans la cuisine, mais il la trouva assise à la table, en robe de chambre, un mug de café dans les mains. Elle était pâle, les yeux cernés. « Je crois que tu m'as refilé ta maladie, Sime. Je n'ai pas fermé l'œil de la nuit. » Ses yeux se posèrent sur le sac qu'il avait à la main. « Tu avais l'intention de t'en aller sans dire au revoir ? »

Il déposa le mot plié en deux sur la table. « J'avais préparé ça pour toi. » Il sourit. « Je ne voulais pas te déranger. »

Elle sourit à son tour. « Comme si tu pouvais me déranger. » Elle enchaîna : « Je suppose que toi non plus tu n'as pas dormi.

— Il y a un truc qui m'a trotté toute la nuit dans la tête, frangine. Quelque chose que disait papa. "Le sang est fort."

— Oui, je m'en souviens.

— Je n'avais jamais vraiment compris ce qu'il voulait dire, jusqu'à maintenant.

— Que veux-tu dire ?

— Eh bien, nous avons toujours su que nous sommes écossais, n'est-ce pas ? La famille de maman venait, elle aussi, d'Écosse. Mais cela n'a jamais paru important. C'était juste de l'histoire. Comme les récits des journaux intimes. D'une certaine façon, je n'ai jamais vraiment cru que ces gens avaient existé. Il ne m'est jamais venu à l'esprit que c'est à cause d'eux qu'aujourd'hui, nous sommes ce que nous sommes. Que nous existons grâce aux épreuves auxquelles ils ont survécu, au courage qu'il leur a fallu pour simplement rester en vie. »

Elle le fixa, l'air pensif. « J'ai toujours ressenti ce lien, Sime. »

Il secoua la tête. « Pas moi. Je me suis toujours senti, je ne sais pas, comme désarticulé. Je ne trouvais ma place nulle part. Pas même au sein de ma propre famille. » Il la regarda brièvement, mal à l'aise. « Jusqu'à aujourd'hui. Dans ces rêves, je ressens la douleur de Sime, Annie. J'éprouve une telle empathie quand je lis ces histoires. Et la bague… » Presque inconsciemment, il caressa la cornaline gravée du bout des doigts de sa main gauche. « J'ai l'impression de le toucher. » Il ferma les yeux. « Le sang est fort. »

Quand il les rouvrit, il la vit qui l'observait, les yeux remplis d'amour. Elle se leva et lui prit les mains. « C'est la vérité, Sime.

— Je suis sincèrement désolé, Annie.

— Diable, pourquoi donc ?

— Pour ne pas t'aimer comme je le devrais. Pour n'avoir jamais été le frère que tu méritais. »

Elle sourit avec tristesse. « Je t'ai toujours aimé, Sime. »

Il acquiesça vigoureusement. « C'est bien pour ça que tu mérites mieux. »

Elle se contenta de secouer la tête puis jeta un coup d'œil sur son sac. « Tu as pris les carnets ? »

Il fit oui de la tête. « Je veux les lire, d'un bout à l'autre. Et me mettre les idées au clair. Il faut que j'essaie.

— Ne nous laisse pas sans nouvelles et reviens nous voir.

— C'est promis. Je reviendrai dès que possible. »

Annie posa délicatement son mug sur la table et se leva. « Je ne te l'ai pas demandé, hier. » Elle fit une pause. « Est-ce qu'elle l'a fait ? Kirsty Cowell. Elle a tué son mari ?

— Non, je ne pense pas.

— Dans ce cas, il faut que tu fasses quelque chose. »

Il hocha la tête. « J'en ai l'intention. Mais j'ai quelqu'un à voir ici avant de partir. »

Elle attendit qu'il soit parti avant de déplier le papier et de lire les trois mots qu'il y avait écrits.

Je t'aime.

CHAPITRE 43

La route était dégagée quand il s'engagea sur la 108. Juste un ou deux camions partis tôt pour gagner du temps avant que la circulation ne s'intensifie. Il filait en ligne droite à travers la forêt quand le soleil passa la cime des arbres et enflamma leurs feuilles. Il dut baisser son pare-soleil pour ne pas être aveuglé.

Arrivé au village de Gould, il se gara sur le parking d'une vieille auberge. Juste à côté se trouvait l'église unie de Chalmers, bâtie en 1892, un édifice modeste en briques rouges entouré de pelouses parfaitement entretenues. Il ne restait pas grand-chose du village d'origine. Quelques maisons dispersées, éloignées des vieux carrefours. Les écoles et les églises sorties de terre tout au long du XIXᵉ siècle avaient disparu. La forêt avait réclamé la plus grande partie des parcelles que ces premiers pionniers avaient laborieusement déboisées et il ne subsistait presque aucune trace de leur existence.

Debout, il scrutait les bois. Quelque part là-bas, se trouvait la terre que son ancêtre avait défrichée.

Le cimetière de Lingwick était à une centaine de mètres de l'autre côté de la route, juché sur une colline surplombant les arbres qui couvraient la province de l'Est. Une dernière demeure plus proche du ciel pour ces morts venus d'une terre lointaine.

Le cimetière lui-même était impeccable. Sime escalada la pente herbeuse en direction du portail en fer forgé. La lumière du matin projetait son ombre sur la pente de la colline, comme si elle venait à sa rencontre. Il s'arrêta à côté des piliers de pierre du portail et lut l'inscription sur sa droite. « En reconnaissance du courage et de l'intégrité des pionniers presbytériens de l'île de Lewis, Écosse. Ce portail est dédié à leur mémoire. »

Les stèles formaient des rangées qui suivaient le contour de la colline. Morrison et Maclean. Macneil, Macritchie et Macdonald. Macleod et Nicholson. Enfin, dans l'ombre de la forêt qui se pressait le long du flanc est du cimetière, il trouva celle de Sime Mackenzie, couverte de lichen, usée par le temps. *Né le 18 mars 1829 sur l'île de Lewis et Harris, Écosse. Mort le 23 novembre 1904.* Il avait donc atteint les soixante-quinze ans et vu naître le siècle suivant. Il avait sauvé la vie de la femme qui avait porté son enfant et avait vu la mort l'emporter. Et son amour pour la femme à qui, ce jour tragique sur les berges de River Clyde, il avait fait une promesse qu'il n'avait pu tenir, n'avait jamais été comblé.

Sime ressentit une profonde tristesse pour lui, pour tout ce qu'il avait traversé. Il avait fini seul, reposant pour toujours dans une terre étrangère, si loin de chez lui.

Il s'agenouilla à côté de la tombe et plaça ses deux mains sur la pierre rugueuse et froide et sentit l'âme de son ancêtre. Sous son nom était gravé, *Gus am bris an latha agus an teich na sgàilean.*

« Vous savez ce que cela signifie ? » La voix fit sursauter Sime qui regarda autour de lui. Un homme se tenait à quelques pas de lui. D'une quarantaine d'années avec des cheveux noirs coiffés en queue de cheval qui grisonnaient aux racines. Il portait une chemise blanche sans col, déboutonnée au cou, un gilet en tissu écossais et un pantalon noir retroussé sur de grosses bottes.

Sime se releva. « Non, je ne sais pas. »

L'homme sourit. « Ça veut dire *Jusqu'à ce que le jour se lève et que les ombres s'enfuient*. C'est courant sur les tombes de ceux venant des Hébrides. »

Sime l'observa avec curiosité. « Vous êtes écossais ? »

— J'en ai l'accent ? », répondit l'homme en riant. « Non, je suis cent pour cent français. Ma compagne et moi possédons l'auberge de l'autre côté. Mais je suis obsédé par l'histoire du coin. » Il baissa les yeux sur son gilet. « Comme vous pouvez le voir. » Il sourit à nouveau. « Je suis même allé sur l'île de Lewis en compagnie de quelques historiens locaux. Pour respirer la fumée de tourbe et goûter le *guga, le jeune fou de Bassan*. » Il serra la main de Sime puis pointa le menton vers la stèle. « Un lien de parenté ?

— Mon arrière-arrière-arrière-grand-père.

— Eh bien, dans ce cas, je suis encore plus content d'avoir fait votre connaissance, monsieur. J'ai une belle collection de documents et de souvenirs à l'auberge. Votre ancêtre était une célébrité locale. Je pense même avoir une photo de lui.

— Vraiment ? » Sime y croyait à peine.

— J'en suis à peu près sûr, oui. Venez donc boire un café et je verrai si je peux remettre la main dessus. »

Tout en leur servant du café fraîchement passé, le propriétaire de l'auberge lui dit : « La parcelle de votre ancêtre, ainsi que sa maison, se trouvaient à un demi-kilomètre de la ville sur l'ancienne route du sud. Tout a disparu, bien sûr. Le type avec qui il était arrivé n'a jamais travaillé la sienne, apparemment. »

Sime leva les yeux, intéressé. « L'Irlandais ?

— Oui. Plutôt inhabituel pour un Irlandais de s'installer dans ces contrées.

— Mais il ne l'a pas fait, disiez-vous. Il n'a jamais cultivé sa terre.

— Non.

— Dans ce cas, que lui est-il arrivé ? »

L'homme haussa les épaules. « Aucune idée. L'histoire dit qu'ils sont allés travailler comme bûcherons une année, et qu'un seul est revenu. Mais je n'en sais pas plus. » Il se leva. « Je vais voir si je vous retrouve cette photographie. »

Assis derrière la vitrine, Sime sirota son café tout en inspectant la salle à manger avec intérêt. D'un côté, les murs étaient couverts de vieilles photos et de têtes de cerfs, de l'autre, ils disparaissaient derrière des étagères encombrées de bric-à-brac et de souvenirs. Une machine à café sans âge trônait sur le comptoir lui aussi sérieusement encombré. Juste derrière, un passe-plat laissait entrevoir la cuisine. L'auberge, d'après les explications du propriétaire, avait été construite sur le site de l'ancien bazar de Gould par un émigré venant d'Écosse.

L'aubergiste revint avec un album rempli de photographies pâlies de personnes mortes depuis longtemps. Il le feuilleta à la recherche du fameux portrait. « Le voilà », lança-t-il en posant le doigt sur une image à ce point délavée par le temps qu'on en distinguait à peine le sujet.

Sime vit un vieillard avec une longue barbe, assis sur un banc. Sa chevelure était complètement blanche, coiffée en arrière et retombait en boucles sur son col.

Il portait un costume sombre sous lequel on distinguait un gilet et une chemise blanche. Légèrement penché vers l'avant, il appuyait ses mains sur le pommeau d'une canne qu'il tenait bien droite devant lui. La main droite posée sur la gauche. Et là, à son annulaire, à peine visible, se trouvait la chevalière que Sime portait dorénavant au sien.

CHAPITRE 44

I

Le petit avion effectuait la navette entre la ville de Québec et les îles de la Madeleine en moins de deux heures. Sime était assis à côté d'une insulaire accompagnée de ses deux fils adolescents qui ne cessaient de gigoter sur les sièges de devant. Ils portaient des casquettes de base-ball, la visière tournée vers l'arrière, et jouaient à la console tout en écoutant de la musique sur leurs iPods. Elle regarda Sime en haussant légèrement les sourcils, comme si elle s'excusait pour le comportement des adolescents du monde entier. Comme s'il s'en souciait.

Le vol était déjà bien entamé quand il sentit ses paupières se fermer sur ses yeux brûlants. Il était à deux doigts de s'assoupir quand une annonce du pilote le tira brutalement de son demi-sommeil. Au-dessus du vrombissement des moteurs, Sime l'entendit présenter ses excuses pour les turbulences qu'ils venaient de traverser et informer les passagers qu'un orage était en approche. Pas de l'ampleur des restes de l'ouragan Jess, qui avait marqué la première visite de Sime, mais avec, selon le pilote, une forte probabilité de frapper l'île avec de forts coups de vent et des précipitations importantes plus tard dans la journée.

L'avion vira à gauche pour entamer sa descente vers Havre-aux-Maisons et Sime vit les nuages d'orage qui s'accumulaient au sud-ouest. Quand l'appareil fit demi-tour pour se poser, il aperçut à nouveau la silhouette de l'île d'Entrée, postée comme une sentinelle de l'autre côté de la baie. Une forme sombre et lisse qui l'attendait, baignée par la lumière grise qui précède l'orage. Quelques jours auparavant, il pensait la voir pour la dernière fois. Et voilà qu'il revenait. Pour essayer de percer ce qui paraissait être un mystère insoluble. Pour réparer ce qu'il considérait être une erreur judiciaire. Ce qui, à coup sûr, allait lui coûter son travail.

Comme lors de sa première visite, il fut à nouveau envahi par la sensation angoissante que son destin se jouait ici.

Il récupéra une voiture de location à l'aéroport et, tandis qu'il roulait sur le chemin de l'Aéroport pour rejoindre la route 199, les premières gouttes de pluie s'écrasèrent sur son pare-brise. Les essuie-glaces passablement usés ne faisaient qu'étaler les gouttes sur le verre douteux et il cligna des yeux comme si cela pouvait miraculeusement le nettoyer. Il était épuisé.

Sa voiture rebondissait et faisait gicler l'eau des nids-de-poule qui parsemaient la route contournant les travaux du nouveau pont et il fit la traversée jusqu'à Cap-aux-Meules en empruntant le vieil édifice rouillé en caisson qui servait aux insulaires depuis deux générations.

Quand il arriva aux bureaux de la Sûreté, le vent qui rabattait la pluie à travers la baie continuait de forcir.

Le sergent-détective Aucoin parut surpris de le voir. « Elle est revenue du palais de justice de Havre-Aubert il y a tout juste une demi-heure », l'informa-t-il pendant qu'ils remontaient le couloir. « Le juge ne pouvait pas être présent alors ils ont fait ça par visioconférence. Bien sûr, elle a plaidé non-coupable.

— Et ?

— Elle a été placée en détention préventive en attendant le procès à Montréal. Ils l'envoient demain, par avion, dans un centre sur le continent. » Il baissa la voix. « Et pour ne rien vous cacher, on sera contents de la voir partir. Nous ne sommes pas équipés pour héberger des prisonniers de longue durée. Particulièrement des femmes. » Ils s'arrêtèrent devant la porte menant aux cellules. « Au fait, pourquoi voulez-vous la voir ? »

Sime hésita. Il n'avait pas le droit d'être là, aucune autorité pour questionner l'accusée. Mais à la Sûreté de Cap-aux-Meules, personne n'avait de raison de soupçonner que c'était le cas. « Des faits nouveaux », se contenta-t-il d'avancer. « Je dois m'entretenir avec elle en privé. »

Aucoin déverrouilla la porte et le laissa entrer. Derrière lui, il entendit la clé tourner dans la serrure. Les deux cellules étaient ouvertes. Avec lassitude, Kirsty quitta la position assise dans laquelle elle se tenait, sur sa couchette, les jambes croisées et entourée de livres et de papiers. Elle portait un simple tee-shirt, un jean et des tennis blanches. Ses cheveux étaient coiffés en queue de cheval. Cela ne faisait que quelques jours qu'elle était là, mais elle avait déjà perdu du poids et sa peau avait pris une teinte grisâtre.

Quand elle réalisa qui était son visiteur, son expression d'indifférence laissa place à de la colère. « Vous êtes venu me narguer ? »

Il secoua la tête et pénétra dans sa cellule. Il se dégagea une place sur la couchette pour s'asseoir à côté d'elle et elle se tourna vers lui en le fusillant du regard. « Je veux vous parler.

— Je n'ai rien à dire.

— Ce n'est pas une visite officielle.

— Que faites-vous ici, dans ce cas ? »

Il prit une profonde inspiration. « J'ai vu un portrait de vous, hier. Un tableau. »

Les rides qui cernaient les yeux de Kirsty se creusèrent. « Jamais personne n'a peint mon portrait. Pas que je sache en tout cas. Où l'avez-vous vu ?

— Dans le grenier du garage de ma sœur, à Bury, dans les Canton- de-l'Est. Il a été peint par mon arrière-arrière-arrière-grand-père et il était accroché au-dessus du manteau de la cheminée dans la maison de ma grand-mère quand elle nous lisait des histoires alors que nous étions enfants. » Il lui montra sa main droite. « Cette bague lui appartenait. »

Kirsty soupira, agacée. « S'il s'agit d'une ruse pour me faire avouer que j'ai tué mon mari, cela ne marchera pas.

— Ce n'est pas une ruse, Kirsty. » Il sortit son téléphone et tapota dessus pour lui montrer la photographie qu'il avait prise la veille dans le grenier de sa sœur.

Elle posa dessus un regard boudeur et Sime vit son expression changer. Graduellement. Ses lèvres s'entrouvrirent et ses yeux s'agrandirent imperceptiblement. Elle tendit la main pour lui prendre son téléphone et examiner l'image de plus près. Puis, elle releva la tête. « Comment avez-vous fait cela ?

— Je n'ai rien fait du tout. Il s'agit de la toile qui était accrochée au-dessus de la cheminée de ma grand-mère quand je n'étais qu'un petit garçon. » Il marqua une pause. « Je savais que je vous connaissais. Dès l'instant où je vous ai vue. »

Les yeux de Kirsty fouillèrent les siens. Sans doute se remémorait-elle cette première rencontre, lorsqu'elle avait descendu l'escalier du pavillon d'été alors qu'il l'attendait au rez-de-chaussée pour l'interroger. « Je vous connais », avait-il dit.

Elle regarda de nouveau le téléphone. « C'est une coïncidence. Une ressemblance étrange. Mais ce n'est pas moi.

— Si je m'étais contenté de vous le montrer en vous demandant si c'était vous, qu'auriez-vous répondu ?

— Vous venez de le faire. Et je vous le répète : ça me ressemble, mais ce n'est pas moi.

— Regardez bien. Elle porte le pendentif rouge. »

À contrecœur, elle le regarda encore une fois. Il vit ses joues s'empourprer mais sa bouche resta figée en une ligne dure et obstinée. « Pas de quoi en faire un plat. C'est un pendentif rouge. Rien ne dit que c'est le mien. »

Il reprit son téléphone et l'éteignit avant de le glisser dans sa poche. « Vous m'avez dit que votre arrière-arrière-arrière-grand-mère McKay était écossaise.

— Je crois vous avoir dit qu'elle était probablement écossaise. Je n'en sais pas plus, je ne m'y suis jamais sérieusement intéressée. Autant que je sache, ses parents venaient de Nouvelle-Écosse. Très certainement des immigrants écossais. En revanche, je suis incapable de vous dire si Kirsty était née en Écosse, en Nouvelle-Écosse ou ici. Cela ne m'a jamais suffisamment intéressée pour que je me penche sur la question. Si vous voulez des renseignements sur l'histoire de ma famille – et Dieu seul sait pourquoi ça serait le cas – il faut que vous vous adressiez à Jack.

— Votre cousin ?

— C'est un fou de généalogie. Il passe des heures sur Internet à consulter les archives familiales. Récemment, il m'a houspillée pour pouvoir consulter des documents transmis d'une génération à l'autre de mon côté de la famille.

— Je pensais que vous ne vous fréquentiez pas.

— En effet. Il n'a pas vu la moitié de ce que je possède à la maison. Non pas qu'il en ait réellement besoin. Apparemment, il n'y a pas grand-chose qu'il ne sache déjà. » Elle esquissa un sourire désabusé. « Il n'a jamais compris mon manque d'intérêt. »

Sime se dit qu'elle était comme lui. Indifférente à son passé, à ses racines. Elle avait lutté pour trouver sa place dans un monde qui ne vit qu'au présent, où la culture est un produit jetable, le nombre de générations ayant participé à son édification important peu. « D'où vient cette obsession de ne jamais quitter l'île d'Entrée ? »

Elle tourna brusquement la tête. « Ce n'est pas une obsession ! C'est une sensation.

— Vous disiez que votre mère rechignait à partir elle aussi.

— Tout comme sa mère avant elle. Ne me demandez pas pourquoi, je n'en sais rien. » Elle commençait à perdre patience. « Peut-être cela fait-il partie de notre ADN.

— Et votre ancêtre, Kirsty McKay ?

— Autant que je le sache, elle n'a pas quitté l'île une seule fois. » Elle se leva. « Écoutez, j'aimerais que vous partiez. Ils m'envoient en prison sur le continent demain. Qui sait combien de temps va s'écouler avant le procès ? Et comme je ne vois pas de moyen de prouver mon innocence, je vais probablement passer le restant de mes jours derrière des barreaux. Grâce à vous. »

Il voulait encore lui parler de Sime Mackenzie de Baile Mhanais, et de la Ciorstaidh dont il était tombé amoureux sur une île lointaine des Hébrides, dans un autre siècle. Des épreuves qui l'avaient conduit au Canada, et de la manière dont, des générations plus tard, son arrière-arrière-arrière-petit-fils s'était retrouvé sur l'île d'Entrée pour tomber sur une femme nommée Kirsty qui était presque trait pour trait le portrait de la Ciorstaidh qu'il avait perdue sur un quai de Glasgow.

Mais il savait que c'était inutile et il n'avait aucun moyen rationnel de s'expliquer. Même si Kirsty avait été un tant soit peu réceptive. Là, il ne ressentait que de l'hostilité de sa part. Il se leva et braqua ses yeux dans les siens avec une telle intensité que, ne pouvant soutenir son regard, elle détourna la tête.

De son point de vue de policier, il savait que toutes les preuves récoltées dans le cadre de l'enquête sur le meurtre de son mari pointaient dans sa direction. Mais la plupart d'entre elles étaient indirectes et lui-même n'y avait jamais vraiment cru. L'instinct. Ou quelque chose de moins tangible. Au plus profond de lui-même subsistait le sentiment qu'il connaissait cette femme, et qu'elle était incapable d'avoir commis un meurtre. « Kirsty », demanda-t-il. « Comment des fragments de peau de votre mari se sont-ils retrouvés sous vos ongles ?

— Je n'en sais rien. Peut-être l'ai-je griffé pendant que j'essayais de l'arracher des mains de son agresseur. » Elle fixa le sol. « Partez, s'il vous plaît. »

Au lieu de cela, et à sa grande surprise, il prit ses mains dans les siennes et les serra. « Kirsty, regardez-moi »

Ses yeux rencontrèrent les siens.

« Regardez-moi et dites-moi que vous ne l'avez pas tué. »

Elle dégagea ses mains. « « Je ne l'ai pas tué ! », cria-t-elle. Sa voix résonna dans l'espace minuscule de la cellule.

Il continua de la fixer. « Je vous crois. »

Il vit son expression confuse.

« Je prendrai l'avion avec vous demain. Et je ferai tout ce qu'il est possible pour prouver votre innocence. »

II

La pluie tambourinait sur son pare-brise quand il emprunta la route 199 en direction du sud. Il ne savait pas si Jack Aitkens était encore de l'équipe de nuit, mais cela lui prendrait moins de temps de rouler jusqu'à sa maison de Havre-Aubert pour le savoir que de rejoindre la pointe nord de l'île où se trouvait la mine de sel. En plus, s'il était au fond, il ne serait pas joignable avant six heures du matin.

On était seulement au milieu de l'après-midi, mais la lumière était si faible que les voitures avaient toutes allumé leurs feux et leurs lueurs rouges et jaunes se reflétaient, déformées, sur la surface noire et humide de la route.

Sime passa le sommet de la colline et remarqua que les lignes électriques dansaient au-dessus de lui, agitées par le vent. Il ne sut pas ce qui avait attiré son attention, mais en passant devant le supermarché coopératif il jeta un coup d'œil sur sa gauche et reconnut un visage pris brièvement dans le halo des phares d'une voiture. Pâle sous son parapluie noir, mais illuminé par un sourire. Le visage disparut quand le parapluie bascula sous la force du vent.

Ariane Briand. Et elle n'était pas seule. Richard Briand avait un bras passé autour de ses épaules et partageait son parapluie.

Sime écrasa ses freins et braqua brusquement à gauche pour s'engager dans l'entrée du parking. Des klaxons retentirent sous la pluie et il aperçut brièvement un visage déformé par la colère derrière des essuie-glaces. Il ralentit et avança au milieu des rangées de voitures jusqu'à l'endroit où il avait vu le couple en scrutant les alentours à travers la pluie que chassaient sans grande efficacité ses balais d'essuie-glace usés.

Il les trouva, toujours sous leur parapluie, en train de charger un panier de courses dans le coffre de leur voiture, blottis l'un contre l'autre pour se protéger des intempéries. Lors de leur dernière réunion, c'est Crozes lui-même qui avait déclaré « Briand est en fait celui qui avait le plus à gagner de la mort de Cowell. » Pourtant, comme sa femme lui avait procuré un alibi, il n'avait jamais été considéré sérieusement comme suspect. Même Sime l'avait éliminé car, la nuit où on l'avait attaqué sur l'île d'Entrée, Briand se trouvait à Québec. En tout cas, c'est ce qu'il avait affirmé. Personne ne l'avait vérifié. Sa femme et lui avaient déclaré s'être isolés du monde extérieur dans leur hôtel, mais rien ne prouvait qu'ils disaient la vérité. Les enquêteurs n'avaient que leur parole. L'attention s'était à ce point concentrée sur Kirsty que toute autre piste avait été purement et simplement ignorée.

Sime repassa les événements dans son esprit pendant que les vitres de sa voiture se couvraient progressivement de buée. Arseneau était parti à la recherche de Briand le tout premier soir de leur séjour. Au début de l'enquête. La secrétaire de Briand lui avait expliqué qu'il était parti pour Québec le matin même mais qu'il s'était occupé en personne de réserver son voyage et son hôtel et qu'on ne savait pas où il était. Est-ce que quelqu'un avait seulement vérifié auprès de la compagnie aérienne si Briand avait bel et bien quitté l'île ?

Il essuya la buée sur son pare-brise juste à temps pour voir Ariane Briand et son mari éclater de rire, soudain arrosés par la pluie après que leur parapluie se soit retourné à cause du vent. Briand se pencha pour embrasser sa femme avant qu'ils ne courent chacun d'un côté de leur voiture pour se réfugier à l'intérieur.

Sime attrapa son téléphone et tapa sur Google le nom de l'hôtel à Québec où Briand était descendu. L'adresse du site et le numéro de téléphone de l'hôtel s'affichèrent sur l'écran. Il appuya sur « Appeler » et patienta en écoutant la sonnerie qui retentissait à 1 200 kilomètres de là.

« Auberge Saint-Antoine, bonjour. En quoi puis-je vous être utile ?

— Sergent-détective Sime Mackenzie de la Sûreté de Montréal à l'appareil. Vous avez reçu récemment un client du nom de Richard Briand. J'aimerais vérifier sa date d'arrivée, s'il vous plaît.

— Un instant, sergent. »

Sime observa la voiture de Briand qui sortait du parking par une petite rue pour se diriger vers la route principale.

« Allô, sergent ? En effet, monsieur Briand est arrivé le 28. Il nous a quittés hier. »

Sime raccrocha. Le 28. La veille du jour où Blanc et lui avaient pris l'avion pour Québec afin de l'interroger. Où Ariane Briand et lui avaient-ils passé les deux jours précédents s'ils n'étaient pas à l'hôtel ? Briand avait-il quitté l'archipel avant le 28 ? Dans le cas contraire, il pouvait très bien être l'agresseur de Sime. Ses vols aller et retour depuis Havre-aux-Maisons pouvaient être vérifiés auprès de la compagnie aérienne. Sime décida de s'en occuper dans la matinée avant de s'envoler avec Kirsty.

L'idée que les Briand pouvaient avoir menti fit accélérer son rythme cardiaque. Cependant, dans un recoin de son crâne, le doute ne cessait de le tarauder. Même s'il ne se trouvait pas à Québec comme il l'affirmait, pourquoi Briand s'en serait-il pris à lui ?

III

Sime roulait plein sud le long d'une mince bande de terre, en direction de Havre-Aubert. La pluie s'était calmée. Sur sa gauche, la mer venait inlassablement caresser le sable de la plage de La Martinique. À droite, le vent ridait la surface de la baie du Havre-aux-Basques, protégée de la violence de l'orage par les dunes de sable qui bordaient son pourtour ouest. Les kitesurfeurs étaient sortis en nombre de ce côté-là pour profiter du puissant vent de sud-ouest.

Les Briand lui avaient occupé l'esprit pendant tout le trajet et, en approchant de La Grave, à la pointe sud-est de Havre-Aubert, Sime essaya de s'éclaircir les idées.

La maison de Jack Aitkens était à un jet de pierre du palais de justice, là où, à peine quelques heures auparavant, Kirsty avait comparu pour la première fois devant un tribunal. C'était une maison insulaire typique, bordeaux et crème, avec un toit en pente raide et des rives de toit en saillie. Une véranda couverte courait sur la façade et le côté sud pour rejoindre un porche d'entrée à l'extrémité sud-ouest. Contrairement à la plupart des maisons voisines, elle aurait eu besoin d'un bon coup de peinture. Le jardin, quant à lui, avait été laissé à l'abandon et montait en graine. L'endroit respirait la négligence.

Sime se gara et remonta l'allée d'un pas pressé jusqu'à l'abri de la véranda. Il ne trouva pas de sonnette et frappa plusieurs fois à la porte. Rien ne bougea à l'intérieur. Aucune lumière n'était allumée et il ne vit pas la voiture d'Aitkens quand il balaya les alentours du regard. Apparemment, Aitkens était repassé en équipe de jour. Pas de chance.

« Vous cherchez Jack ? »

Sime se retourna et vit un homme d'une quarantaine d'années qui s'affairait sur le moteur d'un vieux camion garé à l'abri d'un auvent fixé à la maison voisine. « Oui. J'imagine qu'il doit être à la mine.

— Non, il est dans l'équipe de nuit en ce moment. Il est allé à la marina pour renforcer les amarres de son bateau. On n'est jamais trop prudent quand un orage se prépare. »

La rue principale longeait une langue de terre qui s'enroulait autour d'un port minuscule niché au creux du doigt osseux de Sandy Hook. Des bâtiments en bois et en briques bordaient la rue. Des boutiques, des bars, des restaurants, un musée, des locations de vacances. Juste derrière, à l'abri de La-Petite-Baie, se trouvait une petite marina où mouillait un assortiment de bateaux de pêche et de plaisance. Ils étaient amarrés de part et d'autre d'un long ponton qui oscillait au rythme de la houle.

Aitkens sécurisait les amarres de poupe et de proue de son bateau à un ponton d'embarquement. C'était un bateau de pêche de vingt-cinq pieds avec un moteur in-bord et une petite timonerie qui procurait un minimum de protection contre les éléments. Il n'avait pas l'air de la première jeunesse.

Aitkens était accroupi à côté d'un cabestan et leva les yeux de ses amarres quand Sime approcha. Il sembla étonné de le voir et se releva immédiatement. « Il y a un problème ? Il est arrivé quelque chose à Kirsty ? » Le vent et le claquement des filins d'acier sur les mâts en métal l'obligeaient à élever la voix.

« Non, elle va bien. »

Aitkens fronça les sourcils. « Je pensais que vous étiez tous repartis.

— En effet », confirma Sime. « Mais j'ai encore des choses à régler.

— Ils l'envoient à Montréal », dit Aitkens, comme si Sime pouvait ne pas être au courant.

« Vous êtes allé au tribunal ?

— Bien sûr. C'est à deux minutes de chez moi. » Il marqua une pause. « Il n'y a pas grand-chose contre elle, vous savez. »

Sime acquiesça. « Je sais. »

Aitkens fut pris de court. « Vraiment ?

— Il faut que je vous parle, monsieur Aitkens. »

Il consulta sa montre. « Je n'ai pas vraiment le temps.

— J'apprécierais vraiment que vous m'en accordiez un peu », dit Sime d'un ton qui ne lui laissait pas vraiment le choix. Pourquoi Aitkens ne lui avait-il pas tout de suite demandé de quoi il voulait parler ? songea-t-il. Comme s'il le savait déjà.

« Bon. Pas ici en tout cas. Allons boire un café. »

La plupart des magasins et des restaurants étaient fermés pour la saison, mais le café de La Grave était ouvert et laissait échapper une lumière jaune qui se confondait avec les teintes soufrées de l'après-midi. Il n'y avait pas de clients. Seulement des rangées de tables cirées et de chaises peintes, des murs lambrissés décorés de peintures colorées et enfantines représentant des poissons ou des fleurs. Le menu, tracé à la craie sur un tableau noir, proposait de la quiche au poulet ou des pennes sauce bolognaise pour le déjeuner. Sime et Aitkens s'installèrent à côté d'un piano droit et commandèrent des cafés. Aitkens était dans ses petits souliers et ne cessait d'agiter ses doigts sur la table.

« Alors, de quoi voulez-vous me parler ? » Enfin, la question.

« De votre histoire familiale. »

Aitkens fixa Sime en plissant le front. Il réfléchit longuement. « Vous faites ça de manière officielle ? » Son ton était hostile. Après tout, Sime était celui qui avait arrêté sa cousine pour meurtre.

Sime fut momentanément pris au dépourvu, mais il ne pouvait pas mentir. « Mon intérêt est plus personnel que professionnel. »

Aitkens inclina la tête et plissa les yeux, l'air à la fois méfiant et intrigué. « Que voulez-vous savoir à propos de mon histoire familiale ?

— Disons que c'est plus celle de Kirsty qui m'intéresse que la vôtre. Mais j'imagine qu'elles sont profondément liées. Elle m'a dit que chez vous, la généalogie était une obsession.

— Pas une obsession », se défendit Aitkens. « Un passe-temps. Qu'est-ce qu'un homme peut bien faire de son temps quand il ne travaille pas ? Avec les heures que je me tape et un père d'un âge plus qu'avancé à l'hôpital, je ne suis pas un célibataire très engageant, hein ? Par ici, les hivers ne sont pas seulement difficiles, ils sont longs et foutrement solitaires.

— Jusqu'où avez-vous réussi à retracer votre lignée ? »

Aitkens haussa les épaules. « Suffisamment loin.

— Jusqu'à votre arrière-arrière-arrière-grand-mère ?

— Laquelle ?

— Celle qui est enterrée au cimetière de l'île d'Entrée. Kirsty McKay. »

Aitkens prit un air sombre et examina longuement le visage de Sime. Le silence devint presque gênant. « Pourquoi vous intéressez-vous à elle ?

— Que savez-vous de ses origines ? »

Il sourit. « Eh bien, ça n'a pas été facile, monsieur Mackenzie. Quand les gens ont fait naufrage et qu'ils ont entamé une nouvelle vie, le passé peut s'avérer très compliqué à mettre au jour. »

Sime sentit son cœur accélérer. « Mais vous y êtes arrivé ? »

Il hocha la tête. « Son bateau a coulé juste à côté de l'île d'Entrée au printemps 1848. Jeté sur les récifs par une tempête. Le navire venait d'Écosse, en route pour la ville de Québec. Elle a été la seule survivante. Sortie des flots par une famille qui vivait sur les falaises à la pointe sud de l'île. Il n'y avait pas de phare à l'époque. Elle était dans un sale état. Ils l'ont ramenée chez eux, ils l'ont soignée et, pour finir, elle est restée, un peu comme une fille adoptive. En fait, elle n'a jamais quitté l'île et cinq ans plus tard, elle épousait leur fils, William.

— C'est ainsi qu'elle a fini avec le nom de McKay, le même que ses parents. Seulement, ce n'était pas ses véritables parents.

— Ses beaux-parents. Mais comme elle n'avait pas de parents à elle, ils l'ont toujours considérée comme leur véritable fille. »

Ce qui expliquait l'inscription sur la stèle. « Qu'est-il arrivé à ses vrais parents ? Ils ont sombré avec le bateau ?

— Non, elle voyageait seule. Apparemment, en raison du traumatisme, elle souffrait d'amnésie et ne savait plus qui elle était, ni d'où elle venait. Et puis, sa mémoire a commencé à revenir. Par bribes. Elle les notait dans un cahier au fur et à mesure. Comme pour les fixer définitivement, les rendre réels. Ce cahier a été transmis de génération en génération dans la famille. Je l'ai déniché dans un coffre de souvenirs que mon père conservait dans le grenier. Je n'avais aucune idée de son existence avant qu'ils ne l'emmènent à l'hôpital. »

Sime avait du mal à contrôler sa respiration et l'excitation qui s'emparait de sa voix. « Alors, qui était-elle ? »

Aitkens fit la grimace et soupira bruyamment. « Quel rapport tout cela a-t-il avec l'arrestation de Kirsty, bon sang ?

— Répondez-moi », dit Sime d'un ton impérieux.

Aitkens soupira de plus belle. « Il semblerait qu'elle était la fille du propriétaire d'un domaine dans les Hébrides extérieures en Écosse. Elle est tombée amoureuse du fils d'un métayer, ce qui était absolument tabou en ce temps-là. Le père s'est opposé à leur relation et puis le fils du métayer a tué son frère lors d'une bagarre et il s'est enfui au Canada. Elle l'a suivi, espérant le retrouver. Et, bien sûr, ce n'est jamais arrivé.

— Kirsty Guthrie », lâcha Sime.

Aitkens serra la mâchoire et le fixa. « Vous le saviez depuis le début. »

Sime secoua la tête. « Non. Mais un tas de choses viennent de trouver leur sens. »

Aitkens recommença à tambouriner sur la table du bout des doigts. « J'ai essayé d'en savoir plus. Kirsty avait récupéré beaucoup d'affaires par sa mère. Tout est stocké quelque part dans le sous-sol de la maison construite par Cowell. Cela fait longtemps que je lui demande de me laisser les voir. Dieu sait ce que ça va devenir maintenant.

— Pouvez-vous m'emmener sur l'île d'Entrée à bord de votre bateau ? »

Aitkens le dévisagea avec surprise. « Quand ?

— Maintenant.

— Vous êtes fou mon vieux ? Il y a une tempête qui arrive.

— Elle ne sera pas là avant une heure ou deux. »

Mais Aitkens secoua catégoriquement la tête. « Ça bouge beaucoup trop. » Il jeta un coup d'œil à sa montre. « Et, de toute façon, il va falloir que j'y aille. Je suis toujours dans l'équipe de nuit à la mine.

— Vous connaissez quelqu'un qui pourrait m'emmener ?

— Mais pourquoi diable voulez-vous aller là-bas sur-le-champ ?

— Une ou deux choses. » Sime s'efforçait de conserver son calme. « J'aimerais jeter un œil à ce qui se trouve au sous-sol. Et… » Il hésita. « Je ne crois pas que Kirsty a tué son mari.

— Seigneur ! Mais c'est vous-même qui l'avez arrêtée !

— Je sais. Mais je me suis trompé. Nous nous sommes tous trompés. Nous passions simplement à côté de quelque chose que nous avions sous le nez depuis le début. Je veux refaire le tour de la maison. »

Aitkens se leva. Le raclement de sa chaise contre le sol résonna dans le café désert. « C'est vous qui voyez. Si vous tenez vraiment à vous rendre là-bas ce soir, Gaston Boudreau se laissera peut-être persuader. Si vous lui graissez la patte.

— Qui est-ce ?

— Le propriétaire du bateau que vous avez réquisitionné pendant l'enquête. »

CHAPITRE 45

Sime se cala contre l'un des côtés de la timonerie pour conserver son équilibre tandis que le bateau de pêche de Gaston Boudreau se soulevait et retombait au gré de la houle déjà grosse, même dans l'enceinte du port.

Boudreau se tenait dans l'embrasure, sans appréhension, apparemment, à l'idée de transporter Sime jusqu'à l'île d'Entrée en dépit de la tempête qui approchait. En revanche, il semblait déconcerté. « Pourquoi ne pouvez-vous pas attendre demain matin, monsieur? D'ici là, la tempête se sera calmée et vous pourrez prendre le ferry. »

Sime voulait être dans l'avion avec Kirsty quand il décollerait le lendemain midi. Cette soirée représentait sa dernière chance de pouvoir inspecter la maison encore une fois et d'étudier les documents familiaux rangés au sous-sol. S'ajoutait à cela le fait qu'il ne trouverait probablement pas le sommeil et qu'il serait incapable de se contenir pendant que s'égrèneraient les heures interminables de l'insomnie. « Ça me coûtera combien? », se contenta-t-il de répondre.

« Combien vous proposez? »

La première offre de Sime, deux cents dollars, fit éclater de rire le pêcheur. « Une fois payé le carburant, il me resterait que dalle », fit-il. « Cinq cents.

— Marché conclu. » Sime aurait lâché le double. La rapidité avec laquelle il avait accepté mit la puce à l'oreille de Boudreau. Le pêcheur fit la moue, comprenant qu'il aurait pu tirer profit de la situation.

« Donnez-moi une minute. »

Boudreau entra dans la timonerie et ferma la porte coulissante. Sime le vit passer un appel sur son portable. La conversation dura une trentaine de secondes puis il raccrocha et glissa le téléphone dans sa poche. Il rouvrit la porte.

« OK, on a le feu vert. Allons-y. »

Il retourna à l'intérieur pour démarrer le moteur et Sime le suivit. « Qui appeliez-vous ?

— Le propriétaire, bien sûr.

— Oh, je pensais que le bateau vous appartenait.

— Ah ! », s'exclama Boudreau avec un sourire ironique. « J'aimerais bien.

— Et qui est le propriétaire ? »

Les écrans du GPS et du sonar s'allumèrent en clignotant. « Le maire Briand. »

*

Un quart d'heure après avoir quitté le port, Sime avait complètement oublié Briand. Le mal de mer qui s'emparait insidieusement de son estomac avait chassé toute pensée de son esprit et, lorsqu'ils furent à mi-chemin dans la baie, il regrettait amèrement son idée folle de faire la traversée à tout prix.

Boudreau tenait la barre, l'air serein, les jambes écartées, bougeant au rythme du bateau. Sime fut rassuré de le voir ainsi détendu. La lumière du jour déclinait rapidement, laissant derrière elle un ciel noir et menaçant. Ils étaient presque arrivés à destination quand Sime vit la masse sombre de l'île d'Entrée émerger soudainement des embruns et de l'écume pour occuper tout l'horizon.

Une fois qu'ils furent à l'abri de l'île, la mer se fit moins forte et ils purent sans problème rejoindre au moteur le calme relatif du petit port pendant que l'océan libérait sa colère contre les brise-lames en béton qui l'entouraient.

Avec l'aisance d'un marin chevronné, Boudreau fit accoster son bateau le long du quai et bondit par-dessus bord pour l'amarrer solidement. Il prit la main de Sime pour l'aider à franchir l'espace qui séparait de la terre ferme le navire qui tanguait. Il sourit, l'air satisfait. « Vous voulez que je reste pour vous ramener ? », lui cria-t-il pour se faire entendre malgré le vent.

« Grands dieux non, mon vieux », lui cria Sime à son tour. « Rentrez chez vous avant que la tempête n'éclate. Je prendrai le ferry dans la matinée. »

Ce n'est que quand Boudreau fut parti et que l'obscurité eut englouti les feux du chalutier que Sime put enfin faire le point. Venir sur l'île avait occupé toute son attention et maintenant qu'il s'y trouvait, un flot d'émotions l'empêchait de penser clairement. Jusqu'à présent, il s'était efforcé de ne pas songer à ce qu'Aitkens lui avait dit, sans doute effrayé par les implications de ce qu'il avait appris.

Kirsty Cowell était l'arrière-arrière-arrière-petite-fille de Kirsty Guthrie, partie à la recherche de son Simon pour finir naufragée sur cette île minuscule au milieu du golfe du Saint-Laurent. Et elle avait attendu et attendu. Parce qu'il lui avait promis que, où qu'elle soit, il la retrouverait. Mais cela n'était jamais arrivé. À la fin, elle avait épousé quelqu'un d'autre, et lui aussi. Tout ce qui avait survécu au passage du temps et des générations, c'était la bague qu'elle avait donnée à l'ancêtre de Sime et le pendentif qu'elle avait conservé.

La pluie fouettait le visage de Sime qui, debout sur le quai, essayait d'accepter l'étrange caprice du destin qui les avait réunis, Kirsty Cowell et lui.

Un groupe de pêcheurs qui renforçaient les amarres de leurs bateaux en prévision de la tempête s'étaient interrompus pour se regrouper et l'observer de loin. Soudain conscient de leur présence, Sime se sentit gêné. Il tourna brusquement les talons et s'éloigna en traversant les flaques de lumière zébrées de pluie qui ponctuaient le décor du port. La lueur d'une lampe qui brûlait dans la timonerie du dernier chalutier attira son regard. Une silhouette s'avança à la poupe du bateau quand il passa devant et un visage, momentanément pris dans la lumière, se tourna vers lui. Il le reconnut immédiatement. Owen Clarke. Sime rabattit sa capuche sur sa tête et courba l'échine pour se protéger du vent tout en s'engageant dans Chemin Main.

Au sommet de la route, le bourdonnement des groupes électrogènes était à peine audible, noyé par le rugissement du vent contre lequel il luttait pour atteindre le haut de la colline et l'église. Il croisa quelques pick-up sur la route, brinquebalant au milieu des nids-de-poule remplis d'eau. Leurs phares l'éclairaient violemment dans la nuit noire et ils passaient à côté de lui dans un grondement mécanique avant d'être avalés par l'obscurité. Il aperçut de la lumière aux fenêtres de quelques-unes des maisons accrochées à flanc de colline, mais il n'y avait pas une âme en vue. Sime ouvrit le portail menant à l'église et, en s'éclairant avec son portable, retrouva la tombe de Kirsty McKay, qu'il savait à présent être Kirsty Guthrie.

Il demeura immobile, malmené par le vent et la pluie, à contempler la stèle, songeant aux os qui reposaient sous ses pieds.

Comme il l'avait fait quelques jours auparavant, Sime s'agenouilla et posa les mains dessus. L'humidité imprégna son pantalon. Au contact de la pierre froide et rugueuse sous ses paumes, il eut le sentiment de jeter un pont entre ces amants malheureux, d'enfin les réunir après toutes ces années.

Un chagrin puissant le submergea également. En rêve, il avait traversé des moments de passion dans la peau de son ancêtre, tout sacrifié pour tenter de rejoindre sa Ciorstaidh. Et elle se trouvait là, morte et enterrée depuis si longtemps. Il se releva d'un coup.

Sur ses joues les larmes se mêlaient à la pluie.

Couvrant les hurlements du vent, le vrombissement rauque d'un moteur arriva à ses oreilles et il se retourna juste à temps pour voir une silhouette disparaître au sommet de la colline, juchée sur un quad.

Il faisait nuit noire quand il arriva à la grande maison jaune. Tout au long du chemin, il avait lutté contre le vent et s'était tordu les chevilles dans les nids-de-poule qui parsemaient la route. Ses vêtements étaient trempés et il grelottait.

Il n'entra pas tout de suite, faisant d'abord le tour de la maison pour traverser la pelouse jusqu'au pavillon d'été qui avait autrefois appartenu aux McKay. Là où Kirsty Guthrie avait grandi et, très certainement, vécu ensuite avec son époux. La maison où, plusieurs générations après, Kirsty Cowell était née et avait été élevée, mettant ses pas dans ceux de son ancêtre, dans le même paysage qu'elle. L'île d'Entrée, presque inchangée depuis deux siècles. Le soleil illuminant la surface de la baie en direction des autres îles de l'archipel posées sur l'horizon. Elle avait cueilli les mêmes fleurs sur les mêmes collines tandis que le vent lui caressait le visage.

La porte n'était pas verrouillée. Sime entra. Il alluma une lampe posée sur une table et déambula au hasard dans la semi-obscurité, se contentant de toucher les objets. Des objets appartenant à Kirsty Cowell. Une sculpture de hibou taillée dans l'anthracite, une vieille pendule au tic-tac lent sur la cheminée. Un livre qu'elle avait lu, abandonné sur une table basse. Un mug à thé qu'elle n'avait pas rapporté à la cuisine. À chaque contact, ce qui existait entre elle et lui ne cessait de se renforcer, jusqu'au point où cela devint insupportable.

Il franchit la porte à moustiquaire, sortit sous le porche et courut jusqu'à la maison de Cowell. Les restes déchirés d'une bande plastique accrochée à un poteau de bois claquaient furieusement dans le vent. La porte de la véranda n'était pas fermée à clé. Il la fit coulisser, entra, et commença à tâtonner à la recherche d'un interrupteur.

Des luminaires dissimulés autour de la véranda, dans la salle de séjour et la cuisine clignotèrent un instant et diffusèrent une lumière chaude au milieu des ombres. Du sang séché tachait encore le sol, et Marie-Ange avait collé de l'adhésif blanc pour délimiter l'endroit où le corps avait reposé.

Sime le contempla un long moment, indifférent aux gouttes de pluie qui ruisselaient de ses vêtements sur le plancher. Il essayait de se rejouer la scène exactement telle que Kirsty l'avait décrite. Son histoire donnait clairement l'impression que c'était elle la cible de l'attaque, et non James. L'intrus l'avait attaquée dans la pénombre de la véranda puis l'avait pourchassée à travers la salle de séjour, tentant de la poignarder.

Ce qui signifiait que si James n'était pas visé par l'agresseur, il ne pouvait pas s'agir de Briand. Quel aurait pu être son mobile pour tuer Kirsty?

D'un autre côté, elle avait pu tomber sur l'intrus par accident, alors que James se trouvait à l'étage. Il n'était pas impossible qu'il ait simplement voulu la faire taire, l'empêcher de donner l'alerte. Dans ce cas, seules les apparences la désignaient comme la victime.

En revanche, si elle était bel et bien la cible, et que son attaquant n'était pas Briand, il ne devait pas s'attendre à ce que Cowell soit là. Pour tout le monde, celui-ci l'avait quittée pour s'installer avec une autre femme, de l'autre côté de la baie. Sa présence avait dû constituer une énorme surprise.

Sime détourna le regard de la scène de crime, soudain effrayé de se sentir ainsi cerné par des fantômes, et agacé de ne pas parvenir à y voir plus clair. Il emprunta le couloir qui menait à l'autre bout de la maison et trouva un interrupteur en haut de l'escalier qui conduisait au sous-sol.

Là, dans les entrailles de la maison, rien ne laissait penser qu'une tempête faisait rage à l'extérieur. Seule, de temps à autre, une vibration sourde et puissante indiquait que le bâtiment venait d'encaisser une bourrasque particulièrement violente, trahissant le fait que la tempête était arrivée sur l'île et donnait toute sa mesure.

Sime tomba sur un panneau d'interrupteurs. Il les actionna tous et le sous-sol fut inondé par la lumière agressive des néons. Il alla directement dans le débarras qu'il avait découvert lors de sa précédente visite. La pièce était remplie de cartons, d'une paire de coffres anciens et d'un ensemble de valises en cuir. Les étagères qui garnissaient les murs croulaient sous le poids des livres, des dossiers et des boîtes d'archives.

Soudain, tout s'éteignit.

Sime se figea, le cœur battant. Il aurait même juré entendre son pouls dans le silence noir et épais. L'obscurité était totale. Il ne distinguait pas ses mains. Il resta immobile quelques instants, espérant que ses yeux finiraient par s'accoutumer et qu'il pourrait au moins discerner quelque chose. Mais il n'en fut rien. Les ténèbres l'enveloppaient. Il était complètement aveugle.

Il tendit la main pour toucher le mur et rebrousser chemin jusqu'à la porte. Il la trouva plus tôt qu'il ne l'imaginait et faillit rentrer dedans. À tâtons, il repéra le linteau puis l'encadrement, et avança prudemment dans ce qu'il se rappelait être un grand espace au bout duquel se trouvait l'escalier. Il maudit la tempête qui semblait avoir grossi et dont l'écho pénétrait les couches d'isolant qui protégeaient la maison. L'île ne devait plus avoir de courant ou, tout au moins, une partie des câbles devait être endommagée.

Un flash lumineux imprima sur sa rétine l'image de ce qui l'entourait. Un éclair. Apparu par les fenêtres placées haut sur les murs et qui s'était évanoui aussi soudainement. Sime se dirigea rapidement vers l'escalier qui venait de lui apparaître. Il trébucha sur la première marche et s'ouvrit le genou sur la suivante.

« Merde ! »

Il attendit que la douleur s'apaise avant d'entreprendre la montée, les mains posées de part et d'autre sur les murs pour se guider, toujours dans le noir complet. Quand il fut au sommet de l'escalier, un autre éclair inonda de lumière toute la maison. À nouveau, il se servit de l'impression laissée sur sa rétine pour traverser la pièce principale.

Il s'arrêta net et sentit pour la première fois une alarme se déclencher au fond de son esprit. À travers les baies de la véranda, il pouvait voir que la lampe qu'il avait allumée un peu plus tôt dans le salon du pavillon d'hiver brûlait encore. Il tourna la tête et vit scintiller au loin les lumières d'autres maisons. Seule la maison de Cowell était sans électricité. Soit les fusibles avaient sauté, soit quelqu'un avait coupé le courant. Même s'il avait pu y voir suffisamment, il n'avait aucune idée de l'endroit où se trouvait la boîte à fusibles.

Il resta absolument immobile, l'oreille tendue dans l'obscurité. Seul lui parvenait le fracas de la tempête. Cependant, autre chose lui titillait les sens. Il n'était pas seul. Quelques minutes avant que les lumières ne s'éteignent, la sensation imaginaire de la présence des morts lui avait flanqué la frousse. À présent, était-ce la chaleur dégagée par un corps ou une odeur à peine perceptible, son instinct lui disait qu'il y avait quelqu'un d'autre dans la maison. À part Boudreau, peu de personnes savaient qu'il était ici. Aitkens et Briand. Les pêcheurs qu'il avait vus sur le port, dont Owen Clarke. Peut-être était-ce Chuck qu'il avait aperçu sur son quad au cimetière. Entre tous, seul Briand paraissait avoir un mobile. Et si l'on éliminait l'alibi de sa femme, il avait eu l'opportunité d'agir.

Soudain, Sime maudit sa propre stupidité. À peine une demi-heure plus tôt, il s'était aidé de son portable pour retrouver la tombe de Kirsty Guthrie. Et il venait de passer les dernières minutes à avancer à l'aveuglette dans le noir alors qu'il avait une source de lumière parfaitement utilisable dans la poche. Il sortit son téléphone et l'alluma.

À moins d'un mètre, face à lui, apparut un visage masqué et une lame qui se levait dans la pénombre.

Un cri de surprise s'échappa de sa gorge et, alors qu'il tendait la main pour se saisir de la main armée de son attaquant, son téléphone tomba et glissa sur le sol et, avec lui, la lumière. Il ne restait dans son esprit que le spectre fluorescent de deux yeux sombres scintillant derrière les fentes d'une cagoule.

Il sentit la lame lui frapper l'épaule, tailler dans la chair et ricocher sur l'os. La douleur lui brûla le cou et le bras, mais il tenait le poignet de l'homme d'une main et envoya son poing au jugé dans le noir. Il sentit un choc sec, os contre os. L'homme hoqueta de douleur. Sime pivota sur le côté et jeta tout son poids vers l'avant, repoussant son attaquant jusqu'à ce qu'il perde pied sur les deux marches menant à la véranda. Les deux hommes tombèrent, Sime sur le dessus. Il entendit le couteau glisser loin d'eux en raclant le sol. Les poumons de son agresseur se vidèrent sous son poids en un long soupir et Sime reçut une bouffée de mauvaise haleine en plein visage.

De sa main libre, l'homme chercha le visage de Sime et planta ses doigts dans sa bouche et ses yeux, des doigts d'acier qui le griffaient dans l'obscurité. Sime lâcha son poignet et roula sur lui-même avant de heurter une chaise longue.

Un éclair déchira le ciel et il vit son adversaire qui se relevait. Sime se mit à genoux, essayant de reprendre son souffle tout en se préparant à un nouvel assaut, mais il ne sentit que le vent et la pluie qui s'engouffrèrent dans la maison quand la porte coulissante de la véranda s'ouvrit. Le craquement du tonnerre explosa au-dessus de lui et, involontairement, il se baissa pour se protéger.

L'ombre fugace de son assaillant passa dans la lumière du pavillon d'été puis s'évanouit dans la nuit. Sime remonta les marches à quatre pattes et rampa sur le sol à la recherche de son portable. À la faveur d'un nouvel éclair, il le vit, à quelques mètres de lui. Il se jeta dessus et, les doigts tremblants, s'efforça de le rallumer en priant pour qu'il fonctionne encore. À son grand soulagement, le portable s'éclaira, diffusant une clarté étonnamment puissante autour de lui. Il se remit debout péniblement et se précipita dans la cuisine pour y prendre un couteau. Comme il regrettait de ne plus avoir son Glock ! Sime s'apprêtait à se lancer à la poursuite de son agresseur mais s'arrêta brutalement en découvrant une lampe torche accrochée à son chargeur mural à côté de la porte. Il s'en saisit et, les doigts encore maladroits, appuya sur l'interrupteur. Elle projeta un puissant faisceau lumineux à travers la cuisine. Il avait de quoi se défendre et de la lumière pour se diriger dans la tempête. Il fourra son téléphone dans sa poche et traversa la pièce en courant à la poursuite du tueur.

Dans la véranda, il prit le temps de ramasser le couteau de son attaquant par la pointe de la lame et de le déposer soigneusement sur une des chaises. Il y avait de fortes chances pour que ce soit l'arme qui avait tué Cowell.

Il se retrouva dehors, dans la pluie et le vent. La douleur aiguë dans son épaule était devenue lancinante et il sentit son bras se raidir. Il leva la lampe torche et balaya le sommet des falaises. Il ne vit rien d'autre que les gouttes de pluie qui traversaient le faisceau, rappelant la vitesse de distorsion dans *Star Trek*. Il fit le tour de la maison en courant et pointa la torche vers la route, en direction du phare. Toujours rien. L'homme s'était envolé. Il se retourna et fit remonter le halo le long de la route. Il entraperçut une ombre qui disparut aussitôt derrière le sommet de la colline.

Sime inspira profondément et se lança à sa poursuite. Le faisceau de la lampe zigzaguait sur le flanc de la colline au rythme de sa course. Quand il eut atteint le sommet, il balaya les environs à cent quatre-vingts degrés. C'était là que Kirsty et lui s'étaient trouvés, quelques jours plus tôt, quand, pour la première fois, quelque chose s'était passé entre eux. Quand elle avait touché son visage. Juste avant l'appel de Crozes qui l'avait contraint à l'arrêter pour meurtre.

Il n'y avait aucun signe du fugitif. Un éclair illumina les coteaux et il aperçut l'homme en contrebas qui courait le long de la falaise. Sime dévala la colline, le vent en pleine figure, tout en essayant de conserver son équilibre en dépit de l'obscurité et du sol détrempé.

À quelques mètres du bord, il s'arrêta et braqua le faisceau de la lampe sur les contours irréguliers, mangés depuis la nuit des temps par l'érosion qui, peu à peu, découvrait la roche rouge, sombre et luisante dans l'obscurité. Les colonnes rocheuses surgissaient presque à-pic de la mer en contrebas. Le vacarme de la tempête était assourdissant. Le vent projetait des montagnes d'eau au pied des falaises. Les embruns montaient à une quinzaine de mètres dans les airs et scintillaient comme une brume d'argent sous la lumière de sa lampe torche.

C'est là qu'il le vit. Le tueur avait cessé de fuir. Désarmé et sans lumière, il n'avait nulle part où aller. Sime était sûr de l'attraper. Accroupi dans l'herbe pour reprendre son souffle, il avait tendu son bras droit sur le côté pour garder son équilibre et regardait Sime s'approcher, lentement et prudemment, le faisceau de la lampe torche braqué sur lui.

« Laissez tomber, Briand ! », cria Sime.

L'homme resta muet et immobile. Sime était à moins d'un mètre de lui. Soudain, il bondit vers l'avant, occultant presque la lumière de sa masse, percuta Sime et agrippa sa main qui tenait le couteau. De sa main encore libre, il lui asséna un coup de poing sur son épaule blessée. Puis deux, puis trois. Sime hurla de douleur et lâcha la lampe qui tomba dans l'herbe en tournoyant. Il bascula en arrière et le tueur lui tomba dessus de tout son poids. L'homme était puissant. Il tordit le poignet de Sime, l'obligeant à ouvrir le poing et à lâcher son arme.

Il avait repris l'avantage et attrapa le couteau avant de se remettre rapidement debout. Dans le même temps, Sime essaya d'agripper son visage, mais ses doigts glissèrent sur le tissu humide de la cagoule qui lui resta dans la main quand le type se releva.

La lampe torche reposait dans l'herbe, légèrement inclinée, mais diffusait suffisamment de lumière pour que Sime reconnaisse Jack Aitkens, l'air halluciné, dos aux falaises, l'océan déchaîné derrière lui. Les jambes écartées, les genoux légèrement fléchis, il tenait le couteau dans sa main droite et s'efforçait de reprendre son souffle.

Lentement, Sime se remit debout tout en le fixant avec étonnement. « Pourquoi ? », cria-t-il.

Aitkens resta muet, les yeux braqués sur le policier.

« Bon Dieu, Aitkens ! », gueula Sime. « Laissez tomber ! »

Aitkens secoua la tête silencieusement. Sime jeta un coup d'œil en direction de la lampe. S'il l'avait entre les mains, il pourrait au moins essayer d'aveugler

Aitkens quand celui-ci lui foncerait dessus. Il plongea dans sa direction au moment où Aitkens se jetait sur lui.

Étendu sur le ventre, il se saisit de la lampe torche, s'attendant à sentir à tout moment la lame d'Aitkens s'enfoncer entre ses omoplates. Il roula sur lui-même pour lui braquer la lumière sur le visage. Mais il ne vit personne. Il se mit rapidement à genoux et balaya la bordure de la falaise avec le faisceau de la lampe. Rien. Aitkens s'était volatilisé.

Le sol commença à bouger. Pris de panique, Sime partit à reculons et vit, horrifié, le rebord de la falaise s'effondrer. Il comprit ce qui venait de se passer. Le sol avait simplement cédé sous les pieds d'Aitkens et l'avait envoyé s'écraser sur les rochers en contrebas.

Trempé et grimaçant de douleur, hors d'haleine et nauséeux, Sime étendit ses membres au maximum et, couché sur le ventre, rampa vers le précipice jusqu'à ce qu'il aperçoive l'amas de débris au pied de la falaise.

La paroi n'était pas à-pic mais en pente raide, couverte d'éboulis, descendant en paliers et corniches successifs avant de plonger directement vers l'océan qui se jetait sur les affleurements rocheux.

Aitkens était allongé sur le dos, quinze mètres plus bas, à une dizaine de mètres au-dessus des flots, trempé par les embruns qui s'envolaient, emportés par le vent. Il était encore vivant et tendait désespérément un bras pour agripper une corniche située juste au-dessus de lui. Le reste de son corps semblait paralysé.

Sime recula en se tortillant et se remit debout. Il suivit le rebord de la falaise avec sa lampe jusqu'à ce qu'il trouve un passage pour descendre. Une entaille en pente douce partant du sommet et une couture rocheuse abrupte formant un angle lui permettraient de rejoindre Aitkens. Il courut jusque-là puis se baissa prudemment au-dessus du rebord, éprouvant avec précaution la résistance de la roche.

Il lui fallut presque dix minutes pour effectuer la descente, malmené par le souffle explosif de la tempête, trempé par l'écume et les embruns salés projetés contre la paroi rocheuse.

Aitkens respirait fort. Des expirations courtes et mécaniques. Les yeux écarquillés et figés par la peur. Sime s'installa tant bien que mal sur la corniche à côté de lui. « Vous pouvez bouger ? »

Aitkens secoua négativement la tête. « Je ne sens plus mes jambes. Tout le bas de mon corps. » Sa voix était faible. Il se mordit la lèvre et ses yeux se remplirent de larmes. « Je crois que je me suis brisé le dos.

— Seigneur », dit Sime. « Qu'est-ce qui vous a pris Aitkens ? Pourquoi vouliez-vous assassiner Kirsty ?

— Je pensais que vous le saviez déjà. Quand vous êtes venu me poser des questions sur notre histoire familiale.

— Que je savais quoi ? »

Aitkens ferma les paupières, affligé par l'ironie et le regret. « Manifestement, ce n'est pas le cas. » Il rouvrit les yeux. Une larme glissa sur sa tempe et alla se perdre dans ses cheveux. « Sir John Guthrie...

— Le père de Kirsty... ? »

Il hocha la tête. « Il pesait une véritable fortune, Mackenzie. Toute la richesse familiale accumulée avec le commerce du tabac, et puis celui du sucre et du coton. Il ne possédait pas seulement le domaine de Langadail. Il avait des biens à Glasgow et à Londres. Des placements, de l'argent à la banque. Et il a tout laissé à sa fille puisque son fils était mort. » Il ferma à nouveau

les yeux et laissa échapper un soupir long et douloureux. Il essaya de déglutir et recommença à fixer Sime.
« Seulement, ils n'ont pas réussi à la retrouver. Elle
s'était enfuie au Canada à la recherche de son fermier.
Son épouse était morte et il n'y avait pas d'autre héritier. » Il semblait avoir des difficultés à parler et respirer en même temps. Sime attendit qu'il retrouve
sa voix. « J'ai fait des recherches. À cette époque en
Écosse, quand un héritier était introuvable, les biens
devaient être remis au *Lord Treasurer's Remembran-
cer*. » Il secoua la tête. « Quel nom stupide pour des
services fiscaux ! » Il avala pour reprendre son souffle.
« Dans le cas de Guthrie, ses hommes de loi ont vendu
tous ses biens et l'argent a été confié à la Couronne
jusqu'à ce que quelqu'un vienne le réclamer. Mais
personne ne l'a jamais fait. »

Pour la première fois, Sime comprit que tout cela
avait été motivé par la cupidité.

Aitkens grimaça. Était-ce la douleur ou le regret ?
« Kirsty et moi sommes les seules personnes encore
vivantes ayant un droit sur cet argent. Enfin, mon père
avant moi. Mais comme j'ai sa procuration…

— Et vous ne vouliez pas partager. »

L'indignation enflamma son regard. « Et pourquoi
diable aurais-je dû ? Elle avait une grande maison, un
divorce lucratif en perspective. Plus d'argent qu'elle ne
pourrait jamais en dépenser sur son île d'Entrée ché-
rie. Et qu'est-ce que j'avais, moi ? Une vie de taupe
passée dans l'obscurité pour un salaire pitoyable. J'aurais pu tout avoir avec cet argent. »

À commencer, pensa Sime, par une vie entière derrière des barreaux, coincé dans un fauteuil roulant. Et
il vit, comme si c'était écrit en toutes lettres sur son
visage, qu'Aitkens pensait la même chose.

« C'est vous qui m'avez attaqué l'autre nuit ? », lui demanda Sime.

La voix d'Aitkens n'était plus qu'un chuchotement. « Oui.

— Mais pourquoi, bon Dieu ?

— L'anneau », répondit-il. « J'avais vu le pendentif de Kirsty. Je savais qu'il venait de Kirsty Guthrie. Je pensais… » Il agita la tête d'un air désespéré. « Je pensais que vous étiez peut-être de la famille. Un fichu cousin éloigné qui débarquait pour faire valoir ses droits sur l'argent. Si vous regardez à l'intérieur de la bague, vous verrez que la devise de la famille Guthrie y est probablement gravée. *Sto pro veritate.* » Il ferma les yeux et laissa échapper un soupir qui exprimait toute l'ironie de la citation. « Je défends la vérité. »

Sime secoua la tête. « Seigneur. » Encore la bague. Il sortit son téléphone et composa le 911.

« Qu'est-ce que vous foutez ? », s'inquiéta Aitkens.

« J'appelle les secours.

— Je ne veux pas d'aide. Pour l'amour de Dieu. Vous ne voyez pas que c'est fini. Laissez-moi mourir. Je veux mourir. » Il lutta pour essayer de déplacer son corps. S'il pouvait se rapprocher du rebord de quelques centimètres, il pourrait s'abîmer dans le néant. Sa seule échappatoire à présent. Mais il n'y parvint pas.

Quand Sime raccrocha, Aitkens le dévisageait avec des yeux brûlants de haine. « Les secours devraient être là dans l'heure. »

Aitkens resta silencieux et ferma les yeux, perdu dans la contemplation de l'enfer que serait désormais sa vie.

« Une dernière chose, Aitkens. »

Il rouvrit les yeux.

« Vous aviez un alibi en béton pour la nuit du meurtre de Cowell. Vous étiez dans l'équipe de nuit à la mine de sel. »

Un semblant de sourire se dessina sur les lèvres d'Aitkens, découvrant ses dents ensanglantées. « Vous, les flics, vous êtes vraiment stupides. Vous avez vérifié auprès de la mine, bien sûr. Et, à leur tour, ils ont vérifié leurs registres. Oui, vous ont-ils dit, Jack Aitkens était de nuit quand Cowell a été tué.

— À l'évidence, ce n'était pas le cas.

— J'ai échangé avec un copain. Un arrangement entre amis. On fait ça tout le temps. Il n'y a aucune trace. C'est lui qui me remplace ce soir. » Son sourire se teinta d'une ironie amère. « Vous voyez ? Je ne suis même pas là. »

CHAPITRE 46

Sime ouvrit les yeux et cligna immédiatement des paupières, surpris par le soleil. Il se sentait fiévreux et vaseux. Il lui fallut quelques instants pour réaliser qu'il était allongé sur le canapé du pavillon d'été, des coussins sous la tête, une couverture épaisse autour des épaules.

Quelque chose l'avait réveillé. Un bruit. Il se creusa la tête pour essayer de se souvenir comment il avait atterri là.

La police était arrivée de Cap-aux-Meules à bord d'un canot de sauvetage avec un médecin et une équipe d'infirmiers de l'hôpital. Ils avaient finalement décidé d'installer Aitkens plus confortablement mais de le laisser là où il était et d'attendre que le vent tombe suffisamment pour faire venir un hélicoptère de secours et l'évacuer de la falaise.

Le médecin avait désinfecté et pansé la plaie sur l'épaule de Sime. Ils l'avaient ensuite enveloppé dans une couverture de survie, grelottant et en état d'hypothermie, puis installé sur le canapé.

Il se rappela avoir songé, juste avant de sombrer dans le sommeil, que, comme Crozes qui avait fait une fixation sur Kirsty, il s'était à ce point concentré sur Briand qu'il avait occulté la possibilité que Aitkens soit impliqué. Tous l'avaient occultée. Comment auraient-ils pu se figurer qu'il avait un mobile pareil pour tuer sa cousine?

Sime comprit qu'il avait été réveillé par des rires venant du porche et, au même moment, il se rendit compte qu'il avait dormi. Ébahi, il consulta sa montre. Il était huit heures du matin passées de quelques minutes. Il avait dormi près de dix heures. C'était la première fois depuis des semaines. Un sommeil long, profond, sans rêves.

La porte s'ouvrit et Aucoin passa la tête. « Ah, vous êtes réveillé. Bien. Comment vous sentez-vous? »

Sime hocha la tête. « Bien. » Il voulait crier « J'ai dormi. Putain, je me sens super bien! »

« L'hélicoptère transportant Aitkens vient de passer. Ils l'évacuent en urgence vers Québec. Sacré boulot de l'avoir sorti de là en un seul morceau.

— Il est…?

— Il va s'en sortir, oui. Il aura le temps de ruminer ses regrets.

— Vous avez trouvé le couteau? Je l'ai laissé sur une chaise dans la maison. »

Aucoin sourit. « Détendez-vous. On a le couteau.

— Le légiste devrait pouvoir le faire correspondre aux blessures de Cowell. Il doit même rester des traces de son sang à la jonction avec le manche.

— On le saura bientôt. L'arme part à Montréal ce matin. » Il fit un signe de tête en direction d'une pile de vêtements posés sur un fauteuil. « L'infirmière a passé vos vêtements au sèche-linge. » Il sourit. « Elle a même lavé votre caleçon. Je ne voulais pas vous réveiller trop tôt, mais le ferry ne va pas tarder à partir. »

Aucoin sortit. Sime s'assit au bord du canapé et les paroles d'Aitkens, la veille sur la falaise, lui revinrent à l'esprit. Il regarda sa main et fit passer, avec difficulté, l'anneau sur son articulation gonflée avant de le tourner vers la lumière pour en examiner le revers. À l'intérieur de l'anneau, presque effacée après plus d'un siècle et demi, il lut l'inscription. *Sto pro veritate.* Je défends la vérité.

Quand il sortit sous le porche, il constata que le vent était tombé. La tempête était terminée et un soleil d'automne délavé jouait derrière les cumulus dorés qui moussaient dans le ciel et dessinaient des taches semblables à du métal précieux à la surface de l'océan qui peu à peu retrouvait son calme après la fureur de la veille.

Les jambes flageolantes, il descendit les quelques marches du porche et se glissa sur le siège arrière de la voiture qui devait les conduire au port.

Tandis qu'ils roulaient vers le bas de la colline, l'île semblait se révéler lentement de l'autre côté de sa vitre, comme une pellicule de film. Ils passèrent devant l'épicerie, les tas de casiers à homards et l'église dont la croix géante projetait son ombre sur le cimetière. Il crut voir la stèle de Kirsty Guthrie, mais il n'en était pas sûr et, déjà, elle était loin derrière lui.

À bord du ferry, il se rendit sur le pont supérieur et se posta à la poupe pour observer l'île d'Entrée jusqu'à ce qu'elle ne soit plus qu'une silhouette découpée sur les rayons du soleil qui se levait derrière elle. Son ombre avançait sur l'eau à tel point qu'il avait l'impression qu'il aurait pu la toucher. Son épaule était douloureuse et il faudrait certainement qu'il la fasse examiner, mais pour l'instant, il n'y prêtait pas attention.

Une voiture de police les attendait sur le quai de Cap-aux-Meules. Le trajet jusqu'à la Sûreté durait moins de dix minutes. Le soleil était haut dans le ciel et le vent n'était plus qu'une caresse. Quand ils furent dans l'entrée, Aucoin le prit par le bras. « J'imagine que vous préférez y aller seul ? », fit-il. Il était clairement embarrassé et ne voulait pas se mêler de ce qui allait suivre. Sime acquiesça.

Kirsty leva les yeux quand il entra dans sa cellule. Elle portait un tee-shirt et une veste posée sur les épaules. Toutes ses affaires étaient rassemblées dans un sac de sport que quelqu'un du commissariat avait dû lui prêter. Elle avait pris une douche et ses cheveux, encore humides, ruisselaient en mèches sombres sur ses épaules. Elle se leva. « Vous êtes en avance. Je croyais que l'avion décollait à midi. »

Il voulait la prendre dans ses bras et lui dire que tout était terminé. Mais il se contenta de lui annoncer : « Les poursuites sont abandonnées. »

Son visage se figea sous l'effet de la surprise. « Comment ? Pourquoi ?

— Nous avons arrêté l'assassin de votre mari. »

Elle le fixa, incrédule. Après un long moment, elle retrouva sa voix. « Qui est-ce ? »

Il hésita. « Votre cousin Jack. »

Elle devint livide. « Jack ? Vous êtes sûr ? »

Il hocha la tête. « Venez, Kirsty, allons boire un café. Et si vous m'en donnez le temps, j'ai une très longue histoire à vous raconter. »

ÉPILOGUE

Sime remonta le chemin qui revenait de la plage de galets, entre les vestiges des *blackhouses* qui, autrefois, formaient le village de Baile Mhanais.

Comment diable Jack Aitkens avait-il été assez stupide pour imaginer qu'il pourrait hériter de tout cela ? Pas seulement l'argent, mais l'histoire, les vies passées et perdues. Et même s'il avait pu réclamer l'héritage, ce qui avait pu paraître une fortune il y avait de cela cent cinquante ans ne représentait plus grand-chose aujourd'hui. Et certainement pas suffisamment pour tuer ou mourir. Ou passer le restant de ses jours dans un fauteuil roulant, enfermé dans une cellule.

Le vent tiraillait ses cheveux et le soleil inondait la colline, chassé par les ombres des nuages au milieu des ruines de l'ancien village. Il se demanda dans laquelle de ces maisons avait grandi son ancêtre. Où leur mère leur avait donné la vie, à lui et à ses sœurs. Où était mort son père, abattu alors qu'il essayait de les nourrir.

Il était difficile de retrouver ce qu'il avait vu dans ses rêves, ou dans les tableaux. Les policiers battant les villageois à terre, les hommes incendiant les toitures. Il ne restait que les fantômes de ces souvenirs et le vent qui sifflait inlassablement au milieu des ruines.

Arrivé en haut du village, il s'arrêta et leva les yeux. Kirsty se tenait sur la colline, à côté des restes de l'ancien enclos à moutons, comme Ciorstaidh avant elle. Le vent soulevait ses cheveux. Sime n'arrivait plus à les distinguer l'une de l'autre. Pas plus qu'il n'arrivait à tracer une ligne nette entre lui et son aïeul. Ce n'était pas seulement un pèlerinage sur les lieux de leur passé, mais aussi un voyage en quête de leur avenir. L'occasion pour lui de s'évader d'une vie qu'il avait jusque-là traversée comme un étranger et, pour elle, d'être libérée de cette prison qu'avait été l'île d'Entrée.

Elle lui fit signe et il escalada la colline, éprouvant le rayonnement de ces yeux bleus qui illuminaient sa vie. « Les pierres dressées sont là-bas, à l'autre bout de la plage. »

Il sourit. « Allons-y. » Ils descendirent dans sa direction et il lui prit la main pour lui éviter de trébucher sur le sol inégal.

Il se demanda si son destin n'avait pas toujours été de tenir cette promesse que le jeune Sime Mackenzie avait faite si longtemps auparavant. Si Kirsty et lui n'étaient pas destinés à vivre cet amour qui avait échappé à leurs ancêtres. Pour cela, il faut croire à la fatalité, pensa-t-il. Ou à la destinée. Et Sime n'était pas sûr d'avoir jamais cru à l'une ou à l'autre.

FIN

MICHAÉL

JOURNAL DE SIME
Mars 1848

J'écris ce soir et la peur me serre le cœur. Ce sont mes premières lignes depuis que nous sommes arrivés au camp de bûcherons, il y a quatre mois de cela. Je n'en avais pas encore eu le temps. Et même si l'occasion s'est présentée, il n'y a aucune intimité ici et je n'en avais pas l'envie.

Nous vivons dans de grandes cabanes qui me rappellent les lazarets de Grosse-Île. Nous dormons dans des lits superposés disposés en rangées le long des murs. On ne peut y laisser son argent ou ses effets personnels. Rien n'est en sécurité. Il faut garder en permanence sur soi ce qui a de la valeur.

Depuis que nous sommes ici, nous avons travaillé, mangé et dormi. Rien d'autre. Des jours longs, difficiles et monotones à abattre et élaguer des arbres avant de les traîner avec des équipages de chevaux jusqu'à la Gatineau River. Pour l'instant, les rondins sont posés sur la glace. Des montagnes de rondins. Au printemps, au moment de la débâcle, le courant les emportera jusqu'aux grandes scieries de la ville de Québec.

Nous sommes plutôt bien nourris, sur de longues tables ressemblant à des auges pour animaux. Il faut nous remplir le ventre pour le travail que nous faisons. Le seul jour de repos est le jour du Seigneur. Quelques-uns d'entre nous qui sont originaires des îles se rassemblent le dimanche. Je lis la Bible en gaélique et nous chantons nos psaumes. Les Français pensent que nous sommes fous. Ils ne sont pas très religieux. Des catholiques, évidemment.

La compagnie fournit aussi de l'alcool. Une manière de nous garder de bonne humeur. Mais il ne faut pas trop boire durant la semaine, sans quoi l'on n'est pas capable de travailler le lendemain. Alors, c'est le samedi soir qu'on boit. Et, parfois, cela peut devenir assez sauvage.

De temps en temps, les Écossais organisent un bal. Il y a un joueur de violon parmi nous, et l'un des gars a un accordéon. Pas de femmes, bien sûr. Juste boire, jouer et danser à perdre la tête quand l'alcool commence à vous chauffer. C'est là que les Français nous rejoignent. Au début, ils sont un peu réservés mais dès qu'ils ont un coup dans le nez, ils sont pires que les Écossais.

Il y avait un bal ce soir. Je jouais aux cartes avec quelques gars dans un coin de la cabane où nous faisons la fête quand je me suis rendu compte qu'il y avait une bagarre.

L'endroit était plein à craquer et la musique vous faisait résonner les tympans. Le bar faisait un tabac et la plupart des hommes avaient largement eu leur dose. Des voix se sont élevées au-dessus de la mêlée, des voix agressives qui fendaient la fumée et le bruit. Un cercle s'était formé. Moi et plusieurs autres, nous sommes montés sur les tables pour voir ce qui se passait.

Au centre du cercle, deux colosses se battaient avec acharnement. Des poings énormes frappaient des visages ensanglantés. L'un d'eux était Michaél. Il a développé un sérieux penchant pour la boisson depuis que nous sommes arrivés et, après quelques verres, il devient querelleur, parfois violent. Il a laissé repousser sa barbe et ses cheveux, et il a un visage à faire peur quand il s'énerve.

Ce soir, il a choisi une véritable brute pour se battre. Un Français surnommé L'Ours. Un géant avec plus de poils sur le corps que je n'en avais encore jamais vu sur un homme, une longue barbe et le crâne rasé. Dans un combat contre un véritable ours, je ne parierais pas contre lui.

J'ai immédiatement sauté de la table pour traverser la foule. Moi et plusieurs autres nous avons agrippé Michaél pour l'éloigner des poings de L'Ours qui volaient dans tous les sens et les Français ont fait pareil avec leur compatriote. Les deux combattants luttaient contre les bras qui les retenaient.

Les deux hommes ont fini par se calmer et sont restés à se dévisager d'un œil mauvais, chacun d'un côté du cercle au centre de la tempête, soufflant comme des chevaux après un galop. De la vapeur s'élevait de leurs corps et il y avait du sang sur le sol.

« On finira ça demain », a grogné L'Ours en anglais avec un fort accent.

« Certainement, bordel !

— C'est le jour du Seigneur demain », ai-je dit.

« Rien à foutre du jour du Seigneur. On réglera ça entre hommes. La clairière de l'autre côté de l'ancien camp. À midi.

— Ça ne fera pas vous des hommes de vous battre », ai-je crié à Michaél. « Plutôt des écoliers !

— Toi, ne te mêle pas de ça ! » L'Ours me fusillait des yeux. Puis il jeta vers Michaél un regard plein de haine. « D'accord, à midi », lui a-t-il dit. « Et tu as intérêt à être là.

— Putain, tu peux compter sur moi ! »

J'ai tout essayé pour l'en dissuader. L'Ours est plus grand et plus fort, je suis convaincu que Michaél va prendre une raclée. Et quand ils ont le sang échauffé, ce genre de type ne sait pas s'arrêter. Mais leur honneur est en jeu et Michaél ne reculera pas, même si je suis certain que demain, une fois sobre, à la lumière du jour, il le regrettera.

La vérité, c'est que j'ai peur pour sa vie.

L'ancien camp se trouve à un kilomètre d'ici et il y a une grande zone déboisée à un bout. Pas un de nous ne manquait ce midi en plein jour du Seigneur. J'y suis allé non pas pour assister au combat, mais pour m'occuper de Michaél et essayer d'empêcher qu'il se fasse trop abîmer. J'en ai, hélas, été bien incapable ! Quel misérable je suis !

Dieu seul sait quelle température il faisait. Bien en dessous de zéro en tout cas. Toutefois, le soleil était haut, le ciel dégagé, et les deux hommes se sont mis torse nu. Si Michaél avait un avantage sur L'Ours, c'était son intelligence. L'Ours était un grand homme pataud et stupide. Michaél avait l'esprit vif et une ruse naturelle. Et si L'Ours était plus fort que lui, Michaél était plus rapide et léger sur ses pieds. Avec de l'espace autour de lui, il a immédiatement pu passer à l'attaque, coller un grand coup de poing sur le nez du colosse et reculer avant que L'Ours ait eu le temps de répliquer. Du sang a giclé de son nez cassé et L'Ours a rugi. Michaél était déjà reparti à l'attaque et lui a placé deux coups de poing rapides dans le plexus et un coup de pied qui l'a cueilli en plein dans la poitrine, l'envoyant tituber en arrière avant de tomber à genoux.

La foule aboyait et criait des encouragements aux deux hommes, leurs clameurs s'élevant dans la quiétude des arbres.

L'Ours s'est remis debout, le souffle gras, et a secoué la tête comme un animal. Il a avancé sur Michaél, les bras sur les côtés, les yeux dardés sur son adversaire. Michaél a reculé, sautillant de gauche à droite le long du cercle formé par la foule, fondant comme une flèche sur L'Ours pour lui asséner des coups qui semblaient lui glisser dessus, comme de l'eau sur du bois huilé. Jusqu'à ce qu'il commence à manquer d'espace et que L'Ours soit sur lui, indifférent aux coups de pied et de poing qu'il recevait.

J'ai à peine distingué la lueur de la lame du couteau quand il l'a sorti de sa ceinture, dans son dos. D'un bras passé autour de son épaule, il a tiré l'Irlandais à lui et, l'autre bras levé dessinant un arc, il a plongé le couteau dans son ventre. J'ai entendu Michaél pousser un râle, la douleur et la surprise chassant l'air de ses poumons. Il s'est plié en deux. La foule est devenue silencieuse et L'Ours a retiré le couteau avant de le planter encore. Une fois, deux fois. Puis, il a reculé pour regarder Michaél tomber à genoux en se serrant le ventre, le sang coulant entre ses doigts. Et puis, Michaél est tombé en avant, le visage dans la poussière.

L'effroi s'est répandu dans la foule comme un feu de forêt et tout le monde s'est dispersé en silence, paniqué, comme le vent emporte la fumée. L'Ours se tenait au-dessus du corps de Michaél. Il respirait lourdement, une grimace de dégoût aux lèvres, son couteau dégoulinant de sang à la main. Il s'est raclé la gorge et a craché sur Michaél qui gisait à ses pieds.

Rapidement, ses amis sont venus le prendre par les bras pour l'emmener et j'ai couru jusqu'à Michaél. Je me suis accroupi à côté de lui et je l'ai retourné avec précaution, pour voir la lumière de ces yeux bleu pâle que je connaissais si bien mourir lentement. « Salaud ! », souffla-t-il à travers le sang qui lui bouillonnait aux lèvres. Sa main agrippa ma manche. « Tu as une dette envers moi, l'Écossais. »

Et il s'est éteint. Comme ça. Toute cette vie, cette énergie, cette intelligence. Évanouies en une seconde. Volées par une brute qui ne sait rien de la dignité humaine. De la générosité de Michaél, de son amitié et de son courage. Et j'ai pleuré pour lui, comme j'avais pleuré mon père. Je ne crois pas que je m'étais déjà senti plus seul au monde.

*

Il me semblait injuste que le soleil puisse briller avec autant d'éclat, tombant par les fenêtres sur le bureau du contremaître pour nous éblouir, alors même que Michaél reposait à l'extérieur, mort. Le contremaître a une quarantaine d'années et a passé toute sa vie adulte dans le commerce du bois. Sa mâchoire était serrée et ses lèvres pincées dessinaient une ligne fine et dure.

« Je ne ferai pas intervenir la police », a-t-il expliqué. « Nous serions obligés d'arrêter la production pendant l'enquête. Et tu peux parier ton dernier dollar qu'il n'y aura personne dans le camp pour dire qu'il a vu ce qui s'est passé. Pas même tes chers Écossais.

— Moi, je le dirai », ai-je répondu.

Il m'a fusillé du regard. « Ne sois pas stupide, mon gars. Tu serais mort avant de témoigner. » Il secoua la tête. « Je ne peux pas me permettre de voir une guerre éclater entre les Écossais et les Français. Pas plus que je ne peux me permettre d'autres retards dans la production. Nous sommes assez à la traîne comme cela. »

Il a traversé la pièce jusqu'à un petit coffre adossé au mur du fond et en a sorti une liasse de billets qu'il avait préparée. Il l'a balancée sur le bureau. « C'est ton argent. Le tien et celui d'O'Connor. Tu peux prendre un des chevaux. Charge le corps dessus et tiretoi. »

La justice ne serait donc pas rendue. Pas de manière légale en tout cas.

Il faisait nuit quand j'ai terminé de coudre le corps de Michaél dans une toile épaisse et que je l'ai hissé sur le dos du cheval. Dans le camp, la journée avait été calme et personne ne m'avait adressé la parole tandis que je rassemblais mes affaires et celles de Michaél dans des sacoches. Personne n'est sorti des cabanes pour me serrer la main ou me dire adieu quand j'ai guidé le cheval sur la piste qui s'éloignait du fleuve.

J'étais aussi glacé à l'intérieur que j'avais froid à l'extérieur. Mais pas assez engourdi pour ne pas sentir la peur qui planait encore comme un voile funèbre au-dessus du camp de bûcherons. Après avoir parcouru une courte distance, j'ai quitté le chemin pour pénétrer dans les bois et attacher le cheval à un arbre.

J'avais beaucoup réfléchi aux dernières paroles de Michaél. « Tu as une dette envers moi, l'Écossais. » Je lui devais de l'argent, certes. Celui qu'il m'avait prêté sur Grosse-Île pour payer l'entretien de l'enfant de Catrìona Macdonald. Je l'aurais remboursé avec mon salaire. Mais je savais que ce n'était pas ce qu'il avait voulu dire. Je savais aussi ce que j'avais à faire.

Je savais que c'était mal. Mais Michaél avait raison. J'avais une dette envers lui.

Je suppose qu'il devait être aux alentours de minuit quand je me suis faufilé dans le camp. Toutes les lumières étaient éteintes. Pas une âme en vue. Ces hommes travaillaient dur, s'amusaient dur et dormaient comme des morts. La lueur de la nouvelle lune me guidait tandis que j'errais comme un fantôme entre les longs bâtiments jusqu'à ce que je trouve celui où, à ma connaissance, dormait le Français. Les portes n'étaient jamais fermées et la seule chose que je craignais était qu'elles troublent le silence de la nuit en grinçant, tirant les hommes de leur sommeil. J'avais tort de m'inquiéter. Elles se sont ouvertes en silence et je me suis glissé à l'intérieur.

Il régnait un noir d'encre et j'ai dû attendre que mes yeux s'accoutument au peu de clair de lune qui filtrait par les fenêtres avant de commencer à me déplacer entre les rangées de lits superposés à la recherche de l'énorme visage barbu de L'Ours.

Son lit était le deuxième en partant du fond. La couchette du bas. L'homme au-dessus de lui respirait doucement, ronflant comme un chat, et un de ses bras pendait par-dessus le rebord du lit. L'Ours était allongé sur le dos, ronflant comme le sanglier que nous chassions dans les bois. Il dormait profondément, sans conscience, sans une seule pensée pour la vie qu'il avait ôtée avec si peu de considération le jour même. Pour les heures, les jours, les mois et les années d'expérience accumulées qui avaient construit l'homme qu'était Michaél O'Connor. Imparfait, sans doute. Mais un homme à l'esprit généreux et bon vivant, dont il avait effacé la présence à la surface de la terre dans l'éclair d'une lame.

La colère et la douleur bouillonnaient en moi quand je me suis agenouillé près de son crâne chauve. Si je me faisais prendre, j'étais mort, sans aucun doute. Mais à cet instant, je m'en fichais. Je n'avais qu'une idée en tête, un seul but.

J'ai sorti mon couteau de chasse, j'ai plaqué ma main gauche sur la bouche de la brute et je lui ai tranché la gorge en appuyant sur la lame de toutes mes forces. Il a immédiatement ouvert de grands yeux. Surprise, douleur, peur. J'avais tranché à la fois la carotide et la jugulaire, ainsi que sa trachée, et la vie a commencé à s'écouler hors de son corps pendant que son cœur luttait désespérément pour envoyer du sang à son cerveau.

J'ai plaqué mes deux mains sur son visage. Ses mains ont agrippé mes poignets et j'ai mobilisé toutes les forces de mon corps pour le maintenir. Ses jambes se sont agitées faiblement et ses yeux se sont tournés vers moi. Je voulais qu'il me voie. Je voulais qu'il sache qui l'avait tué et pourquoi. Je voulais lui cracher au visage, comme il avait craché sur Michaël, allongé sur le sol, en sang.

Mais je me suis contenté de le fixer, et j'ai lu dans ses yeux le moment où il a compris qu'il était perdu. Il a cessé de lutter au bout de quelques secondes, et je me suis revu sur le domaine de Langadail, alors que la vie quittait le cerf que j'avais égorgé. Ses yeux se sont embrumés et il est mort. Tout son corps s'est détendu, ses mains ont lâché mes poignets et sont retombées mollement.

Une quantité impressionnante de sang trempait la couverture sur sa poitrine et rougissait mes mains. Je les ai essuyées sur son oreiller, j'ai rangé mon couteau et je me suis levé pour observer son visage laid et sans vie avant de tourner les talons et de disparaître dans la nuit.

J'avais acquitté ma dette.

J'ai cheminé toute la nuit avec le cheval pour mettre le plus de distance possible entre le camp et moi avant qu'ils ne découvrent le bâtard. Je me suis arrêté ici, quelque part au plus profond de la forêt, aux premières lueurs du jour. Pas seulement pour que le cheval se repose, mais aussi pour faire un feu et me réchauffer les os. Je n'ai jamais eu aussi froid et j'ai du mal à tenir mon stylo sans que mes doigts tremblent.

Je crois cependant que le froid vient de moi, des ruines glacées de mon âme. Je ne me serais jamais cru capable de prendre la vie d'un être humain de sang-froid. Mais je l'ai fait, calculé, et mon seul regret est que Michaél ne soit plus à mes côtés.

Vendredi 31 mars

Je suis arrivé chez moi ce matin. J'ai traversé le village avant l'aube, avec Michaél sur le dos de mon cheval. Son corps est dur comme la pierre.

La cabane était lugubre et froide quand j'y suis entré, mais dans l'état où nous l'avions laissée. Je ne pense pas que quiconque y soit entré pendant nos quatre mois d'absence. Il n'y a rien à voler de toute façon. L'avis annonçant des embauches à l'East Canada Lumber Company était encore posé sur la table, là où Michaél l'avait laissé. Je l'ai fixé avec une colère contenue. Le destin ne pouvait pas nous avoir donné pire chance. Je le revoyais, revenant du bazar de Gould avec l'annonce. S'il n'était pas tombé dessus ce jour-là, s'il n'y avait pas vu un moyen de gagner un peu d'argent pendant les mois d'hiver, il serait encore en vie. Nous avions semé les graines de notre propre destruction sans même nous en rendre compte.

J'ai allumé un feu, fait du thé pour me réchauffer et me donner du courage pour le travail qui m'attendait. Le sang du Français était encore sur mes mains. Presque noir. Je l'ai lavé dans l'eau glacée, je me suis changé et j'ai pris la pioche dont nous nous étions servis pour déterrer les racines, puis j'ai guidé mon cheval à travers les arbres alors que le soleil se levait et dardait sa première chaleur entre les branches en surplomb.

Une demi-heure après, je suis arrivé sur la parcelle de Michaél. Les entailles qu'il avait faites sur les arbres aux quatre coins étaient encore là. J'ai trouvé un endroit dégagé au centre, et suffisamment grand pour ce que je voulais y faire. J'ai testé le terrain. Il était encore gelé, dur comme de la pierre. Le travail serait long et difficile.

Après les premiers cinquante centimètres, alors que j'entamais le permafrost, le sol est devenu plus souple. Mais il m'avait fallu deux heures pour en arriver là et j'en avais peut-être encore pour trois heures avant que la tombe ne soit creusée. Je devais lui donner une forme d'arc pour pouvoir y caser le corps gelé de Michaél, car il était impossible de le redresser. Je l'ai descendu doucement dans le trou, encore enveloppé dans la toile, et j'ai commencé à jeter des pelletées de terre sur lui. Quand le trou a été rebouché, j'ai installé une pierre à sa tête et une pierre à ses pieds, réconforté à l'idée qu'au moins il passerait l'éternité sur une parcelle qui lui appartenait. Il ne l'avait jamais déboisée, et elle ne le serait probablement jamais. Mais dans un bureau, dans une ville, quelque part, ce rectangle de terre appartenait à Michaél O'Connor. Et il y reposait. À jamais maître de son domaine.

Je suis resté là, au milieu des arbres, laissant le soleil réchauffer ma peau. De la vapeur s'élevait encore de mon corps dans l'air froid quand je lui ai fait mes adieux. *« Cuiridh mi clach air do charn. »* Je mettrai une pierre sur ta tombe. Et puis, j'ai récité Jean, chapitre XI, le verset que je connais si bien à présent. « Je suis la résurrection et la vie, dit le Seigneur. Celui qui croit en moi, même s'il meurt, vivra ; et quiconque vit et croit en moi ne mourra jamais. »

Alors que j'écris ces mots, j'ai désespérément envie d'y croire, comme j'y ai cru lorsque Calum, le vieil aveugle, les a récités sur le cercueil de mon père. Mais je ne suis pas certain que ce soit encore possible. Tout ce que je sais, c'est que j'ai perdu Ciorstaidh, que ma famille est morte et que Michaél n'est plus là.

NOTE

Si Baile Mhanais, Ard Mor Castle et le Langadail Estate sont tous fictifs, les événements en relation avec les expulsions des villages décrits dans le livre sont inspirés de faits réels qui se sont déroulés au XIXᵉ siècle sur l'île de Barra, les îles de North et South Uist, l'île de Harris et, dans une moindre mesure, sur l'île de Lewis, au cours de ce que l'on appelle les Highland Clearances.

La Famine de la pomme de terre survenue dans les Highlands est réelle. Elle a duré près de dix ans.

Grosse-Île, l'île de quarantaine sur le fleuve Saint-Laurent, a existé telle qu'elle est décrite. Elle a été préservée jusqu'à ce jour dans un état proche de celui où elle se trouvait au moment de sa fermeture, en 1937.

La plus grande croix celtique du monde a été érigée sur Grosse-Île en mémoire des 5 000 immigrants qui y moururent en 1847. Ce livre est dédié à la mémoire de tous les Écossais qui, eux aussi, y laissèrent la vie, et aux autres, si nombreux, qui sont venus participer à la construction de l'extraordinaire pays qu'est aujourd'hui le Canada.

REMERCIEMENTS

Je voudrais adresser mes plus sincères remerciements à tous ceux qui m'ont si généreusement donné de leur temps et fait bénéficier de leur expertise pendant mes recherches pour *L'Île du serment*. Je tiens tout particulièrement à exprimer ma reconnaissance à Bill et Chris Lawson, du centre d'accueil et d'information Seallam!, Northton, île de Harris, qui se sont spécialisés depuis plus de quarante ans dans l'histoire sociale et généalogique des Hébrides extérieures ; Mark Lazzeri, gestionnaire foncier du North Harris Trust, pour son époustouflante connaissance historique de la terre et des habitants de North Harris et ses conseils sur la traque, la mise à mort et le dépeçage d'un cerf ; Sarah Egan, qui m'a guidé parmi les vestiges des villages expulsés dans le sud-ouest de Lewis ; Margaret Savage, née Macdonald, et sa mère Sarah pour le temps qu'elles ont pris et la générosité dont elles ont fait preuve en me faisant visiter les Cantons-de-l'Est au Québec ; Ferne Murray et Jean MacIver, de Lennoxville, Québec, pour leur hospitalité et leur connaissance de la communauté écossaise des Cantons-de-l'Est ; le lieutenant Guy Lapointe, le capitaine Martin Hébert, le sergent Ronald McIvir et le sergent-détective Daniel Prieur, de la Sûreté de Québec, Montréal ; le sergent-détective Donald Bouchard, de la Sûreté de Québec, la municipalité des Îles de la Madeleine ; Léonard Aucoin, pour son hospitalité et son aide quand il a fallu percer les secrets des îles de la Madeleine et pour m'avoir autorisé à emprunter sa maison pour la mettre dans le livre ; Normand Briand, garde-côte canadien, les îles de la Madeleine ; Byron Clarke, pour ses renseignements sur la communauté anglophone de l'île d'Entrée ; et Daniel Audet, de l'auberge La Ruée vers Gould, pour m'avoir ouvert sa fabuleuse collection de documents historiques sur le village de Gould dans les Cantons-de-l'Est du Québec.

DU MÊME AUTEUR

LA SÉRIE CHINOISE

Meurtres à Pékin, Le Rouergue, 2005 ; Babel noir n° 9.
Le Quatrième Sacrifice, Le Rouergue, 2006 ; Babel noir n° 15.
Les Disparues de Shanghai, Le Rouergue, 2006 ; Babel noir n° 19.
Cadavres chinois à Houston, Le Rouergue, 2007 ; Babel noir n° 26.
Jeux mortels à Pékin, Le Rouergue, 2007 ; Babel noir n° 34.
L'Éventreur de Pékin, Le Rouergue, 2008 ; Babel noir n° 44.
La Série chinoise (édition intégrale), volume 1, Le Rouergue, 2015.

LA TRILOGIE ÉCOSSAISE

L'Île des chasseurs d'oiseaux (prix Cezam Inter-CE), Le Rouergue,
2009 ; Babel noir n° 51.
L'Homme de Lewis (prix des lecteurs du *Télégramme*), Le Rouergue,
2011 ; Babel noir n° 74.
Le Braconnier du lac perdu (prix Polar international de Cognac),
Le Rouergue, 2012 ; Babel noir n° 101.
La Trilogie écossaise (édition intégrale), Le Rouergue, 2014.

SÉRIE ASSASSINS SANS VISAGES

Le Mort aux quatre tombeaux, Le Rouergue, 2013 ; Rouergue en
Poche, n° 17.
Terreur dans les vignes, Le Rouergue, 2014 ; Rouergue en Poche,
n° 22.
La Trace du sang, Le Rouergue, 2015.

Scène de crime virtuelle, Le Rouergue, 2013 ; Babel noir n° 141.
L'Écosse de Peter May, Le Rouergue, 2013.
L'Île du serment (Trophée 813 du meilleur roman étranger 2015),
Le Rouergue, 2014.
Les Fugueurs de Glasgow, Le Rouergue, 2015.
Les Disparues du phare, Le Rouergue, 2016.

BABEL NOIR

Extrait du catalogue

OUVRAGE RÉALISÉ
PAR L'ATELIER GRAPHIQUE ACTES SUD
REPRODUIT ET ACHEVÉ D'IMPRIMER
EN AOÛT 2016
PAR NORMANDIE ROTO IMPRESSION S.A.S.
À LONRAI
POUR LE COMPTE DES ÉDITIONS
ACTES SUD
LE MÉJAN
PLACE NINA-BERBEROVA
13200 ARLES

DÉPÔT LÉGAL
1re ÉDITION : SEPTEMBRE 2016
No impr. : 1601971
(Imprimé en France)